Sociologie et anthropologie

Marcel Mauss

Sociologie
et anthropologie

PRÉCÉDÉ D'UNE
Introduction à l'œuvre de Marcel Mauss
PAR CLAUDE LÉVY-STRAUSS
Professeur au Collège de France

QUADRIGE / PUF

ISBN 2 13 042596 8
ISSN 0291-0489

Dépôt légal — 1re édition : 1950
3e édition « Quadrige » : 1989, septembre
© Presses Universitaires de France, 1950
Sociologie d'Aujourd'hui
108, boulevard Saint-Germain, 75006 Paris

AVERTISSEMENT
DE LA PREMIÈRE ÉDITION (1950)

Nous croyons, en publiant ces mélanges d'études du regretté Marcel Mauss, donner satisfaction à un juste désir depuis long-temps exprimé par les sociologues, les ethnographes et les étudiants de ces deux disciplines. En effet, chacune de ces études, et tout particulièrement les deux premières qui sont les plus importantes de ce recueil, constituent de véritables monographies sociologiques de tout premier ordre et d'un contenu plus riche que bien des livres entiers. Le fait que les lecteurs se trouvaient dans l'impossibilité de les consulter sans les rechercher dans des périodiques où elles étaient dispersées constituait une véritable gêne pour le travail scientifique, tant en France qu'à l'étranger. Nous sommes parti-culièrement heureux qu'un chef-d'œuvre de la Sociologie française comme le Don puisse enfin paraître dans un volume séparé et facilement maniable, grâce à cette nouvelle collection : « Bibliothèque de Sociologie contemporaine » dont il constitue un des premiers volumes.

Nous ne nous sommes nullement proposé d'inclure dans ce recueil l'ensemble des publications toujours importantes de Marcel Mauss. Des études aussi fameuses que les Variations saisonnières des Sociétés Esquimaux* et que le mémoire Fragment d'un Plan de Sociologie générale descriptive, sans parler du début de la thèse de Mauss sur la Prière, ni de son étude si connue sur le Sacri-fice et des articles écrits en collaboration soit avec Durkheim, De quelques formes primitives de classification, soit avec Fauconnet, Sociologie (dans la Grande Encyclopédie française), et d'autres études encore, n'ont pas pu trouver place dans ce recueil.

Les raisons en sont diverses. Nous avons cru pouvoir réserver, pour une publication des œuvres complètes de Mauss, des études telles que les Variations saisonnières, le Fragment d'un Plan et Sociologie, puisqu'elles ne prenaient pas directement leur point

---

* Depuis la troisième édition (1966), Sociologie et anthropologie comprend, selon le vœu exprimé par Georges Gurvitch avant sa mort, l'essai de Marcel Mauss sur les Sociétés Eskimos, paru initialement dans L'Année sociologique (t. IX, 1904-1905) et jamais réimprimé depuis. (Note des Editeurs.)

de départ dans les croyances et la psychologie collective des archaïques auxquelles tout ce recueil est consacré. Il nous a, d'autre part, paru impossible — et cela avec beaucoup plus de regret — de reproduire la Prière, étant donné que l'auteur en a lui-même arrêté la publication en se proposant d'y substituer un autre texte. Quant au Sacrifice, il a paru dans un autre livre, les Mélanges d'Histoire des Religions de Henri Hubert et Marcel Mauss, et l'article De quelques formes primitives de classification a été signé par Durkheim aussi bien que par Mauss ; leur reproduction dans ce recueil pourrait donc poser bien des problèmes délicats. Enfin, l'ouvrage de Mauss sur la Nation n'a pu encore être mis au point, mais nous espérons qu'il paraîtra sans trop de délai en volume séparé dans la même collection.

En tenant compte de toutes ces considérations, nous avons cru faire pour le mieux en réunissant dans ce volume toutes les études de Mauss qui pouvaient être republiées sans soulever de difficultés et qui convergeaient vers un sujet qu'on commence à désigner de plus en plus par le terme d' « anthropologie culturelle ». Comme Marcel Mauss les a traitées de main de maître, non seulement au point de vue ethnographique, mais également en grand sociologue qu'il est, le titre de ce livre Sociologie et Anthropologie s'est imposé de lui-même, le terme « anthropologie » étant pris dans le sens large d' « anthropologie culturelle » usité en Amérique.

Parmi les études que nous publions, seule l'Esquisse d'une théorie générale de la Magie a été signée à côté de Mauss par Henri Hubert, à la mémoire duquel nous voudrions ici rendre hommage. Le lecteur trouvera dans l'Introduction de M. Claude Lévi-Strauss une image impressionnante de la richesse inépuisable de l'héritage intellectuel légué par ce grand savant, ainsi qu'une interprétation très personnelle de son œuvre.

Georges GURVITCH.

INTRODUCTION
A L'ŒUVRE DE MARCEL MAUSS

Peu d'enseignements sont restés aussi ésotériques et peu, en même temps, ont exercé une influence aussi profonde que celui de Marcel Mauss. Cette pensée rendue parfois opaque par sa densité même, mais toute sillonnée d'éclairs, ces démarches tortueuses qui semblaient égarer au moment où le plus inattendu des itinéraires conduisait au cœur des problèmes, seuls ceux qui ont connu et écouté l'homme peuvent en apprécier pleinement la fécondité et dresser le bilan de leur dette à son égard. Nous ne nous étendrons pas ici sur son rôle dans la pensée ethnologique et sociologique française. Il a été examiné ailleurs (1). Qu'il suffise de rappeler que l'influence de Mauss ne s'est pas limitée aux ethnographes, dont aucun ne pourrait dire y avoir échappé, mais aussi aux linguistes, psychologues, historiens des religions et orientalistes, si bien que, dans le domaine des sciences sociales et humaines, une pléiade de chercheurs français lui sont, à quelque titre, redevables de leur orientation. Pour les autres, l'œuvre écrite restait trop dispersée et souvent difficilement accessible. Le hasard d'une rencontre ou d'une lecture pouvait éveiller des échos durables : on en reconnaîtrait volontiers quelques-uns chez Radcliffe-Brown, Malinowski, Evans-Pritchard, Firth, Herskovits, Lloyd Warner, Redfield, Kluckhohn, Elkin, Held et beaucoup d'autres. Dans l'ensemble, l'œuvre et la pensée de Marcel Mauss ont agi plutôt par l'intermédiaire de collègues

---

(1) C. Lévi-Strauss, La Sociologie française, in *La Sociologie au XXᵉ siècle*, Presses Universitaires de France, 1947, vol. 2 (*Twentieth Century Sociology*, New York, 1946, chap. XVII).

et de disciples en contact régulier ou occasionnel avec lui, que directement, sous forme de paroles ou d'écrits. C'est cette situation paradoxale à quoi vient remédier un recueil de mémoires et de communications qui sont loin d'épuiser la pensée de Mauss, et dont il faut espérer qu'il inaugure seulement une série de volumes où l'œuvre entier — déjà publié ou inédit, élaboré seul ou en collaboration — pourra être, enfin, appréhendé dans sa totalité.

Des raisons pratiques ont présidé au choix des études rassemblées dans ce volume. Cependant, cette sélection de hasard permet déjà de dégager certains aspects d'une pensée dont elle réussit, encore qu'imparfaitement, à illustrer la richesse et la diversité.

I

On est d'abord frappé par ce qu'on aimerait appeler le *modernisme* de la pensée de Mauss. L'*Essai sur l'Idée de Mort* introduit au cœur de préoccupations que la médecine dite psychosomatique a rendues à l'actualité au cours de ces dernières années seulement. Certes, les travaux sur lesquels W. B. Cannon a fondé une interprétation physiologique des troubles nommés par lui homéostatiques remontent-ils à la première guerre mondiale. Mais c'est à une époque beaucoup plus récente (1) que l'illustre biologiste a compris dans sa théorie ces phénomènes singuliers, qui semblent mettre immédiatement en rapport le physiologique et le social, sur lesquels Mauss attirait l'attention dès 1926, non point, sans doute, parce qu'il les aurait découverts, mais comme un des premiers à souligner leur authenticité, leur généralité, et surtout leur extraordinaire importance pour la juste interprétation des rapports entre l'individu et le groupe.

Le même souci, qui domine l'ethnologie contemporaine, du rapport entre groupe et individu, inspire aussi la commu-

(1) W. B. Cannon, « Voodoo » Death, *American Anthropologist*, n. s., vol. 44, 1942.

nication sur les techniques du corps par laquelle se clôt
ce volume. En affirmant la valeur cruciale, pour les sciences
de l'homme, d'une étude de la façon dont chaque société
impose à l'individu un usage rigoureusement déterminé
de son corps, Mauss annonce les plus actuelles préoccupations de l'École anthropologique américaine, telles
qu'elles allaient s'exprimer dans les travaux de Ruth
Benedict, Margaret Mead, et de la plupart des ethnologues
américains de la jeune génération. C'est par l'intermédiaire de l'éducation des besoins et des activités corporelles que la structure sociale imprime sa marque sur les
individus : « On exerce les enfants... à dompter des réflexes...
on inhibe des peurs... on sélectionne des arrêts et des
mouvements. » Cette recherche de la projection du social
sur l'individuel doit fouiller au plus profond des usages
et des conduites ; dans ce domaine, il n'y a rien de futile,
rien de gratuit, rien de superflu : « L'éducation de l'enfant
est pleine de ce qu'on appelle des détails, mais qui sont
essentiels. » Et encore : « Des foules de détails, inobservés
et dont il faut faire l'observation composent l'éducation
physique de tous les âges et des deux sexes. »

Non seulement Mauss établit ainsi le plan de travail
qui sera, de façon prédominante, celui de l'ethnographie
moderne au cours de ces dix dernières années, mais il
aperçoit en même temps la conséquence la plus significative de cette nouvelle orientation, c'est-à-dire le rapprochement entre ethnologie et psychanalyse. Il fallait beaucoup de courage et de clairvoyance à un homme, issu
d'une formation intellectuelle et morale aussi pudique que
celle du néo-kantisme qui régnait dans nos universités
à la fin du siècle dernier, pour partir, comme il le fait ici,
à la découverte « d'états psychiques disparus de nos
enfances, » produits de « contacts de sexes et de peaux, »
et pour se rendre compte qu'il allait se trouver « en pleine
psychanalyse, probablement assez fondée ici. » D'où l'importance, pleinement aperçue par lui, du moment et des
modalités du sevrage et de la manière dont le bébé est
manié. Mauss entrevoit même une classification des groupes
humains en « gens à berceaux,... gens sans berceaux ». Il

suffit de citer les noms et les recherches de Margaret Mead, Ruth Benedict, Cora Du Bois, Clyde Kluckhohn, D. Leighton, E. Erikson, K. Davis, J. Henry, etc., pour mesurer la nouveauté de ces thèses, présentées en 1934, c'est-à-dire l'année même où paraissaient les *Patterns of Culture*, encore très éloignés de cette position du problème et au moment où Margaret Mead était en train d'élaborer sur le terrain, en Nouvelle-Guinée, les principes d'une doctrine très voisine, et dont on sait l'énorme influence qu'elle était destinée à exercer.

A deux points de vue différents, Mauss reste d'ailleurs en avance sur tous les développements ultérieurs. En ouvrant aux recherches ethnologiques un nouveau territoire, celui des techniques du corps, il ne se bornait pas à reconnaître l'incidence de ce genre d'études sur le problème de l'intégration culturelle : il soulignait aussi leur importance intrinsèque. Or, à cet égard, rien n'a été fait, ou presque. Depuis dix ou quinze ans, les ethnologues ont consenti à se pencher sur certaines disciplines corporelles, mais seulement dans la mesure où ils espéraient élucider ainsi les mécanismes par lesquels le groupe modèle les individus à son image. Personne, en vérité, n'a encore abordé cette tâche immense dont Mauss soulignait l'urgente nécessité, à savoir l'inventaire et la description de tous les usages que les hommes, au cours de l'histoire et surtout à travers le monde, ont fait et continuent de faire de leurs corps. Nous collectionnons les produits de l'industrie humaine ; nous recueillons des textes écrits ou oraux. Mais les possibilités si nombreuses et variées dont est susceptible cet outil, pourtant universel et placé à la disposition de chacun, qu'est le corps de l'homme, nous continuons à les ignorer, sauf celles, toujours partielles et limitées, qui rentrent dans les exigences de notre culture particulière.

Pourtant, tout ethnologue ayant travaillé sur le terrain sait que ces possibilités sont étonnamment variables selon les groupes. Les seuils d'excitabilité, les limites de résistance sont différents dans chaque culture. L'effort « irréalisable », la douleur « intolérable », le plaisir « inouï » sont moins fonction de particularités individuelles que de critères sanctionnés par l'approbation ou la désapprobation collectives. Chaque technique, chaque conduite, traditionnellement apprise et transmise, se fonde sur certaines synergies nerveuses et musculaires qui constituent de véritables systèmes, solidaires de tout un contexte sociologique. Cela est vrai des plus humbles techniques, comme la production du feu par friction ou la taille d'outils de pierre par éclatement ; et cela l'est bien davantage de ces grandes constructions à la fois sociales et physiques que sont les différentes gymnastiques (y compris la gymnastique chinoise, si différente de la nôtre, et la gymnastique viscérale des anciens Maori, dont nous ne connaissons presque rien), ou les techniques du souffle, chinoise et hindoue, ou encore les exercices du cirque qui constituent un très ancien patrimoine de notre culture et dont nous abandonnons la préservation au hasard des vocations individuelles et des traditions familiales.

Cette connaissance des modalités d'utilisation du corps humain serait, pourtant, particulièrement nécessaire à une époque où le développement des moyens mécaniques à la disposition de l'homme tend à le détourner de l'exercice et de l'application des moyens corporels, sauf dans le domaine du sport, qui est une partie importante, mais une partie seulement des conduites envisagées par Mauss, et qui est d'ailleurs variable selon les groupes. On souhaiterait qu'une organisation internationale comme l'UNESCO s'attachât à la réalisation du programme tracé par Mauss dans cette communication. Des *Archives internationales des Techniques corporelles*, dressant l'inventaire de toutes les possibilités du corps humain et des méthodes d'apprentissage et d'exercice employées pour le montage de chaque technique, représenteraient une œuvre véritablement internationale : car il n'y a pas, dans le monde, un seul groupe humain qui ne puisse apporter à l'entreprise une contribution originale. Et de plus, il s'agit là d'un patrimoine commun et immédiatement accessible à l'humanité tout entière, dont l'origine plonge au fond des millénaires, dont la valeur pratique reste et restera toujours actuelle et dont la disposition générale permettrait, mieux que d'autres moyens, parce que sous forme d'expériences vécues, de rendre chaque homme sensible à la solidarité, à la fois intellectuelle et physique, qui l'unit à l'humanité tout entière. L'entreprise serait aussi éminemment apte à contrecarrer les préjugés de race, puisque, en face des conceptions racistes qui veulent voir dans l'homme un produit de son corps, on montrerait au contraire que c'est l'homme qui, toujours et partout, a su faire de son corps un produit de ses techniques et de ses représentations.

Mais ce ne sont pas seulement des raisons morales et pratiques qui continuent de militer en sa faveur. Elle apporterait des informations d'une richesse insoupçonnée sur des migrations, des contacts culturels ou des emprunts qui se situent dans un passé reculé et que des gestes en apparence insignifiants, transmis de génération en génération, et protégés par leur insignifiance même, attestent souvent mieux que des gisements archéologiques ou des monuments figurés. La position de la main dans la miction chez l'homme, la préférence pour se laver dans l'eau courante ou dans l'eau stagnante, toujours vivante dans l'usage de fermer ou de laisser ouverte la bonde d'un lavabo pendant que l'eau coule, etc., autant d'exemples d'une archéologie des habitudes corporelles qui, dans l'Europe moderne (et à plus forte raison ailleurs), fournirait à l'historien des cultures des connaissances aussi précieuses que la préhistoire ou la philologie.

Nul plus que Mauss, qui se plaisait à lire les limites de l'expansion celtique dans la forme des pains à l'étalage des boulangers, ne pouvait être sensible à cette solidarité du passé et du présent, s'inscrivant dans les plus humbles et les plus concrets de nos usages. Mais en soulignant l'importance de la mort magique ou des techniques du corps, il pensait aussi établir un autre type de solidarité, qui fournit son thème principal à une troisième communication publiée dans ce volume : *Rapports réels et pratiques de la*

Psychologie et de la Sociologie. Dans tous ces cas, on est en présence d'un genre de faits « qu'il faudrait étudier bien vite : de ceux où la nature sociale rejoint très directement la nature biologique de l'homme » (1). Ce sont bien là des faits privilégiés qui permettent d'attaquer le problème des rapports entre sociologie et psychologie.

C'est Ruth Benedict qui a enseigné aux ethnologues et aux psychologues contemporains que les phénomènes à la description desquels ils s'attachent les uns et les autres sont susceptibles d'être décrits dans un langage commun, emprunté à la psychopathologie, ce qui constitue par soi-même un mystère. Dix ans auparavant, Mauss s'en était aperçu avec une lucidité si prophétique que l'on peut imputer au seul abandon dans lequel ont été laissées les sciences de l'homme dans notre pays que l'immense domaine, dont l'entrée se trouvait ainsi repérée et ouverte, ne fut pas aussitôt mis en exploitation. Dès 1924 en effet, s'adressant aux psychologues, et définissant la vie sociale comme « un monde de rapports symboliques », Mauss leur disait : « Tandis que vous ne saisissez ces cas de symbolisme qu'assez rarement et souvent dans des séries de faits anormaux, nous, nous en saisissons d'une façon constante de très nombreux, et dans des séries immenses de faits normaux. » Toute la thèse des *Patterns of Culture* est anticipée dans cette formule, dont leur auteur n'a certainement jamais eu connaissance ; et c'est dommage : car l'eussent-elles connue avec les développements qui l'accompagnent, que Ruth Benedict et son école se fussent plus aisément défendues contre certains reproches qu'elles ont parfois mérités.

En s'attachant à définir un système de corrélations entre la culture du groupe et le psychisme individuel, l'École psycho-sociologique américaine risquait en effet de s'enfermer dans un cercle. Elle s'était adressée à la psychanalyse pour lui demander de signaler les interventions fondamen-

(1) Pour cet aspect de la pensée de Mauss, le lecteur aura intérêt à se reporter à deux autres articles, non inclus dans le présent volume : Salutations par le Rire et les Larmes, *Journal de Psychologie*, 1922 ; L'Expression obligatoire des Sentiments, *ibid.*, même date.

tales qui, expression de la culture du groupe, déterminent des attitudes individuelles durables. Dès lors, ethnologues et psychanalystes allaient être entraînés dans une discussion interminable sur la primauté respective de chaque facteur. Une société tient-elle ses caractères institutionnels des modalités particulières de la personnalité de ses membres, ou cette personnalité s'explique-t-elle par certains aspects de l'éducation de la petite enfance, qui sont, eux-mêmes, des phénomènes d'ordre culturel ? Le débat devra rester sans issue, à moins qu'on ne s'aperçoive que les deux ordres ne sont pas, l'un par rapport à l'autre, dans une relation de cause à effet (quelle que soit, d'ailleurs, la position respective qu'on attribue à chacun) mais que la formulation psychologique n'est qu'une traduction, sur le plan du psychisme individuel, d'une structure proprement sociologique. C'est, d'ailleurs, ce que Margaret Mead souligne très opportunément dans une publication récente (1), en montrant que les tests de Rorschach, appliqués à des indigènes, n'apprennent à l'ethnologue rien qu'il ne connaisse déjà par des méthodes d'investigation proprement ethnologiques, bien qu'ils puissent fournir une utile traduction psychologique de résultats établis de façon indépendante.

C'est cette subordination du psychologique au sociologique que Mauss met utilement en lumière. Sans doute, Ruth Benedict n'a jamais prétendu ramener des types de cultures à des troubles psycho-pathologiques, et encore moins expliquer les premiers par les seconds. Mais il était tout de même imprudent d'utiliser une terminologie psychiatrique pour caractériser des phénomènes sociaux, alors que le rapport véritable s'établirait plutôt dans l'autre sens. Il est de la nature de la société qu'elle s'exprime symboliquement dans ses coutumes et dans ses institutions ; au contraire, les conduites individuelles normales *ne sont jamais symboliques par elles-mêmes* : elles sont les éléments à partir desquels un système symbolique, qui ne peut être que collectif, se construit. Ce sont seulement les

(1) M. MEAD, The Mountain Arapesh, v. *American Museum of Natural History, Anthropological Papers*, vol. 41, Part. 3, New York, 1949, p. 388.

conduites anormales qui, parce que désocialisées et en quelque sorte abandonnées à elles-mêmes, réalisent, sur le plan individuel, l'illusion d'un symbolisme autonome. Autrement dit, les conduites individuelles anormales, dans un groupe social donné, atteignent au symbolisme, mais sur un niveau inférieur et, si l'on peut dire, dans un ordre de grandeur différent et réellement incommensurable à celui dans lequel s'exprime le groupe. Il est donc à la fois naturel et fatal que, symboliques d'une part et traduisant de l'autre (par définition) un système différent de celui du groupe, les conduites psycho-pathologiques individuelles offrent à chaque société une sorte d'équivalent, doublement amoindri (parce que individuel et parce que pathologique) de symbolismes différents du sien propre, tout en étant vaguement évocateurs de formes normales et réalisées à l'échelle collective.

Peut-être pourrait-on aller plus loin encore. Le domaine du pathologique ne se confond jamais avec le domaine de l'individuel, puisque les différents types de troubles se rangent en catégories, admettent une classification et que les formes prédominantes ne sont pas les mêmes selon les sociétés, et selon tel ou tel moment de l'histoire d'une même société. La réduction du social au psychologique, tentée par certains par l'intermédiaire de la psycho-pathologie, serait encore plus illusoire que nous ne l'avons admis jusqu'à présent, si l'on devait reconnaître que chaque société possède ses formes préférées de troubles mentaux et que ceux-ci ne sont pas, moins que les formes normales, fonction d'un ordre collectif que l'exception même ne laisse pas indifférent.

Dans son mémoire sur la magie, sur lequel nous reviendrons plus loin, et dont il faut considérer la date pour le juger avec équité, Mauss note que, si « la simulation du magicien est du même ordre que celle qu'on constate dans les états de névroses, » il n'en est pas moins vrai que les catégories où se recrutent les sorciers : « infirmes, extatiques, nerveux et forains, forment en réalité des espèces de classes sociales. » Et il ajoute : « Ce qui leur donne des vertus magiques, ce n'est pas tant leur caractère physique individuel que l'attitude prise par la société à l'égard de tout leur genre. » Il pose ainsi un problème qu'il ne résout pas, mais que nous pouvons essayer d'explorer à sa suite.

*
* *

Il est commode de comparer le shaman en transe ou le protagoniste d'une scène de possession à un névrosé. Nous l'avons fait nous-même (1) et le parallèle est légitime en ce sens que, dans les deux types d'états, interviennent vraisemblablement des éléments communs. Néanmoins, des restrictions s'imposent : en premier lieu, nos psychiatres mis en présence de documents cinématographiques relatifs à des danses de possession, se déclarent incapables de ramener ces conduites à l'une quelconque des formes de névroses qu'ils ont coutume d'observer. D'autre part et surtout, les ethnographes en contact avec des sorciers, ou avec des possédés habituels ou occasionnels, contestent que ces individus, à tous égards normaux en dehors des circonstances socialement définies où ils se livrent à leurs manifestations, puissent être considérés comme des malades. Dans les sociétés à séances de possession, la possession est une conduite ouverte à tous ; les modalités en sont fixées par la tradition, la valeur en est sanctionnée par la participation collective. Au nom de quoi affirmerait-on que des individus correspondant à la moyenne de leur groupe, disposant dans les actes de la vie courante de tous leurs moyens intellectuels et physiques, et manifestant occasionnellement une conduite significative et approuvée, devraient être traités comme des anormaux ?

La contradiction que nous venons d'énoncer peut se résoudre de deux façons différentes. Ou les conduites décrites sous le nom de « transe » et de « possession » n'ont rien à voir avec celles que, dans notre propre société, nous appelons psycho-pathologiques ; ou on peut les considérer comme étant du même type, et c'est alors la connexion avec des états pathologiques qui doit être considérée

---

(1) Le Sorcier et sa magie, *Les Temps modernes*, mars 1949.

comme contingente et comme résultant d'une condition particulière à la société où nous vivons. Dans ce dernier cas, on serait en présence d'une deuxième alternative : soit que les prétendues maladies mentales, en réalité étrangères à la médecine, doivent être considérées comme des incidences sociologiques sur la conduite d'individus que leur histoire et leur constitution personnelles ont partiellement dissociés du groupe ; soit qu'on reconnaisse chez ces malades la présence d'un état vraiment pathologique, mais d'origine physiologique, et qui créerait seulement un terrain favorable, ou, si l'on veut, « sensibilisateur », à certaines conduites symboliques qui continueraient de relever de la seule interprétation sociologique.

Nous n'avons pas besoin d'ouvrir un semblable débat ; si l'alternative a été rapidement évoquée, c'est seulement pour montrer qu'une théorie purement sociologique des troubles mentaux (ou de ce que nous considérons comme tels) pourrait être élaborée sans crainte de voir un jour les physiologistes découvrir un substrat bio-chimique des névroses. Même dans cette hypothèse, la théorie resterait valide. Et il est relativement aisé d'en imaginer l'économie. Toute culture peut être considérée comme un ensemble de systèmes symboliques au premier rang desquels se placent le langage, les règles matrimoniales, les rapports économiques, l'art, la science, la religion. Tous ces systèmes visent à exprimer certains aspects de la réalité physique et de la réalité sociale, et plus encore, les relations que ces deux types de réalité entretiennent entre eux et que les systèmes symboliques eux-mêmes entretiennent les uns avec les autres. Qu'ils n'y puissent jamais parvenir de façon intégralement satisfaisante, et surtout équivalente, résulte d'abord des conditions de fonctionnement propres à chaque système : ils restent toujours incommensurables ; et ensuite, de ce que l'histoire introduit dans ces systèmes des éléments allogènes, détermine des glissements d'une société vers une autre, et des inégalités dans le rythme relatif d'évolution de chaque système particulier. Du fait, donc, qu'une société est toujours donnée dans le temps et dans l'espace, donc sujette à l'incidence d'autres sociétés et d'états antérieurs de son propre développement ; du fait aussi que, même dans une société théorique qu'on imaginerait sans relation avec aucune autre, et sans dépendance vis-à-vis de son propre passé, les différents systèmes de symboles dont l'ensemble constitue la culture ou civilisation resteraient irréductibles entre eux (la traduction d'un système dans un autre étant conditionnée par l'introduction de constantes qui sont des valeurs irrationnelles), il résulte qu'aucune société n'est jamais intégralement et complètement symbolique ; ou, plus exactement, qu'elle ne parvient jamais à offrir à tous ses membres, et au même degré, le moyen de s'utiliser pleinement à l'édification d'une structure symbolique qui, pour la pensée normale, n'est réalisable que sur le plan de la vie sociale. Car c'est, à proprement parler, celui que nous appelons sain d'esprit qui s'aliène, puisqu'il consent à exister dans un monde définissable seulement par la relation de moi et d'autrui (1). La santé de l'esprit individuel implique la participation à la vie sociale, comme le refus de s'y prêter (mais encore selon des modalités qu'elle impose) correspond à l'apparition des troubles mentaux.

Une société quelconque est donc comparable à un univers où des masses discrètes seulement seraient hautement structurées. Dans toute société donc, il serait inévitable qu'un pourcentage (d'ailleurs variable) d'individus se trouvent placés, si l'on peut dire, hors système ou entre deux ou plusieurs systèmes irréductibles. A ceux-là, le groupe demande, et même impose, de figurer certaines formes de compromis irréalisables sur le plan collectif, de feindre des transitions imaginaires, d'incarner des synthèses incompatibles. Dans toutes ces conduites en apparence aberrantes, les « malades » ne font donc que transcrire un état du groupe et rendre manifeste telle ou telle de ses constantes. Leur position périphérique par rapport à un système local n'empêche pas qu'au même titre que lui, ils ne soient partie intégrante du système total. Plus

---

(1) Telle est bien, nous semble-t-il, la conclusion qui se dégage de la profonde étude du Dr Jacques LACAN, L'Agressivité en Psychanalyse, *Revue française de Psychanalyse*, n° 3, juillet-septembre 1948.

exactement, s'ils n'étaient pas ces témoins dociles, le système total risquerait de se désintégrer dans ses systèmes locaux. On peut donc dire que pour chaque société, le rapport entre conduites normales et conduites spéciales est complémentaire. Cela est évident dans le cas du shamanisme et de la possession ; mais ce ne serait pas moins vrai de conduites que notre propre société refuse de grouper et de légitimer en *vocations*, tout en abandonnant le soin de réaliser un équivalent statistique à des individus sensibles (pour des raisons historiques, psychologiques, sociologiques ou physiologiques, peu importe) aux contradictions et aux lacunes de la structure sociale.

Nous voyons bien comment et pourquoi un sorcier est un élément de l'équilibre social ; la même constatation s'impose pour les danses ou cérémonies à possession (1). Mais si notre hypothèse est exacte, il s'ensuivrait que les formes de troubles mentaux caractéristiques de chaque société, et le pourcentage des individus qui en sont affectés, sont un élément constitutif du type particulier d'équilibre qui lui est propre. Dans une remarquable et récente étude, après avoir remarqué qu'aucun shaman « n'est, dans la vie quotidienne, un individu « anormal », névrosé ou paranoïaque ; sans quoi il serait considéré comme un fou, et non comme un shaman », Nadel maintient qu'il existe une relation entre les troubles pathologiques et les conduites shamanistiques ; mais qui consiste moins dans une assimilation des secondes aux premiers, que dans la nécessité de définir les premiers en fonction des secondes. Précisément parce que les conduites shamanistiques sont normales, il résulte que, dans les sociétés à shamans, peuvent rester normales certaines conduites qui, ailleurs, seraient considérées comme (et seraient effectivement) pathologiques. Une étude comparative de groupes shamanistiques et non-shamanistiques, dans une aire géographique restreinte, montre que le shamanisme pourrait jouer un double rôle vis-à-vis des dispositions psychopathiques : les exploitant d'une part, mais de l'autre, les canalisant

_____

(1) Michel Leiris, Martinique, Guadeloupe, Haïti, *Les Temps modernes*, n° 52, février 1950, p. 1352-1354.

et les stabilisant. Il semble, en effet, que, sous l'influence du contact avec la civilisation, la fréquence des psychoses et des névroses tend à s'élever dans les groupes sans shamanisme, tandis que dans les autres, c'est le shamanisme lui-même qui se développe, mais sans accroissement des troubles mentaux (1). On voit donc que les ethnologues qui prétendent dissocier complètement certains rituels de tout contexte psycho-pathologique sont inspirés d'une bonne volonté un peu timorée. L'analogie est manifeste, et les rapports sont peut-être même susceptibles de mesure. Cela ne signifie pas que les sociétés dites primitives se placent sous l'autorité de fous ; mais plutôt que nous-mêmes traitons à l'aveugle des phénomènes sociologiques comme s'ils relevaient de la pathologie, alors qu'ils n'ont rien à voir avec elle, ou tout au moins, que les deux aspects doivent être rigoureusement dissociés. En fait, c'est la notion même de *maladie mentale* qui est en cause. Car si, comme l'affirme Mauss, le mental et le social se confondent, il y aurait absurdité, dans les cas où social et physiologique sont directement en contact, à appliquer à l'un des deux ordres une notion (comme celle de maladie) qui n'a de sens que dans l'autre.

En nous livrant a une excursion, que d'aucuns jugeront sans doute imprudente, jusqu'aux plus extrêmes confins de la pensée de Mauss et peut-être même au-delà, nous n'avons voulu que montrer la richesse et la fécondité des thèmes qu'il offrait à la méditation de ses lecteurs ou auditeurs. A cet égard, sa revendication du symbolisme comme relevant intégralement des disciplines sociologiques a pu être, comme chez Durkheim, imprudemment formulée : car, dans la communication sur les *Rapports de la Psychologie et de la Sociologie*, Mauss croit encore possible d'élaborer une théorie sociologique du symbolisme, alors qu'il faut évidemment chercher une origine symbolique de la société. Plus nous refuserons à la psychologie une compétence s'exerçant à tous les niveaux de la vie mentale, plus nous devrons nous incliner devant elle comme seule

---

(1) S. F. NADEL, Shamanism in the Nuba Mountains, *Journal of the Royal Anthropological Institute*, vol. LXXVI, Part. I, 1946 (publié en 1949).

capable (avec la biologie) de rendre compte de l'origine des fonctions de base. Il n'en est pas moins vrai que toutes les illusions qui s'attachent aujourd'hui à la notion de « personnalité modale » ou de « caractère national », avec les cercles vicieux qui en découlent, tiennent à la croyance que le caractère individuel est symbolique par lui-même, alors que, comme Mauss nous en avertissait (et les phénomènes psycho-pathologiques exceptés) il ne fournit que la matière première, ou les éléments, d'un symbolisme qui — nous l'avons vu plus haut — même sur le plan du groupe, ne parvient jamais à se parachever. Pas plus sur le plan du normal que sur celui du pathologique, l'extension au psychisme individuel des méthodes et des procédés de la psychanalyse ne peuvent donc parvenir à fixer l'image de la structure sociale, grâce à un miraculeux raccourci qui permettrait à l'ethnologie de s'éviter elle-même.

Le psychisme individuel ne reflète pas le groupe ; encore moins le préforme-t-il. On aura très suffisamment légitimé la valeur et l'importance des études qui se poursuivent aujourd'hui dans cette direction en reconnaissant qu'il le complète. Cette *complémentarité* entre psychisme individuel et structure sociale fonde la fertile collaboration réclamée par Mauss, qui s'est réalisée entre ethnologie et psychologie ; mais cette collaboration ne restera valable que si la première discipline continue à revendiquer, pour la description et l'analyse objective des coutumes et des institutions, une place que l'approfondissement de leurs incidences subjectives peut consolider, sans parvenir jamais à la faire passer au second plan.

II

Tels sont, nous semble-t-il, les points essentiels sur lesquels les trois essais : *Psychologie et Sociologie*, *L'Idée de Mort* et *Les Techniques du Corps* peuvent toujours utilement diriger la réflexion. Les trois autres qui complètent ce volume (et même en occupent la majeure par-

tie) : *Théorie générale de la Magie, Essai sur le don* et
Notion de Personne (1), mettent en présence d'un autre et
plus décisif encore aspect de la pensée de Mauss, qui fût
mieux ressorti si l'on eût pu jalonner les vingt années qui
séparent la *Magie* du *Don* de quelques points de repère :
L'Art et le Mythe (2) ; *Anna-Virâj* (3) ; *Origine de la Notion
de Monnaie* (4) ; *Dieux Ewhe de la Monnaie et du Change* (5) ;
Une Forme archaïque de Contrat chez les Thraces (6) ;
Commentaires sur un Texte de Posidonius (7) ; et si le capital *Essai sur le don* eût été accompagné des textes qui
témoignent de la même orientation : *De quelques Formes
primitives de Classification* (en collaboration avec Durkheim) (8) ; *Essai sur les Variations saisonnières des Sociétés eskimo* (9) ; *Gift, Gift* (10) ; *Parentés à Plaisanteries* (11) ;
Wette, Wedding (12) ; *Biens masculins et féminins en Droit
celtique* (13) ; *Les Civilisations* (14) ; *Fragment d'un Plan
de Sociologie générale descriptive* (15).

En effet, et bien que l'*Essai sur le don* soit, sans contes-
tation possible, le chef-d'œuvre de Mauss, son ouvrage
le plus justement célèbre et celui dont l'influence a été
la plus profonde, on commettrait une grave erreur en
l'isolant du reste. C'est l'*Essai sur le don* qui a introduit et imposé la notion de fait social total ; mais on
aperçoit sans peine comment cette notion se relie aux
préoccupations, différentes en apparence seulement, que
nous avons évoquées au cours des paragraphes précédents.

(1) Celle-ci à compléter par : L'Ame et le Prénom, *Communication à la
Société de Philosophie*, 1929.
(2) *Revue Philosophique*, 1909.
(3) *Mélanges Sylvain Lévy*, 1911.
(4) *L'Anthropologie*, 1913-1914.
(5) *Ibid.*
(6) *Revue des Etudes grecques*, vol. XXXIV, 1921.
(7) *Revue Celtique*, 1925.
(8) *Année Sociologique*, VI, 1901-1902.
(9) *Année Sociologique*, IX, 1904-1905.
(10) *Mélanges Adler*, 1925.
(11) *Rapport de l'Ecole des Hautes Etudes, Annuaire*, 1928.
(12) *Procès-verbaux de la Société d'Histoire du Droit*, 1928.
(13) *Procès-verbaux des Journées d'Histoire du Droit*, 1929.
(14) In : *Civilisation, le mot et l'idée*, Centre international de Synthèse,
Première semaine, 2e fascicule, Paris, 1930.
(15) *Annales Sociologiques*, série A, fasc. 1, 1934.

On pourrait même dire qu'elle les commande, puisque, comme elles mais de façon plus inclusive et systématique, elle procède du même souci de définir la réalité sociale ; mieux encore : de définir le social comme *la réalité*. Or, le social n'est réel qu'intégré en système, et c'est là un premier aspect de la notion de fait total : « Après avoir forcément un peu trop divisé et abstrait, il faut que les sociologues s'efforcent de recomposer le tout. » Mais le fait total ne réussit pas à être tel par simple réintégration des aspects discontinus : familial, technique, économique, juridique, religieux, sous l'un quelconque desquels on pourrait être tenté de l'appréhender exclusivement. Il faut aussi qu'il s'incarne dans une expérience individuelle, et cela à deux points de vue différents : d'abord dans une histoire individuelle qui permette d' « observer le comportement d'êtres totaux, et non divisés en facultés ; » ensuite dans ce qu'on aimerait appeler (en retrouvant le sens archaïque d'un terme dont l'application au cas présent est évidente), une *anthropologie*, c'est-à-dire un système d'interprétation rendant simultanément compte des aspects physique, physiologique, psychique et sociologique de toutes les conduites : « La seule étude de ce fragment de notre vie qui est notre vie en société ne suffit pas. »

Le fait social total se présente donc avec un caractère tri-dimensionnel. Il doit faire coïncider la dimension proprement sociologique avec ses multiples aspects synchroniques ; la dimension historique, ou diachronique ; et enfin la dimension physio-psychologique. Or, c'est seulement chez des individus que ce triple rapprochement peut prendre place. Si l'on s'attache à cette « étude du concret qui est du complet, » on doit nécessairement s'apercevoir que « ce qui est vrai, ce n'est pas la prière ou le droit, mais le Mélanésien de telle ou telle île, Rome, Athènes. »

Par conséquent, la notion de fait total est en relation directe avec le double souci, qui nous était apparu seul jusqu'à présent, de relier le social et l'individuel d'une part, le physique (ou physiologique) et le psychique de l'autre. Mais nous en comprenons mieux la raison, qui est elle-même double : d'une part, c'est seulement au terme de toute une série de réductions qu'on sera en possession du fait total, lequel comprend : 1º différentes modalités du social (juridique, économique, esthétique, religieux, etc.) ; 2º différents moments d'une histoire individuelle (naissance, enfance, éducation, adolescence, mariage, etc.) ; 3º différentes formes d'expression, depuis des phénomènes physiologiques comme des réflexes, des sécrétions, des ralentissements et des accélérations, jusqu'à des catégories inconscientes et des représentations conscientes, individuelles ou collectives. Tout cela est bien, en un sens, social, puisque c'est seulement sous forme de fait social que ces éléments de nature si diverse peuvent acquérir une signification globale et devenir une totalité. Mais l'inverse est également vrai : car la seule garantie que nous puissions avoir qu'un fait total corresponde à la réalité, au lieu d'être l'accumulation arbitraire de détails plus ou moins véridiques, est qu'il soit saisissable dans une expérience concrète : d'abord, d'une société localisée dans l'espace ou le temps, « Rome, Athènes » ; mais aussi d'un individu quelconque de l'une quelconque de ces sociétés, « le Mélanésien de telle ou telle île ». Donc, il est bien vrai qu'en un sens, tout phénomène psychologique est un phénomène sociologique, que le mental s'identifie avec le social. Mais, dans un autre sens, tout se renverse : la preuve du social, elle, ne peut être que mentale ; autrement dit, nous ne pouvons jamais être sûrs d'avoir atteint le sens et la fonction d'une institution, si nous ne sommes pas en mesure de revivre son incidence sur une conscience individuelle. Comme cette incidence est une partie intégrante de l'institution, toute interprétation doit faire coïncider l'objectivité de l'analyse historique ou comparative avec la subjectivité de l'expérience vécue. En poursuivant ce qui nous était apparu comme une des orientations de la pensée de Mauss, nous étions parvenu tout à l'heure à l'hypothèse d'une complémentarité entre le psychique et le social. Cette complémentarité n'est pas statique, comme le serait celle des deux moitiés d'un puzzle, elle est dynamique et provient de ce que le psychique est à la fois simple *élément de signification* pour un symbolisme qui le déborde, et seul *moyen de vérification* d'une réalité dont les aspects multiples ne peuvent être saisis sous forme de synthèse en dehors de lui.

Il y a donc beaucoup plus, dans la notion de fait social total, qu'une recommandation à l'adresse des enquêteurs, pour qu'ils ne manquent pas de mettre en rapport les techniques agricoles et le rituel, ou la construction du canot, la forme de l'agglomération familiale et les règles de distribution des produits de la pêche. Que le fait social soit total ne signifie pas seulement que *tout ce qui est observé fait partie de l'observation* ; mais aussi, et surtout, que dans une science où l'observateur est de même nature que son objet, *l'observateur est lui-même une partie de son observation*. Nous ne faisons pas ainsi allusion aux modifications que l'observation ethnologique apporte inévitablement au fonctionnement de la société où elle s'exerce, car cette difficulté n'est pas propre aux sciences sociales ; elle intervient partout où l'on se propose de faire des mesures fines, c'est-à-dire où l'observateur (lui-même, ou ses moyens d'observation) sont du même ordre de grandeur que l'objet observé. D'ailleurs, ce sont les physiciens qui l'ont mise en évidence, et non les sociologues auxquels elle s'impose seulement de la même façon. La situation particulière des sciences sociales est d'une autre nature, qui tient au caractère intrinsèque de son objet d'être à la fois objet et sujet, ou, pour parler le langage de Durkheim et de Mauss, « chose » et « représentation ». Sans doute pourrait-on dire que les sciences physiques et naturelles se trouvent dans le même cas, puisque tout élément du réel est un objet, mais qui suscite des représentations, et qu'une explication intégrale de l'objet devrait rendre compte simultanément de sa structure propre, et des représentations par l'intermédiaire desquelles nous appréhendons ses propriétés. En théorie, cela est vrai : une chimie totale devrait nous expliquer, non seulement la forme et la distribution des molécules de la fraise, mais comment une saveur unique résulte de cet arrangement. Cependant, l'histoire prouve qu'une science satisfaisante n'a pas besoin d'aller aussi loin et qu'elle peut, pendant des siècles, et

éventuellement des millénaires (puisque nous ignorons
quand elle y parviendra) progresser dans la connaissance
de son objet à l'abri d'une distinction éminemment instable, entre des qualités propres à l'objet, qu'on cherche
seules à expliquer, et d'autres qui sont fonction du sujet
et dont la considération peut être laissée de côté.

Quand Mauss parle de faits sociaux totaux, il implique
au contraire (si nous l'interprétons correctement) que cette
dichotomie facile et efficace est interdite au sociologue,
ou tout au moins, qu'elle ne pouvait correspondre qu'à
un état provisoire et fugitif du développement de sa
science. Pour comprendre convenablement un fait social,
il faut l'appréhender *totalement*, c'est-à-dire du dehors
comme une chose, mais comme une chose dont fait cependant partie intégrante l'appréhension subjective (consciente et inconsciente) que nous en prendrions si, inéluc-
tablement hommes, nous vivions le fait comme indigène
au lieu de l'observer comme ethnographe. Le problème
est de savoir comment il est possible de réaliser cette
ambition, qui ne consiste pas seulement à appréhender
un objet, simultanément, du dehors et du dedans, mais
qui demande bien davantage : car il faut que l'appréhension interne (celle de l'indigène, ou tout au moins celle de
l'observateur revivant l'expérience indigène) soit trans-
posée dans les termes de l'appréhension externe, fournissant certains éléments d'un ensemble qui, pour être valide,
doit se présenter de façon systématique et coordonnée.

La tâche serait irréalisable si la distinction répudiée par
les sciences sociales entre l'objectif et le subjectif était
aussi rigoureuse que doit l'être la même distinction, quand
elle est provisoirement admise par les sciences physiques.
Mais précisément, ces dernières s'inclinent temporairement
devant une distinction qu'elles veulent rigoureuse, tandis
que les sciences sociales repoussent définitivement une
distinction qui, chez elles, ne saurait être que floue. Qu'en-
tendons-nous par là ? C'est que, dans la mesure même où
la distinction théorique est impossible, elle peut être
poussée beaucoup plus loin dans la pratique, jusqu'à
rendre un de ses termes négligeable, au moins par rapport

à l'ordre de grandeur de l'observation. Une fois posée la distinction entre objet et sujet, le sujet lui-même peut à nouveau se dédoubler de la même façon, et ainsi de suite, de façon illimitée, sans être jamais réduit à néant. L'observation sociologique, condamnée, semble-t-il, par l'insurmontable antinomie que nous avons dégagée au paragraphe précédent, *s'en lire* grâce à la capacité du sujet de s'objectiver indéfiniment, c'est-à-dire (sans parvenir jamais à s'abolir comme sujet) de projeter au dehors des fractions toujours décroissantes de soi. Théoriquement au moins, ce morcellement n'a pas de limite, sinon d'impliquer toujours l'existence des deux termes comme condition de sa possibilité.

La place éminente de l'ethnographie dans les sciences de l'homme, qui explique le rôle qu'elle joue déjà dans certains pays, sous le nom d'anthropologie sociale et culturelle, comme inspiratrice d'un nouvel humanisme, provient de ce qu'elle présente sous une forme expérimentale et concrète ce processus illimité d'objectivation du sujet, qui, pour l'individu, est si difficilement réalisable. Les milliers de sociétés qui existent ou ont existé à la surface de la terre sont humaines, et à ce titre nous y participons de façon subjective : nous aurions pu y naître et pouvons donc chercher à les comprendre comme si nous y étions nés. Mais en même temps, leur ensemble, par rapport à l'une quelconque d'entre elles, atteste la capacité du sujet de s'objectiver dans des proportions pratiquement illimitées, puisque cette société de référence, qui ne constitue qu'une infime fraction du donné, est elle-même toujours exposée à se subdiviser en deux sociétés différentes, dont une irait rejoindre la masse énorme de ce qui, pour l'autre, est et sera toujours objet, et ainsi de suite indéfiniment. Toute société différente de la nôtre est objet, tout groupe de notre propre société, autre que celui dont nous relevons, est objet, tout usage de ce groupe même, auquel nous n'adhérons pas, est objet. Mais cette série illimitée d'objets, qui constitue l'Objet de l'ethnographie, et que le sujet devrait arracher douloureusement de lui si la diversité des mœurs et des coutumes ne le mettait en présence d'un morcellement opéré d'avance, jamais la cicatrisation historique ou géographique ne saurait lui faire oublier (au risque d'anéantir le résultat de ses efforts) qu'ils procèdent de lui, et que leur analyse, la plus objectivement conduite, ne saurait manquer de les réintégrer dans la subjectivité.

*
* *

Le risque tragique qui guette toujours l'ethnographe, lancé dans cette entreprise d'identification, est d'être la victime d'un *malentendu* ; c'est-à-dire que l'appréhension subjective à laquelle il est parvenu ne présente avec celle de l'indigène aucun point commun, en dehors de sa subjectivité même. Cette difficulté serait insoluble, les subjectivités étant, par hypothèse, incomparables et incommunicables, si l'opposition entre moi et autrui ne pouvait être surmontée sur un terrain, qui est aussi celui où l'objectif et le subjectif se rencontrent, nous voulons dire l'inconscient. D'une part, en effet, les lois de l'activité inconsciente sont toujours en dehors de l'appréhension subjective (nous pouvons en prendre conscience, mais comme objet) ; et de l'autre, pourtant, ce sont elles qui déterminent les modalités de cette appréhension.

Il n'est donc pas étonnant que Mauss, pénétré de la nécessité d'une étroite collaboration entre sociologie et psychologie, ait constamment fait appel à l'inconscient comme fournissant le caractère commun et spécifique des faits sociaux : « En magie comme en religion comme en linguistique, ce sont les idées inconscientes qui agissent. » Et dans ce même mémoire sur la magie, d'où la citation précédente est extraite, on assiste à un effort, sans doute encore indécis, pour formuler les problèmes ethnologiques autrement qu'à l'aide des « catégories rigides et abstraites de notre langage et de notre raison, » en termes d'une « psychologie non intellectualiste » étrangère à nos « entendements d'adultes européens, » où l'on aurait tout à fait tort de discerner un accord anticipé avec le prélogisme de Lévy-Bruhl, que Mauss ne devait jamais accepter. Il faut plutôt en rechercher le sens dans la tentative qu'il a lui-même faite, à propos de la notion de *mana*, pour atteindre une sorte de « quatrième dimension » de l'esprit, un plan sur lequel se confondraient les notions de « catégorie inconsciente » et de « catégorie de la pensée collective ».

Mauss voyait donc juste quand il constatait dès 1902 qu' « en somme, dès que nous en arrivons à la représentation des propriétés magiques, nous sommes en présence de phénomènes semblables à ceux du langage. » Car c'est la linguistique, et plus particulièrement la linguistique structurale, qui nous a familiarisés depuis lors avec l'idée que les phénomènes fondamentaux de la vie de l'esprit, ceux qui la conditionnent et déterminent ses formes les plus générales, se situent à l'étage de la pensée inconsciente. L'inconscient serait ainsi le terme médiateur entre moi et autrui. En approfondissant ses données, nous ne nous prolongeons pas, si l'on peut dire, dans le sens de nous-mêmes : nous rejoignons un plan qui ne nous paraît pas étranger parce qu'il recèle notre moi le plus secret ; mais (beaucoup plus normalement) parce que, sans nous faire sortir de nous-même, il nous met en coïncidence avec des formes d'activité qui sont à la fois *nôtres* et *autres*, conditions de toutes les vies mentales de tous les hommes et de tous les temps. Ainsi, l'appréhension (qui ne peut être qu'objective) des formes inconscientes de l'activité de l'esprit conduit tout de même à la subjectivation ; puisqu'en définitive, c'est une opération du même type qui, dans la psychanalyse, permet de reconquérir à nous-même notre moi le plus étranger, et, dans l'enquête ethnologique, nous fait accéder au plus étranger des autrui comme à un autre nous. Dans les deux cas, c'est le même problème qui se pose, celui d'une communication cherchée, tantôt entre un *moi* subjectif et un *moi* objectivant, tantôt entre un *moi* objectif et un *autre* subjectivé. Et, dans les deux cas aussi, la recherche la plus rigoureusement positive des itinéraires inconscients de cette rencontre, tracés une fois pour toutes dans la structure innée de l'esprit humain et dans l'histoire particulière et irréversible des individus ou des groupes, est la condition du succès.

Le problème ethnologique est donc, en dernière analyse, un problème de communication ; et cette constatation doit suffire à séparer radicalement la voie suivie par Mauss, en identifiant *inconscient* et *collectif* de celle de Jung, qu'on pourrait être tenté de définir pareillement. Car ce n'est pas la même chose de définir l'inconscient comme une catégorie de la pensée collective ou de le distinguer en secteurs, selon le caractère individuel ou collectif du contenu qu'on lui prête. Dans les deux cas, on conçoit l'inconscient comme un système symbolique ; mais pour Jung, l'inconscient ne se réduit pas au système : il est tout plein de symboles, et même de choses symbolisées qui lui forment une sorte de substrat. Ou ce substrat est inné : mais sans hypothèse théologique, il est inconcevable que le contenu de l'expérience la précède ; ou il est acquis : or, le problème de l'hérédité d'un inconscient acquis ne serait pas moins redoutable que celui des caractères biologiques acquis. En fait, il ne s'agit pas de traduire en symboles un donné extrinsèque, mais de réduire à leur nature de système symbolique des choses qui n'y échappent que pour s'incommunicabiliser. Comme le langage, le social *est* une réalité autonome (la même, d'ailleurs) ; les symboles sont plus réels que ce qu'ils symbolisent, le signifiant précède et détermine le signifié. Nous retrouverons ce problème à propos du *mana*.

Le caractère révolutionnaire de l'*Essai sur le don* est de nous engager sur cette voie. Les faits qu'il met en lumière ne constituent pas des découvertes. Deux ans auparavant, M. Davy avait analysé et discuté le potlatch sur la base des enquêtes de Boas et de Swanton, dont Mauss lui-même s'était attaché à souligner l'importance dans son enseignement dès avant 1914 ; et tout l'*Essai sur le don* émane, de la façon la plus directe, des *Argonauts of Western Pacific* que Malinowski avait publiés deux ans auparavant aussi, et qui devaient, indépendamment, le conduire à des conclusions très voisines de celles de Mauss (1) ; parallélisme qui inciterait à regarder

(1) Voir sur ce point la note de Malinowski (p. 41, n. 57) dans son livre *Crime and Custom in Savage Society*, New York-Londres, 1926.

les indigènes mélanésiens eux-mêmes comme les véritables auteurs de la théorie moderne de la réciprocité. D'où vient donc le pouvoir extraordinaire de ces pages désordonnées, qui ont encore quelque chose du brouillon, où se juxtaposent de façon si curieuse les notations impressionnistes et, comprimée le plus souvent dans un appareil critique qui écrase le texte, une érudition inspirée, qui semble glaner au hasard des références américaines, indiennes, celtiques, grecques ou océaniennes, mais toujours également probantes ? Peu de personnes ont pu lire l'*Essai sur le don* sans ressentir toute la gamme des émotions si bien décrites par Malebranche évoquant sa première lecture de Descartes : le cœur battant, la tête bouillonnante, et l'esprit envahi d'une certitude encore indéfinissable, mais impérieuse, d'assister à un événement décisif de l'évolution scientifique.

Mais c'est que, pour la première fois dans l'histoire de la pensée ethnologique, un effort était fait pour transcender l'observation empirique et atteindre des réalités plus profondes. Pour la première fois, le social cesse de relever du domaine de la qualité pure : anecdote, curiosité, matière à description moralisante ou à comparaison érudite et devient un système, entre les parties duquel on peut donc découvrir des connexions, des équivalences et des solidarités. Ce sont d'abord les produits de l'activité sociale : technique, économique, rituelle, esthétique ou religieuse — outils, produits manufacturés, produits alimentaires, formules magiques, ornements, chants, danses et mythes — qui sont rendus comparables entre eux par ce caractère commun que tous possèdent d'être transférables, selon des modalités qui peuvent être analysées et classées et qui, même quand elles paraissent inséparables de certains types de valeurs, sont réductibles à des formes plus fondamentales, celles-là générales. Ils ne sont, d'ailleurs, pas seulement comparables, mais souvent substituables, dans la mesure où des valeurs différentes peuvent se remplacer dans la même opération. Et surtout, ce sont les opérations elles-mêmes, aussi diverses qu'elles puissent paraître à travers les événements de la vie sociale : nais-

sance, initiation, mariage, contrat, mort ou succession ;
et aussi arbitraires par le nombre et la distribution des
individus qu'elles mettent en cause, comme récipiendaires,
intermédiaires ou donateurs, qui autorisent toujours une
réduction à un plus petit nombre d'opérations, de groupes
ou de personnes, où l'on ne retrouve plus, en fin de compte,
que les termes fondamentaux d'un équilibre, diversement
conçu et différemment réalisé selon le type de société
considéré. Les types deviennent donc définissables par
ces caractères intrinsèques ; et comparables entre eux
puisque ces caractères ne se situent plus dans un ordre
qualitatif, mais dans le nombre et l'arrangement d'éléments qui sont eux-mêmes constants dans tous les types.
Pour prendre un exemple chez un savant qui, mieux
peut-être qu'aucun autre, a su comprendre et exploiter
les possibilités ouvertes par cette méthode (1) : les interminables séries de fêtes et de cadeaux qui accompagnent
le mariage en Polynésie, mettant en cause des dizaines,
sinon des centaines de personnes, et qui semblent défier
la description empirique, peuvent être analysées en trente
ou trente-cinq prestations s'effectuant entre cinq lignées
qui sont entre elles dans un rapport constant, et décompo-
sables en quatre cycles de réciprocité entre les lignées A
et B, A et C, A et D, et A et E ; le tout exprimant un
certain type de structure sociale tel que, par exemple, des
cycles entre B et C, ou entre E et B ou D, ou enfin, entre
E et C soient exclus, alors qu'une autre forme de société
les placerait au premier plan. La méthode est d'une
application si rigoureuse que si une erreur apparaissait
dans la solution des équations ainsi obtenues, elle aurait
plus de chance d'être imputable à une lacune dans la
connaissance des institutions indigènes qu'à une faute de
calcul. Ainsi, dans l'exemple qui vient d'être cité, on
constate que le cycle entre A et B s'ouvre par une prestation sans contrepartie ; ce qui inviterait aussitôt à rechercher, si on ne la connaissait pas, la présence d'une action
unilatérale, antérieure aux cérémonies matrimoniales, bien

---

(1) Raymond FIRTH, *We, The Tikopia*, New York, 1936, chap. XV ; *Primitive Polynesian Economics*, Londres, 1939, p. 323.

qu'en relation directe avec elles. Tel est exactement le rôle joué dans la société en question par l'abduction de la fiancée, dont la première prestation représente, selon la terminologie indigène elle-même, la « compensation ». On aurait donc pu la déduire, si elle n'avait pas été observée.

On remarquera que cette technique opératoire est très voisine de celle que Troubetzkoy et Jakobson mettaient au point, à la même époque où Mauss écrivait l'*Essai*, et qui devait leur permettre de fonder la linguistique structurale ; là aussi, il s'agissait de distinguer un donné purement phénoménologique, sur lequel l'analyse scientifique, n'a pas de prise, d'une infrastructure plus simple que lui, et à laquelle il doit toute sa réalité (1). Grâce aux notions de « variantes facultatives », de « variantes combinatoires », de « termes de groupe » et de « neutralisation », l'analyse phonologique allait précisément permettre de définir une langue par un petit nombre de relations constantes, dont la diversité et la complexité apparente du système phonétique ne font qu'illustrer la gamme possible des combinaisons autorisées.

Comme la phonologie pour la linguistique, l'*Essai sur le don* inaugure donc une ère nouvelle pour les sciences sociales. L'importance de ce double événement (malheureusement resté, chez Mauss, à l'état d'esquisse) ne peut mieux être comparée qu'à la découverte de l'analyse combinatoire pour la pensée mathématique moderne. Que Mauss n'ait jamais entrepris l'exploitation de sa découverte et qu'il ait ainsi inconsciemment incité Malinowski (dont on peut reconnaître, sans faire injure à sa mémoire, qu'il fut meilleur observateur que théoricien) à se lancer seul, sur la base des mêmes faits et des conclusions analogues auxquelles ils étaient indépendamment parvenus, dans l'élaboration du système correspondant, est un des grands malheurs de l'ethnologie contemporaine.

Il est difficile de savoir dans quel sens Mauss aurait

(1) N. S. Troubetzkoy, Principes de Phonologie (*Grundzüge der Phonologie*, 1939) et les divers articles de R. Jakobson, publiés en annexe de la traduction française par J. Cantineau, Paris, 1949.

développé sa doctrine, s'il avait consenti à le faire. L'intérêt principal d'une de ses œuvres les plus tardives, la *Notion de Personne*, également publiée dans ce volume, est moins dans l'argumentation, qu'on pourra trouver cursive et parfois négligente, que dans la tendance qui s'y fait jour d'étendre à l'ordre diachronique une technique de permutations que l'*Essai sur le don* concevait plutôt en fonction des phénomènes synchroniques. Quoi qu'il en soit, Mauss aurait probablement rencontré certaines difficultés à pousser plus avant l'élaboration du système, nous verrons pourquoi tout à l'heure. Mais il ne lui aurait certes pas donné la forme régressive qu'il devait recevoir de Malinowski, pour qui la notion de *fonction*, conçue par Mauss à l'exemple de l'algèbre, c'est-à-dire impliquant que les valeurs sociales sont connaissables *en fonction* les unes des autres, se transforme dans le sens d'un empirisme naïf, pour ne plus désigner que le service pratique rendu à la société par ses coutumes et ses institutions. Là où Mauss envisageait un *rapport constant* entre des phénomènes, où se trouve leur explication, Malinowski se demande seulement *à quoi ils servent*, pour leur chercher une justification. Cette position du problème anéantit tous les progrès antérieurs, puisqu'elle réintroduit un appareil de postulats sans valeur scientifique.

Que la position du problème telle que Mauss l'avait définie fut la seule fondée est, au contraire, attesté par les plus récents développements des sciences sociales, qui permettent de former l'espoir de leur mathématisation progressive. Dans certains domaines essentiels, comme celui de la parenté, l'analogie avec le langage, si fermement affirmée par Mauss, a pu permettre de découvrir les règles précises selon lesquelles se forment, dans n'importe quel type de société, des cycles de réciprocité dont les lois mécaniques sont désormais connues, permettant l'emploi du raisonnement déductif dans un domaine qui paraissait soumis à l'arbitraire le plus complet. D'autre part, en s'associant de plus en plus étroitement à la linguistique, pour constituer un jour avec elle une vaste science de la communication, l'anthropologie sociale peut espérer bénéficier des immenses perspectives ouvertes à la linguistique elle-même, par l'application du raisonnement mathématique à l'étude des phénomènes de communication (1). Dès à présent, nous savons qu'un grand nombre de problèmes ethnologiques et sociologiques, soit sur le plan de la morphologie, soit même sur celui de l'art ou de la religion, n'attendent que le bon vouloir des mathématiciens qui, avec la collaboration d'ethnologues, pourraient leur faire accomplir des progrès décisifs, sinon encore vers une solution, mais au moins vers une unification préalable, qui est la condition de leur solution.

III

Ce n'est donc pas dans un esprit de critique, mais plutôt inspirés du devoir de ne pas laisser perdre ou corrompre la partie la plus féconde de son enseignement, que nous sommes conduit à rechercher la raison pour laquelle Mauss s'est arrêté sur le bord de ces immenses possibilités, comme Moïse conduisant son peuple jusqu'à une terre promise dont il ne contemplerait jamais la splendeur. Il doit y avoir quelque part un passage décisif que Mauss n'a pas franchi, et qui peut sans doute expliquer pourquoi le *novum organum* des sciences sociales du xxe siècle, qu'on pouvait attendre de lui, et dont il tenait tous les fils conducteurs, ne s'est jamais révélé que sous forme de fragments.

Un curieux aspect de l'argumentation suivie dans l'*Essai sur le don* nous mettra sur la voie de la difficulté. Mauss y apparaît, avec raison, dominé par une certitude d'ordre logique, à savoir que l'*échange* est le commun dénominateur d'un grand nombre d'activités sociales en apparence hétérogènes entre elles. Mais, cet échange, il ne parvient pas à le voir dans les faits. L'observation empirique ne lui fournit pas l'échange, mais seulement — comme il

(1) N. Wiener, *Cybernetics*, New York et Paris, 1948. C. E. Shannon and Warren Weaver, *The Mathematical Theory of Communication*, University of Illinois Press, 1949.

le dit lui-même — « trois obligations : donner, recevoir,
rendre. » Toute la théorie réclame ainsi l'existence d'une
structure, dont l'expérience n'offre que les fragments, les
membres épars, ou plutôt les éléments. Si l'échange est
nécessaire et s'il n'est pas donné, il faut donc le construire.
Comment ? En appliquant aux corps isolés, seuls présents,
une source d'énergie qui opère leur synthèse. « On peut...
prouver que dans les choses échangées... il y a une vertu
qui force les dons à circuler, à être donnés, à être rendus. »
Mais c'est ici que la difficulté commence. Cette vertu
existe-t-elle objectivement, comme une propriété physique
des biens échangés ? Évidemment non ; cela serait d'ailleurs
impossible, puisque les biens en question ne sont pas seulement des objets physiques, mais aussi des dignités, des
charges, des privilèges, dont le rôle sociologique est cependant le même que celui des biens matériels. Il faut donc
que la vertu soit conçue subjectivement ; mais alors, on se
trouve placé devant une alternative : ou cette vertu n'est
pas autre chose que l'acte d'échange lui-même, tel que se
le représente la pensée indigène, et on se trouve enfermé
dans un cercle ; ou elle est d'une nature différente, et par
rapport à elle, l'acte d'échange devient alors un phénomène
secondaire.

Le seul moyen d'échapper au dilemme eût été de s'apercevoir que c'est l'échange qui constitue le phénomène primitif, et non les opérations discrètes en lesquelles la vie
sociale le décompose. Là comme ailleurs, mais là surtout,
devait s'appliquer un précepte que Mauss lui-même avait
déjà formulé dans l'*Essai sur la Magie* : « L'unité du
tout est encore plus réelle que chacune des parties. » Au
contraire, dans l'*Essai sur le don*, Mauss s'acharne à
reconstruire un tout avec des parties, et comme c'est manifestement impossible, il lui faut ajouter au mélange une
quantité supplémentaire qui lui donne l'illusion de retrouver son compte. Cette quantité, c'est le *hau*.

Ne sommes-nous pas ici devant un de ces cas (qui ne sont
pas si rares) où l'ethnologue se laisse mystifier par l'indigène ? Non certes par l'indigène en général, qui n'existe
pas, mais par un groupe indigène déterminé, où des spé-

cialistes se sont déjà penchés sur des problèmes, se sont posé des questions et ont essayé d'y répondre. En l'occurrence, et au lieu de suivre jusqu'au bout l'application de ses principes, Mauss y renonce en faveur d'une théorie néo-zélandaise, qui a une immense valeur comme document ethnographique, mais qui n'est pas autre chose qu'une théorie. Or, ce n'est pas une raison parce que des sages maori se sont posé les premiers certains problèmes, et les ont résolus de façon infiniment intéressante, mais fort peu satisfaisante, pour s'incliner devant leur interprétation. Le *hau* n'est pas la raison dernière de l'échange : c'est la forme consciente sous laquelle des hommes d'une société déterminée, où le problème avait une importance particulière, ont appréhendé une nécessité inconsciente dont la raison est ailleurs.

A l'instant le plus décisif, Mauss est donc pris d'une hésitation et d'un scrupule. Il ne sait plus exactement s'il doit faire le tableau de la théorie, ou la théorie de la réalité, indigènes. En quoi il a raison dans une très large mesure : la théorie indigène est dans une relation beaucoup plus directe avec la réalité indigène que ne le serait une théorie élaborée à partir de nos catégories et de nos problèmes. C'était donc un très grand progrès, au moment où il écrivait, que d'attaquer un problème ethnographique à partir de sa théorie néo-zélandaise ou mélanésienne, plutôt qu'à l'aide de notions occidentales comme l'animisme, le mythe ou la participation. Mais, indigène ou occidentale, la théorie n'est jamais qu'une théorie. Elle offre tout au plus une voie d'accès, car ce que croient les intéressés, fussent-ils fuégiens ou australiens, est toujours fort éloigné de ce qu'ils pensent ou font effectivement. Après avoir dégagé la conception indigène, il fallait la réduire par une critique objective qui permette d'atteindre la réalité sous-jacente. Or, celle-ci a beaucoup moins de chance de se trouver dans des élaborations conscientes, que dans des structures mentales inconscientes qu'on peut atteindre à travers les institutions, et mieux encore dans le langage. Le *hau* est un produit de la réflexion indigène ; mais la réalité est plus apparente dans certains traits linguistiques que Mauss n'a pas manqué de relever, sans leur donner toute l'importance qui convenait : « Papou et Mélanésien », note-t-il, « n'ont qu'un seul mot pour désigner l'achat et la vente, le prêt et l'emprunt. Les opérations antithétiques sont exprimées par le même mot. » Toute la preuve est là, que les opérations en question loin d'être « antithétiques », ne sont que deux modes d'une même réalité. On n'a pas besoin du *hau* pour faire la synthèse, parce que l'antithèse n'existe pas. Elle est une illusion subjective des ethnographes et parfois aussi des indigènes qui, quand ils raisonnent sur eux-mêmes — ce qui leur arrive assez souvent — se conduisent en ethnographes ou plus exactement en sociologues, c'est-à-dire en collègues avec lesquels il est loisible de discuter.

A ceux qui nous reprocheraient de tirer la pensée de Mauss dans un sens trop rationaliste, quand nous nous efforçons de la reconstruire sans faire appel à des notions magiques ou affectives dont l'intervention nous semble résiduelle, nous répondrons que cet effort pour comprendre la vie sociale comme un système de relations, qui anime l'*Essai sur le don*, Mauss se l'est explicitement assigné dès le début de sa carrière, dans l'*Esquisse d'une théorie générale de la Magie* qui inaugure ce volume. C'est lui, et non pas nous, qui affirme la nécessité de comprendre l'acte magique comme un jugement. C'est lui qui introduit dans la critique ethnographique une distinction fondamentale entre jugement analytique et jugement synthétique, dont l'origine philosophique se trouve dans la théorie des notions mathématiques. Ne sommes-nous pas, dès lors, fondé à dire que si Mauss avait pu concevoir le problème du jugement autrement que dans les termes de la logique classique, et le formuler en termes de logique des relations, alors, avec le rôle même de la copule, se seraient effondrées les notions qui en tiennent lieu dans son argumentation (il le dit expressément : « le *mana*... joue le rôle de la copule dans la proposition »), c'est-à-dire le *mana* dans la théorie de la magie, et le *hau* dans la théorie du don ?

*
* *

A vingt ans d'intervalle en effet, l'argumentation de
l'*Essai sur le don* reproduit (au moins dans son début)
celle de la *Théorie de la Magie*. Cela seul justifierait l'in-
clusion dans ce volume d'un travail dont il faut considérer la date ancienne (1902) pour ne pas commettre
d'injustice en le jugeant. C'était l'époque où l'ethnologie
comparée n'avait pas encore renoncé, en grande partie, à
l'instigation de Mauss lui-même, et comme il devait le dire
dans l'*Essai sur le don*, « à cette comparaison constante
où tout se mêle et où les institutions perdent toute couleur locale et les documents leur saveur. » C'est plus
tard seulement qu'il allait s'attacher à fixer l'attention sur
des sociétés « qui représentent vraiment des maxima, des
excès, qui permettent mieux de voir les faits que là où,
non moins essentiels, ils restent encore petits et involués. »
Mais pour comprendre l'histoire de sa pensée, pour dégager
certaines de ses constantes, l'*Esquisse* offre une valeur
exceptionnelle. Et cela est vrai, non seulement pour l'intelligence de la pensée de Mauss, mais pour apprécier l'histoire
de l'École sociologique française, et la relation exacte entre
la pensée de Mauss et celle de Durkheim. En analysant
les notions de *mana*, de *wakan*, et d'*orenda*, en édifiant
sur leur base une interprétation d'ensemble de la magie
et en rejoignant par là ce qu'il considère comme des catégories fondamentales de l'esprit humain, Mauss anticipe
de dix ans l'économie et certaines conclusions des *Formes
élémentaires de la Vie religieuse*. L'*Esquisse* montre donc
l'importance de la contribution de Mauss à la pensée de
Durkheim ; elle permet de reconstituer quelque chose de
cette intime collaboration entre l'oncle et le neveu qui
ne s'est pas limitée au champ ethnographique, puisqu'on
connaît, par ailleurs, le rôle essentiel joué par Mauss dans
la préparation du *Suicide*.

Mais ce qui nous intéresse surtout ici, c'est la structure
logique de l'œuvre. Elle est tout entière fondée sur la
notion de *mana*, et on sait que, sous ce pont, beaucoup
d'eau a passé depuis. Pour rattraper le courant, il faudrait

d'abord intégrer à l'*Esquisse* les résultats plus récents obtenus sur le terrain et ceux tirés de l'analyse linguistique (1). Il faudrait aussi compléter les divers types de *mana* en introduisant dans cette famille déjà vaste, et pas très harmonieuse, la notion, si fréquente chez les indigènes de l'Amérique du Sud, d'une sorte de *mana* substantiel et le plus souvent négatif : fluide que le shaman manipule, qui se dépose sur les objets sous une forme observable, qui provoque des déplacements et des lévitations et dont l'action est généralement considérée comme nocive. Ainsi le *tsaruma* des Jivaro, le *nandé* dont nous avons nous-même étudié la représentation chez les Nambikwara (2), et toutes les formes analogues signalées chez les Amniapâ, Apapocuva, Apinayé, Galibi, Chiquito, Lamisto, Chamicuro, Xebero, Yameo, Iquito, etc. (3). Que subsisterait-il de la notion de *mana* après une telle mise au point ? C'est difficile à dire ; en tout cas, elle en sortirait *profanée*. Non que Mauss et Durkheim aient eu tort, comme on le prétend parfois, de rapprocher des notions empruntées à des régions du monde éloignées les unes des autres, et de les constituer en catégorie. Même si l'histoire confirme les conclusions de l'analyse linguistique et que le *terme* polynésien *mana* soit un lointain rejeton d'un terme indonésien définissant l'efficace de dieux personnels, il n'en résulterait nullement que la *notion* connotée par ce terme en Mélanésie et en Polynésie soit un résidu, ou un vestige, d'une pensée religieuse plus élaborée. Malgré toutes les différences locales,

---

(1) A. M. Hocart, Mana, *Man*, n° 46, 1914 ; Mana again, *Man*, n° 79, 1922 ; Natural and supernatural, *Man*, n° 78, 1932. H. Ian Hogbin, Mana, *Oceania*, vol. 6, 1935-1936. A. Capell, The word « mana » : a linguistic study, *Oceania*, vol. 9, 1938. R. Firth, The Analysis of Mana : an empirical approach, *Journal of the Polynesian Society*, vol. 49, 1940 ; An Analysis of Mana, *Polynesian Anthropological Studies*, p. 189-218, Wellington, 1941. G. Blake Palmer, Mana, some Christian and Moslem Parallels, *Journal of the Polynesian Society*, vol. 55, 1946. G. J. Schneep, El Concepto de Mana, *Acta Anthropologica*, vol. II, n° 3, Mexico, 1947. B. Malinowski, *Magic, Science and Religion*, Boston, 1948.

(2) *La Vie familiale et sociale des Indiens Nambikwara*, Société des Américanistes, Paris, 1948, p. 95-98.

(3) Alfred Metraux, La causa y el tratamiento mágico de las enfermedades entre los indios de la Region Tropical Sul-Americana, *America Indigena*, vol. 4, Mexico, 1944 ; Le Shamanisme chez les Indiens de l'Amérique du Sud tropicale, *Acta Americana*, vol. II, n°s 3 et 4, 1944.

il paraît bien certain que *mana*, *wakan*, *orenda* représentent des explications du même type ; il est donc légitime de constituer le type, de chercher à le classer, et de l'analyser.

La difficulté de la position traditionnelle en matière de *mana* nous paraît être d'une autre nature. A l'inverse de ce qu'on croyait en 1902, les conceptions du type *mana* sont si fréquentes et si répandues qu'il convient de se demander si nous ne sommes pas en présence d'une forme de pensée universelle et permanente, qui, loin de caractériser certaines civilisations, ou prétendus « stades » archaïques ou mi-archaïques de l'évolution de l'esprit humain, serait fonction d'une certaine situation de l'esprit en présence des choses, devant donc apparaître chaque fois que cette situation est donnée. Mauss cite dans l'*Esquisse* une remarque très profonde du Père Thavenet à propos de la notion de *manitou* chez les Algonkins : « ... Il désigne plus particulièrement tout être qui n'a pas encore un nom commun, qui n'est pas familier : d'une salamandre une femme disait qu'elle avait peur, c'était un manitou ; on se moque d'elle en lui disant le nom. Les perles des trafiquants sont les écailles d'un manitou et le drap, cette chose merveilleuse, est la peau d'un manitou. » De même, le premier groupe d'Indiens Tupi-Kawahib à demi civilisés, avec l'aide desquels nous devions pénétrer, en 1938, dans un village inconnu de la tribu, admirant les coupes de flanelle rouge dont nous leur faisions présent s'écriaient : *O que é este bicho vermelho ?* : « Qu'est-ce que c'est que cette bête rouge ? » ; ce qui n'était ni un témoignage d'animisme primitif, ni la traduction d'une notion indigène, mais seulement un idiotisme du *falar caboclo*, c'est-à-dire du portugais rustique de l'intérieur du Brésil. Mais, inversement, les Nambikwara, qui n'avaient jamais vu de bœufs avant 1915, les désignent comme ils ont toujours fait des étoiles, du nom de *atásu*, dont la connotation est très voisine de l'algonkin *manitou* (1).

(1) C. Lévi-Strauss, *La Vie familiale*, etc., *l. c.*, p. 98-99 ; The Tupi-Kawahib, in *Handbook of South American Indians*, Washington, 1948, vol. 3, p. 299-305.
On comparera avec les Dakota qui disent du premier cheval, apporté selon le mythe par l'éclair : « Il ne sentait pas comme un être humain et

Ces assimilations ne sont pas si extraordinaires ; avec plus de réserve sans doute, nous en pratiquons qui sont du même type, quand nous qualifions un objet inconnu ou dont l'usage s'explique mal, ou dont l'efficacité nous surprend, de *truc* ou de *machin*. Derrière machin, il y a machine, et, plus lointainement, l'idée de force ou de pouvoir. Quant à truc, les étymologistes le dérivent d'un terme médiéval qui signifie le coup heureux aux jeux d'adresse ou de hasard, c'est-à-dire un des sens précis qu'on donne au terme indonésien où certains voient l'origine du mot *mana* (1). Nous ne disons certes pas d'un objet qu'il a « du truc » ou « du machin », mais d'une personne, nous disons qu'elle a « quelque chose » et quand le *slang* américain attribue à une femme du « oomph », il n'est pas sûr, si l'on évoque l'atmosphère sacrée et tout imbue de tabous qui, en Amérique plus encore qu'ailleurs, imprègne la vie sexuelle, que nous soyons très éloignés du sens de *mana*. La différence tient moins aux notions elles-mêmes, telles que l'esprit les élabore partout inconsciemment, qu'au fait que, dans notre société, ces notions ont un caractère fluide et spontané, tandis qu'ailleurs elles servent à fonder des systèmes réfléchis et officiels d'interprétation, c'est-à-dire un rôle que nous-mêmes réservons à la science. Mais, toujours et partout, ces types de notions interviennent, un peu comme des symboles algébriques, pour représenter une valeur indéterminée de signification, en elle-même vide de sens et donc susceptible de recevoir n'importe quel sens, dont l'unique fonction est de combler un écart entre le signifiant et le signifié, ou, plus exactement, de signaler le fait que dans telle circonstance, telle occasion, ou telle de leurs manifestations, un rapport d'inadéquation s'établit entre signifiant et signifié au préjudice de la relation complémentaire antérieure.

Nous nous plaçons donc sur une voie étroitement parallèle à celle de Mauss invoquant la notion de *mana* comme

on pensa que ce pourrait être un chien, mais il était plus gros qu'un chien de charge, aussi on l'appela *sunka wakan*, chien mystérieux » (M. W. BECK-WITH, Mythology of the Oglala Dakota, *Journal of American Folklore*, vol. XLIII, 1930, p. 379).

(1) Sur cette dérivation du mot *mana*, cf. A. CAPELL, *l. c.*

fondement de certains jugements synthétiques *a priori*. Mais nous nous refusons à le rejoindre, quand il va chercher l'origine de la notion de *mana* dans un autre ordre de réalités que les relations qu'elle aide à construire : ordre de sentiments, volitions et croyances, qui sont, du point de vue de l'explication sociologique, soit des épiphéno-mènes, soit des mystères, en tout cas des objets extrin-sèques au champ d'investigation. Là est, à notre sens, la raison pour laquelle une enquête si riche, si pénétrante, si pleine d'illuminations, tourne court et aboutit à une conclusion décevante. En fin de compte, le *mana* ne serait que « l'expression de sentiments sociaux qui se sont formés tantôt fatalement, et universellement tantôt fortuitement, à l'égard de certaines choses, choisies pour la plupart d'une façon arbitraire... » (1). Mais les notions de senti-ment, de fatalité, de fortuité et d'arbitraire ne sont pas des notions scientifiques. Elles n'éclairent pas les phé-nomènes qu'on s'est proposé d'expliquer, elles y parti-cipent. On voit donc que dans un cas au moins, la notion de *mana* présente les caractères de puissance secrète, de force mystérieuse, que Durkheim et Mauss lui ont attri-bués : tel est le rôle qu'elle joue dans leur propre système. Là vraiment, le *mana* est *mana*. Mais en même temps, on se demande si leur théorie du *mana* est autre chose qu'une imputation à la pensée indigène de propriétés impliquées par la place très particulière que l'idée de *mana* est appelée à tenir dans la leur.

On ne saurait trop mettre en garde, par conséquent, les admirateurs sincères de Mauss qui seraient tentés de s'arrêter à cette première étape de sa pensée, et qui adres-seraient leur reconnaissance, moins à ses analyses lucides qu'à son talent exceptionnel pour restituer, dans leur étrangeté et leur authenticité, certaines théories indigènes :

---

(1) Aussi décisive qu'ait été la démarche de Mauss assimilant les phé-nomènes sociaux au langage, elle devait, sur un point, mettre la réflexion sociologique en difficulté. Des idées telles que celles exprimées dans cette citation pouvaient, en effet, invoquer à leur profit ce qui devait, pendant longtemps, être considéré comme le rempart inexpugnable de la linguis-tique saussurienne : c'est-à-dire la théorie de la nature arbitraire du signe linguistique. Mais il n'est pas, non plus, de position qu'il soit aujourd'hui plus urgent de dépasser.

car il n'aurait jamais cherché dans cette contemplation le paresseux refuge d'une pensée vacillante. A s'en tenir à ce qui n'est, dans l'histoire de la pensée de Mauss, qu'une démarche préliminaire, on risquerait d'engager la sociologie sur une voie dangereuse et qui serait même sa perte si, faisant un pas de plus, on réduisait la réalité sociale à la conception que l'homme, même sauvage, s'en fait. Cette conception deviendrait d'ailleurs vide de sens si son caractère réflexif était oublié. L'ethnographie se dissoudrait alors dans une phénoménologie verbeuse, mélange faussement naïf où les obscurités apparentes de la pensée indigène ne seraient mises en avant que pour couvrir les confusions, autrement trop manifestes, de celle de l'ethnographe.

Il n'est pas interdit d'essayer de prolonger la pensée de Mauss dans l'autre direction : celle que devait définir l'*Essai sur le don*, après avoir surmonté l'équivoque que nous avons déjà notée à propos du *hau*. Car si le *mana* est au bout de l'*Esquisse*, le *hau* n'apparaît heureusement qu'au début du *Don* et tout l'*Essai* le traite comme un point de départ, non comme un point d'arrivée. A quoi aboutirait-on, en projetant rétrospectivement sur la notion de *mana* la conception que Mauss nous invite à former de l'échange ? Il faudrait admettre que, comme le *hau*, le *mana* n'est que la réflexion subjective de l'exigence d'une totalité non perçue. L'échange n'est pas un édifice complexe, construit à partir des obligations de donner, de recevoir et de rendre, à l'aide d'un ciment affectif et mystique. C'est une synthèse immédiatement donnée à, et par, la pensée symbolique qui, dans l'échange comme dans toute autre forme de communication, surmonte la contradiction qui lui est inhérente de percevoir les choses comme les éléments du dialogue, simultanément sous le rapport de soi et d'autrui, et destinées par nature à passer de l'un à l'autre. Qu'elles soient *de l'un* ou *de l'autre* représente une situation dérivée par rapport au caractère relationnel initial. Mais n'en est-il pas de même pour la magie ? Le jugement magique, impliqué dans l'acte de produire la fumée pour susciter les nuages et la pluie, ne se fonde pas sur une distinction primitive entre fumée et nuage, avec appel au *mana* pour les souder l'un à l'autre, mais sur le fait qu'un plan plus profond de la pensée identifie fumée et nuage, que l'un est la même chose que l'autre, au moins sous un certain rapport, et cette identification justifie l'association subséquente, non le contraire. Toutes les opérations magiques reposent sur la restauration d'une unité, non pas perdue (car rien n'est jamais perdu), mais inconsciente, ou moins complètement consciente que ces opérations elles-mêmes. La notion de *mana* n'est pas de l'ordre du réel, mais de l'ordre de la pensée qui, même quand elle se pense elle-même, ne pense jamais qu'un objet.

C'est dans ce caractère relationnel de la pensée symbolique que nous pouvons chercher la réponse à notre problème. Quels qu'aient été le moment et les circonstances de son apparition dans l'échelle de la vie animale, le langage n'a pu naître que tout d'un coup. Les choses n'ont pas pu se mettre à signifier progressivement. A la suite d'une transformation dont l'étude ne relève pas des sciences sociales, mais de la biologie et de la psychologie, un passage s'est effectué, d'un stade où rien n'avait un sens, à un autre où tout en possédait. Or, cette remarque, en apparence banale, est importante, parce que ce changement radical est sans contrepartie dans le domaine de la connaissance qui, elle, s'élabore lentement et progressivement. Autrement dit, au moment où l'Univers entier, d'un seul coup, est devenu *significatif*, il n'en a pas été pour autant mieux *connu*, même s'il est vrai que l'apparition du langage devait précipiter le rythme du développement de la connaissance. Il y a donc une opposition fondamentale, dans l'histoire de l'esprit humain, entre le symbolisme, qui offre un caractère de discontinuité, et la connaissance, marquée de continuité. Qu'en résulte-t-il ? C'est que les deux catégories du signifiant et du signifié se sont constituées simultanément et solidairement, comme deux blocs complémentaires ; mais que la connaissance, c'est-à-dire le processus intellectuel qui permet d'identifier les uns par rapport aux autres certains aspects du signifiant

et certains aspects du signifié — on pourrait même dire
de choisir, dans l'ensemble du signifiant et dans l'ensemble
du signifié, les parties qui présentent entre elles les rapports les plus satisfaisants de convenance mutuelle —
ne s'est mise en route que fort lentement. Tout s'est
passé comme si l'humanité avait acquis d'un seul coup un
immense domaine et son plan détaillé, avec la notion de
leur relation réciproque, mais avait passé des millénaires
à apprendre quels symboles déterminés du plan repré-
sentaient les différents aspects du domaine. L'Univers a
signifié bien avant qu'on ne commence à savoir ce qu'il
signifiait ; cela va sans doute de soi. Mais, de l'analyse
précédente, il résulte aussi qu'il a signifié, dès le début,
la totalité de ce que l'humanité peut s'attendre à en
connaître. Ce qu'on appelle le progrès de l'esprit humain
et, en tout cas, le progrès de la connaissance scientifique,
n'a pu et ne pourra jamais consister qu'à rectifier des
découpages, procéder à des regroupements, définir des
appartenances et découvrir des ressources neuves, au sein
d'une totalité fermée et complémentaire avec elle-
même.

Nous sommes apparemment très loin du *mana* ; en
fait, fort près. Car, bien que l'humanité ait toujours possédé une masse énorme de connaissances positives et que
les différentes sociétés humaines aient consacré plus ou
moins d'effort à les maintenir et à les développer, c'est
tout de même à une époque très récente que la pensée
scientifique s'est installée en maîtresse et que des formes
de sociétés sont apparues, où l'idéal intellectuel et moral,
en même temps que les fins pratiques poursuivies par le
corps social, se sont organisés autour de la connaissance
scientifique, choisie comme centre de référence de façon
officielle et réfléchie. La différence est de degré, non de
nature, mais elle existe. Nous pouvons donc nous attendre
à ce que la relation entre symbolisme et connaissance
conserve des caractères communs dans les sociétés non
industrielles et dans les nôtres, tout en étant inégalement
marqués. Ce n'est pas creuser un fossé entre les unes et
les autres que de reconnaître que le travail de péréquation

du signifiant par rapport au signifié a été poursuivi de façon plus méthodique et plus rigoureuse à partir de la naissance, et dans les limites d'expansion, de la science moderne. Mais, partout ailleurs, et constamment encore chez nous-mêmes (et pour fort longtemps sans doute), se maintient une situation fondamentale et qui relève de la condition humaine, à savoir que l'homme dispose dès son origine d'une intégralité de signifiant dont il est fort embarrassé pour faire l'allocation à un signifié, donné comme tel sans être pour autant connu. Il y a toujours une inadéquation entre les deux, résorbable pour l'entendement divin seul, et qui résulte dans l'existence d'une surabondance de signifiant, par rapport aux signifiés sur lesquels elle peut se poser. Dans son effort pour comprendre le monde, l'homme dispose donc toujours d'un surplus de signification (qu'il répartit entre les choses selon des lois de la pensée symbolique qu'il appartient aux ethnologues et aux linguistes d'étudier). Cette distribution d'une ration supplémentaire — si l'on peut s'exprimer ainsi — est absolument nécessaire pour qu'au total, le signifiant disponible et le signifié repéré restent entre eux dans le rapport de complémentarité qui est la condition même de l'exercice de la pensée symbolique.

Nous croyons que les notions de type *mana*, aussi diverses qu'elles puissent être, et en les envisageant dans leur fonction la plus générale (qui, nous l'avons vu, ne disparaît pas dans notre mentalité et dans notre forme de société) représentent précisément ce *signifiant flottant*, qui est la servitude de toute pensée finie (mais aussi le gage de tout art, toute poésie, toute invention mythique et esthétique), bien que la connaissance scientifique soit capable, sinon de l'étancher, au moins de le discipliner partiellement. La pensée magique offre d'ailleurs d'autres méthodes de canalisation, avec d'autres résultats, et ces méthodes peuvent fort bien coexister. En d'autres termes, et nous inspirant du précepte de Mauss que tous les phénomènes sociaux peuvent être assimilés au langage, nous voyons dans le *mana*, le *wakan*, l'*orenda* et autres notions du même type, l'expression consciente d'une *fonction sémantique*, dont le rôle est de permettre à la pensée symbolique de s'exercer malgré la contradiction qui lui est propre. Ainsi s'expliquent les antinomies, en apparence insolubles, attachées à cette notion, qui ont tant frappé les ethnographes et que Mauss a mises en lumière : force et action ; qualité et état ; substantif, adjectif et verbe à la fois ; abstraite et concrète ; omniprésente et localisée. Et en effet, le *mana* est tout cela à la fois ; mais précisément, n'est-ce pas parce qu'il n'est rien de tout cela : simple forme, ou plus exactement symbole à l'état pur, donc susceptible de se charger de n'importe quel contenu symbolique ? Dans ce système de symboles que constitue toute cosmologie, ce serait simplement une *valeur symbolique zéro*, c'est-à-dire un signe marquant la nécessité d'un contenu symbolique supplémentaire à celui qui charge déjà le signifié, mais pouvant être une valeur quelconque à condition qu'elle fasse encore partie de la réserve disponible, et ne soit pas déjà, comme disent les phonologues, un terme de groupe (1).

Cette conception nous paraît être rigoureusement fidèle à la pensée de Mauss. En fait, ce n'est pas autre chose que la conception de Mauss traduite, de son expression originale en termes de logique des classes, dans ceux d'une logique symbolique qui résume les lois les plus générales du langage. Cette traduction n'est pas notre fait, ni le résultat d'une liberté prise à l'égard de la conception initiale. Elle reflète seulement une évolution objective qui s'est produite dans les sciences psychologiques et sociales au cours des trente dernières années, et dont la valeur de l'enseignement de Mauss est d'avoir été une première

---

(1) Les linguistiques ont déjà été amenés à formuler des hypothèses de ce type. Ainsi : « Un phonème zéro... s'oppose à tous les autres phonèmes du français en ce qu'il ne comporte aucun caractère différentiel et aucune valeur phonétique constante. Par contre, le phonème zéro a pour fonction propre de s'opposer à l'absence de phonème. » R. JAKOBSON and J. LOTZ, Notes on the French Phonemic Pattern, *Word*, vol. 5, n° 2, août 1949, New York, 1949, p. 155.

On pourrait dire pareillement, en schématisant la conception qui a été proposée ici, que la fonction des notions de type *mana* est de s'opposer à l'absence de signification sans comporter par soi-même aucune signification particulière.

manifestation, et d'y avoir largement contribué. Mauss fut, en effet, un des tout premiers à dénoncer l'insuffisance de la psychologie et de la logique traditionnelles, et à faire éclater leurs cadres rigides en révélant d'autres formes de pensée, en apparence « étrangères à nos entendements d'adultes européens. » Au moment où il écrivait (rappelons-nous que l'essai sur la magie date d'une époque où les idées de Freud étaient complètement inconnues en France), cette découverte ne pouvait guère s'exprimer autrement que sous forme négative, par l'appel à une « psychologie non intellectualiste ». Mais que cette psychologie put un jour être formulée comme une psychologie *autrement* intellectualiste, expression généralisée des lois de la pensée humaine, dont les manifestations particulières, dans des contextes sociologiques différents, ne sont que les modalités, nul plus que Mauss n'eût eu raison de s'en réjouir. D'abord, parce que c'est l'*Essai sur le don* qui devait définir la méthode à employer dans cette tâche ; ensuite et surtout, parce que Mauss lui-même avait assigné comme but essentiel à l'ethnologie de contribuer à l'élargissement de la raison humaine. Il revendiquait donc, par avance, pour celle-ci, toutes les découvertes qui pourraient encore être faites, dans ces zones obscures où des formes mentales difficilement accessibles, parce qu'enfouies simultanément aux confins les plus reculés de l'Univers et dans les recoins les plus secrets de notre pensée, ne sont souvent perçues que réfractées dans une trouble auréole d'affectivité. Or, Mauss s'est montré toute sa vie obsédé par le précepte comtiste, qui réapparaît constamment dans ce volume, selon lequel la vie psychologique ne peut acquérir un sens que sur deux plans : celui du social, qui est langage ; ou celui du physiologique, c'est-à-dire l'autre forme, celle-là muette, de la nécessité du vivant. Jamais il n'est resté plus fidèle à sa pensée profonde et jamais il n'a mieux tracé à l'ethnologue sa mission d'astronome des constellations humaines, que dans cette formule où il a rassemblé la méthode, les moyens et le but dernier de nos sciences et que tout Institut d'Ethnologie pourrait inscrire à son fronton : « Il faut, avant tout, dresser le catalogue le plus grand possible de catégories ; il faut partir de toutes celles dont on peut savoir que les hommes se sont servis. On verra alors qu'il y a encore bien des lunes mortes, ou pâles, ou obscures, au firmament de la raison. »

CLAUDE LÉVI-STRAUSS.

PREMIÈRE PARTIE

ESQUISSE
D'UNE THÉORIE GÉNÉRALE
DE LA MAGIE[1]

(1) Extrait de l'*Année Sociologique*, 1902-1903, en collaboration avec H. Hubert. Quelques pages préliminaires ont été rapportées en appendice, joint à la fin de cette étude.

Chapitre Premier

HISTORIQUE ET SOURCES

La magie est depuis longtemps objet de spéculations. Mais celles des anciens philosophes, des alchimistes et des théologiens étant purement pratiques, appartiennent à l'histoire de la magie et ne doivent pas prendre place dans l'histoire des travaux scientifiques auxquels notre sujet a donné lieu. La liste de ceux-ci commence avec les écrits des frères Grimm, qui inaugurèrent la longue série des recherches, à la suite desquelles notre travail se range.

Dès maintenant, il existe, sur la plupart des grandes classes de faits magiques, de bonnes monographies. Soit que les faits aient été collectionnés d'un point de vue historique, soit qu'ils l'aient été d'un point de vue logique, des répertoires immenses sont constitués. D'autre part, un certain nombre de notions sont acquises, telles la notion de survivance ou celle de sympathie.

Nos devanciers directs sont les savants de l'école anthropologique, grâce auxquels s'est constituée une théorie déjà suffisamment cohérente de la magie. M. Tylor touche à deux reprises dans sa *Civilisation primitive*. Il rattache d'abord la démonologie magique à l'animisme primitif ; dans son deuxième volume, il parle, l'un des premiers, de magie sympathique c'est-à-dire de rites magiques procédant, suivant les lois dites de sympathie, du même au même, du proche au proche, de l'image, à la chose, de la partie au tout ; mais c'est surtout pour faire voir que, dans nos sociétés, elle fait partie du système des survivances. En réalité, M. Tylor ne donne d'explication de la magie que dans la mesure où l'animisme en constituerait une. De même Wilken et M. Sydney Hartland ont étudié la magie, l'un à propos de l'animisme et du chamanisme, l'autre à propos du gage de vie, assimilant aux relations sympathiques celles qui existent entre l'homme et la chose ou l'être auquel sa vie est attachée.

Avec MM. Frazer et Lehmann, nous arrivons à de véritables théories. La théorie de M. Frazer, telle qu'elle est exposée dans la deuxième édition de son *Rameau d'or*, est, pour nous, l'expression la plus claire de toute une tradition à laquelle ont contribué, outre M. Tylor, sir Alfred Lyall, M. Jevons, M. Lang et aussi M. Oldenberg. Mais comme, sous la divergence des opinions particulières, tous ces auteurs s'accordent à faire de la magie une espèce de science avant la science, et comme c'est là le fond de la théorie de M. Frazer, c'est de celle-ci que nous nous contenterons de parler d'abord. Pour M. Frazer, sont magiques les pratiques destinées à produire des effets spéciaux par l'application des deux lois dites de sympathie, loi de similarité et loi de contiguïté, qu'il formule de la façon suivante : « Le semblable produit le semblable ; les choses qui ont été en contact, mais qui ont cessé de l'être, continuent à agir les unes sur les autres, comme si le contact persistait. » On peut ajouter comme corollaire : « La partie est au tout comme l'image est à la chose représentée. » Ainsi, la définition élaborée par l'École anthropologique tend à absorber la magie dans la magie sympathique. Les formules de M. Frazer sont très catégoriques à cet égard ; elles ne permettent ni hésitations ni exceptions : la sympathie est la caractéristique suffisante et nécessaire de la magie ; tous les rites magiques sont sympathiques et tous les rites sympathiques sont magiques. On admet bien qu'en fait les magiciens pratiquent des rites qui sont semblables aux prières et aux sacrifices religieux, quand ils n'en sont pas la copie ou la parodie ; on admet aussi que les prêtres paraissent avoir dans nombre de sociétés une prédisposition remarquable à l'exercice de la magie. Mais ces faits, nous dit-on, témoignent d'empiètements récents et dont il n'y a pas lieu de tenir compte dans la définition ; celle-ci ne doit considérer que la magie pure.

De cette première proposition, il est possible d'en déduire d'autres. Tout d'abord, le rite magique agit directement, sans l'intermédiaire d'un agent spirituel ; de plus, son efficacité est nécessaire. De ces deux propriétés, la première n'est pas universelle, puisqu'on admet que la magie, dans sa dégénérescence, contaminée par la religion, a emprunté à celle-ci des figures de dieux et de démons ; mais la vérité de la seconde n'a pas été affectée par là, car, dans le cas où l'on suppose un intermédiaire, le rite magique agit sur lui comme sur les phénomènes ; il force, contraint, tandis que la religion concilie. Cette dernière propriété, par laquelle la magie semble se distinguer essentiellement de la religion dans tous les cas où l'on serait tenté de les confondre, reste, en fait, d'après M. Frazer, la caractéristique la plus durable et la plus générale de la magie.

Cette théorie se complique d'une hypothèse, dont la portée est plus vaste. La magie ainsi entendue devient la forme première de la pensée humaine. Elle aurait autrefois existé à l'état pur et l'homme n'aurait même su penser, à l'origine, qu'en termes magiques. La prédominance des rites magiques dans les cultes primitifs et dans le folklore est, pense-t-on, une preuve grave à l'appui de cette hypothèse. De plus, on affirme que cet état de magie est encore réalisé dans quelques tribus de l'Australie centrale dont les rites totémiques auraient un caractère exclusivement magique. La magie constitue ainsi, à la fois, toute la vie mystique et toute la vie scientifique du primitif. Elle est le premier étage de l'évolution mentale que nous puissions supposer ou constater. La religion est sortie des échecs et des erreurs de la magie. L'homme, qui d'abord avait, sans hésitation, objectivé ses idées et ses façons de les associer, qui s'imaginait créer les choses comme il se suggérait ses pensées, qui s'était cru maître des forces naturelles comme il était maître de ses gestes, a fini par s'apercevoir que le monde lui résistait ; immédiatement, il l'a doué des forces mystérieuses qu'il s'était arrogées pour lui-même ; après avoir été dieu, il a peuplé le monde de dieux. Ces dieux il ne les contraint plus, mais il se les attache par l'adoration, c'est-à-dire par le sacrifice et la prière. Certes, M. Frazer n'avance cette hypothèse qu'avec de prudentes réserves, mais il y tient fermement. Il la complète, d'ailleurs, en expliquant comment, parti de la religion, l'esprit humain s'achemine vers la science ; devenu capable de constater les erreurs de la religion, il revient à la simple application du principe de causalité ; mais dorénavant, il s'agit de causalité expérimentale et non plus de causalité magique. Nous reprendrons en détail les divers points de cette théorie.

Le travail de M. Lehmann est une étude de psychologie à laquelle une courte histoire de la magie sert de préface. Il procède par l'observation de faits contemporains. La magie, qu'il définit, « la mise en pratique des superstitions », c'est-à-dire « des croyances qui ne sont ni religieuses ni scientifiques », subsiste dans nos sociétés sous les formes observables du spiritisme et de l'occultisme. S'attachant donc à analyser les principales expériences des spirites par les procédés de la psychologie expérimentale, il est arrivé à y voir et, par suite, à voir dans la magie, des illusions, des prépossessions, des erreurs de perceptions causées par des phénomènes d'attente.

Tous ces travaux ont un caractère ou un défaut commun. On n'a pas cherché à y faire une énumération complète des différentes sortes de faits magiques et, par suite, il est douteux qu'on ait encore réussi à constituer une notion scientifique qui en embrasse l'ensemble. La seule tentative qui ait été faite, par MM. Frazer et Jevons, pour circonscrire la magie est entachée de partialité. Ils ont choisi des faits soi-disant typiques ; ils ont cru à l'existence d'une magie pure et l'ont tout entière réduite aux faits de sympathie ; mais ils n'ont pas démontré la légitimité de leur choix. Ils laissent de côté une masse considérable de pratiques, que tous ceux qui les ont pratiquées, ou vu pratiquer, ont toujours qualifiées de magiques, ainsi les incantations et les rites où interviennent des démons proprement dits. Si l'on ne tient pas compte des vieilles définitions et si l'on constitue définitivement une classe aussi étroitement limitée d'idées et de pratiques, en dehors desquelles on ne veuille reconnaître que des apparences de magie, encore demandons-nous qu'on explique les illusions qui ont induit tant de gens à prendre pour magiques des faits qui, par eux-mêmes, ne l'étaient pas. C'est ce que nous attendons en vain. Nous dira-t-on que les faits de sympathie forment une classe naturelle et indépendante de faits qu'il importe de distinguer ? Il se peut ; encore faudrait-il qu'ils aient donné lieu à des expressions, à des images, à des attitudes sociales suffisamment distinctes pour qu'on puisse dire qu'ils sont bien séparés du reste de la magie ; nous croyons, d'ailleurs, qu'il n'en est pas ainsi. En tout cas, il serait nécessaire qu'il fût alors entendu qu'on nous donne seulement une théorie des actions sympathiques et non pas de la magie en général. En somme, personne ne nous a donné jusqu'à présent la notion claire, complète et satisfaisante de la magie, dont nous ne saurions nous passer. Nous sommes donc réduits à la constituer nous-mêmes.

Pour y parvenir, nous ne pouvons pas nous borner à l'étude d'une ou de deux magies, il nous faut en considérer à la fois le plus grand nombre possible. Nous n'espérons pas en effet déduire de l'analyse d'une seule magie, fût-elle bien choisie, une espèce de loi de tous les phénomènes magiques, puisque l'incertitude où nous sommes sur les limites de la magie nous fait craindre de ne pas y trouver représentée la totalité des phénomènes magiques. D'autre part, nous devons nous proposer d'étudier des systèmes aussi hétérogènes que possible. Ce sera le moyen d'établir que, si variables que soient, suivant les civilisations, ses rapports avec les autres classes de phénomènes sociaux, la magie n'en contient pas moins partout les mêmes éléments essentiels et que, en somme, elle est partout identique. Mais surtout, nous devons étudier parallèlement des magies de sociétés très primitives et des magies de sociétés très différenciées. C'est dans les premières que nous trouverons, sous leur forme parfaite, les faits élémentaires, les faits souches, dont les autres dérivent ; les secondes, avec leur organisation plus complète, leurs institutions plus distinctes, nous fourniront des faits plus intelligibles pour nous, qui nous permettront de comprendre les premiers.

Nous nous sommes préoccupés de ne faire entrer en ligne de compte que des documents très sûrs et qui nous retracent des systèmes complets de magie. C'est ce qui réduit singulièrement le champ de nos observations, pour peu que nous veuillions ne nous attacher qu'à ceux qui appellent un minimum de critique. Nous nous sommes donc restreints à n'observer et à ne comparer entre elles qu'un nombre limité de magies. Ce sont les magies de quelques tribus australiennes (1) ; celles d'un certain nombre de sociétés mélanésiennes (2) ; celles de deux des nations de souche iroquoise, Cherokees et Hurons, et, parmi les magies algonquines, celle des Ojibways (3). Nous avons également pris en

(1) Aruntas : SPENCER et GILLEN, *The Native Tribes of Central Australia*, Londres, 1898. — Pitta-Pitta et tribus voisines du Queensland central : W. ROTH, *Ethnological Studies among the North-Western Central Queensland Aborigines*, Brisbane, 1897. — Kurnai ; Murring et tribus voisines du Sud-Est : FISON et HOWITT, *Kamilaroi and Kurnai*, 1885 ; On some Australian beliefs, in *Journal of the Anthropological Institute*, 1883, t. XIII, p. 185 sq. ; ID., Australian Medicine-Men, *J.A.I.*, XVI, p. 32 sq. ; Notes on Australian Songs and Song-Makers, *J.A.I.*, XVII, p. 30 sq. — Ces documents précieux sont souvent incomplets, surtout en ce qui concerne les incantations.

(2) Iles Banks, îles Salomon, Nouvelles-Hébrides : M. CODRINGTON, *The Melanesians, their Anthropology and Folklore*, 1890 ; autour de cette étude capitale, nous avons groupé un certain nombre d'indications ethnographiques, entre autres celles de M. GRAY sur Tanna (*Proceedings of the Australian Association for the Advancement of Science*, janvier 1892) ; cf. Sidney H. RAY, Some Notes on the Tannese, in *Internationales Archiv für Ethnographie*, 1894, t. VII, p. 227 sq. Ces travaux, intéressants surtout pour ce qu'ils nous apprennent de l'idée de *mana*, sont incomplets en ce qui concerne le détail des rites, les incantations, le régime général de la magie et du magicien.

(3) Chez les Cherokees, nous nous trouvons en présence de véritables textes, de manuscrits rituels proprement dits, écrits par des magiciens, en caractères sequoyah ; M. MOONEY a recueilli près de 550 formules et rituels ; il a réussi souvent à en obtenir les meilleurs commentaires : The Sacred

considération la magie de l'ancien Mexique (1). Nous avons encore
fait entrer en ligne de compte la magie moderne des Malais
des détroits (2), et deux des formes qu'a revêtues la magie dans
l'Inde : forme populaire contemporaine étudiée dans les provinces du Nord-Ouest ; forme quasi savante, que lui avaient
donnée certains brahmanes de l'époque littéraire, dite védique (3).
Nous nous sommes assez peu servis des documents de langue
sémitique, sans cependant les négliger (4). L'étude des magies
grecques et latines (5) nous a été particulièrement utile pour

Formulas of the Cherokees, *VIIth Annual Report of the Bureau of American Ethnology*, 1887 ; The Myths of the Cherokees, *XVIIIth Ann. Rep. Bur.
Amer. Ethn.* — Pour les Hurons, nous ne nous sommes servis que des excellentes indications de M. Hewitt sur l'*orenda*, dont on trouvera un compte
rendu plus loin. — Les pictogrammes ojibway (Algonquins), retraçant les
initiations dans les diverses sociétés magiques, nous ont été aussi d'une
grande utilité. Ils sont à la fois, dans les travaux de M. HOFFMANN (*VIIth Ann.
Rep. Bur. Amer. Ethn., The Mide'wiwin of the Ojibwa*, 1887), la valeur de
textes écrits et de monuments figurés.

(1) Sur la magie mexicaine voir le ms. illustré, en nahuatl et espagnol,
rédigé pour Sahagun, publié, traduit, commenté, par M. SELER (*Zauberei
und Zauberer im Alten Mexico*, in *Veröff. a. d. Kgl. Mös. f. Vülkerk.*, VII,
2. 2 /4), dont les renseignements sont excellents mais sommaires.

(2) Le livre de W. W. SKEAT, *Malay Magic*, Lond., 1899, contient un
excellent répertoire de faits, bien analysés, bien complets, observés par
l'auteur, ou recueillis dans une notable série d'opuscules magiques manuscrits.

(3) Les Hindous nous ont fourni un corps incomparable de documents
magiques : hymnes et formules magiques de l'*Atharva Veda* (Ed. Roth et
Whitney, 1856 ; éd. avec comm. de Sâyana, Bombay, 1895-1900, 4 vol. 4°;
trad. de M. WEBER, liv. I-VI, dans *Indische Studien*, vol. XI-XVIII ; trad.
de M. HENRY, liv. VII-XIV, Paris, Maisonneuve, 1887-1896 ; trad., avec
commentaire, d'un choix d'hymnes, BLOOMFIELD, Hymns of the Atharvaveda, in *Sacred Books of the East*, vol. XLII) ; textes rituels du *Kauçika-
Sûtra* (Ed. Bloomfield, *Journ. of the Amer. Oriental Soc.*, 1890, vol. XIV :
trad. partielle, avec notes et, pour ainsi dire, définitive de M. CALAND,
Alt-Indisches Zauberritual, Amsterdam, 1900 ; WEBER, Omina und Portenta,
in *Abhdl. d. Kgl. Ak. d. Wiss.*, Berlin, 1858, p. 344-413). Mais nous n'oublie-
rons pas que ces textes mal datés ne nous représentent que l'*une* des traditions, pour ainsi dire littéraire, de l'*une* des écoles *brahmaniques*, attachées à l'Atharva Veda, et non pas toute la magie brahmanique, ni, à plus
forte raison, toute la magie de l'Inde antique. — Pour l'Inde moderne,
nous nous sommes surtout servis du recueil de CROOKE, *The Popular Religion and Folklore of Northern India*, 2 vol., Lond., Constable, 1897. Il
contient un certain nombre de lacunes, surtout pour les nuances des rites
et les textes de formules.

(4) Nous ne connaissons de la magie assyrienne que des rituels d'exorcisme : FOSSEY, *La Magie assyrienne*, 1903. Sur la magie juive, nous n'avons
que des données fragmentaires : Witton DAVIES, *Magic, Divination and
Demonology among the Hebrews*, 1898 ; L. BLAU, *Das altjudische Zauber-
wesen*, 1898. — Nous avons laissé de côté la magie des Arabes.

(5) Sur la valeur des sources grecques et latines, l'un de nous s'est déjà
expliqué (H. HUBERT, Magia, in *Dictionnaire des Antiquités grecques et
romaines* de DAREMBERG et SAGLIO, VI, fasc. 31, p. 9 et suiv.) Nous nous
sommes de préférence servis des papyrus magiques, qui nous présentent,
sinon des rituels entiers, du moins des indications complètes sur un certain
nombre de rites. Nous avons recouru volontiers aux textes des alchimistes

l'étude des représentations magiques, et du fonctionnement réel d'une magie bien différenciée. Nous nous sommes enfin servis des faits bien attestés que nous fournissaient l'histoire de la magie au moyen âge (1) et le folklore français, germanique, celtique et finnois.

(BERTHELOT, *Collection des alchimistes grecs*). Nous ne nous sommes servis qu'avec prudence des textes de romans et de contes magiques.

(1) Notre étude de la magie du moyen âge a été grandement facilitée par les deux excellents ouvrages de M. Hansen, dont nous avons rendu compte (*Année Sociologique*, V, p. 228 et suiv.).

Chapitre II

DÉFINITION DE LA MAGIE

Nous posons, provisoirement, en principe, que la magie a été suffisamment distinguée, dans les diverses sociétés, des autres systèmes de faits sociaux. S'il en est ainsi, il y a lieu de croire que non seulement elle constitue une classe distincte de phénomènes, mais encore qu'elle est susceptible d'une définition claire. Cette définition, nous devons la faire pour notre compte, car nous ne pouvons nous contenter d'appeler magiques les faits qui ont été désignés comme tels par leurs acteurs ou par leurs spectateurs. Ceux-ci se plaçaient à des points de vue subjectifs, qui ne sont pas nécessairement ceux de la science. Une religion appelle magiques les restes d'anciens cultes avant même que ceux-ci aient cessé d'être pratiqués religieusement ; cette façon de voir s'est déjà imposée à des savants et, par exemple, un folkloriste aussi distingué que M. Skeat considère comme magiques les anciens rites agraires des Malais. Pour nous, ne doivent être dites magiques que les choses qui ont vraiment été telles pour toute une société et non pas celles qui ont été ainsi qualifiées seulement par une fraction de société. Mais, nous savons aussi que les sociétés n'ont pas eu toujours de leur magie une conscience très claire et que, quand elles l'ont eue, elles n'y sont arrivées que lentement. Nous n'espérons donc pas trouver tout de suite les termes d'une définition parfaite qui ne pourra venir qu'en conclusion d'un travail sur les rapports de la magie et de la religion.

La magie comprenant des agents, des actes et des représentations : nous appelons *magicien* l'individu qui accomplit des actes magiques, même quand il n'est pas un professionnel ; nous appelons *représentations magiques* les idées et les croyances qui correspondent aux actes magiques ; quand aux actes, par rapport auxquels nous définissons les autres éléments de la magie, nous les appelons *rites magiques*. Il importe dès maintenant de distinguer ces actes des pratiques sociales avec lesquelles ils pourraient être confondus.

Les rites magiques et la magie tout entière sont, en premier lieu, des faits de tradition. Des actes qui ne se répètent pas ne sont pas magiques. Des actes à l'efficacité desquels tout un groupe ne croit pas, ne sont pas magiques. La forme des rites est éminemment transmissible et elle est sanctionnée par l'opinion. D'où il suit que des actes strictement individuels, comme les pratiques superstitieuses particulières des joueurs, ne peuvent être appelés magiques.

Les pratiques traditionnelles avec lesquelles les actes magiques peuvent être confondus sont : les actes juridiques, les techniques, les rites religieux. On a rattaché à la magie le système de l'obligation juridique, pour la raison que, de part et d'autre, il y a des mots et des gestes qui obligent et qui lient, des formes solennelles. Mais si, souvent, les actes juridiques ont un caractère rituel, si le contrat, les serments, l'ordalie, sont par certains côtés sacramentaires, c'est qu'ils sont mélangés à des rites, sans être tels par eux-mêmes. Dans la mesure où ils ont une efficacité particulière, où ils font plus que d'établir des relations contractuelles entre des êtres, ils ne sont pas juridiques, mais magiques ou religieux. Les actes rituels, au contraire, sont, par essence, capables de produire autre chose que des conventions ; ils sont éminemment efficaces ; ils sont créateurs ; ils font. Les rites magiques sont même plus particulièrement conçus comme tels ; à tel point qu'ils ont souvent tiré leur nom de ce caractère effectif : dans l'Inde, le mot qui correspond le mieux au mot rite est celui de *karman*, acte ; l'envoûtement est même le *factum*, *krtyâ* par excellence ; le mot allemand de *Zauber* a le même sens étymologique ; d'autres langues encore emploient pour désigner la magie des mots dont la racine signifie *faire*.

Mais les techniques, elles aussi, sont créatrices. Les gestes qu'elles comportent sont également réputés efficaces. A ce point de vue, la plus grande partie de l'humanité a peine à les distinguer des rites. Il n'y a peut-être pas, d'ailleurs, une seule des fins auxquelles atteignent péniblement nos arts et nos industries que la magie n'ait été censée atteindre. Tendant aux mêmes buts, elles s'associent naturellement et leur mélange est un fait constant ; mais il se produit en proportions variables. En général, à la pêche, à la chasse et dans l'agriculture, la magie côtoie la technique et la seconde. D'autres arts sont, pour ainsi dire, tout entiers pris dans la magie. Telles sont la médecine, l'alchimie ; pendant longtemps, l'élément technique y est aussi réduit que possible, la magie les domine ; elles en dépendent à ce point que c'est dans son sein qu'elles semblent s'être développées. Non seulement l'acte médical est resté, presque jusqu'à nos jours, entouré de prescriptions religieuses et magiques, prières, incantations, précautions astrologiques, mais encore les drogues, les diètes du médecin, les passes du chirurgien, sont un vrai tissu de symbolismes, de sympathies, d'homéopathies, d'antipathies, et, en réalité, elles sont conçues comme magiques. L'efficacité des rites et celle de l'art ne sont pas distinguées, mais bien pensées en même temps.

La confusion est d'autant plus facile que le caractère traditionnel de la magie se retrouve dans les arts et dans les industries. La série des gestes de l'artisan est aussi uniformément réglée que la série des gestes du magicien. Cependant, les arts et la magie ont été partout distingués, parce qu'on sentait entre eux quelque insaisissable différence de méthode. Dans les techniques, l'effet est conçu comme produit mécaniquement. On sait qu'il résulte directement de la coordination des gestes, des engins et des agents physiques. On le voit suivre immédiatement la cause ; les produits sont homogènes aux moyens : le jet fait partir le javelot et la cuisine se fait avec du feu. De plus, la tradition est sans cesse contrôlée par l'expérience qui met constamment à l'épreuve la valeur des croyances techniques. L'existence même des arts dépend de la perception continue de cette homogénéité des causes et des effets. Quand une technique est à la fois magique et technique, la partie magique est celle qui échappe à cette définition. Ainsi, dans une pratique médicale, les mots, les incantations, les observances rituelles ou astrologiques sont magiques ; c'est là que gîtent les forces occultes, les esprits et que règne tout un monde d'idées qui fait que les mouvements, les gestes rituels, sont réputés avoir une efficacité toute spéciale, différente de leur efficacité mécanique. On ne conçoit pas que ce soit l'effet sensible des gestes qui soit le véritable effet. Celui-ci dépasse toujours celui-là et, normalement, il n'est pas du même ordre ; quand, par exemple, on fait pleuvoir, en agitant l'eau d'une source avec un bâton. C'est là le propre des rites qu'on peut appeler *des actes traditionnels d'une efficacité* sui generis.

Mais nous ne sommes encore arrivés qu'à définir le rite et non pas le rite magique, qu'il s'agit maintenant de distinguer du rite religieux. M. Frazer, nous l'avons vu, nous a proposé des critères. Le premier est que le rite magique est un rite sympathique. Or, ce signe est insuffisant. Non seulement il y a des rites magiques qui ne sont pas des rites sympathiques, mais encore la sympathie n'est pas particulière à la magie, puisqu'il y a des actes sympathiques dans la religion. Lorsque le grand prêtre, dans le temple de Jérusalem, à la fête de Souccoth, versait l'eau sur l'autel, en tenant les bras élevés, il accomplissait évidemment un rite sympathique destiné à provoquer la pluie. Lorsque l'officiant hindou, au cours d'un sacrifice solennel, allonge ou raccourcit à volonté la vie du sacrifiant, suivant le trajet qu'il fait accomplir à la libation, son rite est encore éminemment sympathique. De part et d'autre, les symboles sont parfaitement clairs ; le rite semble agir par lui-même ; cependant, dans l'un et dans l'autre cas, il est éminemment religieux : les agents qui l'accomplissent, le caractère des lieux ou les divinités présentes, la solennité des actes, les intentions de ceux qui assistent au culte, ne nous laissent à cet égard aucun doute. Donc, les rites sympathiques peuvent être aussi bien magiques que religieux.

Le second critère, proposé par M. Frazer, est que le rite magique agit d'ordinaire par lui-même, qu'il contraint, tandis que le rite religieux adore et concilie ; l'un a une action mécanique immédiate ; l'autre agit indirectement et par une espèce de respectueuse persuasion ; son agent est un intermédiaire spirituel. Mais cette distinction est encore loin d'être suffisante ; car souvent le rite religieux contraint, lui aussi, et le dieu, dans la plupart des religions anciennes, n'était nullement capable de se soustraire à un rite accompli sans vice de forme. De plus, il n'est pas exact, et nous le verrons bien, que tous les rites magiques aient eu une action directe, puisqu'il y a des esprits dans la magie et que même les dieux y figurent. Enfin, l'esprit, dieu ou diable, n'obéit pas toujours fatalement aux ordres du magicien, qui finit par le prier.

Il nous faut donc chercher d'autres signes. Pour les trouver, procédons par divisions successives.

Parmi les rites, il y en a qui sont certainement religieux : ce sont les rites solennels, publics, obligatoires, réguliers ; tels, les fêtes et les sacrements. Cependant, il y a des rites de ce caractère que M. Frazer n'a pas reconnus comme religieux ; pour lui, toutes les cérémonies des Australiens, la plupart des cérémonies d'initiation, en raison des rites sympathiques qu'elles enveloppent, sont magiques. Or, en fait, les rites de clans des Aruntas, rites dits de l'*intichiuma*, les rites tribaux de l'initiation, ont précisément l'importance, la gravité, la sainteté qu'évoque le mot de religion. Les espèces et les ancêtres totémiques présents au cours de ces rites sont bien de ces puissances respectées ou craintes dont l'intervention est pour M. Frazer lui-même, le signe de l'acte religieux. Elles sont même invoquées au cours des cérémonies.

Il y a d'autres rites, au contraire, qui sont régulièrement magiques. Ce sont les maléfices. Nous les voyons ainsi qualifiés constamment par le droit et la religion. Illicites, ils sont expressément prohibés et punis. Ici l'interdiction marque, d'une façon formelle, l'antagonisme du rite magique et du rite religieux. C'est même elle qui fait le caractère magique du maléfice, car il y a des rites religieux qui sont également malfaisants ; tels sont certains cas de *devotio*, les imprécations contre l'ennemi de la cité, contre le violateur d'une sépulture ou d'un serment, enfin tous les rites de mort qui sanctionnent des interdictions rituelles. On peut même dire qu'il y a des maléfices qui ne sont tels que par rapport à ceux qui les craignent. L'interdiction est la limite dont la magie tout entière se rapproche.

Ces deux extrêmes forment, pour ainsi dire, les deux pôles de la magie et de la religion : pôle du sacrifice, pôle du maléfice. Les religions se créent toujours une sorte d'idéal vers lequel montent les hymnes, les vœux, les sacrifices et que protègent les interdictions. Ces régions, la magie les évite. Elle tend vers le maléfice, autour duquel se groupent les rites magiques et qui donne toujours les premières lignes de l'image que l'humanité s'est formée de la magie. Entre ces deux pôles, s'étale une masse confuse de faits, dont le caractère spécifique n'est pas immédiatement apparent. Ce sont les pratiques qui ne sont ni interdites, ni prescrites d'une façon spéciale. Il y a des actes religieux qui sont individuels et facultatifs ; il y a des actes magiques qui sont licites. Ce sont, d'une part, les actes occasionnels du culte de l'individu, d'autre part, les pratiques magiques associées aux techniques, celles de la médecine, par exemple. Un paysan de chez nous, qui exorcise les mulots de son champ, un Indien, qui prépare sa médecine de guerre, un Finnois, qui incante son arme de chasse, poursuivent des buts parfaitement avouables et accomplissent des actes permis. La parenté de la magie et du culte domestique est même telle que nous voyons, en Mélanésie, la magie se produire dans la série des actes qui ont pour objets les ancêtres. Bien loin de nier la possibilité de ces confusions, nous croyons même devoir y insister, quitte à en réserver pour plus tard l'explication. Pour le moment, nous accepterions presque la définition de Grimm, qui considérait la magie comme « une espèce de religion faite pour les besoins inférieurs de la vie domestique ». Mais quel que soit l'intérêt que présente pour nous la continuité de la magie et de la religion, il nous importe, pour le moment, avant tout, de classer les faits, et, pour cela, d'énumérer un certain nombre de caractères extérieurs auxquels on puisse les reconnaître. Car leur parenté n'a pas empêché les gens de sentir la différence des deux sortes de rites et de les pratiquer de façon à marquer qu'ils la sentaient. Nous avons donc à rechercher des signes qui nous permettent d'en faire le triage.

Tout d'abord, les rites magiques et les rites religieux ont souvent des agents différents ; ils ne sont pas accomplis par les mêmes individus. Quand, par exception, le prêtre fait de la magie, son attitude n'est pas l'attitude normale de sa fonction ; il tourne le dos à l'autel, il fait avec la main gauche ce qu'il devrait faire avec la main droite, et ainsi de suite.

Mais il y a bien d'autres signes qu'il nous faut grouper. D'abord, le choix des lieux où doit se passer la cérémonie magique. Celle-ci ne se fait pas communément dans le temple ou sur l'autel domestique ; elle se fait d'ordinaire dans les bois, loin des habitations, dans la nuit ou dans l'ombre, ou dans les recoins de la maison, c'est-à-dire à l'écart. Tandis que le rite religieux recherche en général le grand jour et le public, le rite magique le fuit. Même licite, il se cache, comme le maléfice. Même lorsqu'il est obligé d'agir en face du public, le magicien cherche à lui échapper ; son geste se fait furtif, sa parole indistincte ; l'homme-médecine, le rebouteux, qui travaillent devant la famille assemblée, marmonnent leurs formules, esquivent leurs passes et s'enveloppent dans des extases simulées ou réelles. Ainsi, en pleine société, le magicien s'isole, à plus forte raison quand il se retire au fond des bois. Même à l'égard de ses collègues, il garde presque toujours son quant à soi ; il se réserve. L'isolement, comme le secret, est un signe presque parfait de la nature intime du rite magique. Celui-ci est toujours le fait d'un individu ou d'individus agissant à titre privé ; l'acte et l'acteur sont enveloppés de mystère.

Ces divers signes ne font, en réalité, qu'exprimer l'irréligiosité du rite magique ; il est et on veut qu'il soit anti-religieux. En tout cas, il ne fait pas partie d'un de ces systèmes organisés que nous appelons cultes. Au contraire, une pratique religieuse même fortuite, même facultative, est toujours prévue, prescrite, officielle. Elle fait partie d'un culte. Le tribut rendu aux divinités à l'occasion d'un vœu, d'un sacrifice expiatoire pour cause de maladie est toujours, en définitive, un hommage régulier, obligatoire, nécessaire même, quoiqu'il soit volontaire. Le rite magique, au contraire, bien qu'il soit quelquefois fatalement périodique (c'est le cas de la magie agricole), ou nécessaire, quand il est fait en vue de certaines fins (d'une guérison, par exemple), est toujours considéré comme irrégulier, anormal et, tout au moins, peu estimable. Les rites médicaux, si utiles et si licites qu'on puisse se les figurer, ne comportent ni la même solennité, ni le même sentiment du devoir accompli qu'un sacrifice expiatoire ou un vœu faits à une divinité curative. Il y a nécessité et non pas obligation morale dans le recours à l'homme-médecine, au propriétaire de fétiche ou d'esprit, au rebouteux, au magicien.

Cependant, nous avons quelques exemples de cultes magiques. Tel est le culte d'Hécate dans la magie grecque, celui de Diane et du diable dans la magie du Moyen Age, toute une partie du culte de l'un des plus grands dieux hindous, Rudra-Çiva. Mais ce sont là des faits de seconde formation, et qui prouvent tout simplement que les magiciens se sont fait un culte pour leur compte, modelé sur les cultes religieux.

Nous avons obtenu de la sorte une définition provisoirement suffisante du rite magique. Nous appelons ainsi *tout rite qui ne fait pas partie d'un culte organisé*, rite privé, secret, mystérieux et tendant comme limite vers le rite prohibé. De cette définition, en tenant compte de celle que nous avons donnée des autres éléments de la magie, résulte une première détermination de sa notion. On voit que nous ne définissons pas la magie par la forme de ses rites, mais par les conditions dans lesquelles ils se produisent et qui marquent la place qu'ils occupent dans l'ensemble des habitudes sociales.

CHAPITRE III

LES ÉLÉMENTS DE LA MAGIE

I

LE MAGICIEN

Nous avons appelé magicien l'agent des rites magiques, qu'il fût ou non un professionnel. Nous constatons, en effet, qu'il y a des rites magiques qui peuvent être accomplis par d'autres que par des spécialistes. De ce nombre sont les recettes de bonne femme, dans la médecine magique, et toutes les pratiques de la campagne, celles qu'il y a lieu d'exécuter souvent au cours de la vie agricole ; de même encore, les rites de chasse ou de pêche semblent, en général, à la portée de tout le monde. Mais nous faisons observer que ces rites sont beaucoup moins nombreux qu'ils ne paraissent. De plus, ils restent toujours rudimentaires et ne répondent qu'à des besoins qui, pour être communs, n'en sont pas moins très limités. Même dans les petits groupes arriérés qui y recourent constamment, il n'y a que peu d'individus qui les pratiquent réellement. En fait, cette magie populaire n'a généralement pour ministres que les chefs de famille ou les maîtresses de maison. Beaucoup de ceux-ci, d'ailleurs, préfèrent ne pas agir eux-mêmes et s'abriter derrière de plus experts ou de plus avisés. La plupart hésitent, soit par scrupule, soit par manque de confiance en eux-mêmes. On en voit qui refusent de se laisser communiquer une recette utile.

C'est, de plus, une erreur de croire que le magicien d'occasion se sente toujours, au moment même où il pratique son rite, dans son état normal. Très souvent, c'est parce qu'il cesse d'y être qu'il se trouve en position d'opérer avec fruit. Il a observé des interdictions alimentaires ou sexuelles ; il a jeûné ; il a rêvé ; il a fait tels ou tels gestes préalables ; sans compter que, pour un instant au moins, le rite fait de lui un autre homme. En outre, qui se sert d'une formule magique se croit à son égard, fût-elle des plus banales, un droit de propriété. Le paysan qui dit « la recette de ma grand-mère » est, par là, qualifié pour s'en servir ; l'usage de la recette confine ici au métier.

Dans le même ordre d'idées, nous signalons le cas où tous les membres d'une société sont investis par la croyance publique de qualités congénitales, qui peuvent devenir à l'occasion des qualités magiques : telles sont les familles de magiciens dans l'Inde moderne (Ojhas des provinces du Nord-Ouest, Baigas de la province de Mirzapur). Les membres d'une société secrète peuvent encore se trouver doués, par le fait de leur initiation, de pouvoir magique ; de même, ceux d'une société complète où l'initiation joue un rôle considérable. En somme, nous le voyons, les magiciens d'occasion ne sont pas, quant à leurs rites, de purs laïques.

A vrai dire, s'il y a des rites qui sont à la portée de tous et dont la pratique ne requiert plus d'habileté spéciale, c'est, très souvent, qu'ils se sont vulgarisés par leur répétition, qu'ils se sont simplifiés par l'usure, ou qu'ils sont vulgaires par nature. Mais, dans tous les cas, il reste au moins la connaissance de la recette, l'accès à la tradition, pour donner, à celui qui la suit, un minimum de qualification. Cette observation faite, on doit dire, en règle générale, que les pratiques magiques sont accomplies par des spécialistes. Il y a des magiciens, et leur présence est signalée partout où les observations ont été suffisamment approfondies.

Non seulement il y a des magiciens, mais théoriquement, dans beaucoup de sociétés, l'exercice de la magie leur est réservé. C'est ce qui nous est formellement montré par les textes védiques : on y voit que le rite ne peut être exécuté que par le *brahman* ; l'intéressé n'est même pas un acteur autonome ; il assiste à la cérémonie, il suit passivement les instructions, il répète les quelques formules qu'on lui dicte, il touche l'officiant dans les moments solennels, mais rien de plus ; bref, il joue le rôle que le sacrifiant joue dans le sacrifice par rapport au prêtre. Il semble même que, dans l'Inde ancienne, cette propriété exclusive du magicien sur la magie n'ait pas été simplement théorique. Nous avons des raisons de croire qu'en fait ce fut un privilège véritablement reconnu au brahman par la caste des nobles et des rois, celle des *ksatriyas* ; certaines scènes du théâtre classique nous en donnent la preuve. Il est vrai que, dans tout le reste de la société, fleurit la magie populaire, moins exclusive, mais qui, elle aussi, a ses praticiens. Une idée semblable a prévalu dans l'Europe chrétienne. Quiconque faisait de la magie était réputé magicien et puni comme tel. Le crime de magie était un crime habituel. Pour l'église et les lois, il n'y avait pas de magie sans magicien.

1º *Les qualités du magicien*. — N'est pas magicien qui veut : il y a des qualités dont la possession distingue le magicien du commun des hommes. Les unes sont acquises et les autres congénitales ; il y en a qu'on leur prête et d'autres qu'ils possèdent effectivement.

On prétend que le magicien se reconnaît à certains caractères physiques, qui le désignent et le révèlent, s'il se cache. On dit que, dans ses yeux, la pupille a mangé l'iris, que l'image s'y produit renversée. On croit qu'il n'a pas d'ombre. Au Moyen Age on cherchait sur son corps le *signum diaboli*. Il n'est pas douteux, d'ailleurs, que beaucoup de sorciers, étant hystériques, ont présenté des stigmates et des zones d'anesthésie. Quant aux croyances concernant le regard particulier du magicien, elles reposent, en partie, sur des observations réelles. Partout on trouve des gens dont le regard vif, étrange, clignotant et faux, le « mauvais œil » en un mot, fait qu'ils sont craints et mal vus. Ils sont tout désignés pour être magiciens. Ce sont des nerveux, des agités, ou des gens d'une intelligence anormale pour les milieux très médiocres où l'on croit à la magie. Des gestes brusques, une parole saccadée, des dons oratoires ou poétiques font aussi des magiciens. Tous ces signes dénotent d'ordinaire une certaine nervosité que, dans beaucoup de sociétés, les magiciens cultivent et qui s'exaspère au cours des cérémonies. Il arrive fréquemment que celles-ci soient accompagnées de véritables transes nerveuses, de crises d'hystérie, ou bien d'états cataleptiques. Le magicien tombe dans des extases, parfois réelles, en général volontairement provoquées. Il se croit alors, souvent, et paraît, toujours, transporté hors de l'humanité. Depuis les jongleries préliminaires jusqu'au réveil, le public l'observe, attentif et anxieux, comme de nos jours aux séances d'hypnotisme. De ce spectacle il reçoit une impression forte, qui le dispose à croire que ces états anormaux sont la manifestation d'une puissance inconnue qui rend la magie efficace. Ces phénomènes nerveux, signes de dons spirituels, qualifient tel et tel individu pour la magie.

Sont aussi destinés à être magiciens certains personnages que signalent à l'attention, à la crainte et à la malveillance publique des particularités physiques ou une dextérité extraordinaire, comme les ventriloques, les jongleurs et bateleurs :

une infirmité suffit, comme pour les bossus, les borgnes, les aveugles, etc. Les sentiments qu'excitent en eux les traitements dont ils sont d'ordinaire l'objet, leurs idées de persécution ou de grandeur, les prédisposent même à s'attribuer des pouvoirs spéciaux.

Remarquons que tous ces individus, infirmes et extatiques, nerveux et forains, forment en réalité des espèces de classes sociales. Ce qui leur donne des vertus magiques, ce n'est pas tant leur caractère physique individuel que l'attitude prise par la société à l'égard de tout leur genre.

Il en est de même pour les femmes. C'est moins à leurs caractères physiques qu'aux sentiments sociaux dont leurs qualités sont l'objet qu'elles doivent d'être reconnues partout comme plus aptes à la magie que les hommes. Les périodes critiques de leur vie provoquent des étonnements et des appréhensions qui leur font une position spéciale. Or, c'est précisément au moment de la nubilité, pendant les règles, lors de la gestation et des couches, après la ménopause, que les vertus magiques des femmes atteignent leur plus grande intensité. C'est alors surtout qu'elles sont censées fournir à la magie soit des moyens d'action, soit des agents proprement dits. Les vieilles sont des sorcières ; les vierges sont des auxiliaires précieux ; le sang des menstrues et autres produits sont des spécifiques généralement utilisés. On sait, d'ailleurs, que les femmes sont spécialement sujettes à l'hystérie ; leurs crises nerveuses les font alors paraître en proie à des pouvoirs surhumains, qui leur donnent une autorité particulière. Mais, même en dehors des époques critiques, qui occupent une si grande part de leur existence, les femmes sont l'objet soit de superstitions, soit de prescriptions juridiques et religieuses qui marquent bien qu'elles forment une classe à l'intérieur de la société. On les croit encore plus différentes des hommes qu'elles ne sont ; on croit qu'elles sont le siège d'actions mystérieuses et, par là même, parentes des pouvoirs magiques. D'autre part, étant donné que la femme est exclue de la plupart des cultes, qu'elle y est réduite à un rôle tout passif quand elle y est admise, les seules pratiques, qui sont laissées à son initiative, confinent à la magie. Le caractère magique des femmes relève si bien de leur qualification sociale qu'il est surtout affaire d'opinion. Il y a moins de magiciennes qu'on ne le croit. Il se produit souvent ce phénomène curieux que c'est l'homme qui est magicien et que c'est la femme qui est chargée de magie. Dans l'*Atharva Veda*, les exorcismes sont faits contre les sorcières alors que toutes les imprécations y sont faites par les sorciers. Dans la plupart des sociétés dites primitives, les vieilles femmes, les femmes, ont été accusées et punies pour des enchantements qu'elles n'avaient pas commis. Au Moyen Age, et surtout à partir du xive siècle, les sorcières paraissent en majorité ; mais il faut noter qu'on est alors en temps de persécution et que nous ne les connaissons que par leurs procès ; cette surabondance de sorcières témoigne des préjugés sociaux que l'Inquisition exploite et qu'elle alimente.

Les enfants sont souvent, dans la magie, des auxiliaires spécialement requis, surtout pour les rites divinatoires. Quelquefois même, ils font de la magie pour leur propre compte, comme chez les Dieri australiens, comme dans l'Inde moderne, quand ils se barbouillent avec de la poussière recueillie dans les traces d'un éléphant en chantant une formule appropriée. Ils ont, on le sait, une situation sociale toute particulière ; en raison de leur âge et n'ayant pas subi les initiations définitives, ils ont encore un caractère incertain et troublant. Ce sont encore des qualités de classe qui leur donnent leurs vertus magiques.

Lorsque nous voyons la magie attachée à l'exercice de certaines professions, comme celle de médecin, de barbier, de forgeron, de berger, d'acteur, de fossoyeur, il n'est plus douteux que les pouvoirs magiques sont attribués non pas à des individus, mais à des corporations. Tous les médecins, tous les bergers, tous les forgerons sont, au moins virtuellement, des magiciens. Les médecins, parce que leur art est mêlé de magie et, en tout cas, trop technique pour ne pas paraître occulte et merveilleux ; les barbiers, parce qu'ils touchent à des déchets corporels, régulièrement détruits ou cachés par crainte d'enchantement ; les forgerons, parce qu'ils manipulent une substance qui est l'objet de superstitions universelles et parce que leur métier difficile, environné de secrets, ne va pas sans prestige ; les bergers, parce qu'ils sont en relation constante avec les animaux, les plantes et les astres ; les fossoyeurs, parce qu'ils sont en contact avec la mort. Leur vie professionnelle met ces gens à part du commun des mortels et c'est cette séparation qui leur confère à tous l'autorité magique. — Il est une profession qui met peut-être son homme plus à l'écart qu'aucune autre, d'autant plus qu'elle n'est exercée en général que par un seul individu à la fois pour toute une société, même assez large, c'est celle de bourreau. Or, précisément, les bourreaux ont des recettes pour retrouver les voleurs, attraper les vampires, etc. ; ce sont des magiciens.

La situation exceptionnelle des individus, qui ont dans la

société une autorité particulière, peut en faire à l'occasion des magiciens. En Australie, chez les Aruntas, le chef du groupe local totémique, son maître de cérémonies, est en même temps sorcier. En Nouvelle-Guinée, il n'y a pas d'autres hommes influents que les magiciens ; il y a lieu de croire que, dans toute la Mélanésie, le chef, étant un individu à *mana*, c'est-à-dire à puissance spirituelle, en relation avec les esprits, a des pouvoirs magiques aussi bien que religieux. C'est sans doute par la même raison que s'expliquent, dans la poésie épique des Hindous et des Celtes, les aptitudes magiques des princes mythiques. Le fait est assez important pour que M. Frazer ait introduit l'étude de la magie dans celle des rois-prêtres-dieux ; il est vrai que, pour nous, les rois sont plutôt dieux et prêtres que magiciens. D'autre part, il arrive souvent que les magiciens ont une autorité politique de premier ordre ; ils sont des personnages influents, souvent considérables. Ainsi, la situation sociale qu'ils occupent les prédestine à exercer la magie, et, réciproquement, l'exercice de la magie les prédestine à leur situation sociale.

Dans des sociétés où les fonctions sacerdotales sont tout à fait spécialisées, il est fréquent que des prêtres soient suspects de magie. Au Moyen Age, on considérait que les prêtres étaient spécialement en butte aux attaques des démons et, par suite, tentés d'accomplir des actes démoniaques, c'est-à-dire magiques. Dans ce cas, c'est en tant que prêtres qu'ils sont magiciens ; c'est leur célibat, leur isolement, leur consécration, leurs relations avec le surnaturel, qui les singularisent et les exposent aux soupçons. La suspicion dont ils sont l'objet paraît avoir été maintes fois justifiée. Ou bien ils se livrent eux-mêmes et pour leur compte à la magie ; ou bien leur intervention de prêtres est jugée nécessaire à l'accomplissement de cérémonies magiques et on les y fait participer, souvent d'ailleurs à leur insu. Les mauvais prêtres, et tout particulièrement ceux qui violent leur vœu de chasteté, sont naturellement exposés à cette accusation de magie.

Quand une religion est dépossédée, pour les membres de la nouvelle Église, les prêtres déconsidérés deviennent des magiciens. C'est ainsi que les Malais ou les Chames musulmans considèrent le *pawang* ou la *paja*, qui sont, en réalité, d'anciens prêtres. De même l'hérésie fait la magie : les Cathares, les Vaudois, etc., ont été traités comme sorciers. Mais comme, pour le catholicisme, l'idée de magie enveloppe l'idée de fausse religion, nous touchons ici à un phénomène nouveau dont nous

réservons pour plus tard l'étude. Le fait en question nous intéresse pourtant dès maintenant en ce que nous y voyons la magie
attribuée collectivement à des groupes entiers. Tandis que,
jusqu'à présent, nous avons vu les magiciens se recruter dans
des classes qui n'avaient, par elles-mêmes, qu'une vague voca-
tion magique, ici, tous les membres d'une secte sont des magiciens. Tous les Juifs furent des magiciens soit pour les Alexan-
drins, soit pour l'Église du Moyen Age.

De même les étrangers sont, par le fait, en tant que groupe,
un groupe de sorciers. Pour les tribus australiennes, toute
mort naturelle, qui se produit à l'intérieur de la tribu, est
l'œuvre des incantations de la tribu voisine. C'est là-dessus que
repose tout le système de la vendetta. Les deux villages de
Toaripi et Koitapu à Port-Moresby, en Nouvelle-Guinée, passaient leur temps, nous dit Chalmers, à s'attribuer des maléfices réciproques. Le fait est presque universel chez les peuples
dits primitifs. Un des noms des sorciers dans l'Inde védique est
celui d'étranger. L'étranger est surtout celui qui habite un autre
territoire, le voisin ennemi. On peut dire que, de ce point de vue,
les pouvoirs magiques ont été définis topographiquement. Nous
avons des exemples d'une répartition géographique précise des
pouvoirs magiques dans un exorcisme assyrien : « Sorcière, tu
es ensorcelée, je suis délié ; sorcière élamite, je suis délié ; sorcière qutéenne, je suis délié ; sorcière sutéenne, je suis délié ;
sorcière lullubienne, je suis délié ; sorcière channigalbienne, je
suis délié. » (Tallqvist, *Die Assyrische Beschwōrungsserie Maqlû*,
IV, 99-103). Quand deux civilisations sont en contact, la magie
est d'ordinaire attribuée à la moindre. Les exemples classiques
sont ceux des Dasyus de l'Inde, des Finnois et des Lapons
accusés respectivement de sorcellerie par les Hindous et les
Scandinaves. Toutes les tribus de la brousse mélanésienne ou
africaine sont réputées sorcières par les tribus plus civilisées de
la plaine et des rivages de la mer. Toutes les tribus non fixées,
qui vivent au sein d'une population sédentaire, passent pour
sorcières ; c'est encore de nos jours le cas des tsiganes, et celui
des nombreuses castes errantes de l'Inde, castes de marchands,
de mégissiers et de forgerons. Dans ces groupes étrangers, certaines tribus, certains clans, certaines familles, sont plus spécialement voués à la magie.

Il arrive d'ailleurs que cette qualification magique ne soit
pas donnée tout à fait à tort, car il y a des groupes qui prétendent avoir réellement certains pouvoirs surhumains, religieux pour eux, magiques pour les autres, sur certains phé-

nomènes. Les brahmanes ont paru magiciens aux yeux des Grecs, des Arabes et des Jésuites et s'attribuent en effet une toute-puissance quasi divine. Il y a des sociétés qui s'arrogent le don de faire la pluie ou de retenir le vent et qui sont connues des tribus environnantes comme possédant ces dons. Ainsi la tribu du Mont-Gambier en Australie, qui contient un clan maître du vent, est accusée par la tribu voisine des Booandik de produire la pluie et le vent à sa volonté ; de même les Lapons vendaient aux matelots européens des sacs contenant le vent.

On peut poser en thèse générale que les individus, auxquels l'exercice de la magie est attribué, ont déjà, abstraction faite de leur qualité magique, une condition distincte à l'intérieur de la société qui les traite de magiciens. Nous ne pouvons pas généraliser cette proposition et dire que toute condition sociale anormale prépare à l'exercice de la magie ; nous croyons cependant qu'une pareille induction aurait chance d'être vraie. Mais nous ne voulons pas qu'on conclue des faits précédents que les magiciens ont été tous des étrangers, des prêtres, des chefs, des médecins, des forgerons ou des femmes ; il y a eu des magiciens qui n'ont pas été recrutés dans les classes susdites. D'ailleurs c'est quelquefois, nous l'avons laissé entendre, le caractère même de magicien qui qualifie pour certaines fonctions ou professions.

Notre conclusion est que, certains individus étant voués à la magie par des sentiments sociaux attachés à leur condition, les magiciens, qui ne font pas partie d'une classe spéciale, doivent être également l'objet de forts sentiments sociaux et que les sentiments sociaux, qui s'attachent aux magiciens qui ne sont que magiciens, sont les mêmes que ceux qui font que, dans toutes les classes précédemment considérées, on a cru qu'il y avait des pouvoirs magiques. Or, si ces sentiments sont provoqués avant tout par leur caractère anormal, nous pouvons induire que le magicien a, en tant que tel, une situation socialement définie comme anormale. N'insistons pas davantage sur le caractère négatif du magicien, et recherchons maintenant quels sont ses caractères positifs, ses dons particuliers.

Nous avons déjà signalé un certain nombre de qualités positives qui désignent pour le rôle de magicien, nervosité, habileté de mains, etc. On prête presque toujours aux magiciens une dextérité et une science peu ordinaires. Une théorie simpliste de la magie pourrait spéculer sur leur intelligence et leur malice, pour expliquer tout son appareil par des inventions et des supercheries. Mais ces qualités réelles que nous continuons à attribuer par hypothèse au magicien font partie de son image traditionnelle, où nous voyons entrer bien d'autres traits, qui ont autrement servi à fonder son crédit.

Ces traits mythiques et merveilleux sont l'objet de mythes ou plutôt de traditions orales qui se présentent en général sous la forme soit de légende, soit de conte, soit de roman. Ces traditions tiennent une place considérable dans la vie populaire du monde entier et constituent une des sections principales du folklore. Comme le dit le fameux recueil de contes hindous de Somadeva : « Les dieux ont un bonheur constant, les hommes sont dans un malheur perpétuel, les actions de ceux qui sont entre les hommes et les dieux, sont, par la diversité de leur sort, agréables. C'est pourquoi je vais te raconter la vie des Vidyâdhâras », c'est-à-dire des démons et, par suite, des magiciens (*Kathâ-Sâra-Sârit-Sagara*, I, 1, 47). Mais ces contes et ces légendes ne sont pas seulement un jeu d'imagination, un aliment traditionnel de la fantaisie collective ; leur constante répétition, au cours des longues veillées, entretient un état d'attente, de crainte, qui peut, au moindre choc, produire des illusions et conduire à des actes. D'ailleurs, ici, il n'y a pas de limite possible entre la fable et la croyance, entre le conte, d'une part, l'histoire vraie et le mythe obligatoirement cru, de l'autre. A force d'entendre parler du magicien, on finit par le voir agir et surtout par le consulter. L'énormité des pouvoirs qu'on lui prête fait qu'on ne doute pas qu'il puisse réussir facilement à rendre les petits services qu'on lui demande. Comment ne pas croire que le brahmane, qu'on dit supérieur aux dieux et capable de créer un monde, ne puisse, au moins à l'occasion, guérir une vache ? Si l'image du magicien s'enfle démesurément de conte en conte, de conteur en conteur, c'est précisément parce que le magicien est un des héros préférés de l'imagination populaire, soit en raison des préoccupations, soit en raison de l'intérêt romanesque dont la magie est simultanément l'objet. Tandis que les pouvoirs du prêtre sont tout de suite définis par la religion, l'image du magicien se fait en dehors de la magie. Elle se constitue par une infinité de « on dit », et le magicien n'a plus qu'à ressembler à son portrait. Aussi ne devrons-nous pas nous étonner si presque tous les traits littéraires des héros de romans magiques se retrouvent parmi les caractères typiques du magicien réel.

Les qualités mythiques dont il s'agit sont des pouvoirs ou donnent des pouvoirs. A cet égard, ce qui parle le plus à l'imagination, c'est la facilité avec laquelle le magicien réalise toutes ses volontés. Il a la faculté d'évoquer en réalité plus de choses que les autres n'en peuvent rêver. Ses mots, ses gestes, ses clignements d'yeux, ses pensées mêmes sont des puissances. Toute sa personne dégage des effluves, des influences, auxquelles cèdent la nature, les hommes, les esprits et les dieux.

Outre ce pouvoir général sur les choses, le magicien possède des pouvoirs sur lui-même qui font le principal de sa force. Sa volonté lui fait accomplir des mouvements dont les autres sont incapables. On croit qu'il échappe aux lois de la pesanteur, qu'il peut s'élever dans les airs et se transporter où il veut, en un instant. Il a le don d'ubiquité. Il échappe même aux lois de la contradiction. En 1221, Johannes Teutonicus, de Halberstadt, prédicateur et sorcier, a, dit-on, chanté en une nuit trois messes à la fois, à Halberstadt, à Mayence et à Cologne ; les contes de cette espèce ne manquent pas. Or, sur la nature de ce transport, règne, dans l'esprit des fidèles de la magie, une incertitude qui est essentielle. Est-ce l'individu, de sa personne, qui se transporte lui-même ? Est-ce son double, ou bien son âme qu'il délègue à sa place ? De cette antinomie, seules la théologie ou la philosophie ont tenté de sortir. Le public ne s'en est pas soucié. Les magiciens ont vécu de cette incertitude et l'ont entretenue à la faveur du mystère dont ils entouraient leurs agissements. Nous-mêmes, nous n'avons pas à résoudre ces contradictions, qui dépendent de l'indistinction, plus grande qu'on ne pense d'ordinaire, qui règne, dans la pensée primitive, entre la notion d'âme et la notion de corps.

Mais de ces deux notions, une seule, celle d'âme, pouvait prêter à de suffisants développements, grâce à ce qu'elle avait et à ce qu'elle a encore pour nous de mystique et de merveilleux. L'âme du magicien est encore plus étonnante, elle a des qualités encore plus fantastiques, plus occultes, des tréfonds plus obscurs que les âmes du commun. L'âme du magicien est essentiellement mobile et détachable de son corps. A tel point que, lorsque les formes primitives des croyances animistes sont abolies, lorsqu'on ne croit plus, par exemple, que les âmes vulgaires se promènent, pendant le rêve, sous les espèces d'une mouche ou d'un papillon, on conserve encore cette propriété à l'âme du magicien. C'est même un signe auquel on le reconnaît encore, qu'une mouche voltige autour de sa bouche pendant son sommeil. En tout cas, à la différence des autres âmes, dont les déplacements sont involontaires, celle du magicien s'exhale à son commandement. En Australie, chez les Kurnai, lors d'une séance d'occultisme, le « barn » envoie son âme épier les ennemis qui s'avancent. Pour l'Inde, nous citerons l'exemple des Yogins, bien qu'il s'agisse d'une mystique encore plus philosophique que religieuse, et encore plus religieuse que magique. En s'appliquant (verbe *yuj*), ils s'unissent (verbe *yuj*) au principe premier transcendant du monde, union où s'obtient (verbe *sidh*) le pouvoir magique *(siddhi)*. Les sûtras de Pâtañjali sont explicites sur ce point et ils étendent même cette faculté à d'autres magiciens que les Yogins. Les commentaires du sûtra, IV, I, expliquent que la principale *siddhi* est la lévitation. En général, tout individu qui a le pouvoir d'exhaler son âme est un magicien ; nous ne connaissons pas d'exception à cette règle. On sait que c'est là le principe même de tous les faits désignés d'ordinaire sous le nom, assez mal choisi, de chamanisme.

Cette âme, c'est son double, c'est-à-dire que ce n'est pas une portion anonyme de sa personne, mais sa personne elle-même. A sa volonté, elle se transporte au lieu de son action, pour y agir physiquement. Même, dans certains cas, il faut que le magicien se dédouble. Ainsi le sorcier dayak doit aller chercher ses médecines au cours de la séance spirite. Les assistants voient le corps du magicien présent et cependant il est absent spirituellement et corporellement, car son double n'est pas un pur esprit. Les deux termes du dédoublement sont identiques à ce point qu'ils sont rigoureusement remplaçables. On peut aussi bien imaginer, en effet, que le magicien se dédouble pour mettre un double à sa place et se transporter lui-même ailleurs. C'est ainsi qu'on interprétait, au Moyen Age, le transport aérien des sorciers. On disait que, lorsque le magicien partait pour le sabbat, il laissait un démon dans son lit, un *vicarium dæmonem*. Ce démon sosie n'était autre qu'un double. Cet exemple prouve que cette même idée de dédoublement peut conduire à des applications exactement contraires. Aussi ce pouvoir fondamental du magicien a-t-il pu être conçu de mille manières différentes, et comme comportant une infinité de degrés.

Le double du magicien peut être une sorte de matérialisation fugitive de son souffle et de son charme, telle qu'un tourbillon de poussière ou de vent, d'où sort, à l'occasion, une figure corporelle de son âme ou de lui-même. Ailleurs, c'est un être complètement distinct du magicien, ou même presque indépendant de sa volonté, mais qui, de temps à autre, apparaît pour lui rendre service. C'est ainsi qu'il est souvent escorté d'un certain nombre d'auxiliaires, animaux ou esprits, qui ne sont autres que ses doubles ou âmes extérieures.

A mi-chemin entre ces deux extrêmes se trouve la métamorphose du magicien. C'est en réalité un dédoublement sous l'aspect animal ; car si, dans la métamorphose, il y a bien deux êtres quant à la forme, dans l'essence, ils ne font qu'un. Il y a des métamorphoses, peut-être les plus fréquentes, où l'une des formes paraît annuler l'autre. C'est par la métamorphose qu'en Europe est censé se produire le transport aérien. Les deux thèmes sont même si intimement liés qu'ils ont été unis dans une seule et même notion. Au Moyen Age, ce fut celle de *striga*, qui vient d'ailleurs de l'antiquité gréco-romaine ; la *striga*, l'ancienne *strix*, est une sorcière et un oiseau. On rencontre la sorcière hors du logis sous forme de chat noir, de louve, de lièvre, le sorcier sous forme de bouc, etc. Lorsque le sorcier ou la sorcière se déplacent pour nuire, ils le font sous leur forme animale et c'est dans cet état qu'on prétend les surprendre. Cependant, même alors, les deux images ont conservé toujours une indépendance relative. D'une part, le sorcier finit par garder dans ses vols nocturnes sa forme humaine, en chevauchant simplement son ancienne métamorphose. D'autre part, il arrive que la continuité se rompe, que le sorcier et son double animal soient employés, en même temps, à des actes différents. L'animal, dans ce cas, n'est plus un dédoublement momentané, mais un auxiliaire familier, dont la sorcière reste distincte. Tel est le chat Rutterkin des sorcières Margaret et Filippa Flower, qui furent brûlées à Lincoln, le 11 mars 1619, pour avoir envoûté un parent du comte de Rutland. D'ailleurs, dans tous les faits qui paraissent être des faits de métamorphose absolue, l'ubiquité du magicien est toujours sous-entendue ; on ne sait, quand on rencontre la forme animale de la sorcière, si l'on a affaire à elle-même ou à un simple délégué. On ne peut pas sortir de la confusion primitive dont nous parlions plus haut.

Les sorcières européennes, dans leurs métamorphoses, ne prennent pas indifféremment toutes les formes animales. Elles se changent régulièrement, qui en jument, qui en grenouille, qui en chat, etc. Ces faits nous laissent à penser que la métamorphose équivaut à une association régulière avec une espèce animale. On rencontre de ces associations un peu partout. Les hommes-médecine algonquins, iroquois ou cherokees, ou même plus généralement les hommes-médecine peaux-rouges, ont des manitous-animaux, pour parler ojibway ; de même, dans certaines îles de la Mélanésie, les magiciens possèdent des serpents et des requins serviteurs. En règle générale, le pouvoir du magicien tient, dans ces divers cas, à ses accointances animales.

C'est de son animal associé qu'il le reçoit ; celui-ci lui révèle les formules et les rites. Même, les limites tracées à sa puissance sont définies quelquefois par cette alliance ; chez les Peaux-Rouges, l'auxiliaire du magicien lui confère pouvoir sur les bêtes de sa race et sur les choses qui lui sont reliées ; c'est en ce sens que Jamblique parlait de μάγοι λεόντων et de μάγοι ὄφεων qui avaient pouvoir respectivement sur les serpents et sur les lions et guérissaient de leurs blessures.

En principe, et sauf des faits très rares, c'est, non pas avec un animal en particulier, mais avec une espèce animale tout entière que le magicien a des relations. Par là déjà, celles-ci ressemblent aux relations totémiques. Faut-il croire qu'elles sont en effet telles ? Ce que nous conjecturons pour l'Europe est prouvé pour l'Australie ou l'Amérique du Nord. L'animal associé est bien un totem individuel. Howitt nous raconte qu'un sorcier Murring avait été transporté dans le pays des kangourous ; par le fait, le kangourou était devenu son totem ; il ne devait plus en consommer la chair. Il est à croire que les magiciens ont été les premiers et sont restés les derniers à avoir de pareilles révélations et, par conséquent, à être pourvus de totems individuels. Il est même probable que, dans la décomposition du totémisme, ce sont surtout des familles de magiciens qui ont hérité des totems de clans pour les perpétuer. Tel est le cas de cette famille de l'Octopus, en Mélanésie, qui avait le pouvoir de faire réussir la pêche du poulpe. Si on pouvait démontrer à coup sûr que toute espèce de relation magique avec des animaux est d'origine totémique, on devrait dire que dans le cas où il y a des relations de ce genre, le magicien est qualifié par ses qualités totémiques. Mais on peut simplement induire de toute la série des faits, que nous venons de rapprocher, qu'il y a là non pas de la fable, mais les indices d'une véritable convention sociale qui contribue à déterminer la condition du magicien. Contre l'interprétation que nous donnons de ces faits, on ne peut pas arguer de ce qu'ils manquent dans un certain nombre de magies, particulièrement dans celle de l'Inde brahmanique ancienne. Car, d'une part, nous ne connaissons cette magie que par des textes littéraires, quoique rituels, qui sont l'œuvre de docteurs en magie et sont très détachés du tronc primitif ; d'autre part, dans l'Inde même, ce thème de la métamorphose n'a pas manqué : contes et Jâtakas abondent en histoires de démons et de saints, et de magiciens métamorphosés. Le folklore et la coutume magique hindous en vivent encore.

Nous avons parlé plus haut d'esprits auxiliaires du magicien, mais il est difficile de les distinguer des animaux avec
lesquels les magiciens ont des relations totémiques ou autres.
Ceux-ci sont ou peuvent être pris pour des esprits. Quant aux
esprits, ils ont généralement des formes animales, réelles ou
fantastiques. Il y a, de plus, entre le thème des animaux auxiliaires et celui des esprits auxiliaires, cette relation que, dans
l'un et l'autre cas, le pouvoir du magicien a son origine en
dehors de lui-même. Sa qualité de magicien résulte de son
association avec des collaborateurs qui gardent une certaine
indépendance à son égard. Comme le dédoublement, cette association comporte des degrés et des formes variés. Elle peut
être tout à fait lâche et se réduire à un simple pouvoir de communiquer accidentellement avec des esprits. Le magicien connaît
leur résidence, sait leur langage, a des rites pour les aborder.
Telles sont en général les relations avec les esprits des morts,
les fées, et autres esprits du même genre (*Hantus* des Malais,
Iruntarinias des Aruntas, *Devatâs* indoues, etc.). Dans plusieurs
îles de la Mélanésie, le magicien tient en général son pouvoir des
âmes de ses parents.

La parenté est une des formes qu'on prête le plus communément à la relation du magicien avec les esprits. On suppose
qu'il a pour père, pour mère, pour ancêtre un esprit. Dans
l'Inde actuelle, un certain nombre de familles tiennent leurs
qualités magiques de pareille origine. Dans le pays de Galles,
on a fait descendre de l'union d'un homme avec une fée les
familles qui monopolisent les arts apparentés à la magie. Il
est encore plus commun que la relation soit figurée sous forme
de contrat, de pacte, tacite ou exprès, général ou particulier,
permanent ou caduc. Une espèce de lien juridique engage les
deux parties. Au moyen âge le pacte est conçu sous la forme
d'un acte, scellé par le sang avec lequel il est écrit ou signé.
C'est donc en même temps un contrat par le sang. Dans les
contes, le contrat nous apparaît sous les formes moins solennelles du pari, du jeu, des courses, des épreuves surmontées,
dans lesquelles l'esprit, démon ou diable, perd d'ordinaire la
partie.

On aime souvent à s'imaginer les relations dont il s'agit ici,
sous la forme sexuelle : les sorcières ont des incubes et les
femmes qui ont des incubes sont assimilées aux sorcières. Le
fait se rencontre à la fois en Europe, en Nouvelle-Calédonie
et sans doute ailleurs. Le sabbat européen ne va pas sans
relations sexuelles entre les diables présents et les magi-

ciens. L'union peut aller jusqu'au mariage, contrat permanent. Ces images sont loin d'être secondaires ; au moyen âge et dans l'antiquité gréco-romaine, elles ont contribué à former la notion des qualités positives des magiciens. La striga est en effet conçue comme une femme lascive, une courtisane, et c'est dans les controverses relatives au *concubitus dæmonum* que s'est en bonne partie éclairée la notion de magie. Les différentes images par lesquelles est représentée l'association du démon et du magicien peuvent se trouver réunies : on raconte qu'un râjput, ayant fait prisonnier l'esprit féminin de la morve, l'amena chez lui et que la descendance qu'il en eut a, encore aujourd'hui, héréditairement pouvoir sur le vent ; ce même exemple peut contenir à la fois les thèmes du jeu, du pacte, et de la descendance.

Cette relation n'est pas conçue comme accidentelle et extérieure, mais comme affectant profondément la nature physique et morale du magicien. Celui-ci porte la marque du diable, son allié ; les sorciers australiens ont la langue trouée par leurs esprits, leur ventre a été ouvert et leurs entrailles soi-disant renouvelées. Aux Iles Banks, certains sorciers ont eu la langue percée par un serpent vert *(maé)*. Le magicien est normalement une sorte de possédé, il est même, comme le devin, le type du possédé, ce que le prêtre n'est que très rarement ; il a d'ailleurs conscience de l'être et connaît généralement l'esprit qui le possède. La croyance à la possession du magicien est universelle. Dans l'Europe chrétienne, on le considère si bien comme un possédé, qu'on l'exorcise ; inversement, on tend à considérer le possédé comme un magicien. D'ailleurs, non seulement le pouvoir et l'état du magicien sont communément expliqués par la possession, mais encore il y a des systèmes magiques où la possession est la condition même de l'activité magique. En Sibérie, en Malaisie, l'état de chamanisme est obligatoire. Dans cet état, non seulement le sorcier sent en lui la présence d'une personnalité étrangère à lui-même, mais encore sa personnalité s'abolit tout à fait et c'est, en réalité, le démon qui parle par sa bouche. Si nous mettons à part les cas nombreux de simulation qui, d'ailleurs, imitent des états réels et expérimentés, nous trouvons qu'il s'agit là de faits qui, psychologiquement et physiologiquement, sont des états de dédoublement de la personnalité. Or, il est remarquable que le magicien soit, dans une certaine mesure, le maître de sa possession ; il est capable de la provoquer et il la provoque en effet par des pratiques appropriées, comme la danse, la musique monotone, l'intoxication. En somme, c'est une des qualités profes-

sionnelles, non seulement mythique, mais physique, des magiciens, que de pouvoir être possédés et c'est une science dont
ils ont été longtemps les dépositaires. Nous nous retrouvons
maintenant tout près de notre point de départ, puisque l'exha-
lation de l'âme et l'introduction d'une âme ne sont, pour
l'individu comme pour la société, que deux façons de se représenter un même phénomène, altération de la personnalité, au
point de vue individuel, transport dans le monde des esprits,
au point de vue social. Ces deux formes de représentation
peuvent d'ailleurs coïncider ; ainsi le chamane siou ou ojibway,
qui n'agit que quand il en est possédé, n'acquiert, dit-on,
ses manitous animaux qu'au cours d'une promenade de son
âme.

    Tous ces mythes du magicien rentrent les uns dans les autres.
Nous n'aurions pas eu à nous en occuper si longuement, s'ils
n'étaient les signes des opinions sociales dont les magiciens
sont l'objet. De même que le magicien est défini par ses relations avec les animaux, de même, il est défini par ses relations
avec les esprits, et en dernière analyse, par les qualités de son
âme. La liaison du magicien et de l'esprit va d'ailleurs jusqu'à la
confusion complète ; elle est naturellement plus facile quand le
magicien et l'esprit magique portent le même nom ; le fait est si
fréquent qu'il est presque la règle ; on n'éprouve pas généralement le besoin de les distinguer l'un de l'autre. On voit par là
jusqu'à quel point le magicien est sorti du siècle ; il l'est surtout
quand il exhale son âme, c'est-à-dire quand il agit ; il appartient
alors réellement, comme nous le disions plus haut, plutôt au
monde des esprits qu'au monde des hommes.

    Ainsi, même quand le magicien n'est pas déjà qualifié par
sa position sociale, il l'est au plus haut point par les représentations cohérentes dont il est l'objet. Il est, avant tout, un
homme qui a des qualités, des relations et, en fin de compte,
des pouvoirs spéciaux. La profession de magicien est, en définitive, une profession des mieux classées, peut-être une des
premières qui l'aient été. Elle est si bien affaire de qualification sociale que l'individu n'y entre pas toujours d'une façon
autonome et de son plein gré. On nous cite même des exemples
de magiciens malgré eux.

    C'est donc l'opinion qui crée le magicien et les influences
qu'il dégage. C'est grâce à l'opinion qu'il sait tout, qu'il peut
tout. S'il n'y a pas de secret pour lui dans la nature, s'il puise
directement ses forces aux sources mêmes de la lumière, dans
le soleil, dans les planètes, dans l'arc-en-ciel ou au sein des

eaux, c'est l'opinion publique qui veut qu'il les y puise. D'ailleurs, cette opinion ne reconnaît pas toujours à tous les magiciens des pouvoirs illimités ou les mêmes pouvoirs ; la plupart du temps, même dans des groupes très resserrés, les magiciens ont des facultés diverses. Non seulement la profession de magicien constitue une spécialité, mais encore elle a, elle-même, normalement, ses spécialités.

2º *L'initiation, la société magique.* — Comment, aux yeux de l'opinion et pour soi-même, devient-on magicien ? On devient magicien par révélation, par consécration et par tradition. Ce triple mode de qualification a été signalé par les observateurs, par les magiciens eux-mêmes, et très souvent il conduit à la distinction de différentes classes de sorciers. Le *sûtra* de Patañjali déjà cité (IV, I) dit que « les *siddhi* (pouvoirs magiques) proviennent de la naissance, des plantes, des formules, de l'ardeur ascétique, de l'extase ».

Il y a révélation toutes les fois que le magicien croit se trouver en relation avec un ou des esprits, qui se mettent à son service et dont il reçoit sa doctrine. Ce premier mode d'initiation est l'objet de mythes et de contes, les uns et les autres ou fort simples ou fort développés. Les plus simples brodent sur le thème de l'arrivée de Méphistophélès chez Faust. Mais il en existe de bien autrement compliqués. Chez les Murrings, le futur sorcier (*murup*, esprit) se couche sur la tombe d'une vieille femme à laquelle il a découpé la peau du ventre ; pendant le sommeil, cette peau, c'est-à-dire le *murup* de la vieille femme, le transporte au-delà de la voûte du ciel où il trouve des esprits et des dieux qui lui communiquent rites et formules ; quand il se réveille, il a le corps farci, comme un sac médecine, de morceaux de quartz, qu'il sait faire sortir de sa bouche au cours de ses cérémonies ; ce sont les dons et les gages des esprits. Ici, c'est le magicien qui se transporte dans le monde des esprits ; ailleurs, c'est l'esprit qui s'introduit en lui ; la révélation se fait ainsi par possession, chez les Sioux et chez les Malais, par exemple. Mais dans les deux cas, l'individu retire du contact momentané avec l'esprit une vertu permanente. Pour justifier cette permanence du caractère magique, on imagine l'altération profonde de la personnalité dont nous avons déjà parlé. On dit que les entrailles du magicien ont été renouvelées par les esprits, que ceux-ci l'ont frappé de leurs armes, l'ont mordu à la langue et comme preuve du traitement qu'il a subi, il peut montrer, dans les tribus de l'Australie centrale, sa langue trouée. On dit expressément que le novice meurt réellement pour renaître après sa révélation.

Cette idée d'une mort momentanée est un thème général de l'initiation magique aussi bien que de l'initiation religieuse. Mais les magiciens prêtent plus que les autres aux contes qu'on fait de ces résurrections. Pour sortir une fois par hasard du domaine habituel de nos recherches, nous citerons des contes des Esquimaux de la terre de Baffin. Un homme voulait devenir *angekok*, l'*angekok* initiateur le tua ; il resta étendu pendant huit jours, gelé ; pendant ce temps, son âme courait les profondeurs de la mer, du ciel et de la terre ; elle apprenait les secrets de la nature ; quand l'*angekok* le réveilla, en soufflant sur chacun de ses membres, il était devenu *angekok* lui-même. Nous voyons là l'image d'une révélation complète en plusieurs actes, comprenant une rénovation personnelle, le transport dans le monde des esprits, l'acquisition de la science magique, c'est-à-dire de la connaissance de l'univers.

C'est au cours de dédoublements que s'acquièrent les pouvoirs magiques, mais, à la différence des cas de chamanisme où les possessions et les dédoublements doivent être renouvelés, ces dédoublements initiatoires ne se produisent qu'une fois dans la vie du magicien, qui en retire un bénéfice durable. Seulement, ils sont au moins une fois nécessaires et même obligatoires. En effet, ces représentations mythiques correspondent bien à des rites réels d'initiation ; l'individu va dormir dans la forêt, sur un tombeau, subit toute une série de pratiques, se prête à des exercices d'ascétisme, à des interdictions, à des tabous, qui sont des rites. De plus, l'individu se met en extase et rêve, et son rêve n'est pas un pur mythe, même quand le magicien s'initie tout seul.

Mais, le plus souvent, interviennent d'autres magiciens : Chez les Chames, c'est une ancienne *păja* qui procure à l'initiée ses extases premières. En général, d'ailleurs, il y a pour le novice une véritable ordination, dont les agents sont les magiciens en exercice. Les Aruntas connaissent, à côté de l'initiation par les esprits, l'initiation par le magicien, qui se compose de rites ascétiques, de frictions, d'onctions et autres rites accumulés, au cours desquels l'impétrant absorbe de petits cailloux, signes de la puissance magique, qui émanent de son parrain. Dans nos papyrus grecs, nous avons un long manuel d'ordination magique, l'ὀγδόη Μωϋσέως (Dietrich, *Abraxas*, p. 166 *sqq.*), qui nous expose en détail toutes les phases d'une semblable cérémonie, purifications, rites sacrificiels, invocations et pour couronner le tout, une révélation mythique qui explique le secret du monde. Mais un rituel aussi complexe n'est pas toujours nécessaire. Il y a ordination quand il y a simplement évocation en commun d'un esprit (c'est ce qui se passe pour les *pawang* malais des Détroits) ou quand il y a présentation à l'esprit dans un lieu sacré (en Mélanésie, par exemple), etc. En tout cas, l'initiation magique produit les mêmes effets que les autres initiations ; elle détermine un changement de personnalité, qui se traduit au besoin par un changement de nom. Elle établit un contact intime entre l'individu et ses alliés surnaturels, en définitive une possession virtuelle, qui est permanente. L'initiation magique se confond d'ailleurs normalement, dans certaines sociétés, avec l'initiation religieuse. Par exemple, chez les Peaux-Rouges, Iroquois ou Sioux, l'acquisition des pouvoirs de médecine se fait au moment de l'introduction dans la société secrète. Nous conjecturons, sans en avoir encore la preuve, qu'il est en de même pour certaines sociétés mélanésiennes.

L'initiation, en se simplifiant, finit par se rapprocher de la tradition pure et simple. Mais jamais la tradition magique n'a été une chose parfaitement simple et banale. En fait, dans la communication d'une formule, le professeur, le novice, tout l'entourage, s'il y en a un, prennent une attitude extraordinaire. L'adepte est et se croit un élu. L'acte est en général solennel et son caractère mystérieux ne nuit nullement à sa solennité. Il s'accompagne de formes rituelles, ablutions, précautions diverses ; des conditions de temps et de lieu sont observées ; dans d'autres cas, ce qu'il y a de grave dans l'enseignement magique s'exprime par le fait que la transmission de la recette est précédée d'une sorte de révélation cosmologique dont elle paraît dépendre. Il est fréquent que les secrets magiques ne soient pas livrés sans condition. Même l'acheteur d'un charme n'en peut pas disposer librement, hors des clauses du contrat ; les charmes indûment livrés ne fonctionnent plus ou se retournent contre qui les emploie ; le folklore de tous les pays en donne une infinité d'exemples. Nous voyons dans ces croyances les signes d'un état d'esprit qui est réalisé toutes les fois que se transmettent des connaissances magiques, même les plus populaires. Ces conditions de transmission, cette espèce de contrat, montrent que, pour être donné de personne à personne, l'enseignement n'en fait pas moins entrer dans une véritable société fermée. La révélation, l'initiation et la tradition sont, à ce point de vue, équivalentes ; elles marquent formellement, chacune à sa façon, qu'un nouveau membre s'agrège au corps des magiciens.

Ce n'est pas seulement l'opinion qui traite les magiciens comme formant une classe spéciale ; ils se considèrent eux-mêmes comme tels. Bien qu'ils soient, comme nous l'avons dit, des isolés, ils ont pu, en fait, former de véritables sociétés magiques. Ces sociétés magiques se sont recrutées par hérédité ou par cooptation. Les écrivains grecs nous signalent des familles de magiciens ; on nous en signale également dans les pays celtiques, dans l'Inde, en Malaisie, en Mélanésie ; la magie est une richesse qui se garde soigneusement dans une famille. Mais elle n'est pas toujours transmise suivant la même ligne que les autres biens : en Mélanésie, en plein pays de descendance utérine, elle passe de père à fils ; dans le Pays de Galles, il semble qu'en général la mère l'ait communiquée à son fils et le père à sa fille. Dans les groupes sociaux où les sociétés secrètes, c'est-à-dire les sociétés partielles d'hommes, dans lesquelles l'on entre volontairement, jouent un grand rôle, le corps des magiciens se confond, semble-t-il, avec la société secrète. Les sociétés de magiciens que nous décèlent les papyrus grecs, voisinent avec les sociétés mystiques alexandrines. En général, dans les cas où existent des groupes magiques, nous ne sommes pas capables de les distinguer des associations religieuses. Mais ce que nous savons bien, c'est qu'au moyen âge on ne s'est représenté la magie que comme exercée par des collectivités ; les textes les plus anciens nous parlent d'assemblées de sorcières ; nous les retrouvons dans le mythe de la chevauchée à la suite de Diane, puis dans le sabbat. Cette image est évidemment grossie, encore que l'existence de chapelles magiques et d'épidémies magiques nous soient bien attestées. Toutefois, s'il faut faire, dans ce qu'on nous dit des familles et des sectes magiques, la part de l'opinion et du mythe, il en reste assez pour nous donner lieu de croire que la magie a dû toujours fonctionner, en partie, par petits groupes, tels que ceux que forment, de nos jours, les derniers adeptes de l'occultisme. D'ailleurs, même là où n'apparaît aucune association expresse de magiciens, il y a, moralement, un groupe professionnel et ce groupe a des statuts implicites, mais obéis. Nous constatons que le magicien a généralement une règle de vie, qui est une discipline corporative. Cette règle consiste quelquefois dans la recherche de qualités morales, de la pureté rituelle, dans une certaine gravité de la tenue, souvent en bien autre chose ; en un mot, ces professionnels se donnent les dehors de leur profession.

Si l'on objecte à tout ce que nous venons de dire sur le caractère social des agents de la magie, qu'il existe une magie populaire qui n'est pas exercée par des personnes qualifiées, nous répondrons que les agents de celle-ci s'efforcent toujours de ressembler, autant que possible, à leur idée du magicien. De plus, nous ferons remarquer que cette magie populaire ne se rencontre qu'à l'état de survivances, dans de petits groupes très simples, hameaux ou familles ; et nous pourrions soutenir, non sans quelque apparence de raison, que ces petits groupes dont les membres reproduisent indistinctement les mêmes gestes magiques traditionnels sont bien en réalité des sociétés de magiciens.

II

LES ACTES

Les actes du magicien sont des rites, et nous allons montrer, en les décrivant, qu'ils répondent bien à tout ce que contient la notion de rite. Il faut noter que, dans les recueils de folklore, ils nous sont souvent présentés sous une forme très peu compliquée et très banale ; si les auteurs de ces recueils ne nous disaient pas eux-mêmes, au moins implicitement, que ce sont des rites, nous serions tentés de n'y voir que des gestes très vulgaires et sans caractère spécial. Mais nous prétendons qu'en général ce ne sont pas des actes simples et dépourvus de toute solennité. Leur simplicité apparente vient de ce qu'ils sont mal décrits, ou mal observés, ou bien de ce qu'ils se sont usés. Quant à nous, ce n'est évidemment pas parmi les rites réduits et mal connus que nous allons chercher les traits typiques du rituel magique.

Nous connaissons, au contraire, un très grand nombre de rites magiques qui sont fort complexes. Le rituel de l'envoûtement hindou, par exemple, est extraordinairement étendu (*Kauçika sûtra*, 47-49). Il exige tout un matériel de bois de mauvais augure, d'herbes coupées de certaines façons, d'huile particulière, de feu sinistre ; l'orientation est inverse de l'orientation des rites de bon augure ; on s'établit dans un lieu désert et dont le sol est salé ; enfin l'enchantement doit se faire, à une date, indiquée en termes ésotériques, mais évidemment à une date sinistre, et dans l'ombre *(aroka)*, sous un astérisme néfaste (47, 1-11). Vient ensuite une initiation spéciale, très longue, de l'intéressé, une *dîṣkâ*, dit le commentaire (Keçava

ad *sû* 12), analogue à celle que subit le sacrifiant à l'entrée
d'un sacrifice solennel. A partir de ce moment, c'est le brahman qui devient le protagoniste du rite principal, ou plutôt
des rites qui forment l'envoûtement proprement dit ; car il
est impossible de savoir, à la lecture de notre texte, si les trente-
deux types de rites, que nous avons comptés (47, 23 à 49, 27),
rites dont plusieurs ont jusqu'à trois formes, font partie d'une
seule et immense cérémonie, ou s'ils sont théoriquement distincts. Toujours est-il que l'un des moins compliqués, pratiqué
sur un voult d'argile (49, 23), ne s'étend pas sur moins de douze
jours. L'envoûtement se termine par une purification rituelle
(49, 27). — Les rites de l'imprécation chez les Cherokees ou les
Pitta-Pitta du Queensland ne sont pas beaucoup plus simples.
Enfin, nous avons, dans nos papyrus grecs et dans nos textes
assyriens, des exorcismes et des rites de divination qui ne sont
guère moins longs.

1º *Les conditions des rites.* — Si maintenant nous passons à
l'analyse du rite en général, nous devons noter d'abord qu'un
précepte magique comprend, outre l'indication d'une ou plusieurs opérations centrales, l'énumération d'un certain nombre
d'observances accessoires, tout à fait équivalentes à celles qui
entourent les rites religieux. Toutes les fois que nous sommes
en présence de véritables rituels, de manuels liturgiques, l'énumération précise des circonstances n'y manque point.

Le moment où le rite doit s'accomplir est soigneusement
déterminé. Certaines cérémonies doivent se faire la nuit ou
à des heures choisies de la nuit, à minuit, par exemple ; d'autres,
à certaines heures du jour, au coucher du soleil ou à son lever ;
les deux crépuscules sont spécialement magiques. Les jours de
la semaine ne sont pas indifférents ; tel le vendredi, le jour
du sabbat, sans préjudice des autres jours : dès qu'il y a eu
semaine, le rite a été affecté à un jour fixe. De même, le rite
est daté dans le mois, mais il l'est surtout, et peut-être de préférence, par le cours et le décours de la lune. Les dates lunaires
sont celles dont l'observance est le plus généralement fixée.
Dans l'Inde ancienne, théoriquement, tout rite magique était
attaché à un sacrifice de la nouvelle et de la pleine lune. Même,
il semble résulter des textes anciens et il appert de textes plus
modernes que la quinzaine claire était réservée aux rites de bon
augure, la quinzaine obscure aux rites de mauvais augure. Le
cours des astres, les conjonctions et les oppositions de la lune,
du soleil, des planètes, les positions des étoiles sont également

observés. Par là, l'astrologie se trouve annexée à la magie, à tel point qu'une partie de nos textes magiques grecs se trouve dans des ouvrages astrologiques, et que, dans l'Inde, le grand ouvrage astrologique et astronomique du haut moyen âge consacre à la magie toute sa dernière partie. Le mois, le numéro d'ordre de l'année dans un cycle entrent quelquefois en ligne de compte. En général, les jours de solstice, d'équinoxe, et surtout les nuits qui les précèdent, les jours intercalaires, les grandes fêtes, chez nous, celles de certains saints, toutes les époques un peu singularisées sont tenues pour exceptionnellement favorables. Il arrive que toutes ces données s'enchevêtrent et déterminent des conditions très rarement réalisables ; si l'on en croyait les magiciens hindous certains rites ne pourraient se pratiquer avec fruit que tous les quarante-cinq ans.

La cérémonie magique ne se fait pas n'importe où, mais dans les lieux qualifiés. La magie a souvent de véritables sanctuaires, comme la religion ; il y a des cas où leurs sanctuaires sont communs, par exemple en Mélanésie, en Malaisie et aussi dans l'Inde moderne, où l'autel de la divinité de village sert à la magie ; dans l'Europe chrétienne, où certain rites magiques doivent être exécutés dans l'église et jusque sur l'autels Dans d'autres cas, le lieu est choisi parce que les cérémonies religieuses ne doivent pas s'y faire et qu'il est soit impur, soit tout au moins l'objet d'une considération spéciale. Les cimetières, les carrefours et la forêt, les marais et les fosses à détritus, tous les endroits où habitent les revenants et les démons, sont pour la magie des places de prédilection. On fait de la magie sur les limites des villages et des champs, les seuils, les foyers, les toits, les poutres centrales, les rues, les routes, le traces, en tout endroit qui a une détermination quelconque. Le minmum de qualification dont on puisse se contenter, c'est que le lieu ait une corrélation suffisante avec le rite ; pour enchanter un ennemi, on crache sur sa maison ou devant lui. A défaut d'autre détermination, le magicien trace un cercle ou un carré magique, un *templum*, autour de lui, et c'est là qu'il travaille.

Nous venons de voir qu'il y avait, au rite magique comme au sacrifice, des conditions de temps et de lieu. Il y en a d'autres encore. On utilise sur le terrain magique des matières et des instruments, mais ces derniers ne sont jamais quelconques. Leur préparation et leur choix sont l'objet de rites et sont même tout particulièrement soumis, eux aussi, à des conditions de temps et de lieu. Ainsi, le chamane cherokee va chercher ses herbes médicinales à tel jour de la lune, au lever du soleil ; il les cueille dans un ordre fixé, avec certains doigts, en ayant soin que son ombre ne porte pas sur elles, et après avoir exécuté des circuits rituels. On emploie du plomb qui vient des bains, de la terre qui vient du cimetière et ainsi de suite. La confection ou la mise en état des choses, des matériaux du rituel, est longue, minutieuse. Dans l'Inde, tout ce qui entrait dans la composition d'une amulette ou d'un philtre devait obligatoirement avoir macéré, être oint longtemps à l'avance et d'une façon spéciale. Normalement, les choses magiques sont, sinon consacrées au sens religieux, du moins incantées, c'est-à-dire revêtues d'une sorte de consécration magique.

Outre ces enchantements préalables, une bonne partie des choses employées ont déjà, comme souvent la victime du sacrifice, une première qualification. Les unes sont qualifiées par la religion, restes de sacrifices qui eussent dû être consommés ou détruits, os de morts, eaux de lustration, etc. Les autres sont généralement, pour ainsi dire, disqualifiées, comme les restes de repas, les détritus, les rognures d'ongles et les cheveux coupés, les excréments, les fœtus, les ordures ménagères et, en général, tout ce qu'on rejette et qui n'est pas d'un emploi normal. Puis viennent un certain nombre de choses qui paraissent être employées pour elles-mêmes, en vertu de leurs propriétés réelles ou supposées, ou encore de leur corrélation avec le rite : animaux, plantes, pierres ; enfin, d'autres substances telles que la cire, la colle, le plâtre, l'eau, le miel, le lait, qui ne servent qu'à amalgamer et à utiliser les autres et semblent être le plat sur lequel la cuisine magique est servie. Ces dernières substances elles-mêmes ont souvent leurs vertus propres et sont l'objet de prescriptions, quelquefois très formelles : dans l'Inde, il est, d'ordinaire, prescrit d'employer le lait d'une vache d'une couleur déterminée et dont le veau a la même couleur qu'elle. L'énumération de toutes ces substances forme la pharmacopée magique. Elle a dû tenir dans l'enseignement de la magie la place considérable qu'elle occupe dans les doctrinaux. Mais si, pour le monde gréco-romain, elle est si énorme qu'elle semble illimitée, c'est que la magie gréco-romaine ne nous a pas laissé de rituel ou de *Code* magiques pratiques qui soient généraux et complets. Il ne nous semble pas douteux que, normalement, pour un groupe défini de magiciens, en un temps donné, elle ait été presque parfaitement limitée, comme nous le voyons dans les textes atharvaniques, aux chapitres VIII à XI du *Kauçika Sûtra*, ou même dans les manuscrits cherokees. Les listes de matières ont eu, selon nous, le caractère impératif d'un *Codex* de pharmacie et nous considérons, en principe, les livres de pharmacopée magique qui nous sont intégralement parvenus, comme ayant été, chacun à son heure, le manuel complet et limitatif d'un magicien ou d'un groupe de magiciens.

Outre l'emploi de ces matériaux, les cérémonies comportent celui de tout un outillage, dont les pièces ont fini par avoir une valeur magique qui leur est propre. Le plus simple de ces outils, c'est la baguette magique. La boussole divinatoire chinoise a été l'un des plus complexes. Les magiciens grécolatins ont tout un arsenal de bassins, d'anneaux, de couteaux, d'échelles, de rouelles, de crécelles, de fuseaux, de clefs, de miroirs, etc. Le sac-médecine d'un Iroquois ou d'un Siou, avec ses poupées, ses plumes, ses cailloux, ses perles tissées, ses ossements, ses bâtons à prières, ses couteaux et ses flèches, est aussi plein de choses hétéroclites que le cabinet du docteur Faust.

Quant au magicien et à son client, ils sont, par rapport au rite magique, ce que le sacrifiant et le sacrificateur sont par rapport au sacrifice : ils doivent, eux aussi, se soumettre à des rites préliminaires, qui ne portent quelquefois que sur eux, mais quelquefois aussi sur leur famille ou sur leur groupe tout entier. Entre autres prescriptions, ils doivent rester chastes, être purs, faire des ablutions préalables, s'oindre ; jeûner ou s'abstenir de certains aliments ; ils doivent porter un vêtement spécial, ou bien neuf, ou bien sale, tout blanc ou avec des bandelettes pourpres, etc. ; ils doivent se grimer, se masquer, se déguiser, se couronner, etc. ; quelquefois, ils doivent être nus, peut-être pour enlever toute barrière entre eux et les pouvoirs magiques, peut-être pour agir par l'indécence rituelle de la bonne femme du fabliau. Enfin, certaines dispositions mentales sont exigées ; il est nécessaire d'avoir la foi, d'être sérieux.

L'ensemble de toutes ces observances concernant le temps, le lieu, les matériaux, les instruments, les agents de la cérémonie magique, constitue de véritables préparations, des rites d'entrée dans la magie, semblables aux rites d'entrée dans le sacrifice, dont nous avons parlé ailleurs. Ces rites sont si importants qu'ils forment eux-mêmes des cérémonies distinctes par rapport à la cérémonie qu'ils conditionnent. D'après les textes atharvaniques, un sacrifice précède la cérémonie et souvent des rites surérogatoires s'y mêlent, pour préparer chaque nouveau rite ; en Grèce, on prévoit la confection, longuement **décrite**.

de phylactères spéciaux, prières orales ou écrites, talismans divers, qui ont pour but de protéger l'opérateur contre la puissance qu'il emploie, contre ses propres erreurs ou contre les machinations de ses adversaires. On pourrait, du point de vue où nous sommes placés, considérer comme rites préparatoires un certain nombre de cérémonies, qui tiennent souvent une place sans proportion avec l'importance du rite central, c'est-à-dire de celui qui répond précisément au but qu'on veut atteindre. Telles sont les danses magiques, la musique continuelle, les tamtams ; telles encore les fumigations, les intoxications. Toutes ces pratiques mettent les officiants et leurs clients dans un état spécial, non seulement moralement et psychologiquement, mais quelquefois physiologiquement différent de leur état normal, état qui est parfaitement réalisé dans les transes chamaniques, les rêves volontaires ou obligatoires, qui sont aussi des rites. Le nombre et la grandeur de ces faits prouvent que le rite magique se passe dans un milieu magique différencié, milieu que l'ensemble des préparations de la cérémonie a pour objet de limiter et de distinguer des autres milieux. A la rigueur, une simple attitude, un murmure, un mot, un geste, un regard suffit pour en indiquer la présence.

Comme pour le sacrifice, il y a encore, sinon toujours, du moins assez régulièrement, des rites de sortie, destinés à limiter les effets du rite et à assurer l'impunité des acteurs. On rejette ou l'on détruit les produits de la cérémonie qui ne sont pas utilisés ; on se lustre ; on quitte le terrain magique en ayant soin de ne pas tourner la tête. Ce ne sont pas là de simples précautions individuelles, elles sont prescrites ; ce sont des règles d'action, qui figurent expressément au rituel cherokee ou dans le rituel atharvanique et ont dû faire également partie des rituels de magie gréco-latins. Virgile a soin de les mentionner à la fin de la huitième églogue (v. 102).

> **Fer cineres, Amarylli, foras, rivoque fluenti**
> **Transque caput jace ; nec respexeris...**

Dans la Μαντεία Κρονική, cérémonie divinatoire dont la liturgie nous est donnée par le grand Papyrus magique de Paris, nous trouvons encore une prière finale qui est un véritable rite de sortie.

En règle générale, on peut dire que la magie multiplie les conditions des rites, au point de paraître rechercher des échappatoires et même d'en trouver. La tradition littéraire relative à la magie, bien loin d'avoir réduit le caractère apparemment compliqué de ses opérations, semble l'avoir développé à plaisir. C'est qu'il tient étroitement à l'idée de la magie. Il est d'ailleurs naturel que les magiciens se soient retranchés, en cas d'insuccès, derrière la procédure et les vices de forme. Mais on n'a pas le droit de supposer qu'il n'y ait eu là qu'un simple artifice. Les magiciens en auraient été les premières victimes, se rendant ainsi leur profession impossible. L'importance et la prolifération illimitée de ces rites tient directement aux caractères essentiels de la magie même. Il est à noter que la plupart des circonstances à observer sont des circonstances anormales. Si banal que soit le rite magique, on veut le faire rare. Ce n'est pas sans raison qu'on n'emploie que des herbes de la Saint-Jean, de la Saint-Martin, de la Noël, du Vendredi Saint ou des herbes de la nouvelle lune. Ce sont des choses qui ne sont pas ordinaires et il s'agit en somme de donner à la cérémonie ce caractère anormal vers lequel tend tout rite magique. Les gestes sont l'inverse des gestes normaux, ou tout au moins de ceux qui sont admis dans les cérémonies religieuses ; les conditions de temps et les autres sont apparemment irréalisables ; tout le matériel est de préférence immonde et les pratiques obscènes. Le tout a un air de bizarrerie, d'affectation, de contrenature, aussi éloigné que possible de la simplicité à laquelle quelques-uns des derniers théoriciens ont réduit la magie.

2° *La nature des rites*. — Nous arrivons maintenant aux cérémonies essentielles et directement efficaces. Elles comprennent d'ordinaire à la fois des rites manuels et des rites oraux. En dehors de cette grande division, nous ne tentons pas une classification des rites magiques. Nous constituons simplement, pour les besoins de notre exposition, un certain nombre de groupes de rites, entre lesquels il n'y a pas de distinction bien tranchée.

Les rites manuels. — Dans l'état actuel de la science des religions, le groupe des rites sympathiques ou symboliques est le premier qui se présente comme ayant plus particulièrement un caractère magique. Leur théorie a été suffisamment faite et des répertoires assez considérables en ont été dressés, pour que nous soyons dispensés d'y insister. A la lecture de ces répertoires, on pourra peut-être penser que le nombre des rites symboliques est théoriquement indéfini et que tout acte symbolique est, par nature, efficace. Nous pensons, au contraire,

sans cependant pouvoir en apporter la preuve, que, pour une
magie donnée, le nombre des rites symboliques, prescrits et
exécutés, est toujours limité. Nous croyons, en outre, qu'ils
ne sont exécutés que parce qu'ils sont prescrits et non parce
qu'ils sont logiquement réalisables. En face de l'infinité des
symbolismes possibles, même des symbolismes observés dans
l'ensemble de l'humanité, le nombre de ceux qui sont valables
pour une magie est singulièrement petit. Nous pourrions dire
qu'il y a toujours des codes limitatifs de symbolismes, si nous
trouvions en réalité des catalogues de rites sympathiques ; ces
catalogues, il est naturel que nous n'en ayons pas, car les
magiciens n'ont eu besoin de classer les rites que par objets et
non par procédés.

Nous ajouterons que, si le procédé sympathique est d'un
emploi général dans toutes les magies et dans toute l'humanité,
s'il y a même de véritables rites sympathiques, les magiciens
n'ont pas, en général, librement spéculé sur la sympathie, ils
se sont moins préoccupés du mécanisme de leurs rites que de
la tradition qui les transmet et de leur caractère formel ou
exceptionnel.

En conséquence, ces pratiques nous apparaissent, non pas
comme des gestes mécaniquement efficaces, mais comme des
actes solennels et de véritables rites. En fait, des rituels qui
nous sont connus, hindous, américains ou grecs, il nous serait
fort difficile d'extraire une liste des rites sympathiques purs.
Les variations sur le thème de la sympathie sont si nombreuses
que celui-ci en est comme obscurci.

Mais il n'y a pas que des rites sympathiques en magie. Il y
a d'abord toute une classe de rites qui équivalent aux rites
de la sacralisation et de la désacralisation religieuses. Le système des purifications est si important que la *çânti* hindoue,
l'expiation, semble avoir été une spécialité des brahmanes de
l'Atharva Veda et que le mot de καθαρμός, en Grèce, a fini par
désigner le rite magique en général. Ces purifications sont
faites avec des fumigations, des bains de vapeur, des passages
au feu, à l'eau, etc. Une bonne partie des rites curatifs et des
rites conjuratoires sont faits de pareilles pratiques.

Il y a ensuite des rites sacrificiels. Il y en a dans la Μαντεία
Κρονική, dont nous parlons plus haut, et dans l'envoûtement
hindou. Dans les textes atharvaniques, outre les sacrifices
obligatoires de préparation, la plus grande partie des rites
sont des sacrifices ou en impliquent : ainsi, l'incantation des
flèches se fait sur un bûcher de bois de flèches, qui est sacrifi-

ciel ; dans tout ce rituel, une part de tout ce qui est consommé est nécessairement sacrifiée. Dans les textes grecs, les indications de sacrifices sont tout au moins fréquentes. L'image du sacrifice s'est même imposée au point de devenir en magie une image directrice, suivant laquelle s'ordonne dans la pensée l'ensemble des opérations ; ainsi, dans les livres alchimiques grecs, nous trouvons, à plusieurs reprises, la transmutation du cuivre en or expliquée par une allégorie sacrificielle. Le thème du sacrifice et, en particulier, du sacrifice d'enfant, est commun dans ce que nous savons de la magie antique et de celle du moyen âge ; on en rencontre des exemples un peu partout ; toutefois ils nous viennent plutôt du mythe que de la pratique magique. Nous considérons tous ces rites comme des sacrifices, parce qu'en fait ils nous sont donnés comme tels ; les vocabulaires ne les distinguent pas du sacrifice religieux pas plus qu'ils ne distinguent les purifications magiques des purifications religieuses. D'ailleurs, ils produisent les mêmes effets que les sacrifices religieux, ils dégagent des influences, des puissances et ce sont des moyens de communiquer avec celles-ci. Dans la Μαντεία Κρονική, le dieu est vraiment présent à la cérémonie. Les textes nous apprennent aussi que, dans ces rites magiques, les matières traitées se trouvent réellement transformées et divinisées. On lit dans une incantation qui ne nous paraît pas d'ailleurs avoir subi une influence chrétienne : Σὺ εἶ οἶνος οὐκ εἶ οἶνος, ἀλλ'ἡ κεφαλὴ τῆς Ἀθηνᾶς, σὺ εἶ οἶνος, οὐκ εἶ οἶνος, ἀλλά τά σπλάγχνα τοῦ Ὀσείρίος, τά σπλάγχνα τοῦ Ἰαῶ. (*Papyrus*, CXXI [B. M.], 710.)

Il y a donc des sacrifices dans la magie, mais nous n'en trouvons pas dans toutes les magies ; ainsi, chez les Cherokees ou en Australie, ils font défaut. En Malaisie, ils sont très réduits : les offrandes d'encens et de fleurs y sont probablement d'origine bouddhique ou hindouiste, et les sacrifices, très rares, de chèvres et de coqs semblent souvent d'origine musulmane. En principe, là où manque le sacrifice magique, le sacrifice religieux manque également. En tout cas, l'étude spéciale du sacrifice magique n'est pas aussi nécessaire à l'étude de la magie que celle du rite sympathique et nous la réservons pour un autre travail, où nous comparerons spécialement le rite magique au rite religieux. Toutefois, on peut déjà poser en thèse générale que les sacrifices ne forment pas, dans la magie, comme dans la religion, une classe bien fermée de rites très spécialisés. D'une part, comme dans l'exemple cité plus haut du sacrifice de bois de flèches et, par définition, dans tous les cas de sacrifices expiatoires magiques, ils ne font qu'envelopper le rite sympathique, dont ils sont alors, à proprement parler, la forme. D'autre part, ils touchent à la cuisine magique. Ils ne sont plus qu'une manière entre mille de la faire. Ainsi, dans la magie grecque, la confection des κολλούρια ne se distingue pas des sacrifices ; les papyrus donnent aux mélanges magiques destinés aux fumigations ou à tout autre chose le nom d'ἐπιθύματα.

Nous nous trouvons ici en présence d'une grande classe de pratiques mal définies qui tiennent, dans la magie et dans ses doctrinaux, une énorme place ; car elles confinent à l'emploi des substances dont les vertus doivent être transmises par contact ; en d'autres termes, elles fournissent le moyen d'utiliser les associations sympathiques ou d'utiliser sympathiquement les choses. Comme elles sont aussi étranges qu'elles sont générales, elles colorent de leur bizarrerie tout l'ensemble de la magie et fournissent un des traits essentiels de son image populaire. L'autel du magicien, c'est son chaudron magique. La magie est un art d'accommoder, de préparer des mélanges, des fermentations et des mets. Ses produits sont triturés, broyés, malaxés, dilués, transformés en parfums, en boissons, en infusions, en pâtes, en gâteaux à formes spéciales, en images, pour être fumigés, bus, mangés ou gardés comme amulettes. Cette cuisine, chimie ou pharmacie, n'a pas seulement pour objet de rendre utilisables les choses magiques, elle sert à leur donner la forme rituelle, qui fait partie, et non la moindre, de leur efficacité. Elle est elle-même rituelle, très formelle et traditionnelle ; les actes qu'elle comporte sont des rites. Ces rites ne doivent pas être rangés indifféremment parmi les rites préparatoires ou concomitants d'une cérémonie magique. La préparation des matières et la confection des produits est l'objet principal et central de cérémonies complètes, avec rites d'entrée et rites de sortie. Ce qu'est au sacrifice l'accommodation de la victime, cette cuisine l'est au rite magique. C'est un moment du rite.

Cet art d'accommoder les choses est compliqué d'autres industries. La magie prépare des images, faites de pâte, d'argile, de cire, de miel, de plâtre, de métal ou de papier mâché, de papyrus ou de parchemin, de sable ou de bois, etc. La magie sculpte, modèle, peint, dessine, brode, tricote, tisse, grave ; elle fait de la bijouterie, de la marqueterie, et nous ne savons combien d'autres choses. Ces divers métiers lui procurent ses figurines de dieux ou de démons, ses poupées d'envoûtement, ses symboles. Elle fabrique des gris-gris, des scapulaires, des talismans, des amulettes, tous objets qui ne doivent être considérés que comme des rites continués.

Les rites oraux. — On désigne d'ordinaire les rites oraux magiques sous le nom générique d'incantations, et nous ne voyons pas de raison pour ne pas suivre méthodiquement l'usage. Mais cela ne veut pas dire qu'il n'y ait qu'une seule espèce de rites oraux en magie. Bien loin de là, le système de l'incantation a une telle importance dans la magie qu'il est, dans certaines magies, extrêmement différencié. Il ne semble pas qu'on lui ait jamais fait la part exacte qui lui revient. A lire certains répertoires modernes, on pourrait croire que la magie ne se compose que de rites manuels ; les rites oraux n'y sont mentionnés que pour mémoire et disparaissent dans la longue énumération du reste. D'autres recueils au contraire, comme celui de Lönrot, pour la magie finnoise, ne contiennent que des incantations. Il est rare qu'on nous donne une idée suffisante de l'équilibre des deux grandes classes de rites, comme l'ont fait Skeat pour la magie malaise, ou Mooney pour celle des Cherokees. Les rituels ou les livres de magiciens montrent que d'ordinaire les uns ne vont pas sans les autres. Ils sont si intimement associés que, pour donner une idée exacte des cérémonies magiques, il faudrait les étudier concurremment. Si l'une des deux classes tendait à prédominer, ce serait plutôt celle des incantations. Il est douteux qu'il y ait eu de véritables rites muets, tandis qu'il est certain qu'un très grand nombre de rites ont été exclusivement oraux.

Nous trouvons dans la magie à peu près toutes les formes de rites oraux que nous connaissons dans la religion : serments, vœux, souhaits, prières, hymnes, interjections, simples formules. Mais, pas plus que nous n'avons essayé de classer les rites manuels, nous n'essayerons de classer sous ces rubriques les rites oraux. Elles ne correspondent pas ici à des groupes de faits bien définis. Le chaos de la magie fait que la forme des rites ne répond pas exactement.à leur objet. Il y a des disproportions qui nous étonnent ; nous voyons des hymnes de la plus haute envolée associées aux fins les plus mesquines.

Il existe un groupe d'incantations qui correspond à ce que nous avons appelé les rites sympathiques. Les unes agissent elles-mêmes sympathiquement. Il s'agit de nommer les actes ou les choses et de les susciter ainsi par sympathie. Dans un charme médical ou dans un exorcisme, on jouera sur les mots qui signifient écarter, rejeter, ou bien sur ceux qui désignent la maladie ou le démon, cause du mal. Les calembours et les onomatopées comptent parmi les moyens employés pour combattre verbalement, par sympathie, la maladie. Un autre procédé, qui donne lieu à une sorte de classe d'incantations sympathiques, est la description même du rite manuel correspondant : Πάσσ' ἅμα καὶ λέγε ταῦτα. τὰ Δέλφι δος ὀστίκ πάσσω (Théocrite, II, 21). Il semble qu'on ait supposé souvent que la description, ou la mention de l'acte, suffisent et à le produire et à produire son effet.

De même que la magie contient des sacrifices, elles contient aussi des prières, des hymnes, et tout particulièrement des prières aux dieux. Voici une prière védique prononcée au cours d'un simple rite sympathique contre l'hydropisie (*Kauçika sûtra* 25, 37 sq) : « Cet Asura règne sur les dieux ; certes, la volonté du roi Varuna est vérité (se réalise immanquablement) ; de ceci (de cette maladie) moi qui excelle de toutes parts par mon charme, de la colère du terrible (dieu), je retire cet homme. Qu'honneur te soit (rendu) ô roi Varuna, à ta colère ; car, ô terrible, toute tromperie, tu la connais. Mille autres hommes, je te les abandonne ensemble ; que, par ta bonté (?), il vive cent automnes cet homme », etc. Varuna, dieu des eaux, qui sanctionne les fautes par l'hydropisie, est imploré naturellement au cours de cet hymne (*Atharva Veda*, I, 10), ou plus exactement de cette formule (*brahman*, vers 4). Dans les prières à Artémis et au soleil qu'on a relevées dans les papyrus magiques grecs, la belle teneur lyrique de l'invocation est dénaturée et étouffée par l'intrusion de tout le fatras magique. Les prières et les hymnes qui rapellent de si près, pour peu qu'on les dépouille de cet appareil insolite, celles que nous sommes habitués à considérer comme religieuses, proviennent souvent de rituels religieux, en particulier de rituels abolis ou étrangers. Ainsi, M. Dieterich vient d'extraire du grand papyrus de Paris tout un morceau de liturgie mithriaque. De même les textes sacrés, choses religieuses, peuvent devenir à l'occasion choses magiques. Les livres saints, Bible, Coran, Vedas, Tripitakas, ont fourni d'incantations une bonne partie de l'humanité. Que le système des rites oraux à caractère religieux se soit étendu à ce point dans les magies modernes, nous ne devons pas nous en étonner ; ce fait est corrélatif à l'extension de ce système dans la pratique de la religion, de même que l'application magique du mécanisme sacrificiel est corrélative à son application religieuse. Il n'y a pour une société donnée qu'un nombre limité de formes rituelles qui soient concevables.

Ce que les rites manuels ne font pas normalement dans la magie, c'est de retracer des mythes. Mais, par contre, nous avons un troisième groupe de rites verbaux, que nous appel lerons incantations mythiques. De ces incantations, il y a une première sorte qui consiste à décrire une opération sem- blable à celle qu'on veut produire. Cette description a la forme d'un conte ou d'un récit épique et les personnages en sont héroïques ou divins. On assimile le cas présent au cas décrit comme à un prototype, et le raisonnement prend la forme suivante : Si un tel (dieu, saint ou héros) a pu faire telle ou telle chose (souvent plus difficile), dans telle circonstance, de même, ou à plus forte raison, peut-il faire la même chose dans le cas présent, qui est analogue. Une deuxième classe de ces charmes mythiques est formée par ce qu'on a appelé les *rites d'origine* ; ceux-ci décrivent la genèse, énumèrent les qualités et les noms de l'être, de la chose ou du démon visé par le rite ; c'est une sorte de dénonciation qui dévoile l'objet du charme ; le magicien lui intente un procès magique, établit son identité, le traque, le force, le rend passif et lui intime des ordres.

Toutes ces incantations sont capables d'atteindre des dimen- sions considérables. Il est plus fréquent encore qu'elles se rétré- cissent ; le balbutiement d'une onomatopée, d'un mot qui indique l'objet du rite, du nom de la personne désignée fait à la rigueur après que le rite oral n'ait plus qu'une action toute mécanique. Les prières se réduisent aisément à la simple men- tion d'un nom divin ou démoniaque, ou d'un mot religieux presque vide, comme le *trisagion* ou le *qodesch*, etc. Les charmes mythiques finissent par se borner à la simple énonciation d'un nom propre ou d'un nom commun. Les noms eux-mêmes se décomposent ; on les remplace par des lettres : le trisagion par sa lettre initiale, les noms des planètes par les voyelles corres- pondantes ; on en arrive ainsi aux énigmes que sont les Ἐφέσια γράμματα ou aux fausses formules algébriques, auxquelles ont abouti les résumés d'opérations alchimiques.

Si tous ces rites oraux tendent vers les mêmes formes, c'est qu'ils ont tous la même fonction. Ils ont tout au moins pour effet d'évoquer une puissance et de spécialiser un rite. On invoque, on appelle, on rend présente la force spirituelle qui doit faire le rite efficace, ou tout au moins, on éprouve le besoin de dire sur quelle puissance on compte ; c'est le cas des exorcismes faits au nom de tel ou tel dieu ; on atteste une autorité, c'est le cas des charmes mythiques. D'autre part, on dit à quoi sert le rite manuel, et pour qui il est fait ; on inscrit ou on prononce sur les poupées d'envoûtement le nom de l'enchanté ; en cueillant certaines plantes médicinales, il faut dire à quoi et à qui on les destine. Ainsi, le charme oral précise, complète le rite manuel qu'il peut supplanter. Tout geste rituel, d'ailleurs, comporte une phrase ; car il y a toujours un minimum de représentation, dans lequel la nature et la fin du rite sont exprimées, tout au moins dans un langage intérieur. C'est pourquoi nous disons qu'il n'y a pas de véritable rite muet, parce que le silence apparent n'empêche pas cette incantation sous-entendue qu'est la conscience du désir. De ce point de vue, le rite manuel n'est pas autre chose que la traduction de cette incantation muette ; le geste est un signe et un langage. Paroles et actes s'équivalent absolument et c'est pourquoi nous voyons que des énoncés de rites manuels nous sont présentés comme des incantations. Sans acte physique formel, par sa voix, son souffle, ou même par son désir, un magicien crée, annihile, dirige, chasse, fait toutes choses.

Le fait que toute incantation soit une formule et que tout rite manuel ait virtuellement une formule, démontre déjà le caractère formaliste de toute la magie. Pour les incantations, personne n'a jamais mis en doute qu'elles fussent des rites, étant traditionnelles, formelles et revêtues d'une efficacité *sui generis* ; on n'a jamais conçu que des mots aient produit physiquement les effets désirés. Pour les rites manuels, le fait est moins évident ; car il y a une correspondance plus étroite, quelquefois logique, quelquefois même expérimentale, entre le rite et l'effet désiré ; il est certain que les bains de vapeur, les frictions magiques ont réellement soulagé des malades. Mais, en réalité, les deux séries de rites ont bien les mêmes caractères et prêtent aux mêmes observations. Toutes deux se passent dans un monde anormal.

Les incantations sont faites dans un langage spécial qui est le langage des dieux, des esprits, de la magie. Les deux faits de ce genre dont la grandeur est peut-être la plus frappante, c'est l'emploi en Malaisie du *bhâsahantu* (langue des esprits) et chez les Eskimos de la langue des angekoks. Pour la Grèce, Jamblique nous dit que les Ἐφέσια λράμματα sont la langue des dieux. La magie a parlé sanscrit dans l'Inde des pracrits, égyptien et hébreu dans le monde grec, grec dans le monde latin, et latin chez nous. Partout elle recherche l'archaïsme, les termes étranges, incompréhensibles. Dès sa naissance, comme on le voit en Australie où nous y assistons peut-être, on la trouve marmonnant son *abracadabra*.

L'étrangeté et la bizarrerie des rites manuels correspondent aux énigmes et aux babultiements des rites oraux. Loin d'être une simple expression de l'émotion individuelle, la magie contraint à chaque instant les gestes et les locutions. Tout y est fixé et très exactement déterminé. Elle impose des mètres et des mélopées. Les formules magiques doivent être susurrées ou chantées sur un ton, sur un rythme spécial. Nous voyons dans le *Çatapatha brâhmana* comme dans Origène que l'intonation peut avoir plus d'importance que le mot. Le geste n'est pas réglementé avec moins de précision. Le magicien le rythme comme une danse : le rituel lui dit de quelle main, de quel doigt il doit agir, quel pied il doit avancer ; quand il doit s'asseoir, se lever, se coucher, sauter, crier, dans quel sens il doit marcher. Fût-il seul avec lui-même, il n'est pas plus libre que le prêtre à l'autel. En outre, il y a des canons généraux qui sont communs aux rites manuels et aux rites oraux : ce sont ceux de nombre et d'orientation. Gestes et paroles doivent être répétés une certaine quantité de fois. Ces nombres ne sont pas quelconques, ce sont ceux qu'on appelle des nombres magiques ou des nombres sacrés : 3, 4, 5, 7, 9, 11, 13, 20, etc. D'autre part, les mots ou les actes doivent être prononcés ou exécutés la face tournée vers l'un des points cardinaux, le minimum d'orientation prescrit étant la direction de l'enchanteur vers l'objet enchanté. En somme, les rites magiques sont extraordinairement formels et tendent, non pas à la simplicité du geste laïque, mais au raffinement le plus extrême de la préciosité mystique.

Les plus simples des rites magiques ont une forme à l'égal de ceux qui sont l'objet du plus grand nombre de déterminations. Nous avons jusqu'ici parlé de la magie comme si elle ne consistait qu'en actes positifs. Mais elle contient aussi des rites négatifs, qui sont précisément les rites très simples dont nous parlons. Nous les avons déjà rencontrés dans l'énumération des préparatifs de la cérémonie magique, quand nous avons mentionné les abstinences auxquelles se prêtaient le magicien et l'intéressé. Mais ces rites sont également recommandés ou pratiqués isolément. Ce sont eux qui constituent la grande masse des faits qu'on appelle superstitions. Ils consistent surtout à ne pas faire une certaine chose, pour éviter un certain effet magique. Or, ces rites sont non seulement formels, mais ils le sont au suprême degré puisqu'ils se présentent avec un caractère impératif presque parfait. L'espèce d'obligation qui s'y attache montre qu'ils sont l'œuvre de forces sociales, encore mieux que nous n'avons pu le faire pour les autres à l'aide de leur caractère traditionnel, anormal, formaliste. Mais sur cette question importante du tabou sympathique, de la magie négative, comme nous proposons de l'appeler, nous sommes trop peu éclairés par nos devanciers et par nos propres recherches, pour nous croire en mesure de faire autre chose que de signaler un sujet d'études. Pour le moment, nous ne voyons dans ces faits qu'une preuve de plus que cet élément de la magie, qui est le rite, est l'objet d'une prédétermination collective.

Quant aux rites positifs, nous avons vu comment ils étaient limités, pour chaque magie, quant à leur nombre. Celui de leurs compositions, où entrent, mélangés, incantations, rites négatifs, sacrifices, rites culinaires, etc., n'est pas non plus illimité. Il tend à s'établir des *complexus* stables en assez petit nombre, que nous pourrions appeler des types de cérémonies, tout à fait comparables soit aux types d'outils, soit à ce qu'on appelle des types quand on parle d'art. Il y a un choix, une sélection entre les formes possibles faites par chaque magie ; une fois établis, on retrouve sans cesse ces mêmes *complexus* démarqués et servant à toutes fins, en dépit de la logique de leur composition. Telles sont les variations sur le thème de l'évocation de la sorcière par le moyen des choses enchantées par elle ; quand il s'agissait de lait qui ne donnait plus de beurre, on poignardait le lait dans la baratte, mais on a continué à frapper le lait pour conjurer de tous autres maléfices. Nous avons là un type de cérémonie magique ; ce n'est pas d'ailleurs le seul qu'ait fourni le même thème. On cite également des envoûtements à deux et à trois poupées qui ne se justifient que par une semblable prolifération. Ces faits, par leur persistance et par leur formalisme, sont comparables aux fêtes religieuses.

D'autre part, de la même façon que les arts et les techniques ont des types ethniques ou plus exactement nationaux, de la même façon, on pourrait dire que chaque magie a son type propre, reconnaissable, caractérisé par la prédominance de certains rites : l'emploi des os de morts dans les envoûtements australiens, des fumigations de tabac dans les magies américaines, des bénédictions et des *credo*, musulmans ou juifs, dans les magies influencées par le judaïsme ou l'islamisme. Seuls les Malais semblent connaître comme rite le curieux thème de l'assemblée.

S'il y a spécification des formes de la magie suivant les sociétés, il y a, à l'intérieur de chaque magie, ou, à un autre point de vue, à l'intérieur de chacun des grands groupes de rites que nous avons décrits à part, des variétés dominantes. La sélection des types est, en partie, l'œuvre de magiciens spécialisés qui appliquent un seul rite ou un petit nombre de rites à l'ensemble des cas pour lesquels ils sont qualifiés. Chaque magicien est l'homme d'une recette, d'un instrument, d'un sac médecine, dont il use fatalement à tout propos. C'est plus souvent suivant les rites qu'ils pratiquent que suivant les pouvoirs qu'ils possèdent, que les magiciens sont spécialisés. Ajoutons que ceux que nous avons appelés les magiciens occasionnels connaissent encore moins de rites que les magiciens proprement dits et sont tentés de les reproduire sans fin. C'est ainsi que les recettes appliquées indéfiniment sans rime ni raison deviennent parfaitement inintelligibles. Nous voyons donc encore une fois combien la forme tend à prédominer sur le fond.

Mais ce que nous venons de dire sur la formation de variétés dans les rites magiques ne prouve pas qu'ils soient en fait classables. Outre qu'il reste une foule de rites flottants, la naissance de variétés dans cette masse amorphe est tout à fait accidentelle et ne correspond pas à une diversité réelle de fonctions ; il n'y a rien, dans la magie, qui soit proprement comparable aux institutions religieuses.

III

LES REPRÉSENTATIONS

Les pratiques magiques ne sont pas vides de sens. Elles correspondent à des représentations, souvent fort riches, qui constituent le troisième élément de la magie. Nous avons vu que tout rite est une espèce de langage. C'est donc qu'il traduit une idée.

Le minimum de représentation que comporte tout acte magique, c'est la représentation de son effet. Mais cette représentation, si rudimentaire qu'on puisse la concevoir, est déjà fort complexe. Elle est à plusieurs temps, à plusieurs composantes. Nous pourrons en indiquer au moins quelques-unes et l'analyse que nous en ferons ne sera pas seulement théorique, puisqu'il y a des magies qui ont eu conscience de leur diversité et les ont notées par des mots ou par des métaphores distinctes.

En premier lieu, nous supposons que les magiciens et leurs fidèles ne se sont jamais représenté les effets particuliers de leurs rites sans penser, au moins implicitement, aux effets généraux de la magie. Tout acte magique semble procéder d'une espèce de raisonnement syllogistique dont la majeure est souvent claire, voire exprimée dans l'incantation : *Venenum veneno vincituri natura naturam vincit.* « Nous savons ton origine... Comment peux-tu tuer ici ? » *(Atharva Deda, VII, 76, 5, vidma vai te... jánam... Kathám ha tátra tvám hano...)* Si particuliers que soient les résultats produits par les rites, ils sont conçus, au moment même de l'action, comme ayant tous des caractères communs. Il y a toujours, en effet, soit imposition, soit suppression d'un caractère ou d'une condition : par exemple, ensorcellement ou délivrance, prise de possession ou rachat, en deux mots, changement d'état. Nous dirons volontiers que tout acte magique est représenté comme ayant pour effet soit de mettre des êtres vivants ou des choses dans un état tel que certains gestes, accidents ou phénomènes, doivent s'ensuivre infailliblement, soit de les faire sortir d'un état nuisible. Les actes diffèrent entre eux selon l'état initial, les circonstances qui déterminent le sens du changement, et les fins spéciales qui leur sont assignées, mais ils se ressemblent en ce qu'ils ont pour effet immédiat et essentiel de modifier un état donné. Or, le magicien sait et sent bien que par là sa magie est toujours semblable à elle-même ; il a l'idée toujours présente que la magie est l'art des changements, la *mâyâ*, comme disent les Hindous.

Mais, outre cette conception toute formelle, il y a, dans l'idée d'un rite magique, d'autres éléments déjà concrets. Les choses viennent et partent : l'âme revient, la fièvre est chassée. On essaye de rendre compte de l'effet produit par des accumulations d'images. L'ensorcelé est un malade, un estropié, un prisonnier. On lui a brisé les os, fait évaporer les moelles, on l'écorche. L'image favorite est celle du lien qu'on lie ou qu'on délie : « lien des maléfices qui méchamment a été noué », « enchaînement qui sur le sol est dessiné », etc. Chez les Grecs le charme est un κατάδεσμος, un φιλτροκατάδεσμος. La même idée est exprimée plus abstraitement en latin par le mot de *religio*, qui d'ailleurs a le même sens. Dans une incantation contre une série de maux de gorge, après une énumération de termes techniques et descriptifs, nous lisons : *Hanc religionem evoco, educo, excanto de istis membris, medullis* (Marcellus, XV, 11) ;

la *religio* est traitée ici comme une sorte d'être vague, de personnalité diffuse qu'on peut saisir et chasser. Ailleurs, c'est par des images morales, celles de la paix, de l'amour, de la séduction, de la crainte, de la justice, de la propriété, qu'on exprimera les effets du rite. Cette représentation, dont nous saisissons ainsi, çà et là, des linéaments imprécis, s'est quelquefois condensée dans une notion distincte, désignée par un mot spécial. Les Assyriens ont exprimé une pareille notion par le mot de *mâmit*. En Mélanésie, l'équivalent du *mâmit*, c'est le *mana*, qu'on voit sortir du rite ; chez les Iroquois (Hurons) c'est l'*orenda*, que lance le magicien ; dans l'Inde antique, c'était le *brahman* (neutre) qui allait agir ; chez nous, c'est le charme, le sort, l'enchantement et les mots mêmes par lesquels on détermine ces idées montrent combien elles étaient peu théoriques. On en parle comme de choses concrètes et d'objets matériels ; on jette un charme, une rune ; on lave, on noie, on brûle un sort.

Un troisième moment de notre représentation totale est celui où l'on conçoit qu'il y a entre les êtres et les choses intéressés dans le rite une certaine relation. Cette relation est quelquefois conçue comme sexuelle. Une incantation assyro-babylonienne crée une sorte de mariage mystique entre les démons et les images destinées à les représenter : « Vous, tout le mal, tout le mauvais qui s'est emparé de N., fils de N., et le poursuit, si tu es mâle, que ceci soit ta femme, si tu es femelle, que ceci soit ton mâle » (Fossey, *La Magie assyrienne*, p. 133). Il y a mille autres manières de concevoir cette relation. On peut la représenter comme une mutuelle possession des ensorceleurs et des ensorcelés. Les sorciers peuvent être atteints derrière leur victime, qui ainsi a prise sur eux. De la même façon, on peut lever un charme en ensorcelant le sorcier qui, de son côté, a naturellement prise sur son charme. On dit encore que c'est le sorcier, ou son âme, ou que c'est le démon du sorcier qui possèdent l'ensorcelé ; c'est ainsi qu'il réalise sa mainmise sur sa victime. La possession démoniaque est l'expression la plus forte, la simple fascination, l'expression la plus faible, de la relation qui s'établit entre le magicien et le sujet de son rite. On conçoit toujours, distinctement, une espèce de continuité entre les agents, les patients, les matières, les esprits, les buts d'un rite magique. Tout compte fait, nous retrouvons dans la magie ce que nous avons déjà trouvé dans le sacrifice. La magie implique une confusion d'images, sans laquelle, selon nous, le rite même est inconcevable. De même que sacrifiant, victime, dieu et sacrifice se confondent, de même magicien, rite et effets du rite, donnent lieu à un mélange d'images indissociables ; cette confusion, d'ailleurs, est en elle-même objet de représentation. Si distincts que soient, en effet, les divers moments de la représentation d'un rite magique, ils sont inclus dans une représentation synthétique, où se confondent les causes et les effets. C'est l'idée même de la magie, de l'efficacité immédiate et sans limite, de la création directe ; c'est l'illusion absolue, la *mâyâ* comme les Hindous l'avaient bien nommée. Entre le souhait et sa réalisation, il n'y a pas, en magie, d'intervalle. C'est là un de ses traits distinctifs, surtout dans les contes. Toutes ces représentations que nous venons de décrire ne sont que les diverses formes, les divers moments si l'on veut, de l'idée même de magie. Celle-ci contient en outre des représentations plus déterminées que nous allons essayer de décrire.

Nous classerons ces représentations en impersonnelles et en personnelles, suivant que l'idée d'êtres individuels s'y trouve ou ne s'y trouve pas. Les premières peuvent être divisées en abstraites et concrètes, les autres sont naturellement concrètes.

1° *Représentations impersonnelles abstraites. Les lois de la magie.* — Les représentations impersonnelles de la magie, ce sont les lois qu'elle a posées implicitement ou explicitement, au moins par l'organe des alchimistes et des médecins. Dans ces dernières années, on a donné une extrême importance à cet ordre de représentations. On a cru que la magie n'était dominée que par elles et on en a conclu tout naturellement que la magie était une sorte de science ; car qui dit loi dit science. En effet, la magie a bien l'air d'être une gigantesque variation sur le thème du principe de causalité. Mais ceci ne nous apprend rien ; car il serait bien étonnant qu'elle pût être autre chose, puisqu'elle a pour objet exclusif, semble-t-il, de produire des effets. Tout ce que nous concédons c'est que, à ce titre, si l'on simplifie ses formules, il est impossible de ne pas la considérer comme une discipline scientifique, une science primitive, et c'est ce qu'ont fait MM. Frazer et Jevons. Ajoutons que la magie fait fonction de science et tient la place des sciences à naître. Ce caractère scientifique de la magie a été généralement aperçu et intentionnellement cultivé par les magiciens. L'effort vers la science dont nous parlons est naturellement plus visible dans ses formes supérieures qui supposent des connaissances acquises, une pratique raffinée, et qui s'exercent dans des milieux où l'idée de la science positive est déjà présente.

Il est possible de démêler, à travers le fouillis des expressions variables, trois lois dominantes. On peut les appeler toutes lois de sympathie si l'on comprend, sous le mot de sympathie, l'antipathie. Ce sont les lois de contiguïté, de similarité, de contraste : les choses en contact sont ou restent unies, le semblable produit le semblable, le contraire agit sur le contraire. M. Tylor et d'autres après lui ont remarqué que ces lois ne sont autres que celles de l'association des idées (nous ajoutons chez les adultes) à cette différence près qu'ici l'association subjective des idées fait conclure à l'association objective des faits, en d'autres termes, que les liaisons fortuites des pensées équivalent aux liaisons causales des choses. On pourrait réunir les trois formules en une seule et dire : contiguïté, similarité et contrariété, valent simultanéité, identité, opposition, en pensée et en fait. Il y a lieu de se demander si ces formules rendent exactement compte de la façon dont ces soi-disant lois ont été réellement conçues.

Considérons d'abord la loi de contiguïté. La forme la plus simple de cette notion de contiguïté sympathique nous est donnée dans l'identification de la partie au tout. La partie vaut pour la chose entière. Les dents, la salive, la sueur, les ongles, les cheveux représentent intégralement la personne ; de telle sorte que, par leur moyen, on peut agir directement sur elle, soit pour la séduire, soit pour l'envoûter. La séparation n'interrompt pas la continuité, on peut même reconstituer ou susciter un tout à l'aide d'une de ses parties : *Totum ex parte*. Il est inutile de donner des exemples de ces croyances, maintenant bien connues. La même loi peut s'exprimer en d'autres termes encore : la personnalité d'un être est indivise et réside tout entière dans chacune de ses parties.

Cette formule vaut non seulement pour les personnes, mais encore pour les choses. En magie, l'essence d'une chose appartient à ses parties, aussi bien qu'à son tout. La loi est, en somme, tout à fait générale et constate une propriété, également attribuée à l'âme des individus et à l'essence spirituelle des choses. Ce n'est pas tout ; chaque objet comprend intégralement le principe essentiel de l'espèce dont il fait partie : toute flamme contient le feu, tout os de mort contient la mort, de même qu'un seul cheveu est capable de contenir le principe vital d'un homme. Ces observations tendent à montrer qu'il ne s'agit pas seulement de conceptions concernant l'âme individuelle et que, par conséquent, la loi ne peut s'expliquer par les propriétés qui sont implicitement attribuées à l'âme. Ce n'est pas non plus un corollaire de la théorie du gage de vie ; la croyance au gage de vie n'est, au contraire, qu'un cas particulier du *totum ex parte*.

Cette loi de contiguïté comporte d'ailleurs d'autres développements. Tout ce qui est en contact immédiat avec la personne, les vêtements, l'empreinte des pas, celle du corps sur l'herbe ou dans le lit, le lit, le siège, les objets dont on se sert habituellement, jouets et autres, sont assimilés aux parties détachées du corps. On n'a pas besoin que le contact soit habituel, ou fréquent, ou effectivement réalisé, comme dans le cas des vêtements ou des objets usuels : on incante le chemin, les objets touchés accidentellement, l'eau du bain, un fruit mordu, etc. La magie qui s'exerce universellement sur les restes de repas procède de l'idée qu'il y a continuité, identité absolue entre les reliefs, les aliments ingérés, et le mangeur devenu substantiellement identique à ce qu'il a mangé. Une relation de continuité toute semblable existe entre un homme et sa famille ; on agit à coup sûr sur lui en agissant sur ses parents ; il est utile de les nommer dans les formules ou d'écrire leur nom sur les objets magiques destinés à lui nuire. Même relation entre un homme et ses animaux domestiques, sa maison, le toit de sa maison, son champ, etc. Entre une blessure et l'arme qui l'a produite s'établit, par continuité, une relation sympathique qu'on peut utiliser pour soigner la première par l'intermédiaire de la seconde. Ce même lien unit le meurtrier à sa victime ; l'idée de la continuité sympathique fait croire que le cadavre saigne à l'approche de l'assassin ; il revient subitement à l'état qui résulte immédiatement du meurtre. L'explication de ce fait est valable, car nous avons des exemples plus clairs encore de cette sorte de continuité. Elle dépasse le coupable : on a cru par exemple que quand un homme maltraite un rouge-gorge, ses vaches donnent du lait rouge (Simmenthal, Suisse).

En somme, les individus et les choses sont reliés à un nombre, qui paraît théoriquement illimité, d'associés sympathiques. La chaîne en est si serrée, la continuité en est telle, que, pour produire un effet cherché, il est indifférent qu'on agisse sur l'un ou sur l'autre des chaînons. M. Sydney Hartland admet qu'une fille abandonnée peut penser faire souffrir son amant, par sympathie, en roulant ses propres cheveux autour des pattes d'un crapaud ou dans un cigare (Lucques). En Mélanésie (aux Nouvelles-Hébrides et aux îles Salomon, semble-t-il), les amis d'un homme qui en a blessé un autre sont mis en état, par le coup même, d'envenimer magiquement la plaie de l'adversaire meurtri.

L'idée de la continuité magique, que celle-ci soit réalisée par relation préalable de tout à partie, ou par contact accidentel, implique l'idée de contagion. Les qualités, les maladies, la vie, la chance, toute espèce d'influx magique, sont conçus comme transmissibles le long de ces chaînes sympathiques. L'idée de la contagion est déjà, parmi les idées magiques et religieuses, l'une des mieux connues. Que cela ne nous empêche pas de nous y arrêter un instant. En cas de contagion imaginaire, il se produit, comme nous l'avons vu dans le sacrifice, une fusion d'images, d'où résulte l'identification relative des choses et des êtres en contact. C'est, pour ainsi dire, l'image de ce qui est à déplacer qui parcourt la chaîne sympathique. Celle-ci est souvent figurée dans le rite lui-même, soit que, comme dans l'Inde, le magicien soit touché, à un certain moment du rite central, par l'intéressé, soit que, comme dans un cas australien, il attache à l'individu sur lequel il doit agir un fil ou une chaîne, le long de laquelle voyage la maladie chassée. Mais la contagion magique n'est pas seulement idéale et bornée au monde de l'invisible ; elle est concrète, matérielle et de tous points semblable à la contagion physique. Marcellus de Bordeaux conseille, pour diagnostiquer les maladies internes, de faire coucher le malade pendant environ trois jours avec un petit chien à la mamelle, le patient doit donner lui-même du lait au chien, de sa propre bouche et souvent *(ut aeger ei lac de ore suo frequenter infundat)* ; après quoi, il ne reste plus qu'à ouvrir le ventre de la bête (Marcellus, XXVIII, 132) ; Marcellus ajoute que la mort du chien guérit l'homme. Un rite tout à fait identique est pratiqué chez les Bagandas de l'Afrique centrale. En pareil cas, la fusion des images est parfaite, il y a plus que de l'illusion, il y a de l'hallucination ; on voit réellement la maladie partir et se transmettre. Il y a transfert, plutôt qu'association des idées.

Mais ce transfert des idées se complique d'un transfert de sentiments. Car, d'un bout à l'autre d'une cérémonie magique se retrouve un même sentiment, qui en donne le sens et le ton, qui, en réalité, dirige et commande toutes les associations d'idées. C'est même ce qui nous expliquera comment fonctionne en réalité la loi de continuité dans les rites magiques.

Dans la plupart des applications de la sympathie par contiguïté, il n'y a pas purement et simplement extension d'une qualité ou d'un état, d'un objet ou d'une personne, à un autre objet, ou à une autre personne. Si la loi, telle que nous l'avons formulée, était absolue, ou si, dans les actes magiques où elle fonctionne, elle était seule impliquée et seulement sous sa

forme intellectuelle, s'il n'y avait en somme que des idées associées, on constaterait d'abord que tous les éléments d'une chaîne
magique, constituée par l'infinité des contacts possibles, nécessaires ou accidentels, seraient également affectés par la qualité
qu'il s'agirait précisément de transmettre, et ensuite que toutes
les qualités d'un des éléments de la chaîne, quel qu'il fût, se
transmettraient intégralement à tous les autres. Or, il n'en est
pas ainsi, sans quoi la magie serait impossible. On limite toujours les effets de la sympathie à un effet voulu. D'une part,
on interrompt, à un moment précis, le courant sympathique ;
d'autre part, on ne transmet qu'une, ou un petit nombre des
qualités transmissibles. Ainsi, quand le magicien absorbe la
maladie de son client, il n'en souffre point. De même, il ne
communique que la durée de la poudre de momie, employée
pour prolonger la vie, la valeur de l'or et du diamant, l'insensibilité de la dent d'un mort ; c'est à cette propriété, détachée par
abstraction, que se borne la contagion.

De plus, on postule que les propriétés en question sont de
nature à se localiser ; on localise par exemple la chance d'un
homme dans une paille de son toit de chaume. On conclut de
la localisation à la séparabilité. Les anciens, Grecs et Romains,
ont pensé guérir des maladies d'yeux en transmettant aux
malades la vue d'un lézard ; le lézard était aveuglé avant d'être
mis en contact avec des pierres destinées à servir d'amulettes,
de sorte que la qualité considérée, coupée à sa racine, devait
passer tout entière où l'on voulait l'envoyer. La séparation,
l'abstraction sont figurées, dans cet ensemble, par des rites ;
mais cette précaution n'est pas absolument nécessaire.

Cette limitation des effets théoriques de la loi est la condition même de son application. Le même besoin, qui fait le rite
et pousse aux associations d'idées, détermine leur arrêt et leur
choix. Ainsi, dans tous les cas où fonctionne la notion abstraite
de contiguïté magique, les associations d'idées se doublent de
transferts de sentiments, de phénomènes d'abstraction et d'attention exclusive, de direction d'intention, phénomènes qui se
passent dans la conscience, mais qui sont objectivés au même
titre que les associations d'idées elles-mêmes.

La seconde loi, la loi de similarité, est une expression moins
directe que la première de la notion de sympathie et nous pensons que M. Frazer a eu raison, quand, avec M. Sydney Hartland, il a réservé le nom de sympathie proprement dite aux
phénomènes de contagion, donnant le nom de sympathie mimétique à ceux dont nous allons nous occuper maintenant. De

cette loi de similarité on connaît deux formules principales, qu'il importe de distinguer : le semblable évoque le semblable, *similia similibus evocantur* ; le semblable agit sur le semblable et spécialement guérit le semblable, *similia similibus curantur*.

Nous nous occuperons d'abord de la première formule ; elle revient à dire que la similitude vaut la contiguïté. L'image est à la chose ce que la partie est au tout. Autrement dit, une simple figure est, en dehors de tout contact et de toute communication directe, intégralement représentative. C'est cette formule qu'on semble appliquer dans les cérémonies d'envoûtement. Mais, quoi qu'il en paraisse, ce n'est pas simplement la notion d'image qui fonctionne ici. La similitude mise en jeu est, en effet, toute conventionnelle ; elle n'a rien de la ressemblance d'un portrait. L'image et son objet n'ont de commun que la convention qui les associe. Cette image, poupée ou dessin, est un schème très réduit, un idéogramme déformé ; elle n'est ressemblante que théoriquement et abstraitement. Le jeu de la loi de similarité suppose donc, comme celui de la précédente loi, des phénomènes d'abstraction et d'attention. L'assimilation ne vient pas d'une illusion. On peut, d'ailleurs, se passer d'images proprement dites ; la seule mention du nom ou même la pensée du nom, le moindre rudiment d'assimilation mentale suffit pour faire d'un substitut arbitrairement choisi, oiseau, animal, branche, corde d'arc, aiguille, anneau, le représentant de l'être considéré. L'image n'est, en somme, définie que par sa fonction, qui est de rendre présente une personne. L'essentiel est que la fonction de représentation soit remplie. D'où il résulte que l'objet, auquel cette fonction est attribuée, peut changer au cours d'une cérémonie ou que la fonction même peut être divisée. Quand on veut aveugler un ennemi en faisant d'abord passer un de ses cheveux dans le trou d'une aiguille qui a cousu trois linceuls, puis en crevant à l'aide de cette aiguille les yeux d'un crapaud, le cheveu et le crapaud servent successivement de *voll*. Comme le remarque M. Victor Henry, certain lézard, qui paraît dans un rite d'envoûtement brahmanique, représente au cours d'une même cérémonie à la fois le maléfice, le maléficiant et, ajouterons-nous, la substance malfaisante.

De même que la loi de contiguïté, la loi de similarité vaut non seulement pour les personnes et pour leur âme, mais pour les choses et les modes des choses, pour le possible comme pour le réel, pour le moral comme pour le matériel. La notion d'image devient, en s'élargissant, celle de symbole. On peut symboliquement représenter la pluie, le tonnerre, le soleil, la fièvre, des enfants à naître par des têtes de pavots, l'armée par une poupée, l'union d'un village par un pot à eau, l'amour par un nœud, etc., et l'on crée, par ces représentations. La fusion des images est complète, ici comme plus haut, et ce n'est pas idéalement mais réellement que le vent se trouve enfermé dans une bouteille ou dans une outre, noué dans des nœuds ou encerclé d'anneaux.

Mais il se produit encore, dans l'application de la loi, tout un travail d'interprétation qui est fort remarquable. Dans la détermination des symboles, dans leur utilisation, se passent les mêmes phénomènes d'attention exclusive et d'abstraction, sans lesquels nous n'avons pu concevoir ni l'application de la loi de similarité, dans le cas des images d'envoûtement, ni le fonctionnement de la loi de continuité. Des objets choisis comme symboles, les magiciens retiennent un trait seulement, la fraîcheur, la lourdeur, la couleur du plomb, le durcissement ou la mollesse de l'argile, etc. Le besoin, la tendance qui font le rite, non seulement choisissent les symboles et dirigent leur emploi, mais encore limitent les conséquences des assimilations, qui, théoriquement, comme les séries d'associations par contiguïté, devraient être illimitées. De plus, toutes les qualités du symbole ne sont pas transmises au symbolisé. Le magicien se croit maître de réduire à volonté la portée de ses gestes, par exemple, de borner au sommeil ou à la cécité les effets produits au moyen de symboles funéraires ; le magicien, qui fait la pluie, se contente de l'averse, parce qu'il craint le déluge ; l'homme assimilé à une grenouille, qu'on aveugle, ne devient pas, magiquement, une grenouille.

Loin que ce travail d'abstraction et d'interprétation, en apparence arbitraire, aboutisse à multiplier à l'infini le nombre des symbolismes possibles, nous observons que, en regard des facilités ainsi offertes au vagabondage de l'imagination, ce nombre paraît au contraire, pour une magie donnée, étrangement restreint. Pour une chose, on n'a qu'un symbole ou qu'un petit nombre de symboles. Mieux encore, il n'y a que peu de choses qui soient exprimées par symboles. Enfin l'imagination magique a été si à court d'inventions, que le petit nombre de symboles qu'elle a conçus ont été mis à des usages fort divers : magie des nœuds sert pour l'amour, la pluie, le vent, le maléfice, la guerre, le langage, et mille autres choses. Cette pauvreté du symbolisme n'est pas le fait de l'individu dont le rêve, psychologiquement, devrait être libre. Mais cet individu se trouve en présence de rites, d'idées traditionnelles, qu'il n'est pas tenté de renouveler, parce qu'il ne croit qu'à la tradition et parce que, en dehors de la tradition, il n'y a ni croyance ni rite. A ce compte, il est naturel que la tradition reste pauvre.

La deuxième forme de la loi de similarité, le semblable agit sur le semblable, *similia similibus curantur*, diffère de la première en ce que, dans son expression même, on tient précisément compte de ces phénomènes d'abstraction et d'attention qui conditionnent toujours, comme nous l'avons dit, l'application de l'autre. Tandis que la première formule ne considère que l'évocation en général, celle-ci constate que l'assimilation produit un effet dans une direction déterminée. Le sens de l'action est alors indiqué par le rite. Prenons comme exemple la légende de la guérison d'Iphiclos : son père Phylax, un jour qu'il châtrait des boucs, l'avait menacé de son couteau sanglant ; devenu stérile par sympathie, il n'avait pas d'enfants ; le devin Melampos, consulté, lui fit boire dans du vin, pendant dix jours de suite, la rouille du dit couteau retrouvé dans un arbre où Phylax l'avait planté. Le couteau serait capable encore, par sympathie, d'aggraver le mal d'Iphiclos ; par sympathie également, les qualités d'Iphiclos devraient passer sur le couteau ; mais Melampos ne retient que ce deuxième effet, limité d'ailleurs au mal en question ; la stérilité du roi est absorbée par le pouvoir stérilisant de l'outil. De même quand, dans l'Inde, le brahman soignait l'hydropisie au moyen d'ablutions, il ne donnait pas au malade une surcharge de liquide ; l'eau, avec laquelle il le mettait en contact, absorbait celle qui le faisait souffrir.

Si ces faits se rangent bien sous la loi de similarité, s'ils relèvent bien de la notion abstraite de sympathie mimétique, d'*attractio similium*, ils forment, parmi les faits qu'elle domine, une classe tout à fait à part. Il y a là plus qu'un corollaire de la loi, savoir une espèce de notion concurrente, peut-être aussi importante qu'elle par le nombre des rites qu'elle commande dans chaque rituel.

Sans sortir de l'exposé de cette dernière forme de la loi de similarité, nous arrivons déjà à la loi de contrariété. En effet, lorsque le semblable guérit le semblable, c'est qu'il produit un contraire. Le couteau stérilisant produit la fécondité, l'eau produit l'absence d'hydropisie, etc. La formule complète de pareils rites serait : le semblable fait partir le semblable pour susciter le contraire. Inversement, dans la première série des faits de sympathie mimétique, le semblable, qui évoque un semblable, fait partir un contraire : lorsque je provoque la pluie, en versant de l'eau, je fais disparaître la sécheresse. Ainsi, la notion abstraite de similarité est inséparable de la notion abstraite de contrariété ; les formules de la similarité pourraient donc se réunir dans la formule « le contraire est chassé par le contraire », en d'autres termes être comprises dans la loi de contrariété.

Mais, cette loi de contrariété, les magiciens l'ont pensée à part. Les sympathies équivalent à des antipathies ; mais les unes sont pourtant bien nettement distinguées des autres. La preuve en est, par exemple, que l'antiquité a connu des livres intitulés Περὶ συμπαθείων καὶ ἀντιπαθείων. Des systèmes de rites entiers, ceux de la pharmacie magique, ceux des contre-charmes ont été rubriqués sous la notion d'antipathie. Toutes les magies ont spéculé sur les contraires, les oppositions : la chance et la malchance, le froid et le chaud, l'eau et le feu, la liberté et la contrainte, etc. Un très grand nombre de choses, enfin, ont été groupées par contraires et on utilise leur contrariété. Nous considérons donc la notion de contraste comme une notion distincte, en magie.

A vrai dire, de même que la similarité ne va pas sans contrariété, la contrariété ne va pas sans similarité. Ainsi, d'après le rituel atharvanique, on faisait cesser la pluie en suscitant son contraire, le soleil, par le moyen du bois d'*arka*, dont le nom signifie lumière, éclair, soleil ; mais nous voyons déjà dans ce rite de contrariété des mécanismes de sympathie proprement dite. Ce qui nous prouve mieux encore combien peu elles s'excluent, c'est qu'à l'aide de ce même bois, on peut faire directement cesser l'orage, le tonnerre et l'éclair. Dans les deux cas, le matériel du rite est le même. La disposition seule varie légèrement : d'une part, on expose le feu, de l'autre, on enfouit les charbons ardents ; cette simple modification du rite est l'expression de la volonté qui le dirige. Nous dirons donc que le contraire chasse son contraire en suscitant son semblable.

Ainsi les diverses formules de la similarité sont exactement corrélatives à la formule de la contrariété. Si nous reprenons ici l'idée de schème rituel, dont nous nous sommes servis dans notre travail sur le sacrifice, nous dirons que les symbolismes se présentent sous trois formes schématiques, qui correspondent respectivement aux trois formules : le semblable produit le semblable ; le semblable agit sur le semblable ; le contraire agit sur le contraire, et ne diffèrent que par l'ordre de leurs éléments. Dans le premier cas, on songe d'abord à l'absence d'un état ; dans le second, on songe d'abord à la présence d'un état ; dans

le troisième, on songe surtout à la présence de l'état contraire
à l'état qu'on désire produire. Ici, on pense à l'absence de pluie
qu'il s'agit de réaliser par le moyen du symbole ; là, on pense
à la pluie qui tombe et qu'il s'agit de faire cesser par le moyen
du symbole ; dans le troisième cas, on pense encore à la pluie,
qu'il s'agit de combattre en suscitant son contraire par le moyen
d'un symbole. C'est ainsi que les notions abstraites de similarité
et de contrariété rentrent toutes les deux dans la notion plus
générale de symbolisme traditionnel.

De même, les lois de similarité et de contiguïté tendent l'une
vers l'autre. M. Frazer déjà l'a bien dit ; il eût pu facilement le
démontrer. Les rites par similarité utilisent normalement les
contacts ; contact entre la sorcière et ses vêtements, le magicien et sa baguette, l'arme et la blessure, etc. Les effets sympathiques des substances ne sont transmis que par absorption,
infusion, toucher, etc. Inversement, les contacts n'ont d'ordinaire pour but que de véhiculer des qualités d'origine symbolique. Dans les rites d'envoûtement pratiqués sur un cheveu,
celui-ci est le trait d'union entre la destruction figurée et la
victime de la destruction. Dans une infinité de cas semblables,
nous n'avons même plus affaire à des schèmes distincts de
notions et de rites, mais à des entre-croisements ; l'acte se
complique et ne peut être que difficilement rangé sous l'une des
deux rubriques en question. En fait, des séries entières de rites
d'envoûtement contiennent des contiguïtés, des similarités et des
contrariétés neutralisantes, à côté de similarités pures, sans que
les opérateurs s'en soient préoccupés et sans qu'ils aient jamais
conçu réellement autre chose que le but final de leur rite.

Si nous considérons maintenant les deux lois, abstraction
faite de leurs applications complexes, nous voyons d'abord
que les actions sympathiques (mimétiques) à distance, n'ont
pas toujours été considérées comme allant de soi. On imagine
des effluves qui se dégagent des corps, des images magiques
qui voyagent, des lignes qui relient l'enchanteur et son action,
des cordes, des chaînes ; même l'âme du magicien part pour
exécuter l'acte qu'il vient de produire. Ainsi, le *Malleus male-
ficarum* nous parle d'une sorcière qui, après avoir trempé son
balai dans une mare pour faire tomber la pluie, s'envole dans
les airs pour aller la chercher. Des nombreux pictogrammes des
Ojibways nous montrent le magicien-prêtre, après son rite,
tendant son bras vers le ciel, perçant la voûte et ramenant les
nuages. De la sorte, on tend à concevoir la similarité comme
contiguïté. Inversement, la contiguïté elle-même équivaut à

la similarité, et pour cause : car la loi n'est vraie que si, dans les parties, dans les choses en contact, et dans le tout, circule et réside une même essence qui les rend semblables. Ainsi, toutes ces représentations abstraites et impersonnelles de similarité, de contiguïté, de contrariété, bien qu'elles aient été, chacune à leur heure, séparément conscientes, sont naturellement confuses et confondues. Ce sont évidemment trois faces d'une même notion que nous allons avoir à démêler.

De cette confusion, ceux des magiciens qui ont le plus réfléchi sur leurs rites ont eu parfaitement le sentiment. Les alchimistes ont un principe général qui paraît être, pour eux, la formule parfaite de leurs réflexions théoriques et qu'ils aiment à préfixer à leurs recettes : « Un est le tout, et le tout est dans un. » Voici, pris au hasard, un des passages où le principe s'exprime le plus heureusement : « Un est le tout, et c'est par lui que le tout s'est formé. Un est le tout, et si tout ne contenait pas le tout, le tout ne se formerait pas » « Ἓν γὰρ τὸ πᾶν, καὶ δι ' αὐτοῦ τὸ πᾶν γέγονε. Ἓν τὸ πᾶν καὶ εἰ μὴ τἀνέχῃ τὸ πὰρ, οὐ γέγονε τὸ πᾶν. » Ce tout qui est dans tout, c'est le monde. Or, nous dit-on quelquefois, le monde est conçu comme un animal unique dont les parties, quelle qu'en soit la distance, sont liées entre elles d'une manière nécessaire. Tout s'y ressemble et tout s'y touche. Cette sorte de panthéisme magique donnerait la synthèse de nos diverses lois. Mais les alchimistes n'ont pas insisté sur cette formule, sauf peut-être pour lui donner un commentaire métaphysique et philosophique dont nous n'avons que des débris. Ils insistent au contraire beaucoup sur la formule qu'ils lui juxtaposent : *Natura naturam vincit*, etc. La *nature*, c'est, par définition, ce qui se trouve à la fois dans la chose et dans ses parties, c'est-à-dire ce qui fonde la loi de contiguïté ; c'est encore ce qui se trouve à la fois dans tous les êtres d'une même espèce et fonde par là la loi de similarité ; c'est ce qui fait qu'une chose peut avoir une action sur une autre chose contraire, mais de même genre, et fonde ainsi la loi de contrariété.

Les alchimistes ne restent pas dans ce domaine des considérations abstraites et cela même nous démontre que ces idées ont réellement fonctionné en magie. Ce qu'ils entendent par φύσις, par *nature*, c'est l'essence cachée et une de leur eau magique qui produit l'or. La notion que les dernières formules impliquent et que les alchimistes sont très loin de déguiser, c'est celle d'une substance qui agit sur une autre substance, en vertu de ses propriétés, quel qu'en soit le mode d'action. Cette action est une action sympathique, ou se produit entre substances sympathiques et peut s'exprimer ainsi : le semblable agit sur le semblable ; disons avec nos alchimistes, le semblable attire le semblable, ou le semblable domine le semblable (ἕλκει ou κρατεῖ). Car, disent-ils, on ne peut agir sur tout avec tout ; comme la nature (φύσις) est enveloppée de formes (εἴδη), il faut qu'il y ait une relation convenable entre les εἴδη, c'est-à-dire les formes des choses qui agissent les unes sur les autres. Ainsi, quand ils disent « la nature triomphe de la nature », ils entendent qu'il y a des choses qui se trouvent les unes par rapport aux autres dans une dépendance si étroite qu'elles s'attirent fatalement. C'est dans ce sens qu'ils qualifient la nature de destructrice ; en effet, elle est dissociatrice, c'est-à-dire qu'elle détruit par son influence les composés instables, et par suite suscite des phénomènes ou des formes nouvelles, en attirant à elle l'élément stable et identique à elle-même qu'elles contiennent.

S'agit-il bien ici d'une notion générale de la magie et non pas d'une notion spéciale à une branche de la magie grecque ? Il est à croire que les alchimistes ne l'ont pas inventée. Nous la retrouvons chez les philosophes, et nous la voyons appliquée dans la médecine. Il semble qu'elle ait aussi fonctionné dans la médecine hindoue. En tout cas, à supposer que l'idée n'ait pas été exprimée ailleurs, sous cette forme consciente, peu nous importerait. Ce que nous savons bien, et c'est tout ce que nous voulons retirer de ce développement, c'est que ces représentations abstraites de similarité, de contiguïté, de contrariété sont inséparables de la notion de choses, de natures, de propriétés, qui sont à transmettre d'un être ou d'un objet à un autre. C'est aussi qu'il y a des échelles de propriétés, de formes, qu'il faut nécessairement gravir, pour agir sur la *nature* ; que l'invention du magicien n'est pas libre et que ses moyens d'action sont essentiellement limités.

2º *Représentations impersonnelles concrètes.* — La pensée magique ne peut donc pas vivre d'abstraction. Nous avons vu précisément que, lorsque les alchimistes parlaient de la nature en général, ils entendaient parler d'une nature très particulière. Il s'agissait, pour eux, non pas d'une idée pure, embrassant les lois de la sympathie, mais de la représentation fort distincte de propriétés efficaces. Ceci nous amène à parler de ces représentations impersonnelles concrètes qui sont les *propriétés*, les qualités. Les rites magiques s'expliquent beaucoup moins aisément par l'application de lois abstraites que comme des transferts de propriétés dont les actions et les réactions sont préalablement connues. Les rites de contiguïté sont, par définition, de simples transmissions de propriétés ; à l'enfant qui ne parle pas, on transmet la loquacité du perroquet ; à qui souffre du mal de dents, la dureté des dents de souris. Les rites de contrariété ne sont que des luttes de propriétés de même genre, mais d'espèce contraire : le feu est le propre contraire de l'eau et c'est pour cette raison qu'il fait partir la pluie. Enfin les rites de similarité ne sont tels que parce qu'ils se réduisent, pour ainsi dire, à la contemplation unique et absorbante d'une seule propriété : le feu du magicien produit le soleil, parce que le soleil c'est du feu.

Mais cette idée de propriétés, qui est si distincte, est, en même temps, essentiellement obscure, comme le sont d'ailleurs toutes les idées magiques et religieuses. En magie, comme en religion, l'individu ne raisonne pas ou ses raisonnements sont inconscients. De même qu'il n'a pas besoin de réfléchir sur la structure de son rite pour le pratiquer, de comprendre sa prière ou son sacrifice, de même qu'il n'a pas besoin que son rite soit logique, de même il ne s'inquiète pas du pourquoi des propriétés qu'il utilise et ne se soucie pas de justifier rationnellement le choix et l'emploi des substances. Nous pouvons nous retracer quelquefois le chemin couvert qu'ont suivi ses idées, mais, pour lui, il n'en est généralement pas capable. Il n'y a dans sa pensée que l'idée vague d'une action possible, pour laquelle la tradition lui fournit des moyens tout faits, en face de l'idée, extraordinairement précise, du but à atteindre. Quand on recommande de ne pas laisser voler les mouches autour d'une femme en travail d'enfant, de crainte qu'elle n'accouche d'une fille, on suppose que les mouches sont douées d'une propriété sexuelle dont il s'agit ici d'éviter les effets. Quand on jette la crémaillère hors du logis pour avoir beau temps, on prête à la crémaillère des vertus d'un certain genre. Mais on ne se retrace pas la chaîne des associations d'idées par lesquelles les fondateurs des rites sont arrivés à ces notions.

Les représentations de cette sorte sont peut-être les plus importantes des représentations impersonnelles concrètes, en magie. L'emploi, si général, des amulettes atteste leur extension. Une bonne partie des rites magiques a pour but de fabriquer des amulettes qui, une fois fabriquées rituellement, peuvent être utilisées sans rite. Un certain nombre d'amulettes consistent d'ailleurs en substances et en compositions, dont l'appropriation n'a peut-être pas nécessité de rite ; tel est le cas des pierres précieuses, diamants, perles, etc., auxquelles on attribue des propriétés magiques. Mais, qu'elles tiennent leurs vertus du rite, ou des qualités intrinsèques des matières avec lesquelles elles sont faites, il est à peu près certain que quand on les emploie on ne songe distinctement qu'à leur vertu permanente.

Un autre fait qui prouve l'importance que prend, en magie, cette notion de propriété est que l'une des principales préoccupations de la magie a été de déterminer l'usage et les pouvoirs spécifiques, génériques ou universels, des êtres, des choses et même des idées. Le magicien est l'homme qui, par don, expérience ou révélation, connaît la nature et les natures ; sa pratique est déterminée par ses connaissances. C'est ici que la magie touche de plus près à la science. Elle est quelquefois même, à cet égard, fort savante, sinon vraiment scientifique. Une bonne partie des connaissances, dont nous parlons ici, est acquise, et vérifiée expérimentalement. Les sorciers ont été les premiers empoisonneurs, les premiers chirurgiens, et on sait que la chirurgie des peuples primitifs est fort développée. On sait aussi que les magiciens ont fait en métallurgie de vraies découvertes. A l'inverse des théoriciens qui ont comparé la magie à la science en raison de la représentation abstraite, qu'on y trouve quelquefois, de la sympathie, c'est en raison de ses spéculations et de ses observations sur les propriétés concrètes des choses que nous lui accorderons volontiers un caractère scientifique. Les lois de la magie dont il s'agissait plus haut n'étaient qu'une sorte de philosophie magique. C'était une série de formes vides et creuses, d'ailleurs toujours mal formulées, de la loi de causalité. Maintenant, grâce à la notion de propriété, nous sommes en présence de véritables rudiments de lois scientifiques, c'est-à-dire de rapports nécessaires et positifs que l'on croit exister entre des choses déterminées. Par le fait qu'ils sont arrivés à se préoccuper de contagions, d'harmonies, d'oppositions, les magiciens en sont venus à l'idée d'une causalité, qui n'est plus mystique, même lorsqu'il s'agit de propriétés qui ne sont pas expérimentales. C'est même en partant de là, qu'ils ont fini par se figurer d'une façon mécanique les vertus des mots ou des symboles.

Nous constatons d'une part que chaque magie a forcément dressé, pour elle-même, un catalogue de plantes, de minéraux, d'animaux, de parties du corps, etc., à l'effet d'en enregistrer les propriétés spéciales ou non, expérimentales ou non. D'autre part, chacune s'est préoccupée de codifier des propriétés des choses abstraites : figures géométriques, nombres, qualités morales, mort, vie, chance, etc. ; et enfin chacune a fait concorder ces divers catalogues.

Ici, nous nous arrêtons à une objection : ce sont, dira-t-on, les lois de sympathie qui déterminent la nature de ces propriétés. Par exemple, la propriété de telle plante, de telle chose, vient de sa couleur identique ou contraire à celle de la chose ou de l'être colorés sur lesquels on croit qu'elle agit. Mais, répondons-nous, dans ce cas, bien loin qu'il y ait association d'idées entre deux objets, en raison de leur couleur, nous sommes en présence, tout au contraire, d'une convention expresse, quasi législative, en vertu de laquelle, parmi toute une série de caractéristiques possibles, on choisit la couleur pour établir des relations entre les choses et, de plus, on ne choisit qu'un ou quelques-uns des objets de ladite couleur pour réaliser cette relation. C'est ce que font les Cherokees quand ils prennent leur « racine jaune » pour guérir la jaunisse. Le raisonnement que nous venons de faire pour la couleur vaut encore pour la forme, la résistance, et toutes les autres propriétés possibles.

D'autre part, si nous admettons parfaitement qu'il y a des choses qui sont investies de certains pouvoirs, en vertu de leur nom *(reseda morbos reseda)*, nous constatons que ces choses agissent plutôt à la façon d'incantations que d'objets à propriétés, car elles sont des sortes de mots réalisés. De plus, en pareil cas, la convention, dont nous venons de parler, est encore plus apparente, puisqu'il s'agit de cette convention parfaite qu'est un mot, dont le sens, le son, le tout, sont, par définition, le produit d'un accord tribal ou national. On pourrait plus difficilement encore faire état des clés magiques, qui semblent définir les propriétés des choses par leurs rapports avec certains dieux ou avec certaines choses (exemples : cheveux de Vénus, doigt de Jupiter, barbe d'Ammon, urine de vierge, liquide de Çiva, cervelle d'initié, substance de Pedu), dont elles représenteraient, en somme, le pouvoir. Car, dans ce nouveau cas, la convention qui établit la sympathie est double ; d'abord, on a celle qui détermine le choix du nom, du premier signe (urine = liquide de Çiva), et celle qui détermine le rapport entre la chose nommée, le deuxième signe, et l'effet (liquide de Çiva = guérison de la fièvre parce que Çiva est le dieu de la fièvre).

La relation de sympathie est peut-être de nouveau plus apparente dans le cas des séries parallèles de végétaux, de parfums et de minéraux qui correspondent aux planètes. Mais, sans parler du caractère conventionnel de l'attribution de ces substances à leur planète respective, il faut au moins tenir compte de la convention qui détermine les vertus desdites planètes, vertus pour la plupart morales (Mars = guerre, etc.). En résumé, loin que ce soit l'idée de sympathie qui ait présidé à la constitution des notions de propriétés, c'est l'idée de propriété, ce sont les conventions sociales dont elle a fait l'objet, qui ont permis à l'esprit collectif de nouer les liens sympathiques dont il s'agit.

Cette réponse à une objection que nous nous posions à nous-mêmes ne signifie pas que les propriétés des choses ne font pas partie, selon nous, des systèmes de relations sympathiques. Bien au contraire, nous attachons aux faits dont nous venons de parler une extrême importance. On les connaît d'ordinaire sous le nom de signatures, c'est-à-dire de correspondances symboliques. Ce sont, quant à nous, des cas de classification, à rapprocher de ceux qui ont été étudiés l'année dernière dans l'*Année Sociologique*. Ainsi, les choses, rangées sous tel ou tel astre, appartiennent à une même classe ou plutôt à la même famille que cet astre, sa région, ses mansions, etc. Les choses de même couleur, celles de même forme, etc., sont réputées apparentées à cause de leur couleur, de leur forme, de leur sexe, etc. Le groupement des choses par contraires est également une forme de classification : c'est même une forme de pensée essentielle à toute magie que de répartir les choses au moins en deux groupes : bonnes et mauvaises, de vie et de mort. Nous réduisons donc le système des sympathies et des antipathies à celui des classifications de représentations collectives. Les choses n'agissent les unes sur les autres que parce qu'elles sont rangées dans la même classe ou opposées dans le même genre. C'est parce qu'ils sont membres d'une même famille que des objets, des mouvements, des êtres, des nombres, des événements, des qualités, peuvent être réputés semblables. C'est encore parce qu'ils sont membres d'une même classe que l'un peut agir sur l'autre, par le fait qu'une même nature est censée commune à toute la classe comme un même sang est censé circuler à travers tout un clan. Ils sont donc, par là, en similarité et en continuité. D'autre part, de classe à classe, il doit y avoir des oppositions. La magie n'est d'ailleurs possible que parce qu'elle agit avec des espèces classées. Espèces et classifications sont elles-mêmes des phénomènes collectifs. C'est ce que prouvent à la fois leur caractère arbitraire, et le petit nombre d'objets choisis auxquels elles sont limitées. En somme, dès que nous en arrivons à la représentation des propriétés

magiques, nous sommes en présence de phénomènes semblables
à ceux du langage. De même que, pour une chose, il n'y a pas
un nombre infini de noms, de même qu'il n'y a pour les choses
qu'un petit nombre de signes, et de même que les mots n'ont que
des rapports lointains ou nuls avec les choses qu'ils désignent,
de même, entre le signe magique et la chose signifiée, il n'y a
que des rapports très étroits mais très irréels, de nombre, de
sexe, d'image, et en général de qualités tout imaginaires, mais
imaginées par la société.

Il y a dans la magie d'autres représentations à la fois impersonnelles et concrètes que celles des propriétés. Ce sont celles
du pouvoir du rite et de son mode d'action ; nous en avons
parlé plus haut à propos des effets généraux de la magie, en
signalant des formes concrètes de ces notions, *mâmit*, *mana*,
effluves, chaînes, lignes, jets, etc. Ce sont encore celles du
pouvoir des magiciens et de leur mode d'action dont nous
avons aussi parlé précédemment, à propos du magicien lui-
même : puissance du regard, force, poids, invisibilité, insub-
mersibilité, pouvoir de se transporter, d'agir directement à
distance, etc.

Ces représentations concrètes, mêlées aux représentations
abstraites, permettent, à elles seules, de concevoir un rite
magique. En fait, il y a des rites nombreux auxquels ne correspondent pas d'autres représentations définies. Le fait qu'elles
sont suffisantes justifierait peut-être ceux qui, dans la magie,
n'ont vu que l'action directe des rites et ont négligé, comme
secondaires, les représentations démonologiques qui, cependant, entrent dans toutes les magies connues, et, selon nous
nécessairement.

3o Représentations personnelles. Démonologie. — Entre les
notions d'esprits et les idées concrètes ou abstraites, dont nous
venons de parler, il n'y a pas de réelle discontinuité. Entre
l'idée de la spiritualité de l'action magique et l'idée d'esprit,
il n'y a qu'un pas très facile à franchir. L'idée d'un agent personnel peut même être, de ce point de vue, considérée comme
le terme auquel conduisent nécessairement les efforts faits pour
se représenter, d'une façon concrète, l'efficacité magique des
rites et des qualités. En fait, il est arrivé que l'on a considéré
la démonologie comme un moyen de figurer les phénomènes
magiques : les effluves sont des démons, αἱ ἀγαθαὶ ἀπόρροιαι
τῶν ἀστέρων εἰσὶν δαίμονες καί τυχαι καὶ μοῖραι. La notion
du démon, de ce point de vue, ne s'oppose donc pas aux autres

notions, elle est, en quelque sorte, une notion supplémentaire destinée à expliquer le jeu des lois et des qualités. Elle substitue simplement l'idée d'une personne cause à l'idée de la causalité magique.

Toutes les représentations de la magie peuvent aboutir à des représentations personnelles. Le double du magicien, son animal auxiliaire, sont des représentations personnifiées de son pouvoir et du mode d'action de ce pouvoir. Quelques pictogrammes Ojibways le démontreraient pour les manitous du jossakîd. De même, l'épervier merveilleux qui transmet les ordres de Nectanebo est son pouvoir magique. Dans tous les cas, l'animal et le démon auxiliaires sont des mandataires personnels, effectifs, du magicien. C'est par eux qu'il agit à distance. De même, le pouvoir du rite se personnalise. En Assyrie, le *mâmit* se rapproche du démon. En Grèce, l'ἴυγξ, c'est-à-dire la rouelle magique, a fourni des démons ; de même, certaines formules magiques, les *Ephesia grammata*. L'idée de propriété aboutit au même point. Aux plantes à vertus correspondent des démons, qui guérissent les maladies ou les causent ; nous connaissons de ces démons des plantes en Mélanésie, chez les Cherokees, comme en Europe (Balkans, Finlande, etc.). Les démons balnéaires de la magie grecque sont nés de l'emploi pour les maléfices des objets pris dans les bains. On voit par ce deuxième exemple que la personnification peut s'attacher aux détails les plus infimes du rite. Elle s'est également appliquée à ce qu'il y a de plus général dans l'idée des pouvoirs magiques. L'Inde a divinisé la *Çakti*, le pouvoir. Elle a encore divinisé l'obtention des pouvoirs, *siddhi*, et l'on invoque la *Siddhi*, au même titre que les *Siddha*, ceux qui l'ont obtenue.

La série des personnifications ne s'arrête pas là ; l'objet même du rite est personnifié sous son propre nom commun. C'est le cas, d'abord, des maladies : fièvre, fatigue, mort, destruction, en somme, de tout ce qu'on exorcise ; une histoire intéressante à conter serait celle de cette divinité incertaine du rituel atharvanique qu'est la déesse Diarrhée. Naturellement, c'est dans le système des incantations, des évocations en particulier, que nous voyons se produire ce phénomène, plutôt que dans le système des rites manuels où, d'ailleurs, il peut passer inaperçu. Dans les incantations, on s'adresse, en effet, à la maladie qu'on veut chasser ; c'est déjà la traiter comme une personne. C'est pour cette raison que presque toutes les formules malaises sont conçues sous la forme d'invocations adressées à des princes ou princesses qui ne sont autres que les choses ou les phénomènes considérés. Ailleurs, dans l'*Atharvaveda* par exemple, tout ce qui est incanté devient réellement personnel. Ainsi, les flèches, les tambours, l'urine, etc. Il y a là certainement plus qu'une forme de langage, et ces personnes sont plus que de simples vocatifs. Elles existaient avant et elles existent après l'incantation. Tels sont les φόβοι grecques, les génies des maladies dans le Folk-lore balkanique, *Laksmî* (fortune), *Nirrti* (destruction) dans l'Inde. Ces dernières ont même des mythes, comme d'ailleurs en ont, dans la plupart des magies, presque toutes les maladies personnifiées.

L'introduction de cette notion d'esprit ne modifie pas nécessairement le rituel magique. En principe, l'esprit, en magie, n'est pas une puissance libre, il ne fait qu'obéir au rite, qui lui indique dans quel sens il doit agir. Il se peut donc que rien ne trahisse sa présence, pas même une mention dans l'incantation. Cependant, il arrive que l'auxiliaire spirituel se fasse sa part, et une large part, dans les cérémonies magiques. Il en est où l'on fabrique l'image d'un génie ou d'un animal auxiliaire. Nous trouvons, dans les rituels, des prières, des indications d'offrandes, de sacrifices, qui n'ont d'autre objet que d'évoquer et de satisfaire des esprits personnels. A vrai dire, ces rites sont souvent surérogatoires par rapport au rite central, dont le schème reste toujours symbolique ou sympathique dans ses grandes lignes. Mais elles sont quelquefois tellement importantes qu'elles absorbent la cérémonie tout entière. Ainsi, il arrive que des exorcismes soient entièrement contenus dans le sacrifice ou la prière qui s'adresse au démon qu'il faut écarter, ou au dieu qui l'écarte.

Quand il s'agit de pareils rites, on peut dire que l'idée d'esprit est le pivot autour duquel ils tournent. Il est évident, par exemple, que l'idée de démon est antérieure à toute autre chez l'opérateur, quand il s'adresse à un dieu, comme il arrive dans la magie gréco-égyptienne, pour le prier de lui envoyer un démon qui agisse pour lui. Dans un pareil cas, l'idée du rite s'efface et, avec elle, tout ce qu'elle enveloppait de nécessité mécanique ; l'esprit est un serviteur autonome et représente, dans l'opération magique, la part du hasard. Le magicien finit par admettre que sa science ne soit pas infaillible et que son désir puisse n'être pas accompli. En face de lui, une puissance se dresse. Ainsi l'esprit est, tour à tour, soumis et libre, confondu avec le rite et distinct du rite. Il semble que nous nous trouvions en présence d'une de ces confusions antinomiques dont abonde l'histoire de la magie, comme celle de la religion.

La solution de cette contradiction apparente appartient à une théorie des rapports de la magie et de la religion. Cependant nous pouvons déjà dire ici que les faits les plus nombreux en magie sont ceux où le rite paraît contraignant, sans nier l'existence des autres faits dont nous retrouverons ailleurs l'explication.

Que sont les esprits de la magie ? Nous allons en tenter une classification très sommaire, un dénombrement très rapide, qui nous montrera comment la magie a recruté ses armées d'esprits. Nous verrons immédiatement que ces esprits ont d'autres qualifications que des qualifications magiques, qu'ils appartiennent aussi à la religion.

Une première catégorie d'esprits magiques est constituée par les âmes des morts. Il y a même des magies qui, soit par réduction, soit originellement, ne connaissent pas d'autres esprits. Dans la Mélanésie occidentale, on a recours, dans la cérémonie magique, comme dans la religion, à des esprits, nommés *tindalos* qui, tous, sont des âmes. Tout mort peut devenir *tindalo*, s'il manifeste sa puissance par un miracle, un méfait, etc. Mais, en principe, ne deviennent *tindalos* que ceux qui avaient eu, de leur vivant, des pouvoirs magiques ou religieux. Les morts peuvent donc ici fournir des esprits. Il en est de même en Australie et en Amérique, chez les Cherokees et les Ojibways. — Dans l'Inde ancienne et moderne, les morts, ancêtres divinisés, sont invoqués en magie ; mais dans les maléfices, on invoque plutôt les esprits des défunts pour lesquels les rites funéraires n'ont pas encore été parfaitement accomplis *(preta)*, de ceux qui ne sont pas ensevelis, des hommes morts de mort violente, des femmes mortes en couches, des enfants mort-nés *(bhûta, churels,* etc.). — Les mêmes faits se sont produits dans la magie grecque, dont les δαίμονες, c'est-à-dire les esprits magiques, ont reçu des épithètes qui les désignent comme des âmes : on rencontre quelquefois la mention de νεκυδαίμονες, de δαίμονες μητρῷοι καί πατρῷοι, mais, plus souvent, celle de démons morts de mort violente (βιαιοθανάτοι), non ensevelis (ἄποροι ταφῆς), etc. En pays grec, une autre classe de défunts fournit encore des auxiliaires magiques, c'est celle des héros, c'est-à-dire des morts qui, par ailleurs, sont l'objet d'un culte public ; toutefois, il n'est pas sûr que tous les héros magiques aient été des héros officiels. Sur ce point même, le *tindalo* mélanésien est tout à fait comparable au héros grec, car il peut n'avoir jamais été un mort divinisé et, pourtant, il est conçu obligatoirement sous cette forme. —

Dans le christianisme, tous les morts ont des propriétés utilisables, des qualités de mort ; mais la magie n'agit guère qu'avec les âmes des enfants non baptisés, celles des morts de mort violente, des criminels. — Ce très court exposé montre que les morts sont esprits magiques, soit en vertu d'une croyance générale à leur pouvoir divin, soit en vertu d'une qualification spéciale qui, dans le monde des fantômes, leur donne, par rapport aux êtres religieux, une place déterminée.

Une deuxième catégorie d'êtres magiques est celle des démons. Bien entendu, le mot de démon n'est pas pour nous synonyme du mot diable, mais des mots génie, *djinn*, etc. Ce sont des esprits, peu distincts des âmes des morts, d'une part, et qui, d'autre part, ne sont pas encore arrivés à la divinité des dieux. Bien qu'ils aient une personnalité assez falote, ils sont souvent déjà quelque chose de plus que la simple personnification des rites magiques, des qualités ou des objets. En Australie, il semble qu'on les ait partout conçus, sous une forme assez distincte ; même, quand nous avons à leur sujet des informations suffisantes, ils nous paraissent en somme assez spécialisés. Chez les Aruntas, nous trouvons des esprits magiques, les *Orunchas* et les *Iruntarinias*, qui sont de véritables génies locaux dont le caractère assez complexe marque bien l'indépendance. Dans la Mélanésie orientale, on invoque des esprits, qui ne sont pas des âmes des morts et dont un certain nombre ne sont pas des dieux proprement dits ; ces esprits tiennent une place considérable, surtout dans les rites naturistes : *vui* des îles Salomon, *vigona* de Floride, etc. Dans l'Inde, aux *devas*, les dieux, sont opposés les *pisâcas, yaksasas, râksasas*, etc., dont l'ensemble constitue, dès qu'il y a classification, la catégorie des *Asuras*, dont les principales personnalités sont *Vrtra* (le rival d'Indra), *Namuci* (id.), etc. Tout le monde sait que le mazdéisme a considéré, au contraire, les *daevâs*, suppôts d'Ahriman, comme les adversaires d'Ahura Mazda. De part et d'autre, dans ces deux cas, nous avons affaire à des êtres magiques spécialisés, comme mauvais génies il est vrai ; et pourtant, leurs noms mêmes démontrent que, entre eux et les dieux, il n'y avait pas, au moins à l'origine, de radicale distinction. Chez les Grecs, les êtres magiques sont les δαίμονες, qui, comme nous l'avons vu, voisinent avec les âmes des morts. La spécialisation de ces esprits est telle que la magie a été définie, en Grèce, par ses relations avec les démons. Il y a des démons de tous sexes, de toutes sortes, de toutes consistances ; les uns sont localisés, les autres peuplent l'atmosphère. Un certain nombre ont des noms propres, mais ce sont des noms magiques. Le sort des δαίμονες fut de devenir de mauvais génies et d'aller rejoindre, dans la classe des esprits malfaisants, les *Kerkopes*, *Empuses*, *Kères*, etc. La magie grecque a, de plus, une préférence marquée pour les anges juifs et en particulier pour les archanges, de même que la magie malaise. Enfin elle se constitue avec ses archanges, anges, archontes, démons, éons, un véritable panthéon magique hiérarchisé. La magie du Moyen Age en a hérité, de même que tout l'Extrême-Orient a hérité du panthéon magique des Hindous. Mais les démons furent transformés en diables et rangés à la suite de Satan-Lucifer, de qui relève la magie. Cependant nous voyons, dans la magie du Moyen Age, et jusqu'à nos jours, dans des pays où les vieilles traditions se sont mieux conservées que dans le nôtre, subsister d'autres génies, fées, farfadets, gobelins, kobolds, etc.

Mais la magie ne s'adresse pas nécessairement à des génies spécialisés. En fait, les diverses classes d'esprits spécialisés dont nous venons de parler n'ont pas toujours été exclusivement magiques et, même devenues magiques, elles ont encore leur place dans la religion : on ne dira jamais que la notion d'enfer soit une notion magique. D'autre part, il y a des pays où les fonctions de dieu et de démon ne sont pas encore distinguées. C'est le cas de toute l'Amérique du Nord ; les manitous algonquins passent constamment des unes aux autres ; c'est également le cas de la Mélanésie orientale, où les *tindalos* font de même. En Assyrie, nous trouvons des séries entières de démons, dont nous ne sommes pas sûrs qu'ils ne soient pas des dieux ; dans l'écriture, leur nom porte en général l'affixe divin ; tels sont, en particulier, les principaux d'entre eux, les Igigi et les Annunnaki, dont l'identité est encore mystérieuse. Somme toute, les fonctions démoniaques ne sont pas incompatibles avec les fonctions divines ; d'ailleurs, l'existence de démons spécialisés n'interdit pas à la magie de recourir à d'autres esprits, pour leur faire tenir momentanément un rôle démoniaque. Aussi voyons-nous, dans toutes les magies, des dieux et, dans la magie chrétienne, des saints figurer parmi les auxiliaires spirituels. Dans l'Inde, les dieux interviennent même dans le domaine du maléfice, malgré la spécialisation qui s'y est produite, et ils sont les personnages essentiels de tout le reste du rituel magique. Dans les pays autrefois hindouisés, Malaisie et Câmpa (Cambodge), le panthéon brahmanique figure tout entier dans la magie. Quant aux textes magiques grecs, ils mentionnent d'abord une foule de dieux égyptiens, soit sous leur nom égyptien, soit sous leur nom grec, des dieux assyriens ou perses, Iahwé et toute la séquelle des anges et des prophètes juifs, c'est-à-dire des dieux étrangers à la civilisation grecque. Mais on y voit également prier les « grands dieux », avec leur nom et sous leur forme grecque, Zeus, Apollon, Asclépios, et même avec les déterminatifs de lieu qui les particularisent. En Europe, dans un très grand nombre d'incantations, dans les charmes mythiques en particulier, ne figurent que la Vierge, le Christ et les saints.

Les représentations personnelles ont dans la magie une consistance suffisante pour avoir formé des mythes. Les charmes mythiques dont nous venons de parler contiennent des mythes propres à la magie. Il y en a d'autres qui expliquent l'origine de la tradition magique, celle des relations sympathiques, celle des rites, etc. Mais, si la magie connaît des mythes, elle n'en connaît que de rudimentaires, de très objectifs, visant uniquement les choses, et non pas les personnes spirituelles. La magie est peu poétique, elle n'a pas voulu faire l'histoire de ses démons. Ceux-ci sont comme les soldats d'une armée, ils forment des troupes, des *ganas*, des bandes de chasseurs, des cavalcades ; ils n'ont pas de véritable individualité. Bien plus, quand les dieux entrent dans la magie, ils perdent leur personnalité et laissent pour ainsi dire leur mythe à la porte. La magie ne considère pas en eux l'individu, mais la qualité, la force, soit générique, soit spécifique, sans compter qu'elle les déforme à plaisir et qu'elle les réduit souvent à n'être plus que de simples noms. De même que nous avons vu les incantations donner des démons, les dieux finissent par se réduire à des incantations.

Le fait que la magie a fait place aux dieux montre qu'elle a su se prévaloir des croyances obligatoires de la société. C'est parce qu'ils étaient, pour celle-ci, objet de croyances, qu'elle les a fait servir à ses desseins. Mais les démons sont, de même que les dieux et les âmes des morts, l'objet de représentations collectives, souvent obligatoires, souvent sanctionnées, au moins par des rites, et c'est parce qu'ils sont tels qu'ils sont des forces magiques. En fait, chaque magie aurait pu en dresser des catalogues limitatifs, sinon quant au nombre, du moins quant aux types. Cette limitation hypothétique et théorique serait un premier signe du caractère collectif de la représentation des démons. En second lieu, il y a des démons qui sont nommés à la façon des dieux ; comme ils sont employés conventionnellement à toutes fins, ils ont reçu de la multiplicité de

leurs services une espèce d'individualité et sont, individuellement, l'objet d'une tradition. De plus, la croyance commune
à la force magique d'un être spirituel suppose toujours qu'il
a fait, aux yeux du public, ses preuves, miracles ou actes
efficaces. Une expérience collective, tout au moins, une illusion
collective est nécessaire pour créer un démon proprement dit.
Enfin comptons, pour mémoire, le fait que la plupart des esprits
magiques sont exclusivement donnés dans le rite et la tradition ; leur existence n'est jamais vérifiée que postérieurement
à la croyance qui les impose. Ainsi, de même que les représentations impersonnelles de la magie semblent n'avoir d'autre
réalité que la croyance collective, c'est-à-dire traditionnelle
et commune à tout un groupe, dont elles sont l'objet, de même
ses représentations personnelles sont, à nos yeux, collectives ;
nous pensons même qu'on l'admettra plus aisément encore.

IV

OBSERVATIONS GÉNÉRALES

Le caractère indéfini et multiforme des puissances spirituelles, avec lesquelles les magiciens sont en relations, appartient bien à la magie tout entière. Les faits que nous avons rassemblés sont, à première vue, disparates. Les uns confondent
la magie avec les techniques et les sciences, les autres l'assi-
milent aux religions. Elle est quelque chose d'intermédiaire
entre les unes et les autres, qui ne se définit ni par ses buts, ni
par ses procédés, ni par ses notions. De tout notre examen, elle
sort plus ambiguë, plus indéterminée que jamais. Elle ressemble
aux techniques laïques par ses fins pratiques, par le caractère
mécanique d'un grand nombre de ses applications, par le faux
air expérimental de quelques-unes de ses notions principales.
Elle s'en distingue profondément quand elle fait appel à des
agents spéciaux, à des intermédiaires spirituels, se livre à des
actes de culte et se rapproche de la religion par ses emprunts
qu'elle lui fait. Il n'est presque pas de rite religieux qui n'ait ses
équivalents dans la magie ; on y trouve même la notion d'ortho-
doxie, comme en témoignent les διαϐολαί, les accusations
magiques de rites impurs de la magie gréco-égyptienne. Mais
outre l'opposition que les religions lui font et qu'elle fait aux
religions (opposition qui, d'ailleurs, n'est ni universelle, ni
constante), son incohérence, la part qu'elle laisse à la fantaisie,

l'éloignent de l'image que nous sommes habitués à nous former des religions.

Pourtant, l'unité de tout le système magique nous apparaît maintenant avec plus d'évidence ; c'est là un premier gain que nous nous sommes assuré par ce circuit et ces longues descriptions. Nous avons des raisons d'affirmer que la magie forme bien un tout réel. Les magiciens ont des caractéristiques communes ; les effets produits par les opérations magiques ont toujours, malgré leur infinie diversité, quelque chose de commun ; les procédés divergents se sont associés en types et en cérémonies complexes ; les notions les plus différentes se complètent et s'harmonisent, sans que le total perde rien de son aspect incohérent et disloqué. Ses parties forment bien un tout.

Mais l'unité du tout est encore plus réelle que chacune des parties. Car ces éléments, que nous avons considérés successivement, nous sont donnés simultanément. Notre analyse les abstrait, mais ils sont étroitement, nécessairement unis. Nous avons cru définir suffisamment les magiciens et les représentations de la magie, en disant que les uns étaient les agents des rites magiques, les autres les représentations qui leur correspondent, nous les avons rapportés aux rites magiques ; nous ne nous étonnons donc pas que certains de nos devanciers n'aient vu dans la magie que des actes. Mais nous aurions pu tout aussi bien définir les éléments de la magie par rapport aux magiciens : Ils se supposent les uns les autres. Il n'y a pas de magicien honoraire et inactif. Pour être magicien, il faut faire de la magie ; inversement, quiconque fait acte de magie est, à ce moment même, magicien ; il y a des magiciens d'occasion, qui, l'acte accompli, retombent immédiatement dans la vie normale. Quant aux représentations, elles n'ont pas de vie en dehors des rites. Elles n'ont pas, pour la plupart, d'intérêt théorique pour le magicien, qui ne les formule que rarement. Elles n'ont qu'un intérêt pratique et ne s'expriment guère, dans la magie, que par ses actes. Ceux qui les ont réduits les premiers en systèmes sont des philosophes et non pas des magiciens ; c'est la philosophie ésotérique qui a fourni la théorie des représentations de la magie. Celle-ci ne s'est même pas constitué sa démonologie : dans l'Europe chrétienne, comme dans l'Inde, c'est la religion qui a fait le catalogue des démons. En dehors des rites, les démons ne vivent que dans les contes ou dans la dogmatique. Il n'y a donc pas en magie de représentation pure ; la mythologie magique est embryonnaire et pâle. Tandis que, dans la religion, le rituel et ses espèces, d'une part, la

mythologie et le dogmatique, de l'autre, ont une véritable autonomie, les éléments de la magie sont, par nature, inséparables.

La magie est une masse vivante, informe, inorganique, dont
les parties composantes n'ont ni place ni fonction fixes. On
les voit même se confondre ; la distinction, pourtant profonde,
des représentations et des rites s'efface parfois à tel point
qu'un simple énoncé de représentation peut devenir un rite :
le *venenum veneno vincitur* est une incantation. L'esprit que
possède le sorcier, ou qui possède le sorcier, se confond avec son
âme et sa force magique ; sorciers et esprits portent souvent le
même nom. L'énergie du rite, celle de l'esprit et celle du magicien, ne font normalement qu'un. L'état régulier du système
magique est une assez complète confusion des pouvoirs et des
rôles. Aussi l'un des éléments peut-il disparaître, en apparence,
sans que le caractère de la somme soit changé. Il y a des rites
magiques qui ne répondent à aucune notion consciente, tels les
gestes de fascination et bon nombre d'imprécations. Inversement, il y a des cas où la représentation absorbe le rite : dans les
charmes généalogiques, l'énoncé des natures et des causes
est à lui seul le rite. En résumé, les fonctions de la magie ne
sont pas spécialisées. La vie magique n'est pas partagée en
départements comme la vie religieuse. Elle n'a pas produit
d'institutions autonomes comme le sacrifice et le sacerdoce.
Aussi n'avons-nous pas trouvé de catégories de faits magiques,
nous n'avons pu que décomposer la magie en ses éléments
abstraits. Elle reste partout à l'état diffus. Dans chaque cas
particulier, on est en présence d'un tout qui, comme nous le
disions, est plus réel que ses parties. Nous avons donc démontré
que la magie, comme tout, a une réalité objective, qu'elle est une
chose, mais quel genre de chose est-elle ?

Nous avons déjà dépassé notre définition provisoire en établissant que les divers éléments de la magie sont créés et qualifiés par la collectivité. C'est un deuxième gain réel qu'il nous
faut enregistrer. Le magicien est qualifié souvent par la société
magique dont il fait partie, et, toujours, par la société en général.
Les actes sont rituels et se répètent par tradition. Quant aux
représentations, les unes sont empruntées à d'autres domaines
de la vie sociale, telle l'idée d'êtres spirituels, et nous renvoyons
aux études, qui porteront directement sur la religion, la tâche
de démontrer que cette notion est ou n'est pas le produit de
l'expérience individuelle ; les autres, enfin, ne procèdent pas des
observations ni des réflexions de l'individu et leur application ne
donne pas lieu à l'initiative de celui-ci, puisqu'il y a des recettes

et des formules que la tradition impose et qu'on utilise sans examen.

Si les éléments de la magie sont collectifs, en est-il de même du tout ? Autrement dit, y a-t-il dans la magie quelque chose d'essentiel qui ne soit pas objet de représentations ou fruit d'activités collectives ? Mais n'est-il pas absurde et contradictoire de supposer que la magie puisse être, dans son essence, un phénomène collectif, alors que, justement, parmi tous les caractères qu'elle présente, nous avons choisi, pour l'opposer à la religion, ceux qui la rejettent hors de la vie régulière des sociétés. Nous l'avons dite pratiquée par des individus, isolée, mystérieuse et furtive, éparpillée et morcelée, enfin arbitraire et facultative. Elle paraît aussi peu sociale que possible, si du moins le phénomène social se reconnaît surtout à la généralité, à l'obligation, à la contrainte. Serait-elle sociale à la manière du crime, parce qu'elle est secrète, illégitime, interdite ? Mais elle ne peut l'être exclusivement ainsi, puisqu'elle n'est pas exactement l'envers de la religion, comme le crime est l'envers du droit. Elle doit l'être à la façon d'une fonction spéciale de la société. Mais comment la concevoir alors ? Comment concevoir l'idée d'un phénomène collectif où les individus resteraient aussi parfaitement indépendants les uns des autres ?

Il y a deux ordres de fonctions spéciales dans la société dont nous avons déjà rapproché la magie. Ce sont, d'une part, les techniques et les sciences, de l'autre, la religion. La magie est-elle une sorte d'art universel ou bien une classe de phénomènes analogues à la religion ? Dans un art ou dans une science, les principes et les moyens d'action sont élaborés collectivement et transmis par tradition. C'est à ce titre que les sciences et les arts sont bien des phénomènes collectifs. De plus, l'art ou la science satisfont à des besoins qui sont communs. Mais, les éléments donnés, l'individu vole de ses propres ailes. Sa logique individuelle lui suffit pour passer d'un élément à l'autre et, de là, à l'application. Il est libre ; il peut même remonter théoriquement jusqu'au point de départ de sa technique ou de sa science, la justifier ou la rectifier, à chaque pas, à ses risques et périls. Rien n'est soustrait à son contrôle. Donc, si la magie était de l'ordre des sciences et des techniques, la difficulté que nous venons d'apercevoir serait écartée, puisque les sciences et les techniques ne sont pas collectives dans toutes leurs parties essentielles et que, tout en étant des fonctions sociales, tout en ayant la société pour bénéficiaire et pour véhicule, elles n'ont pour promoteurs que des individus. Mais il nous est difficile d'assimiler la magie aux sciences et aux arts, puisque nous avons pu la décrire sans jamais y constater une pareille activité créatrice ou critique des individus.

Il nous reste donc à la comparer à la religion, et, dans ce cas, la difficulté reste entière. Nous continuons, en effet, à postuler que la religion est un phénomène essentiellement collectif dans toutes ses parties. Tout y est fait par le groupe ou sous la pression du groupe. Les croyances et les pratiques y sont par nature obligatoires. Dans l'analyse d'un rite pris comme type, le sacrifice, nous avons établi que la société y était partout immanente et présente et qu'elle en était le véritable acteur, derrière la comédie cérémonielle. Nous avons été jusqu'à dire que les choses sacrées du sacrifice étaient des choses sociales par excellence. Pas plus que le sacrifice, la vie religieuse n'admet d'initiative individuelle : l'invention ne s'y produit que sous forme de révélation. L'individu se sent constamment subordonné à des pouvoirs qui le dépassent et l'incitent à agir. Si nous pouvons montrer que, dans toute l'étendue de la magie, règnent des forces semblables à celles qui agissent dans la religion, nous aurons démontré par là que la magie a le même caractère collectif que la religion. Il ne nous restera plus qu'à faire voir comment ces forces collectives se sont produites, malgré l'isolement où nous paraissent se tenir les magiciens, et nous serons amenés à l'idée que ces individus n'ont fait que s'approprier des forces collectives.

Chapitre IV

ANALYSE ET EXPLICATION
DE LA MAGIE

Ainsi nous réduisons progressivement l'étude de la magie à la recherche des forces collectives qui agissent en elle comme dans la religion. Nous sommes même en droit de penser que, si nous les trouvons, nous expliquerons à la fois le tout et les parties. Qu'on se rappelle, en effet, combien la magie est continue, et à quel point ses éléments, étroitement solidaires, ne semblent être que les divers reflets d'une même chose. Les actes et les représentations y sont tellement inséparables qu'on pourrait fort bien l'appeler une *idée pratique*. Même si l'on se souvient de la monotonie de ses actes, du peu de variété de ses représentations, de son uniformité dans toute l'histoire de la civilisation, on peut préjuger qu'elle constitue une idée pratique de l'ordre le plus simple. Nous pouvons donc nous attendre à ce que les forces collectives qui y sont présentes ne soient pas trop complexes, ni la méthode dont le magicien s'est servi pour s'en emparer, trop compliquée.

Nous chercherons à déterminer ces forces en nous demandant d'abord de quelle sorte de croyance la magie a été l'objet, et en analysant ensuite l'idée d'efficacité magique.

I

LA CROYANCE

La magie est, par définition, objet de croyance. Mais les éléments de la magie, n'étant pas séparables les uns des autres et même se confondant les uns avec les autres, ne peuvent pas être l'objet de croyances distinctes. Ils sont, tous à la fois, l'objet d'une même affirmation. Celle-ci ne porte pas seulement sur le pouvoir d'un magicien ou la valeur d'un rite, mais sur l'ensemble ou sur le principe de la magie. De même que la magie est plus

réelle que ses parties, de même, la croyance à la magie en général est plus enracinée que celle dont ses éléments sont l'objet. La
magie, comme la religion, est un bloc, on y croit ou l'on n'y
croit pas. C'est ce qu'on peut vérifier dans les cas où la réalité
de la magie a été mise en doute. Quand de pareils débats s'éle-
vèrent, au début du moyen âge, au XVIIe siècle, et là où ils se
poursuivent encore obscurément de nos jours, nous voyons que
la discussion porte sur un seul fait. Il s'agit, chez Agobard, par
exemple, plutôt des faiseurs de mauvais temps ; plus tard, de
l'impuissance causée par maléfice ou du vol aérien des suivantes
de Diane ; chez Bekker (*de betooverde werld.* Amsterdam, 1693),
de l'existence des démons et du diable ; chez nous, du corps
astral, des matérialisations, de la réalité de la quatrième dimension. Mais, partout, les conclusions sont immédiatement généra-
lisées et la croyance à un cas de magie entraîne la croyance
à tous les cas possibles. Inversement, une négation fait crouler
tout l'édifice. C'est, en effet, la magie elle-même qui est mise
en question. Nous avons des exemples d'incrédulité obstinée
ou de foi enracinée cédant tout d'un coup à une expérience
unique.

Quelle est la nature de cette croyance à la magie ? Res-
semble-t-elle aux croyances scientifiques ? Celles-ci sont *a posteriori*, perpétuellement soumises au contrôle de l'individu,
et ne dépendent que des évidences rationnelles. En est-il de
même de la magie ? Évidemment non. Nous connaissons même
un cas, qui est en vérité extraordinaire, celui de l'Église catholique, où la croyance à la magie fut un dogme, sanctionné par
des peines. En général, cette croyance n'est que mécaniquement
diffuse dans toute la société ; on la partage de naissance. En cela
la croyance à la magie n'est pas très différente des croyances
scientifiques, puisque chaque société a sa science, également
diffuse, et dont les principes ont été quelquefois transformés
en dogmes religieux. Mais, tandis que toute science, même la
plus traditionnelle, est encore conçue comme positive et expérimentale, la croyance à la magie est toujours *a priori*. La foi
dans la magie précède nécessairement l'expérience : on ne va
trouver le magicien que parce qu'on croit en lui ; on n'exécute
une recette que parce qu'on a confiance. Encore de nos jours,
les spirites n'admettent chez eux aucun incrédule, dont la présence empêcherait, pensent-ils, la réussite de leurs opérations.

La magie a une telle autorité, qu'en principe l'expérience
contraire n'ébranle pas la croyance. Elle est, en réalité, sous-
traite à tout contrôle. Même les faits défavorables tournent

en sa faveur, car on pense toujours qu'ils sont l'effet d'une contre-magie, de fautes rituelles, et en général de ce que les conditions nécessaires des pratiques n'ont pas été réalisées. Dans les procès-verbaux du procès d'un magicien, Jean Michel, qui fut brûlé à Bourges, en 1623, nous voyons que ce pauvre homme, menuisier de son état, a passé sa vie à faire des expériences manquées ; une seule fois, il arriva près du but, mais, pris de peur, il se sauva. Chez les Cherokees, un envoûtement manqué, loin d'ébranler la confiance qu'on a dans le sorcier, lui donne plus d'autorité. Car son office devient indispensable pour pallier les effets d'une force terrible qui peut se retourner contre le maladroit qui l'a déchaînée mal à propos. C'est là ce qui se passe dans toute expérimentation magique : les coïncidences fortuites sont prises pour des faits normaux et les faits contradictoires sont niés.

Néanmoins, on s'est toujours préoccupé très vivement de citer, à l'appui de la croyance à la magie, des exemples précis, datés, localisés. Mais, là où nous avons sur la question toute une littérature, en Chine ou dans l'Europe du Moyen Age, on constate que les mêmes récits passent sempiternellement de textes en textes. Ce sont des preuves traditionnelles, des contes magiques anecdotiques, qui ne sont pas différents de ceux par lesquels s'entretient, dans toute l'humanité, la croyance à la magie. Observons que ces soi-disant anecdotes sont étrangement monotones. C'est que, dans tout ceci, il n'y a aucun sophisme conscient, il y a seulement exclusive pré-possession. Les preuves traditionnelles suffisent ; on croit aux contes magiques comme aux mythes. Même dans le cas où le conte magique est une plaisanterie, c'en est une qui peut toujours mal tourner. La croyance à la magie est donc quasi obligatoire, *a priori*, et parfaitement analogue à celle qui s'attache à la religion.

Cette croyance existe à la fois chez le sorcier et dans la société. Mais comment est-il possible que le magicien croie à une magie dont il est constamment à même d'apprécier, à leur juste valeur, les moyens et les effets ? C'est ici que nous rencontrons la grave question de la supercherie et de la simulation en magie.

Pour la traiter, prenons l'exemple des sorciers australiens. Parmi les agents de magie, il en est peu qui semblent avoir été plus convaincus de l'efficacité de leurs rites. Mais les meilleurs auteurs nous attestent aussi que, jamais, pour aucun des rites pratiqués dans des états normaux, le sorcier n'a vu, ni cru voir, l'effet mécanique de ses actes. Considérons les méthodes de magie noire. Elles peuvent, en Australie, se réduire presque à trois types, pratiqués ou concurremment ou isolément dans les diverses tribus. Le premier type, le plus répandu, est l'envoûtement proprement dit, par la destruction d'une chose qui est censée faire partie d'une personne ou la représenter, restes de nourriture, débris organiques, traces de pas, images. Il est impossible de s'imaginer que jamais le magicien ait été mis expérimentalement à même de croire qu'il tuait en brûlant un reste de nourriture mêlé de cire ou de graisse, ou en transperçant une image. Ce qui établit bien que l'illusion n'est jamais que partielle, c'est le rite mentionné par MM. Spencer et Gillen, qui consiste à percer d'abord un objet représentant l'âme de l'être incanté, pour lancer ensuite ce même objet dans la direction de sa résidence. Le deuxième type de ces rites, pratiqué tout particulièrement dans les sociétés du sud, du centre, de l'ouest, est ce qu'on peut appeler l'enlèvement de la graisse du foie. L'enchanteur est censé s'approcher de la victime endormie, lui ouvrir le flanc avec un couteau de pierre, retirer la graisse du foie, fermer la cicatrice ; il part, et l'autre meurt lentement sans s'être aperçu de rien. Il est bien évident que c'est un rite qui n'a jamais pu être vraiment pratiqué. Le troisième type, usité au nord et au centre de l'Australie, est le lancement de l'os de mort. L'enchanteur est censé frapper sa victime d'une substance mortelle. Mais, en réalité, dans quelques cas cités par M. Roth, l'arme n'est même pas lancée ; dans d'autres, elle l'est à une distance telle qu'il n'est évidemment pas possible de penser qu'elle arrive jamais au but et transmette, par contact, la mort. Souvent, on ne la voit pas partir et jamais on ne l'a vue arriver aussitôt après l'avoir lancée. Bien qu'un certain nombre de ces rites n'aient jamais pu être complètement réalisés, bien que l'efficacité des autres n'ait jamais pu être vérifiée, ils sont pourtant, nous le savons, d'un usage courant, prouvé par les meilleurs témoins, démontré par l'existence d'objets nombreux qui en sont les instruments. Qu'est-ce à dire, si ce n'est que des gestes sont pris, sincèrement mais volontairement, par des sorciers, pour des réalités, et des commencements d'actes, pour des opérations chirurgicales ? Les préliminaires du rite, la gravité des démarches, l'intensité du danger couru (car il s'agit d'approcher d'un camp où être vu c'est mourir), le sérieux de tous ces actes démontre une véritable volonté de croire. Mais il est impossible de s'imaginer que jamais sorcier australien ait ouvert le foie d'un enchanté sans le tuer sur le coup.

Cependant, à côté de cette volonté de croire, on nous atteste une croyance réelle. Les meilleurs ethnographes nous assurent que le magicien croit très profondément avoir réussi ces envoûtements. Il réussit à se mettre dans des états nerveux, cataleptiques, où il peut vraiment être en proie à toutes les illusions. En tout cas, le sorcier, qui n'a peut-être qu'une confiance mitigée dans ses propres rites, qui sait, sans aucun doute, que les soi-disant pointes de flèches incantées, extraites du corps des rhumatisants, ne sont que des cailloux qu'il tire de sa bouche, ce même sorcier recourra infailliblement aux services d'un autre homme-médecine quand il est malade et il guérira ou se laissera mourir, suivant que son médecin le condamne ou prétend le sauver. En somme, la flèche que les uns ne voient pas partir, les autres la voient arriver. Elle arrive sous forme de tourbillon, de flammes qui sillonnent l'air, sous forme de petits cailloux que, tout à l'heure, le sorcier verra extraire de son corps, alors qu'il ne les extrayait pas lui-même du corps de son malade. Le minimum de sincérité qu'on puisse attribuer au magicien, c'est qu'il croie, à tout le moins, à la magie des autres.

Ce qui est vrai pour les magies australiennes l'est pour les autres. Dans l'Europe catholique, il y a eu au moins un cas où l'aveu des sorcières n'est pas suspect d'avoir été arraché par l'inquisition du juge ; au début du Moyen Age, le juge canonique et le théologien refusaient d'admettre la réalité du vol des sorcières à la suite de Diane. Or, celles-ci, victimes de leur illusion, s'obstinaient à s'en vanter à leurs dépens, au point qu'elles ont fini par imposer leur croyance à l'Église. Chez ces gens à la fois incultes, nerveux, intelligents et légèrement dévoyés qu'ont été partout les sorciers, la croyance sincère est d'une véritable ténacité et d'une incroyable fermeté.

Cependant, nous sommes bien forcés d'admettre qu'il y a toujours eu chez eux, jusqu'à un certain point, simulation. Il n'est même pas douteux pour nous que les faits de magie comportent un « faire accroire » constant, et que même les illusions sincères du magicien ont été toujours, à quelque degré, volontaires. M. Howitt raconte, à propos des pierres de quartz que les sorciers murrings tirent de leur bouche, et dont l'esprit initiateur est censé leur farcir le corps, qu'un de ces sorciers lui disait : « Je sais à quoi m'en tenir, je sais où on les trouve » ; nous avons d'autres aveux, non moins cyniques.

Mais, dans tous les cas, il ne s'agit pas de simple supercherie. En général, la simulation du magicien est du même ordre que celle qu'on constate dans les états de névrose, et, par conséquent, elle est, en même temps que volontaire, involontaire. Quand elle est primitivement volontaire, elle devient peu à peu inconsciente et finit par produire des états d'hallucination parfaite ; le magicien se dupe lui-même, comme l'acteur qui oublie qu'il joue un rôle. En tout cas, nous avons à nous demander pourquoi il simule d'une certaine façon. Il faut bien se garder de confondre ici le magicien véritable avec les charlatans de nos foires ou les brahmanes jongleurs que nous vantent les spirites. Le magicien simule parce qu'on lui demande de simuler, parce qu'on va le trouver, et qu'on lui impose d'agir : il n'est pas libre, il est forcé de jouer, soit un rôle traditionnel, soit un rôle qui satisfasse à l'attente de son public. Il peut arriver que le magicien se vante gratuitement, mais c'est qu'il est irrésistiblement tenté par la crédulité publique. MM. Spencer et Gillen ont trouvé, chez les Aruntas, une foule de gens qui disaient avoir été aux expéditions magiques dites des *Kurdaitchas* où l'on enlève, soi-disant, la graisse du foie de l'ennemi. Un bon tiers des guerriers s'étaient, par conséquent, désarticulé les orteils, car c'est une condition de l'accomplissement du rite. D'autre part, toute la tribu avait vu, vraiment vu, des *kurdaitchas* rôder autour des camps. En réalité, la plupart n'avaient pas voulu demeurer en reste de fanfaronnades et d'aventures ; le « faire accroire » était général et réciproque dans le groupe social tout entier, parce que la crédulité y était universelle. Dans de pareils cas, le magicien ne peut pas être conçu comme un individu agissant par intérêt, pour soi et par ses propres moyens, mais comme une sorte de fonctionnaire investi, par la société, d'une autorité à laquelle il est engagé à croire lui-même. En fait, nous avons vu que le magicien était désigné par la société, ou initié par un groupe restreint, auquel celle-ci a délégué son pouvoir de créer des magiciens. Il a tout naturellement l'esprit de sa fonction, la gravité d'un magistrat ; il est sérieux, parce qu'il est pris au sérieux et il est pris au sérieux, parce qu'on a besoin de lui.

Ainsi, la croyance du magicien et celle du public ne sont pas deux choses différentes ; la première est le reflet de la seconde, puisque la simulation du magicien n'est possible qu'en raison de la crédulité publique. C'est cette croyance, que le magicien partage avec tous les siens, qui fait que ni sa propre prestidigitation, ni ses expériences infructueuses ne le font douter de la magie. Il a toujours ce minimum de foi qui est la croyance à la magie des autres, dès qu'il devient assistant ou patient. En général, s'il ne voit pas agir les causes, il voit les effets qu'elles produisent. En somme, sa croyance est sincère dans la mesure où elle est celle de tout son groupe. La magie est crue et non pas perçue. C'est un état d'âme collectif qui fait qu'elle se constate et se vérifie dans ses suites, tout en restant mystérieuse, même pour le magicien. La magie est donc, dans son ensemble, l'objet d'une croyance *a priori* ; cette croyance est une croyance collective, unanime, et c'est la nature de cette croyance qui fait que la magie peut aisément franchir le gouffre qui sépare ses données de ses conclusions.

Qui dit croyance, dit adhésion de tout l'homme à une idée et, par conséquent, état de sentiment et acte de volonté, en même temps que phénomène d'idéation. Nous sommes donc en droit de présumer que cette croyance collective à la magie nous met en présence de sentiments et de volitions unanimes dans tout un groupe, c'est-à-dire, précisément, des forces collectives que nous cherchons. Mais on pourra nous contester la théorie de la croyance dont nous nous prévalons, et nous objecter que des erreurs scientifiques individuelles, d'ordre naturellement intellectuel, peuvent, par leur propagation, donner naissance à des croyances qui deviennent unanimes à leur heure, croyances que nous n'aurons pas de raison de ne pas considérer comme collectives et qui pourtant ne procéderont pas de forces collectives ; on pourrait citer, comme exemples de semblables croyances, les croyances canoniques au géocentrisme et aux quatre éléments. Nous devons maintenant nous demander si la magie ne repose que sur des idées de ce genre, mises hors de doute par le seul fait qu'elles sont devenues universelles.

II

ANALYSE DU PHÉNOMÈNE MAGIQUE
ANALYSE DES EXPLICATIONS IDÉOLOGIQUES
DE L'EFFICACITÉ DU RITE

Nous avons rencontré, dans notre relevé des représentations magiques, les idées par lesquelles tant les magiciens que les théoriciens de la magie ont voulu expliquer la croyance à l'efficacité des rites magiques. Ce sont : 1º les formules de la sympathie ; 2º la notion de propriété ; 3º la notion de démons. Déjà nous avons vu combien peu ces notions étaient simples, et comment elles chevauchaient constamment les unes sur les autres. Nous allons voir maintenant qu'aucune d'elles n'a jamais suffi, à elle seule, à justifier, pour un magicien, sa croyance. Qu'on analyse des rites magiques, pour y trouver l'application pratique de ces diverses notions, et, l'analyse faite, il reste toujours un résidu dont le magicien a lui-même conscience.

Observons que jamais aucun magicien, aucun anthropologue non plus, n'a prétendu expressément réduire toute la magie à l'une ou à l'autre de ces idées. Ceci doit nous mettre en défiance contre toute théorie qui essayerait d'expliquer par elles la croyance magique. Observons ensuite que, si les faits magiques constituent bien une classe unique de faits, ils doivent remonter à un principe unique, seul capable de justifier la croyance dont ils sont l'objet. Si à chacune de ces représentations correspond une certaine classe de rites, à l'ensemble des rites doit correspondre une autre représentation tout à fait générale. Pour déterminer quelle peut être celle-ci, voyons dans quelle mesure chacune des notions énumérées ci-dessus manque à justifier les rites auxquels elle est spécialement attachée.

1º Nous soutenons que les formules sympathiques (le semblable produit le semblable ; la partie vaut pour le tout ; le contraire agit sur le contraire) ne suffisent pas à représenter la totalité d'un rite magique sympathique. Elles laissent en dehors d'elles un résidu qui n'est pas négligeable. Si nous ne considérons que des rites sympathiques dont nous avons des descriptions complètes, le rite suivant relaté par M. Codrington nous donne une idée assez exacte de tout leur mécanisme : « A Floride, le *mane ngghe vigona* (l'individu à *mana*, possesseur d'esprit, *vigona*), lorsqu'on désirait du calme, liait ensemble des feuilles qui étaient propriété de son *vigona* (feuilles de végétaux aquatiques ?) et les cachait dans le creux d'un arbre où il y avait de l'eau, invoquant le *vigona* avec le charme approprié. De là, de la pluie qui produisait le calme. Si c'était du soleil qu'on désirait, il liait les feuilles appropriées et des plantes grimpantes à l'extrémité d'un bambou, et les tenait sur un feu. Il attisait le feu avec un chant pour donner du *mana* au feu, et le feu donnait du *mana* aux feuilles. Puis il montait sur un arbre, et liait le bambou au plus haut de la plus haute branche ; le vent soufflant autour du flexible bambou, le *mana* se répandait de toutes parts, et le soleil se montrait » (Codrington, *The Melanesians*, p. 200, 201).

Nous ne citons cet exemple qu'à titre d'illustration concrète, car le rite sympathique est entouré d'ordinaire de tout un contexte fort important. De la présence de celui-ci, nous devons nécessairement conclure que des symbolismes ne suffisent pas à faire un rite magique. En fait, quand des magiciens, comme les alchimistes, ont imaginé sincèrement que leurs pratiques sympathiques étaient intelligibles, nous les voyons s'étonner de toutes les superfétations qui surchargent ce qu'ils concevaient abstraitement comme le schème de leur rite. « Pourquoi donc, écrit un alchimiste anonyme, dit le chrétien, tant de livres et d'invocations aux démons ; pourquoi toutes ces constructions de fourneaux et d'engins, du moment que tout est simple et facile à entendre. » Mais ce fatras dont s'étonnait notre chrétien n'est pas sans fonction. Il exprime qu'à l'idée de sympathie se superposent clairement, d'une part, l'idée d'un dégagement de force et, d'autre part, celle d'un milieu magique.

De cette idée d'une force présente, nous avons un certain nombre de signes. Ce sont d'abord les sacrifices, qui paraissent n'avoir ici d'autre but, que de créer des forces utilisables ; nous avons déjà vu que c'était là une des propriétés du sacrifice religieux. Il en est de même des prières, des invocations, des évocations, etc. ; de même encore des rites négatifs, tabous, jeûnes, etc., qui pèsent sur l'enchanteur ou sur son client, et quelquefois sur tous les deux ou même sur leur famille, rites et précautions rituelles qui marquent à la fois la présence et la fugacité de ces forces. Il faut tenir compte également de la puissance propre du magicien, des puissances qu'il amène avec lui dont l'intervention est toujours au moins possible. Quant à la cérémonie sympathique elle-même, par le seul fait qu'elle est rituelle, comme nous l'avons démontré, elle doit de toute nécessité produire à son tour des forces spéciales. En fait, les magiciens en ont eu conscience. Dans le rite mélanésien cité plus haut, nous avons vu le *mana* sortir des feuilles et monter au ciel ; dans les rites assyriens, nous avons signalé le *mâmit* qui s'en dégage. Et maintenant considérons un rite d'envoûtement dans une de ces sociétés soi-disant primitives, sans mystique, qui en sont encore à l'âge magique de l'humanité, chez lesquelles, selon M. Frazer, la loi de sympathie fonctionne régulièrement et seule, nous apercevons immédiatement non seulement la présence, mais encore le mouvement de ces forces. Voici comment, chez les Aruntas, l'envoûtement de la femme adultère est censé agir. Il y a proprement création d'une puissance mauvaise, dite *arungquiltha* ; on en charge la pierre âme (l'image n'ayant servi qu'à faire que l'âme se trompât et vînt à l'image comme elle reviendrait au corps naturel) ; cette puissance mauvaise est simplement renforcée par les gestes qui simulent la mise à mort de la femme et finalement c'est cette puissance qui est rejetée dans la direction du camp où la femme a été enlevée. Le rite exprime que l'image sympathique n'est même pas cause ; car ce n'est pas elle qu'on projette, mais bien le sort qu'on vient de forger.

Ce n'est pas tout. Dans le même cas, nous voyons qu'en plus de la fabrication d'une image, où, d'ailleurs, l'âme ne vient pas résider définitivement, le rite comporte tout un attirail d'autres images préalablement enchantées, de pierres à esprits, d'aiguilles rendues magiques bien avant la cérémonie ; enfin, qu'il se pratique dans un lieu secret et qualifié par un mythe. De cette observation que nous pouvons hardiment généraliser, nous devons conclure que la cérémonie sympathique ne se passe pas comme un acte ordinaire. Elle se fait dans un milieu spécial, constitué par tout ce qu'il y a en elle de conditions et de formes. Ce milieu est très souvent défini par des cercles d'interdictions, par des rites d'entrée et de sortie. Tout ce qui y entre est de même nature que lui ou devient de même nature. La teneur générale des gestes et des mots s'y trouve affectée. L'explication de certains rites sympathiques par les lois de la sympathie laisse donc un double résidu.

En est-il de même dans tous les cas possibles ? Quant à nous, ce résidu nous paraît essentiel au rite magique. En effet, dès que disparaît toute trace de mysticité, celui-ci entre dans la science ou dans les techniques. C'est précisément ce que nous dit notre alchimiste chrétien : comme il constate que l'alchimie répugne à devenir scientifique, il lui enjoint de se faire religieuse ; s'il est nécessaire de prier, il demande qu'on s'adresse à Dieu plutôt qu'au démon ; c'est avouer que l'alchimie et, par extension, la magie, dépendent essentiellement des puissances mystiques. Dans les cas où la formule sympathique paraît fonctionner seule, nous rencontrons au moins, avec le minimum de formes que possède tout rite, le minimum de force mystérieuse qu'il dégage, par définition ; à quoi il faut ajouter la force de la propriété active, sans laquelle, à proprement parler, comme nous l'avons dit plus haut, on ne peut concevoir de rite sympathique. D'ailleurs, nous sommes toujours en droit de penser que les prétendus rites simples ou bien ont été incomplètement observés, ou bien sont incomplètement conscients, ou bien ont souffert d'une usure telle qu'il n'y a plus lieu d'en faire état. Quant aux rites vraiment simples qui relèvent de la loi de sympathie, ce sont ceux que nous avons appelés tabous sympathiques. Or, ce sont précisément ceux qui expriment le mieux la présence, l'instabilité et la violence des forces cachées et spirituelles à l'intervention desquelles est toujours attribuée, selon nous, l'efficacité des rites magiques.

Nous venons de voir que les formules sympathiques ne sont jamais la formule complète d'un rite magique. Nous pouvons démontrer, par des faits, que, là même où elles ont été énoncées le plus clairement, elles ne sont qu'accessoires. C'est ce que nous voyons encore chez les alchimistes. Ceux-ci, en effet, nous disent formellement que leurs opérations se déduisent rationnellement de lois scientifiques. Ces lois, nous les avons vues, ce sont celles de la sympathie : l'un est le tout, tout est dans l'un, la nature triomphe de la nature ; ce sont aussi des couples de sympathies et d'antipathies particulières, enfin, tout un système compliqué de symbolismes, selon lequel ils ordonnent leurs opérations : signatures astrologiques, cosmologiques, sacrificielles, verbales, etc. Mais tout cet appareil n'est qu'une sorte de vêtement dont ils enveloppent leur technique ; ce ne sont même pas les principes imaginaires d'une science fausse. En tête de leurs livres, en tête de chaque chapitre de leurs manuels, on trouve des exposés de doctrine. Mais jamais la suite ne répond au commencement. L'idée philosophique est simplement préfixée, à la façon d'un en-tête, d'une rubrique, ou de cette allégorie de l'homme de cuivre, transformé en or par le sacrifice, dont nous avons parlé plus haut. Cette quasi-science se réduit en somme à des mythes, mythes qui, à l'occasion, fournissent des incantations. La recette expérimentale, d'ailleurs, peut en venir au même point ; il y a des formules ou des résumés algébriques d'opérations réelles, des figures d'appareils ayant effectivement servi, qui se sont transformées en signes magiques inintelligibles et ne servent plus à instituer aucune manipulation : ce ne sont plus que des incantations en puissance. En dehors de ces principes et de ces formules dont nous savons maintenant la valeur, l'alchimie n'est qu'un empirisme : on cuit, on fond, on vaporise des corps dont on connaît empiriquement, ou plutôt traditionnellement, les propriétés et les réactions. L'idée scientifique n'est qu'un titre décoratif. Il en fut de même dans la médecine. Marcellus de Bordeaux intitule une bonne partie de ses chapitres : *Remedia physica et rationabilia diversa de experimentis* ; mais nous lisons, immédiatement après ces titres, des phrases comme celle-ci : *Ad corcum carmen. In lamella stagnea scribes et ad collum suspendes haec*, etc. (Marcellus, XXI, 2).

De tout ce qui précède, il résulte que les formules de la sympathie, non seulement ne sont pas les lois des rites magiques, mais ne sont pas même les lois des rites sympathiques. Ce sont seulement des traductions abstraites de notions très générales, que nous voyons circuler dans la magie. Elles ne sont pas autre chose. La sympathie est la voie par laquelle passe la force magique ; elle n'est pas la force magique elle-même. Dans un rite magique, c'est tout ce que laisse de côté la formule sympathique qui nous paraît essentiel. Si, pour prendre encore un exemple, nous considérons des rites que M. Sydney Hartland explique comme des rites de sympathie par contact, les maléfices où la sorcière dessèche le lait d'une femme en embrassant son enfant, nous disons que la croyance populaire fait attention dans ces maléfices beaucoup moins au contact qu'au mauvais œil et à la force magique de la sorcière ou de la fée malfaisante.

2º Nous prétendons que la notion de propriété n'explique pas mieux, à elle seule, la croyance aux faits magiques, où elle semble prédominer.

En premier lieu, normalement, la notion de propriété n'y est pas seule donnée. L'emploi de choses à propriétés est, d'ordinaire, conditionné rituellement. Il y a d'abord des règles de récolte : elles prescrivent l'observance de conditions de temps, de lieu, de moyen, d'intention et autres encore si c'est possible. La plante à utiliser doit être prise sur le bord d'une rivière, dans un carrefour, à la pleine lune, à minuit, avec deux doigts, avec la main gauche, en l'abordant par la droite, après avoir fait telle et telle rencontre, sans songer à ceci ou à cela, etc. Mêmes prescriptions pour les métaux, les substances animales... Ensuite, il y a des règles d'emploi, relatives au temps, au lieu, aux quantités, sans compter tout le cortège, souvent immense, des rites qui accompagnent et qui permettent l'utilisation des qualités, comme l'application des mécanismes sympathiques. Il y a des systèmes de magie où, comme dans l'Inde, toute chose qui paraît au cérémonial magique, soit comme amulette secondaire, soit comme substance active, est obligatoirement ointe ou sacrifiée.

En second lieu, la propriété magique n'est pas conçue comme naturellement, absolument et spécifiquement inhérente à la chose à laquelle elle est attachée, mais toujours comme relativement extrinsèque et conférée. Quelquefois, elle l'est par un rite : sacrifice, bénédiction, mise en contact avec des choses lacrées ou maudites, enchantement en général. D'autres fois, s'existence de ladite propriété est expliquée par un mythe et,

dans ce cas encore, elle est considérée comme accidentelle et
acquise ; telles plantes ont poussé sous les pas du Christ ou de
Médée ; l'aconit est né des dents d'Echidna ; le balai de Donnar,
la plante de l'aigle céleste sont des choses magiques dont la
vertu n'appartient pas par nature au noisetier ou au végétal
Indou.

En général, la propriété magique, même spécifique d'une
chose, est conçue comme attachée à des caractères qui, de toute
évidence, ont été toujours regardés comme secondaires : telle
est la forme accidentelle des pierres qui ressemblent à des taros,
à des testicules de pourceaux, celui des pierres trouées, etc. ;
telle est la couleur, qui explique, dans l'Inde, la parenté qu'on
suppose entre la tête de lézard, le plomb, l'écume de rivière
et les substances malfaisantes ; tels sont encore la résistance,
le nom, la rareté, le caractère paradoxal de la présence d'un
objet en un certain endroit (météorites, haches préhistoriques),
les circonstances de la découverte, etc. La qualité magique
d'une chose lui vient donc d'une sorte de convention et il semble
bien que cette convention joue le rôle d'une espèce de mythe
ou de rite ébauché. Chaque chose à propriété est par son caractère même une manière de rite.

En troisième lieu, la notion de propriété se suffit si peu, en
magie, qu'elle se confond toujours avec une idée très générale
de force et de nature. Si l'idée de l'effet à produire est toujours
très précise, l'idée des qualités spéciales et de leurs actions
immédiates est toujours assez obscure. Par contre, nous rencontrons en magie, d'une façon parfaitement claire, l'idée de
choses ayant des vertus indéfinies : le sel, le sang, la salive,
le corail, le fer, les cristaux, les métaux précieux, le sorbier,
le bouleau, le figuier sacré, le camphre, l'encens, le tabac, etc.,
incorporent des forces magiques générales, susceptibles d'applications ou d'utilisations particulières. Les dénominations, que
les magiciens donnent aux propriétés, sont d'ailleurs, d'ordinaire, extrêmement générales et vagues : dans l'Inde, les choses
sont ou de bon augure ou de mauvais augure, et les choses de
bon augure sont des choses à *urjas* (force), *tejas* (éclat), *varcas*
(lustre, vitalité), etc. Pour les Grecs et les modernes, ce sont
des choses divines, saintes, mystérieuses, à chance, à malchance, etc. En un mot, la magie recherche les pierres philo-
sophales, les panacées, les eaux divines.

Revenons ici encore à nos alchimistes, qui se sont fait une
théorie des propriétés magiques comme des opérations sympathiques. Celles-ci sont pour eux les formes, les εἐδη d'une

nature générique, de la nature, φύσις. Si l'on dissout les εὲδη, on retrouve la φύσις. Mais, comme nous l'avons déjà dit, ils n'en restent pas à la conception abstraite de cette nature, ils la conçoivent sous la figure d'une essence, οὐσία, d'une force, δύναμις, à propriétés indéfinies, spirituelles et pourtant liées à un support corporel. Ainsi, immédiatement avec la notion de nature, nous est donnée la notion de force. Cette nature et cette force, dans leur conception la plus abstraite, sont représentées comme une sorte d'âme impersonnelle, puissance distincte des choses, qui, cependant, leur est intimement attachée, intelligente quoique inconsciente. Pour quitter les alchimistes, rappelons que, si la notion d'esprit nous a paru liée à la notion de propriété, inversement, celle-ci est reliée à celle-là. Propriété et force sont deux termes inséparables, propriété et esprit se confondent souvent : les vertus de la *pietra buccata* lui viennent du *follettino rosso*, qui s'y loge.

Derrière la notion de propriété, il y a encore la notion d'un milieu. Celui-ci est délimité par les conditions mises à l'usage des choses, conditions négatives ou positives, que nous avons déjà souvent mentionnées. Enfin, cette représentation est parfaitement exprimée dans un certain nombre de traditions, qui veulent que le contact avec un certain objet transporte immédiatement dans le monde magique : baguettes magiques, miroirs magiques, œufs pondus le vendredi saint. Cependant le résidu que nous laisse l'idée de propriété, quand nous essayons d'analyser les rites magiques comme des produits et des sommes de propriétés, est moindre que celui des formules sympathiques, parce que l'idée de propriété exprime déjà une partie de l'idée de force et de causalité magiques.

3º La théorie démonologique semble rendre mieux compte des rites où figurent des démons ; elle paraît même expliquer totalement ceux qui consistent dans un appel ou un ordre adressé à un démon. On pourrait, à la rigueur, l'étendre à la magie tout entière, tandis qu'on ne peut expliquer ce qui paraît essentiel dans les rites démoniaques par l'idée de sympathie ou par celle de propriétés magiques. En effet, d'une part, il n'y a pas de rite magique où la présence d'esprits personnels ne soit à quelque degré possible, bien qu'elle ne soit pas signalée nécessairement. D'autre part, cette théorie implique bien que la magie opère dans un milieu spécial, tout se passant nécessairement dans le monde des démons, ou, plus exactement, dans des conditions telles que la présence des démons soit possible. Enfin, elle note assez nettement un des caractères essentiels de la causalité magique, à savoir sa spiritualité. Cependant, elle a ses insuffisances.

On ne figure jamais par des démons qu'une partie des forces qui sont impliquées dans un acte magique même démoniaque. L'idée de personnes spirituelles représente mal ces forces anonymes générales, qui sont le pouvoir des magiciens, la vertu des mots, l'efficacité des gestes, la puissance du regard, de l'intention, de la fascination, de la mort, etc. Or, cette notion de pouvoir vague, que nous avons trouvée comme résidu des autres séries de représentations dans la représentation totale d'un rite magique, est tellement essentielle que jamais magie n'a pu réussir à l'exprimer en totalité, sous forme de démons, dans un rite démoniaque ; il faut qu'il en reste toujours assez pour expliquer, au moins, l'action théurgique du rite sur les démons, qui pourraient être indépendants et qui, cependant, ne sont pas libres. D'autre part, si l'idée d'esprit explique bien pour le magicien l'action à distance et l'action multipliée de son rite, elle ne lui explique pas ni l'existence de son rite ni ses particularités, gestes sympathiques, substances magiques, conditions rituelles, langages spéciaux, etc. En somme, si la théorie démonologique analyse bien une partie du résidu laissé par les autres formules, elle n'en explique qu'une partie et laisse elle-même, comme résidu, tout ce que les autres théories réussissaient presque à expliquer. Ainsi, dans les rites démoniaques, la notion d'esprit est accompagnée nécessairement d'une notion impersonnelle de pouvoir efficace.

Mais on peut se demander si cette notion de pouvoir n'est pas elle-même dérivée de la notion d'esprit. C'est une hypothèse qui n'a pas encore été soutenue, mais qui pourrait l'être dans une théorie animiste rigoureuse. Une première objection serait que l'esprit n'est pas nécessairement en magie un être actif. Tous les rites d'exorcisme, les incantations curatives, et, en particulier, les charmes dits d'origine, n'ont d'autre but que de mettre en fuite un esprit auquel on indique son nom, son histoire, l'action qu'on a sur lui. L'esprit n'est alors nullement le rouage nécessaire du rite ; il en figure simplement l'objet.

Ensuite, il ne faudrait pas exagérer l'importance qu'a la notion de personne à l'intérieur même de la classe des représentations démoniaques. Nous avons dit qu'il y avait des démons qui n'étaient rien en dehors des propriétés ou des rites qu'ils personnifient imparfaitement. Il n'entre presque rien d'autre dans leur définition, que la notion d'influence et de transport de l'effet. Ce sont des ἀπόῤῥοιαι, des effluves. Les noms mêmes des démons hindous démontrent encore leur peu d'individualité : *siddhas* (ceux qui ont obtenu le pouvoir), *vidyâdhâras* (porteurs de science) ; ceux de « prince Siddhi, prince Çakti » (puissance), ont persisté dans la magie des Malais musulmans. Les manitous algonquins sont tout aussi impersonnels. C'est ce qui paraît encore dans l'indétermination fréquente quant au nombre et quant au nom des démons. Ils forment d'ordinaire des troupes, des multitudes d'êtres anonymes (plèbes, *ganas*), souvent désignés par des sortes de noms communs. On peut même se demander s'il y a dans la classe des démons de véritables personnes, en dehors des âmes des morts, qui sont elles-mêmes rarement identifiées, et des dieux.

Nous ne pensons pas seulement que la notion de pouvoir spirituel ne dérive pas de la notion d'esprit magique, nous avons encore des raisons de croire que celle-ci dépend de celle-là. En effet, d'une part, la notion de pouvoir spirituel conduit à la notion d'esprit ; car nous voyons que le *mâmit* assyrien, le manitou algonquin et l'*orenda* iroquois, peuvent être désignés comme spirituels sans perdre pourtant leurs qualités de pouvoirs généraux. D'autre part, n'est-il pas permis de supposer que la notion d'esprit magique soit la somme de deux notions : celle d'esprit et celle de pouvoir magique, la seconde n'étant pas nécessairement l'attribut de la première ? La preuve en est que, dans la foule compacte des esprits dont une société peuple son univers, il n'y en a qu'un très petit nombre qui soient reconnus, pour ainsi dire expérimentalement, comme puissants et auxquels s'adresse la magie. C'est ce qui explique sa tendance à accaparer les dieux, en particulier les dieux détrônés ou étrangers qui sont, eux, par définition, des êtres puissants.

On voit donc que si nous étions inclinés à préférer l'explication animiste de la croyance à la magie aux autres explications, nous nous écartons cependant très sensiblement de l'hypothèse animiste ordinaire, en ce que nous considérons la notion de force spirituelle comme antérieure, en magie du moins, à la notion d'âme.

En résumé, les diverses explications par lesquelles on pourrait essayer de motiver la croyance aux actes magiques laissent un résidu que nous avons maintenant à décrire, de la même façon que nous avons décrit les éléments de la magie. C'est là que, nous avons lieu de le croire, gisent les raisons profondes de cette croyance.

Nous sommes donc arrivés de proche en proche à circonscrire ce nouvel élément que la magie superpose à ses notions impersonnelles et à ses notions d'esprit. Au point où nous en sommes, nous le concevons comme une notion supérieure à ces deux ordres de notions et telle que, si elle est donnée, les autres n'en sont que des dérivées.

Complexe, elle comprend d'abord l'idée de pouvoir ou encore mieux, comme on l'a appelée, de « potentialité magique ». C'est l'idée d'une force dont la force du magicien, la force du rite, la force de l'esprit ne sont que les expressions différentes, suivant les éléments de la magie. Car aucun de ces éléments n'agit en tant que tel, mais précisément en tant qu'il est doué, soit par convention, soit par des rites spéciaux, de ce caractère même d'être une force, et une force non mécanique, mais magique. La notion de force magique est d'ailleurs, de ce point de vue, tout à fait comparable à notre notion de force mécanique. De même que nous nommons force la cause des mouvements apparents, de même la force magique est proprement la cause des effets magiques : maladie et mort, bonheur et santé, etc.

Cette notion comprend, en outre, l'idée d'un milieu où s'exercent les pouvoirs en question. Dans ce milieu mystérieux, les choses ne se passent pas comme dans le monde des sens. La distance n'y empêche pas le contact. Les figures et les souhaits y sont immédiatement réalisés. C'est le monde du spirituel et aussi celui des esprits parce que, tout y étant spirituel, tout y peut devenir esprit. Si illimité que soit ce pouvoir, et si transcendant que soit ce monde, les choses s'y passent cependant suivant des lois, relations nécessaires posées entre les choses, relations de mots et de signes à objets représentés, lois de sympathie en général, lois des propriétés susceptibles d'être codifiées par des classifications semblables à celles qui ont été étudiées dans l'*Année Sociologique*. Cette notion de force et cette notion de milieu sont inséparables ; elles coïncident absolument et sont exprimées en même temps par les mêmes moyens. En effet, les formes rituelles, c'est-à-dire les dispositions qui ont pour objet de créer la force magique, sont aussi celles qui créent le milieu et le circonscrivent, avant, pendant et après la cérémonie. Donc, si notre analyse est exacte, nous retrouvons à la base de la magie une représentation singulièrement confuse et tout à fait étrangère à nos entendements d'adultes européens.

Or, c'est par les procédés discursifs de pareils entendements individuels que la science des religions a jusqu'ici tenté d'expliquer la magie. En effet, la théorie sympathique se réfère aux raisonnements analogiques, ou, ce qui revient au même, à l'association des idées ; la théorie démonologique se réfère à l'expérience individuelle de la conscience et du rêve ; et, d'autre part, la représentation des propriétés est d'ordinaire conçue comme résultant soit d'expériences, soit de raisonnements analogiques, soit d'erreurs scientifiques. Cette idée composite de force et de milieu échappe, au contraire, aux catégories rigides et abstraites de notre langage et de notre raison. Du point de vue d'une psychologie intellectualiste de l'individu, elle serait une absurdité. Voyons si une psychologie non intellectualiste de l'homme en collectivité ne pourra pas en admettre et en expliquer l'existence.

III

LE MANA

Une semblable notion existe, en réalité, dans un certain nombre de sociétés. Même, par un retour logique, le fait qu'elle fonctionne, nommément, dans la magie, relativement différenciée déjà, de deux des groupes ethniques que nous considérons spécialement, démontre le bien-fondé de notre analyse.

Cette notion est celle que nous avons trouvée désignée en Mélanésie sous le nom de *mana*. Nulle part elle n'est mieux observable et, par bonheur, elle a été admirablement observée et décrite par M. Codrington (*The Melanesians*, p. 119 et suiv., p. 191 et suiv., etc.). Le mot de *mana* est commun à toutes les langues mélanésiennes proprement dites et même à la plupart des langues polynésiennes. Le *mana* n'est pas simplement une force, un être, c'est encore une action, une qualité et un état. En d'autres termes, le mot est à la fois un substantif, un adjectif, un verbe. On dit d'un objet qu'il est *mana*, pour dire qu'il a cette qualité ; et dans ce cas, le mot est une sorte d'adjectif (on ne peut pas le dire d'un homme). On dit d'un être, esprit, homme, pierre ou rite, qu'il a du *mana*, le « *mana* de faire ceci ou cela ». On emploie le mot *mana* aux diverses formes des diverses conjugaisons, il signifie alors avoir du *mana*, donner du *mana*, etc. En somme, ce mot subsume une foule d'idées que nous désignerions par les mots de : pouvoir de sorcier, qualité magique d'une chose, chose magique, être magique, avoir du pouvoir magique, être incanté, agir magiquement ; il nous présente, réunies sous un vocable unique, une série de notions dont nous avons entrevu la parenté, mais qui nous étaient, ailleurs, données à part. Il réalise cette confusion de l'agent, du rite et des choses qui nous a paru être fondamentale en magie.

L'idée de *mana* est une de ces idées troubles, dont nous croyons être débarrassés, et que, par conséquent, nous avons peine à concevoir. Elle est obscure et vague et pourtant d'un emploi étrangement déterminé. Elle est abstraite et générale et pourtant pleine de concret. Sa nature primitive, c'est-à-dire complexe et confuse, nous interdit d'en faire une analyse logique, nous devons nous contenter de la décrire. Pour M. Codrington, elle s'étend à l'ensemble des rites magiques et religieux, à l'ensemble des esprits magiques et religieux, à la totalité des personnes et des choses intervenant dans la totalité des rites. Le *mana* est proprement ce qui fait la valeur des choses et des gens, valeur magique, valeur religieuse et même valeur sociale. La position sociale des individus est en raison directe de l'importance de leur *mana*, tout particulièrement la position dans la société secrète ; l'importance et l'inviolabilité des tabous de propriété dépend du *mana* de l'individu qui les impose. La richesse est censée être l'effet du *mana* ; dans certaines îles, le mot de *mana* désigne même l'argent.

L'idée de *mana* se compose d'une série d'idées instables qui se confondent les unes dans les autres. Il est tour à tour et à la fois qualité, substance et activité. — En premier lieu, il est une qualité. Il est quelque chose qu'a la chose *mana* ; il n'est pas cette chose elle-même. On le décrit en disant que c'est du puissant, que c'est du lourd ; à Saa c'est du chaud, à Tanna c'est de l'étrange, de l'indélébile, du résistant, de l'extraordinaire. — En second lieu, le *mana* est une chose, une substance, une essence maniable, mais aussi indépendante. Et c'est pourquoi il ne peut être manié que par des individus à *mana*, dans un acte *mana*, c'est-à-dire par des individus qualifiés et dans un rite. Il est par nature transmissible, contagieux ; on communique le *mana* qui est dans une pierre à récolte, à d'autres pierres, en les mettant en contact avec elles. Il est représenté comme matériel : on l'entend, on le voit se dégager des choses où il réside ; le *mana* fait du bruit dans les feuilles, il s'échappe sous la forme de nuages, sous la forme de flammes. Il est susceptible de se spécialiser : il y a du *mana* à rendre riche et du *mana* à tuer. Les *mana* génériques reçoivent même des déterminations encore plus étroites : aux îles Banks, il y a un *mana* spécial, le *talamatai*, pour certaines façons d'incanter, et un autre pour les maléfices faits sur les traces des individus. — En troisième lieu, le *mana* est une force et spécialement celle des êtres spirituels, c'est-à-dire celle des âmes des ancêtres et des esprits de la nature. C'est lui qui en fait des êtres magiques. En effet, ils n'appartiennent pas à tous les esprits indistinctement. Les esprits de la nature sont, essentiellement, doués de *mana* ; mais toutes les âmes des morts ne le sont pas ; ne sont *tindalos*, c'est-à-dire esprits efficaces, que les âmes des chefs, tout au plus les âmes des chefs de famille, et même, plus spécialement, de ceux d'entre eux dont le *mana* s'est manifesté, soit pendant leur vie, soit par des miracles après leur mort. Celles-là seules méritent ce nom d'esprit puissant, les autres sont perdues dans la multitude des ombres vaines.

Nous voyons encore une fois, par là, que tous les démons sont des esprits, mais que tous les esprits ne sont pas des démons. En somme, l'idée de *mana* ne se confond pas avec l'idée d'esprit ; elles se rejoignent tout en restant profondément différentes et l'on ne peut pas expliquer, du moins en Mélanésie, la démonologie et, partant, la magie, par l'animisme seul. En voici un exemple. A Floride, quand un homme est malade, on attribue sa maladie à du *mana* qui s'empare de lui ; ce *mana* appartient à un *tindalo*, qui est lui-même en relation, d'une part, avec un magicien, *mane kisu* (doué de *mana*), qui a le même *mana*, ou le *mana* d'agir sur lui, ce qui revient au même, d'autre part, avec une plante. Car il y a un certain nombre d'espèces de plantes attachées aux différentes espèces de *tindalos* qui, par leur *mana*, sont les causes des diverses maladies. Le *tindalo* qu'il s'agit d'invoquer est désigné de la façon suivante. On prend successivement des feuilles des différentes espèces de plantes et on les froisse ; celle qui a le *mana* de la maladie qui afflige le patient se reconnaît à un bruissement particulier. On peut alors s'adresser à coup sûr au *tindalo*, c'est-à-dire au *mane kisu* possesseur du *mana* de ce *tindalo*, c'est-à-dire à l'individu qui est en relation avec lui et qui seul est capable de retirer son *mana* du malade et par suite de le guérir. En somme, ici, le *mana* est séparable du *tindalo*, puisqu'il se retrouve non seulement dans le *tindalo*, mais encore dans le malade, dans les feuilles et aussi dans le magicien. Ainsi, le *mana* existe et fonctionne d'une façon indépendante ; il reste impersonnel à côté de l'esprit personnel. Le *tindalo* est porteur du *mana*, il n'est pas le *mana*. Remarquons en passant que ce *mana* circule à l'intérieur d'une case de classification, et que les êtres qui agissent les uns sur les autres sont compris dans cette case.

Mais le *mana* n'est pas nécessairement la force attachée à un esprit. Il peut être la force d'une chose non spirituelle, comme d'une pierre à faire pousser les taros ou à féconder les porcs, d'une herbe à faire tomber la pluie, etc. Mais c'est une force spirituelle, c'est-à-dire qu'elle n'agit pas mécaniquement et qu'elle produit ses effets à distance. — Le *mana* est la force du magicien ; les noms des spécialistes qui font fonction de magiciens sont, presque partout, des composés de ce mot : *peimana, gismana, mane kisu*, etc. — Le *mana* est la force du rite. On donne même le nom de *mana* à la formule magique. Mais le rite n'est pas seulement doué de *mana*, il peut être lui-même le *mana*. C'est en tant que le magicien et le rite ont du *mana*, qu'ils peuvent agir sur les esprits à *mana*, les évoquer, les commander et les posséder. Or, quand un magicien a un *tindalo* personnel, le *mana* à l'aide duquel il agit sur son *tindalo* n'est pas réellement différent de celui par lequel agit ce *tindalo*. S'il y a donc une infinité de *manas*, nous sommes cependant amenés à penser que les divers *manas* ne sont qu'une même force, non fixée, simplement répartie entre des êtres, hommes ou esprits, des choses, des événements, etc.

Nous pouvons même arriver à élargir encore le sens de ce mot, et dire que le *mana* est la force par excellence, l'efficacité véritable des choses, qui corrobore leur action mécanique sans l'annihiler. C'est lui qui fait que le filet prend, que la maison est solide, que le canot tient bien à la mer. Dans le champ, il est la fertilité ; dans les médecines, il est la vertu salutaire ou mortelle. Dans la flèche, il est ce qui tue, et, dans ce cas, il est représenté par l'os de mort dont la tige de la flèche est munie. Remarquons que les expertises des médecins européens ont montré que les flèches empoisonnées de la Mélanésie sont simplement des flèches incantées, des flèches à *mana* ; pourtant elles sont tenues pour empoisonnées ; on voit clairement que c'est à leur *mana*, et non pas à leur pointe, qu'on attribue leur efficacité véritable. De même que dans le cas du démon, le *mana* est distinct du *tindalo*, il nous apparaît, ici encore, comme une qualité ajoutée aux choses, sans préjudice de leurs autres qualités, ou, en d'autres termes, comme une chose surajoutée aux choses. Ce surcroît, c'est l'invisible, le merveilleux, le spirituel et, en somme, l'esprit, en qui toute efficacité réside et toute vie. Il ne peut être objet d'expérience, car véritablement il absorbe l'expérience ; le rite l'ajoute aux choses et il est de même nature que le rite. M. Codrington a cru pouvoir dire qu'il était le surnaturel, mais, ailleurs, il dit, plus justement, qu'il est le surnaturel *in a way* ; c'est qu'il est à la fois surnaturel et naturel, puisqu'il est répandu dans tout le monde sensible, auquel il est hétérogène et pourtant immanent.

Cette hétérogénéité est toujours sentie et ce sentiment se manifeste quelquefois par des actes. Le *mana* est écarté de la vie vulgaire. Il est l'objet d'une révérence qui peut aller jusqu'au tabou. On peut dire que toute chose tabou a du *mana* et que beaucoup de choses *mana* sont tabou. C'est, nous l'avons dit, le *mana* du propriétaire, ou celui de son *tindalo*, qui fait la valeur du tabou de propriété qu'il impose. Il y a lieu de penser également que les lieux où se font les incantations, les pierres où se tiennent des *tindalos*, lieux et objets à *mana*, sont tabou. Le *mana* de la pierre, où réside un esprit, se saisit de l'homme qui passe sur cette pierre ou dont l'ombre la touche.

Le *mana* nous est donc donné comme quelque chose non seulement de mystérieux, mais encore de séparé. En résumé, le *mana* est d'abord une action d'un certain genre, c'est-à-dire l'action spirituelle à distance qui se produit entre des êtres sympathiques. C'est également une sorte d'éther, impondérable, communicable, et qui se répand de lui-même. Le *mana* est en outre un milieu ou, plus exactement, fonctionne dans un milieu qui est *mana*. C'est une espèce de monde interne et spécial, où tout se passe comme si le *mana* seul y était en jeu. C'est le *mana* du magicien qui agit par le *mana* du rite sur le *mana* du *tindalo*, ce qui met en branle d'autres *manas*, et ainsi de suite. Dans ces actions et réactions, il n'entre pas d'autres forces que du *mana*. Elles se produisent comme dans un cercle fermé où tout est *mana* et qui, lui-même, doit être le *mana*, si nous pouvons nous exprimer ainsi.

Ce n'est pas seulement en Mélanésie que nous rencontrons une semblable notion. Nous pouvons la reconnaître à certains indices, dans nombre de sociétés, où des recherches ultérieures ne pourront manquer de la mettre en lumière. En premier lieu, nous constatons son existence chez d'autres peuples de langue malayo-polynésienne : chez les Malais des Détroits, on la trouve désignée par un mot d'origine arabe qui vient d'une racine sémitique dont le sens est plus restreint, *kramât* (transcription de M. Skeat) de h*rm*, qui signifie sacré. Il y a des choses, des lieux, des moments, des bêtes, des esprits, des hommes, des sorciers, qui sont *kramât*, qui ont du *kramât* ; et ce sont les puissances *kramât* qui agissent. Plus au nord, dans l'Indochine française, les Ba-hnars expriment certainement une idée analogue à celle

de *mana* quand ils disent que la sorcière est une personne *deng*,
qu'elle a le *deng*, et qu'elle *deng* les choses. On nous dit qu'ils
spéculent à l'infini sur cette notion de *deng*. A l'autre extrémité
de l'aire d'extension des langues malayo-polynésiennes, dans
tout Madagascar, le mot de *hasina*, dont l'étymologie est inconnue,
désigne à la fois une qualité de certaines choses, un attribut
de certains êtres, animaux et hommes, de la reine en particulier,
et les rites que commande cette qualité. La reine était
masina, elle avait du *hasina*, le tribut qu'on lui donnait, le serment
qu'on prêtait en son nom étaient des *hasinas*. Nous sommes
persuadés que des analyses plus précises de la magie néo-zélandaise,
où le *mana* joue un rôle, ou bien de celle des Dayaks,
dont l'homme-médecine porte le nom de *manang*, donneraient
les mêmes résultats que l'étude de la magie mélanésienne.

Le monde malayo-polynésien n'a pas le privilège de cette
notion. Dans l'Amérique du Nord, elle nous est signalée sur
un certain nombre de points. Chez les Hurons (Iroquois), elle
est désignée sous le nom d'*orenda*. Les autres Iroquois semblent
l'avoir désignée par des mots de même racine. M. Hewitt,
Huron de naissance et ethnographe distingué, nous en a donné
une précieuse description, description plutôt qu'analyse, car
l'*orenda* n'est pas plus facile à analyser que le *mana* (*American
Anthropologist*, 1902, nouv. série, IV, I, p. 32-46).

C'est une idée trop générale et trop vague, trop concrète,
embrassant trop de choses et de qualités obscures pour que
nous puissions sans peine nous familiariser avec elle. L'*orenda*,
c'est du pouvoir, du pouvoir mystique. Il n'est rien dans la
nature, et, plus spécialement, il n'est pas d'être animé qui n'ait
son *orenda*. Les dieux, les esprits, les hommes, les bêtes sont
doués d'*orenda*. Les phénomènes naturels, comme l'orage, sont
produits par l'*orenda* des esprits de ces phénomènes. Le chasseur
heureux est celui dont l'*orenda* a battu l'*orenda* du gibier.
L'*orenda* des animaux difficiles à prendre est dit intelligent et
malin. On voit partout, chez les Hurons, des luttes d'*orendas*,
comme on voit, en Mélanésie, des luttes de *manas*. L'*orenda*,
lui aussi, est distinct des choses auxquelles il est attaché, à tel
point qu'on peut l'exhaler et le lancer : l'esprit faiseur d'orages
lance son *orenda* représenté par les nuages. L'*orenda* est le son
qu'émettent les choses ; les animaux qui crient, les oiseaux qui
chantent, les arbres qui bruissent, le vent qui souffle expriment
leur *orenda*. De même la voix de l'enchanteur est de l'*orenda*.
L'*orenda* des choses est une sorte d'incantation. Justement, le
nom Huron de la formule orale n'est autre qu'*orenda*, et d'ail-

leurs *orenda* signifie, au sens propre, prières et chants. Ce sens du mot nous est confirmé par celui des mots correspondants dans les autres dialectes iroquois. Mais si l'incantation est l'*orenda* par excellence, M. Hewitt nous dit expressément que tout rite est aussi *orenda* ; par là encore, l'*orenda* se rapproche du *mana*. L'*orenda* est surtout le pouvoir du chamane. Celui-ci est appelé *rareñ' diowá'ne*, quelqu'un dont l'*orenda* est grand et puissant. Un prophète ou diseur de sorts *ratreñ'dáts* ou *halreñ'dótha*, est quelqu'un qui, habituellement, exhale ou effuse son *orenda* et a ainsi appris les secrets du futur. C'est l'*orenda* qui est efficace en magie. « Tout ce qu'elle emploie est dit être possédé de l'*orenda*, agir par lui et non en vertu de propriétés physiques. C'est lui qui fait la force des charmes, amulettes, fétiches, mascottes, porte-bonheur, et, si l'on veut, médecines. » On le voit spécialement fonctionner dans le maléfice. Toute la magie, en somme, sort de l'*orenda*.

Nous avons un indice qui permet de croire que l'*orenda* agit suivant les classifications symboliques. « La cigale est appelée le *mûrisseur de maïs*, car elle chante les jours de chaleur, c'est que c'est son *orenda* qui fait venir la chaleur, qui fait pousser le maïs ; le lièvre « chante » et son *orenda* a pouvoir sur la neige *(controlled the snow)* ; même la hauteur où il mange les feuilles du buisson détermine la hauteur où la neige tombera *(sic)*. » Or, le lièvre est le totem d'un clan de l'une des phratries des Hurons et ce clan a le pouvoir de faire venir le brouillard et de faire tomber la neige. C'est donc l'*orenda* qui unit les divers termes des classes où sont rangés, d'une part, le lièvre, son clan totémique, le brouillard, la neige, et, d'autre part, la cigale, la chaleur, le maïs. Il joue, dans la classification, le rôle de moyen-cause. Ces textes nous donnent en outre une idée de la façon dont les Iroquois se représentent la causalité. Pour eux, la cause par excellence, c'est la voix. En résumé, l'*orenda* n'est ni le pouvoir matériel, ni l'âme, ni l'esprit individuel, ni la vigueur et la force ; M. Hewitt établit, en effet, qu'il existe d'autres termes pour désigner ces diverses idées ; et il définit justement l'*orenda* : « Une puissance ou une potentialité hypothétique de produire des effets d'une façon mystique. »

La fameuse notion du *manitou*, chez les Algonquins, en particulier chez les Ojibways, répond suffisamment au fond à notre *mana* mélanésien. Le mot de manitou désigne en effet à la fois, suivant le père Thavenet, auteur d'un excellent dictionnaire français, encore manuscrit, de langue algonquine, non pas un esprit, mais toute espèce d'êtres, de forces et de qualités magiques ou religieuses (Tesa, *Studi del Thavenet*, Pise, 1881, p. 17). « Il veut dire être, substance, être animé, et il est bien certain qu'à quelque degré tout être ayant une âme est un manitou. Mais il désigne plus particulièrement tout être qui n'a pas encore un nom commun, qui n'est pas familier : d'une salamandre une femme disait qu'elle avait peur, c'était un manitou ; on se moque d'elle en lui disant le nom. Les perles des trafiquants sont les écailles d'un manitou, et le drap, cette chose merveilleuse, est la peau d'un manitou. Un manitou est un individu qui fait des choses extraordinaires, le schaman est un manitou ; les plantes ont du manitou ; et un sorcier montrant une dent de serpent à sonnettes disait qu'elle était manitou ; lorsqu'on trouva qu'elle ne tuait pas, il dit qu'elle n'avait plus de manitou. »

D'après M. Hewitt, chez les Sioux, les mots de mahopa, χube (Omaha), wakan (Dakota), signifient aussi le pouvoir et la qualité magiques.

Chez les Shoshones en général, le mot de *pokunt* a, selon M. Hewitt, la même valeur, le même sens que le mot de manitou chez les Algonquins ; et M. Fewkes, l'observateur des Hopis ou Mokis, affirme que, chez les Pueblos en général, la même notion est à la base de tous les rites magiques et religieux. M. Mooney semble nous en désigner un équivalent chez les Kiowas.

Sous le terme de *naual*, au Mexique et dans l'Amérique centrale, nous croyons reconnaître une notion correspondante. Elle y est si persistante et si étendue qu'on a voulu en faire la caractéristique de tous les systèmes religieux et magiques, que l'on a appelée du nom de nagualisme. Le *naual* est un totem, d'ordinaire individuel. Mais il est plus ; c'est une espèce d'un genre beaucoup plus vaste. Le sorcier est *naual*, c'est un *naualli* ; le *naual* est spécialement son pouvoir de se métamorphoser, sa métamorphose et son incarnation. On voit par là que le totem individuel, l'espèce animale associée à l'individu lors de sa naissance paraît n'être qu'une des formes du *naual*. Étymologiquement, le mot, selon M. Seler, signifie science secrète ; et tous ses divers sens et ses dérivés se rattachent au sens originaire de pensée et d'esprit. Dans les textes nauhatls, le mot signifie ce qui est caché, enveloppé, déguisé. Ainsi, cette notion nous apparaît comme étant celle d'un pouvoir spirituel, mystérieux et séparé, qui est bien celui que suppose la magie.

En Australie, on rencontre une notion du même genre ; mais précisément elle est restreinte à la magie et même, plus particulièrement, au maléfice. La tribu de Perth lui donne le nom de *boolya*. Dans la Nouvelle-Galles du Sud, les noirs désignent par le mot *koochie* le mauvais esprit, la mauvaise influence personnelle ou impersonnelle, et qui a probablement la même extension. C'est encore l'*arungquiltha* des Aruntas. Ce « pouvoir malin » qui se dégage des rites d'envoûtement est à la fois une qualité, une force et une chose existant par soi-même que les mythes décrivent et à laquelle ils attribuent une origine.

La rareté des exemplaires connus de cette notion de force-milieu magique ne doit pas nous faire douter qu'elle ait été universelle. Nous sommes en effet bien mal informés sur ce genre de faits ; depuis trois siècles qu'on connaît les Iroquois, voilà seulement un an que notre attention a été appelée sur l'*orenda*. D'ailleurs, cette notion peut avoir existé sans avoir été exprimée : un peuple n'a pas plus besoin de formuler une pareille idée que d'énoncer les règles de sa grammaire. En magie, comme en religion, comme en linguistique, ce sont les idées inconscientes qui agissent. Ou bien certains peuples n'ont pas pris distinctement conscience de cette idée, ou bien certains autres ont dépassé le stade intellectuel où elle peut fonctionner normalement. De toutes façons, ils n'ont pu en donner une expression adéquate. Les uns ont vidé leur ancienne notion de pouvoir magique d'une partie de son premier contenu mystique ; elle est alors devenue à demi scientifique ; c'est le cas de la Grèce. Les autres, après avoir constitué une dogmatique, une mythologie, une démonologie complètes, sont arrivés à si bien réduire tout ce qu'il y avait de flottant et d'obscur dans leurs représentations magiques à des termes mythiques, qu'ils ont remplacé, au moins en apparence, le pouvoir magique, partout où il fallait l'expliquer, par le démon, les démons ou par des entités métaphysiques. C'est le cas de l'Inde. Ils l'ont fait en somme à peu près disparaître.

Pourtant, nous en retrouvons encore des traces. Elles subsistent, dans l'Inde, morcelées, sous le nom d'éclat, de gloire, de force, de destruction, de sort, de remède, de vertu des plantes. Enfin, la notion fondamentale du panthéisme hindou, celle de *brahman*, s'y relie, supposons-nous, par des attaches profondes et semble même la perpétuer, si du moins nous admettons, par hypothèse, que le *brahman* védique et celui des Upanisads et de la philosophie hindoue sont identiques. Bref, il nous semble qu'il s'est produit une véritable métempsycose des notions, dont nous voyons le commencement et la fin, sans saisir les phases intermédiaires. Dans les textes védiques, des plus anciens aux plus récents, le mot de *bráhman*, neutre, veut dire prière, formule, charme, rite, pouvoir magique ou religieux du rite. De plus, le prêtre magicien porte le nom de *brahmán*, masculin. Il n'y a entre les deux mots qu'une différence certes suffisante pour marquer une diversité de fonctions, mais insuffisante pour marquer une opposition de notions. La caste brahmanique est celle des *bráhmanas*, c'est-à-dire des hommes qui ont du *bráhman*. Le *bráhman* est ce par quoi agissent les hommes et les dieux et c'est, plus spécialement, la voix. En outre, on trouve déjà quelques textes qui disent qu'il est la substance, le cœur des choses *(pratyantam)* ce qu'il y a de plus intérieur : ce sont justement des textes atharvaniques, c'est-à-dire des textes du Veda des magiciens. Mais déjà cette notion se confond avec celle du dieu Brahmâ, nom masculin tiré du thème *bráhman*, qui commence à paraître. A partir des textes théosophiques, le *bráhman* rituel disparaît, il ne reste plus que le *bráhman* métaphysique. Le *bráhman* devient le principe actif, distinct et immanent, du tout du monde. Le *bráhman* est le réel, tout le reste n'est qu'illusion. Il en résulte que quiconque se transporte au sein du *brahman* par la mystique *(yoga* : union) devient un *yogin*, un *yogîçvara*, un *siddha*, c'est-à-dire a obtenu tous les pouvoirs magiques *(siddhi* : obtention) et par là, dit-on, se met en état de créer des mondes. Le *brahman* est le principe premier, total, séparé, animé et inerte de l'univers. Il est la quintessence. Il est encore le triple Veda et aussi le quatrième, c'est-à-dire la religion et la magie.

Dans l'Inde, le fond mystique de la notion a seul subsisté. En Grèce, il n'en subsiste plus guère que l'ossature scientifique. Nous l'y trouvons sous l'aspect de la φύσις à laquelle s'arrêtent en dernière analyse les alchimistes, et aussi de la δύναμις, ressort dernier de l'astrologie, de la physique et de la magie. La δύναμις est l'action de la φύσις et celle-ci est l'acte de la δύναμις. Et on peut définir la φύσις comme une espèce d'âme matérielle, non individuelle, transmissible, une sorte d'intelligence inconsciente des choses. Elle est, en somme, encore très voisine du *mana*.

Nous sommes donc en droit de conclure que partout a existé une notion qui enveloppe celle du pouvoir magique. C'est celle d'une efficacité pure, qui est cependant une substance matérielle et localisable, en même temps que spirituelle, qui agit à distance et pourtant par connexion directe, sinon par contact, mobile et mouvante sans se mouvoir, impersonnelle et revêtant des formes personnelles, divisible et continue. Nos idées vagues de chance et de quintessence sont de pâles survivances de cette notion beaucoup plus riche. C'est aussi, comme nous l'avons vu, en même temps qu'une force, un milieu, un monde séparé et cependant ajouté à l'autre. On pourrait dire encore, pour mieux exprimer comment le monde de la magie se superpose à l'autre sans s'en détacher, que tout s'y passe comme s'il était construit sur une quatrième dimension de l'espace, dont une notion comme celle de *mana* exprimerait, pour ainsi dire, l'existence occulte. L'image s'applique même si bien à la magie que les magiciens modernes, dès que fut découverte la géométrie à plus de trois dimensions, se sont emparés de ses spéculations pour légitimer leurs rites et leurs idées.

Cette notion rend bien compte de ce qui se passe dans la magie. Elle fonde cette idée nécessaire d'une sphère superposée à la réalité, où se passent les rites, où le magicien pénètre, qu'animent les esprits, que sillonnent les effluves magiques. D'autre part, elle légitime le pouvoir du magicien, elle justifie la nécessité des actes formels, la vertu créatrice des mots, les connexions sympathiques, les transferts de qualités et d'influences. Elle explique enfin la présence des esprits et leur intervention, puisqu'elle fait concevoir toute force magique comme spirituelle. Enfin, elle motive la croyance générale qui s'attache à la magie, puisque c'est à elle qu'est réduite la magie, quand on la dépouille de ses enveloppes, et elle alimente cette même croyance, puisque c'est elle qui anime toutes les formes dont la magie se revêt.

Par elle, la vérité de la magie est mise hors de toute discussion et le doute même tourne en sa faveur. Cette notion est en effet la condition même de l'expérimentation magique, et permet d'interpréter les faits les plus défavorables au bénéfice du préjugé. En fait, elle échappe elle-même à tout examen. Elle est donnée *a priori*, préalablement à toute expérience. A proprement parler, elle n'est pas, en effet, une représentation de la magie comme le sont la sympathie, les démons, les propriétés magiques. Elle régit les représentations magiques, elle est leur condition, leur forme nécessaire. Elle fonctionne à la façon d'une catégorie, elle rend possibles les idées magiques comme les catégories rendent possibles les idées humaines. Ce rôle, que nous lui attribuons, de catégorie inconsciente de l'entendement, est justement exprimé par les faits. Nous avons vu combien il était rare qu'elle arrivât à la conscience, et plus rare encore qu'elle y trouvât son expression. C'est qu'elle est inhérente à la magie comme le postulatum d'Euclide est inhérent à notre conception de l'espace.

Mais il est bien entendu que cette catégorie n'est pas donnée dans l'entendement individuel, comme le sont les catégories de temps et d'espaces ; la preuve en est qu'elle a pu être fortement réduite par les progrès de la civilisation et qu'elle varie dans sa teneur avec les sociétés et avec les diverses phases de la vie d'une même société. Elle n'existe dans la conscience des individus qu'en raison même de l'existence de la société, à la façon des idées de justice ou de valeur ; nous dirions volontiers que c'est une catégorie de la pensée collective.

De notre analyse il résulte aussi que la notion de *mana* est du même ordre que la notion de sacré. D'abord, dans un certain nombre de cas, les deux notions se confondent : notamment chez les Algonquins, l'idée de manitou, chez les Iroquois, l'idée d'*orenda*, en Mélanésie, l'idée de *mana*, sont aussi bien magiques que religieuses. En outre, nous avons vu, en Mélanésie, qu'il existe des relations entre la notion de *mana* et celle de tabou ; nous avons vu qu'un certain nombre de choses à *mana* étaient tabou, mais que n'étaient tabou que des choses à *mana*. De même chez les Algonquins, si tous les dieux sont des manitous, tous les manitous ne sont pas dieux. Par conséquent, non seulement la notion de *mana* est plus générale que celle de sacré, mais encore celle-ci est comprise dans celle-là, celle-ci se découpe sur celle-là. Il est probablement exact de dire que le sacré est une espèce dont le *mana* est le genre. Ainsi, sous les rites magiques, nous aurions trouvé mieux que la notion de sacré que nous y cherchions, nous en aurions retrouvé la souche.

Mais nous revenons au dilemme de notre préface. Ou la magie est un phénomène social et la notion de sacré est bien un phénomène social, ou la magie n'est pas un phénomène social et alors la notion de sacré ne l'est pas davantage. Sans vouloir entrer ici dans des considérations sur la notion de sacré prise en elle-même, nous pouvons faire un certain nombre de remarques tendant à démontrer le caractère social à la fois de la magie et de la notion de *mana*. La qualité de *mana*, ou de sacré, s'attache à des choses qui ont une position tout spécialement définie dans la société, à tel point qu'elles sont souvent considérées comme mises hors du domaine et de l'usage commun. Or, ces choses tiennent dans la magie une place considérable ; elles sont ses forces vives.

Des êtres et des choses qui, par excellence, sont magiques, ce sont les âmes des morts et tout ce qui touche à la mort : témoin le caractère éminemment magique de la pratique universelle de l'évocation des morts, témoin la vertu partout attribuée à la main du mort dont le contact rend invisible comme le mort lui-même, et mille autres faits encore. Ces mêmes morts sont également l'objet des rites funéraires, quelquefois des cultes ancestraux dans lesquels se marque combien leur condition est différente de celle des vivants. Nous dira-t-on que, dans certaines sociétés, la magie n'à pas affaire à tous les morts, mais surtout à ceux qui sont morts de mort violente, aux criminels en particulier ? C'est une preuve de plus de ce que nous voulons montrer ; car ceux-là sont l'objet de croyances et de rites qui en font des êtres tout à fait différents, non seulement des mortels, mais encore des autres morts. Mais, en général, tous les morts, cadavres et esprits, forment, par rapport aux vivants, un monde à part, où le magicien puise ses pouvoirs de mort, ses maléfices.

De même les femmes, dont le rôle en magie est théoriquement si important, ne sont crues magiciennes, dépositrices de pouvoirs, qu'à cause de la particularité de leur position sociale. Elles sont réputées qualitativement différentes des hommes et douées de pouvoirs spécifiques : les menstrues, les actions mystérieuses du sexe et de la gestation ne sont que les signes des qualités qu'on leur prête. La société, celle des hommes, nourrit à l'égard des femmes de forts sentiments sociaux que, de leur côté, elles respectent et même partagent. De là leur situation juridique, spécialement leur situation religieuse différente ou inférieure. Mais c'est précisément ce qui fait qu'elles sont vouées à la magie et que celle-ci leur donne une position inverse de celle qu'elles occupent dans la religion. Les femmes dégagent constamment des influences malignes. *Nirrtir hi strî* « la femme c'est la mort », disent les vieux textes brahmaniques *Maitrayânî samhitâ*, 1, 10, 11). C'est la misère et la sorcellerie. Elles ont le mauvais œil. Voilà pourquoi, si l'activité des femmes, en magie, est moindre que les hommes ne l'ont faite, elle est cependant plus grande que celle qu'elles ont eue en religion.

Comme le montrent ces deux exemples, la valeur magique des choses résulte de la position relative qu'elles occupent dans la société ou par rapport à celle-ci. Les deux notions de vertu

magique et de position sociale coïncident dans la mesure où
c'est l'une qui fait l'autre. Il s'agit toujours au fond, en magie,
de valeurs respectives reconnues par la société. Ces valeurs ne
tiennent pas, en réalité, aux qualités intrinsèques des choses
et des personnes, mais à la place et au rang qui leur sont attri-
bués par l'opinion publique souveraine, par ses préjugés. Elles
sont sociales et non pas expérimentales. C'est ce que prouvent
excellemment la puissance magique des mots et le fait que,
souvent, la vertu magique des choses tient à leur nom ; d'où il
résulte que, dépendant des dialectes et des langues, les valeurs
en question sont tribales et nationales. Ainsi, les choses et les
êtres, et les actes, sont ordonnés hiérarchiquement, se com-
mandent les uns les autres et c'est suivant cet ordre que se
produisent les actions magiques, quand elles vont du magicien
à une classe d'esprits, de celle-ci à une autre classe, et ainsi
de suite, jusqu'à l'effet. Ce qui nous a séduits dans le mot de
« potentialité magique » que M. Hewitt applique aux notions
de *mana* et d'*orenda*, c'est qu'il implique précisément l'existence
d'une sorte de potentiel magique, et, en effet, c'est bien ce que
nous venons de décrire. Ce que nous appelions place relative
ou valeur respective des choses, nous pourrions l'appeler aussi
bien différence de potentiel. Car c'est en vertu de ces différences
qu'elles agissent les unes sur les autres. Il ne nous suffit donc pas
de dire que la qualité de *mana* s'attache à certaines choses en
raison de leur position relative dans la société, mais il nous faut
dire que l'idée de *mana* n'est rien autre que l'idée de ces valeurs,
de ces différences de potentiel. C'est là le tout de la notion qui
fonde la magie et, partant, de la magie. Il va de soi qu'une
pareille notion n'a pas de raison d'être en dehors de la société,
qu'elle est absurde au point de vue de la raison pure et qu'elle
ne résulte que du fonctionnement de la vie collective.

Nous ne voyons pas, dans ces hiérarchies de notions, dominées par l'idée de *mana*, le produit de multiples conventions
artificielles conclues entre individus, magiciens et profanes,
puis, traditionnellement acceptées au nom de la raison, bien
qu'elles fussent entachées d'erreurs originelles. Bien au contraire,
nous croyons que la magie est, comme la religion, affaire de
sentiments. Nous dirons, plus exactement, pour employer le
langage abstrus de la théologie moderne, que la magie, comme
la religion, est un jeu de « jugements de valeur », c'est-à-dire
d'aphorismes sentimentaux, attribuant des qualités diverses
aux divers objets qui entrent dans son système. Mais ces jugements de valeur ne sont pas l'œuvre des esprits individuels ; ils

sont l'expression de sentiments sociaux qui se sont formés, tantôt fatalement et universellement, tantôt fortuitement, à l'égard de certaines choses, choisies pour la plupart d'une façon arbitraire, plantes et animaux, professions et sexes, astres, météores, éléments, phénomènes physiques, accidents du sol, matières, etc. La notion de *mana*, comme la notion de sacré, n'est en dernière analyse que l'espèce de catégorie de la pensée collective qui fonde ces jugements, qui impose un classement des choses, sépare les unes, unit les autres, établit des lignes d'influence ou des limites d'isolement.

IV

LES ÉTATS COLLECTIFS
ET LES FORCES COLLECTIVES

Nous pourrions nous arrêter ici et dire que la magie est un phénomène social, puisque nous avons retrouvé, derrière toutes ses manifestations, une notion collective. Mais, telle qu'elle nous apparaît maintenant, cette notion de *mana* nous semble encore trop détachée du mécanisme de la vie sociale ; elle est encore quelque chose de trop intellectuel ; nous ne voyons pas d'où elle vient, sur quel fond elle s'est formée. Nous allons donc tenter de remonter plus haut, jusqu'à des forces, forces collectives, dont nous dirons que la magie est le produit et l'idée de *mana* l'expression.

Pour cela, considérons, un instant, les représentations et les opérations magiques comme des jugements. Et nous avons le droit de le faire, car toute espèce de représentation magique peut prendre la forme d'un jugement, et toute espèce d'opération magique procède d'un jugement, sinon d'un raisonnement. Prenons, comme exemples, les propositions suivantes : le magicien lévite son corps astral ; le nuage est produit par la fumée de tel végétal ; l'esprit est mû par le rite. Nous allons voir d'une façon toute dialectique, toute critique, si l'on veut, en employant le langage, un peu obscur mais·commode de Kant, que de pareils jugements ne s'expliquent que dans la société et par son intervention.

Sont-ce des jugements analytiques ? On peut se le demander en effet, parce que les magiciens qui ont fait la théorie de la magie, et les anthropologues à leur suite, ont essayé de les réduire à des termes d'analyse. Le magicien, disent-ils, raisonne du même au même quand il applique la loi de sympa-

thie, réfléchit sur ses pouvoirs, ou sur ses esprits auxiliaires.
Le rite meut l'esprit, par définition ; le magicien lévite son
corps astral, parce que, ce corps, c'est lui-même ; la fumée du
végétal aquatique fait venir le nuage, parce qu'elle est le nuage.
Mais nous avons précisément établi que cette réduction en
jugements analytiques est toute théorique et que les choses
se passent autrement dans l'esprit du magicien. Celui-ci introduit toujours, dans ses jugements, un terme hétérogène, irréductible à son analyse logique, force, pouvoir, φύσις ou *mana*.
La notion d'efficacité magique est toujours présente, et c'est
elle qui, loin d'être accessoire, joue, en quelque sorte, le rôle
que joue la copule dans la proposition. C'est elle qui pose l'idée
magique, lui donne son être, sa réalité, sa vérité, et l'on sait
qu'elle est considérable.

Continuons encore à imiter les philosophes. Les jugements
magiques sont-ils des jugements synthétiques *a posteriori* ? Les
synthèses sur lesquelles ils reposent sont-elles présentées toutes
faites par l'expérience individuelle ? Mais, nous l'avons vu,
l'expérience sensible n'a jamais fourni la preuve d'un jugement
magique ; la réalité objective n'a jamais imposé à l'esprit aucune
proposition du genre de celles que nous formulions plus haut. Il
est évident qu'on n'a jamais vu qu'avec les yeux de la foi un
corps astral, une fumée qui fait pleuvoir, et, à plus forte raison,
un esprit invisible obéissant à un rite.

Dira-t-on que ces propositions sont l'objet d'expériences subjectives, soit des intéressés, soit des magiciens ? Dira-t-on que
les premiers voient les choses se réaliser parce qu'ils les désirent,
et que les seconds ont des extases, des hallucinations, des rêves,
où des synthèses impossibles deviennent naturelles. Certes,
nous sommes bien loin de nier l'importance du désir et du rêve
en magie ; nous ne faisons que différer le moment d'en parler.
Mais si nous admettons, pour un moment, qu'il y ait là deux
sources d'expériences, dont la jonction donnerait la magie,
nous verrons bien vite, si nous ne considérons que des individus
que, en fait, elles ne s'harmonisent pas dans leurs esprits.
Représentons-nous, si c'est possible, l'état d'esprit d'un Australien malade qui fait quérir le sorcier. Évidemment, il se passe
en lui une série de phénomènes de suggestion qui font qu'il
guérira d'espoir, ou qu'il se laissera mourir, s'il se croit condamné.
A côté de lui, le chamane danse, tombe en catalepsie et rêve.
Son rêve l'emmène dans l'au-delà ; il en revient encore tout
ému d'un long voyage dans le monde des âmes, des animaux, des esprits, et, par un habile escamotage, il finit par

extraire du corps du patient un petit caillou, qu'il dit être le charme, cause de la maladie. Il y a bien dans ce fait deux expériences subjectives. Mais, entre le rêve de l'un et le désir de l'autre il y a discordance. Sauf le tour de passe-passe de la fin, le magicien ne fait rien qui réponde aux besoins, aux idées de son client. Les deux états, fort intenses, des deux individus ne coïncident en somme qu'au moment de la prestidigitation. Il n'y a donc plus, à ce moment unique, de véritable expérience psychologique, ni du côté du magicien, qui ne peut se faire illusion à ce point, ni du côté de son client ; car la prétendue expérience de celui-ci n'est plus qu'une erreur de perception, hors d'état de résister à la critique et, par conséquent, d'être répétée, si elle n'était entretenue par la tradition ou par un acte de foi constant. Des états subjectifs individuels, aussi mal ajustés que ceux que nous venons de signaler, ne peuvent expliquer à eux seuls l'objectivité, la généralité, le caractère apodictique des aphorismes magiques.

Ceux-ci échappent à la critique parce qu'on ne peut pas vouloir les examiner. Partout où nous voyons fonctionner la magie, les jugements magiques sont antérieurs aux expériences magiques ; ce sont des canons de rites ou des chaînes de représentations ; les expériences ne sont faites que pour les confirmer et ne réussissent presque jamais à les infirmer. On nous objectera que c'est peut-être le fait de l'histoire et de la tradition et que, à l'origine de chaque mythe ou de chaque rite, il y a eu de véritables expériences individuelles. Nous n'avons pas besoin de poursuivre nos contradicteurs sur le terrain des causes premières, parce que, nous l'avons dit, les croyances magiques particulières sont dominées par une croyance générale à la magie qui, elle, échappe aux prises de la psychologie individuelle. Or, c'est cette croyance qui permet d'objectiver les idées subjectives, et de généraliser les illusions individuelles. C'est elle qui confère au jugement magique son caractère affirmatif, nécessaire et absolu. Bref, en tant qu'ils se présentent dans les esprits individuels, même à leur début, les jugements magiques sont, comme on dit, des jugements synthétiques *a priori* presque parfaits. On relie les termes avant toute espèce d'expérience. Qu'on nous entende bien, nous ne disons pas que la magie ne fait jamais appel à l'analyse ou à l'expérience, mais nous disons qu'elle est très faiblement analytique, faiblement expérimentale, et presque totalement *a priori*.

Mais par qui cette synthèse est-elle opérée ? Peut-elle l'être par l'individu ? En réalité on ne voit pas qu'il ait jamais lieu de la faire. Car les jugements magiques ne nous sont donnés qu'à l'état de préjugés, de prescriptions, et c'est sous cette forme qu'ils se rencontrent dans l'esprit des individus. Mais écartons un instant cet argument de fait. Nous ne pouvons pas concevoir de jugement magique qui ne soit l'objet d'une affirmation collective. Il y a toujours au moins deux individus pour le poser : le magicien qui fait le rite et l'intéressé qui y croit, ou encore, dans les cas de magie populaire, pratiquée par des individus, celui qui enseigne la recette, et celui qui la pratique. Ce couple théorique irréductible, forme bel et bien une société. Normalement d'ailleurs, le jugement magique reçoit l'adhésion de groupes étendus de sociétés et de civilisations entières. Quand il y a jugement magique, il y a synthèse collective, croyance unanime, à un moment donné, dans une société, à la vérité de certaines idées, à l'efficacité de certains gestes. Certes, nous ne pensons pas que les idées associées dans ces synthèses ne puissent s'associer et ne s'associent pas en fait dans l'entendement individuel ; l'idée de l'hydropisie suggérait naturellement aux magiciens hindous l'idée de l'eau. Il serait absurde de supposer que, dans la magie, la pensée s'écarte des lois de l'association des idées ; ces idées qui y forment cercles s'appellent et, surtout, ne sont pas contradictoires. Mais les associations naturelles d'idées rendent simplement possibles les jugements magiques. Ceux-ci sont tout autre chose qu'un défilé d'images : ce sont de véritables préceptes impératifs, qui impliquent une croyance positive à l'objectivité des enchaînements d'idées qu'ils constituent. Dans l'esprit d'un individu considéré comme isolé, il n'y a rien qui puisse l'obliger à associer, d'une façon aussi catégorique que le fait la magie, les mots ou les gestes, ou les instruments avec les effets désirés si ce n'est l'expérience, dont nous venons précisément de constater l'impuissance. Ce qui impose un jugement magique, c'est une quasi-convention qui établit, préjudiciellement, que le signe crée la chose, la partie, le tout, le mot l'événement, et ainsi de suite. En effet, l'essentiel est que les mêmes associations se reproduisent nécessairement dans l'esprit de plusieurs individus ou plutôt d'une masse d'individus. La généralité et l'apriorisme des jugements magiques nous paraissent être la marque de leur origine collective.

Or, il n'y a que des besoins collectifs ressentis par tout un groupe, qui puissent forcer tous les individus de ce groupe à opérer, dans le même temps, la même synthèse. La croyance de tous, la foi, est l'effet du besoin de tous, de leurs désirs unanimes. Le jugement magique est l'objet d'un consentement social, traduction d'un besoin social, sous la pression duquel se déclenche toute une série de phénomènes de psychologie collective : le besoin ressenti par tous suggère à tous la fin ; entre ces deux termes, une infinité de moyens termes sont possibles (de là la variété extrême des rites employés pour un même objet) ; entre ceux-ci, le choix s'impose ; et il vient soit de la tradition, soit de l'autorité d'un magicien en renom, soit de la poussée unanime et brusque de tout le groupe. C'est parce que l'effet désiré par tous est constaté par tous que le moyen est reconnu apte à produire l'effet ; c'est parce qu'ils désiraient la guérison des fiévreux que l'aspersion d'eau froide, le contact sympathique avec une grenouille, semblaient aux Hindous, qui avaient recours aux brahmans de l'Atharvaveda, des antagonistes suffisants de la fièvre tierce ou quarte. En définitive, c'est toujours la société qui se paie elle-même de la fausse monnaie de son rêve. La synthèse de la cause et de l'effet ne se produit que dans l'opinion publique. Hors de cette façon de concevoir la magie, on ne peut se la figurer que comme une chaîne d'absurdités et d'erreurs propagées, dont on comprendrait mal l'invention, et jamais la propagation.

Nous devons considérer la magie comme un système d'inductions *a priori*, opérées sous la pression du besoin par des groupes d'individus. D'ailleurs, on pourrait se demander si bon nombre des généralisations hâtives qu'a connues l'humanité, ne furent pas opérées dans de pareilles conditions, et si la magie n'en fut pas responsable. Il y a plus, ne serait-ce pas dans la magie que les hommes ont appris à induire ? Car, pour hasarder une hypothèse un peu radicale de psychologie individuelle, il ne nous semble pas que l'individu isolé, ou même l'espèce humaine puissent véritablement induire ; ils ne peuvent que contracter des habitudes ou des instincts, ce qui revient à abolir toute réflexion sur les actes.

Débarrassée de toute hypothèse simpliste, notre démonstration paraîtra plus probante encore, si nous rappelons que toutes les affirmations magiques, même les plus particulières, reposent sur une affirmation parfaitement générale, celle du pouvoir magique, contenue elle-même dans celle du *mana*. Idée dont nous avons précisément vu que tout, matière et forme, était collectif ; qu'elle ne comprenait rien d'intellectuel, ni d'expérimental, sinon la sensation de l'existence même de la société et de ses préjugés. Or, c'est cette idée, ou plutôt cette catégorie, qui explique la possibilité logique du jugement

magique et en fait cesser l'absurdité. Il est remarquable que
cette notion obscure, très mal dégagée du vague des états affectifs, presque intraduisible en termes abstraits et inconcevable
pour nous, soit précisément celle qui fait de la magie, pour
ses adeptes, quelque chose de clair, de rationnel, et, à l'occasion, de scientifique. Car pour peu qu'on sous-entende l'idée
de *mana* dans toute espèce de proposition magique, celle-ci
devient, par le fait même analytique. Dans la proposition : la
fumée des herbes aquatiques produit le nuage, insérons après
le sujet le mot *mana*, et nous obtenons immédiatement l'identité : fumée à *mana* = nuage. Non seulement cette idée transforme les jugements magiques en jugements analytiques, mais
elle les fait devenir, d'*a priori*, *a posteriori*, parce qu'elle domine
l'expérience elle-même et la conditionne. Non seulement, grâce
à elle, le rêve magique est devenu rationnel, mais encore, il
se confond avec la réalité. C'est la foi du malade au pouvoir
du magicien qui fait qu'il sent effectivement l'extraction de sa
maladie.

On voit par là combien nous sommes loin de substituer à un
mysticisme psychologique un mysticisme sociologique. D'abord
ces besoins collectifs ne conduisent pas à la formation d'instincts dont nous ne connaissons pas d'autre exemple, en sociologie, que l'instinct de sociabilité, condition première de tout le
reste. Ensuite nous ne connaissons pas de sentiment collectif
pur ; les forces collectives que nous cherchons à déceler produisent des manifestations qui, toujours, pour partie, sont
rationnelles ou intellectuelles. Grâce à la notion de *mana*, la
magie, domaine du désir, est pleine de rationalisme.

Ainsi, pour que la magie existe, il faut que la société soit
présente. Nous allons maintenant essayer d'établir qu'elle l'est
et comment elle l'est.

On considère, en général, que les contraintes et les prohibitions sont la marque significative de l'action directe de la
société. Or, si la magie ne consiste pas en notions et en rites
obligatoires, mais en idées communes et en rites facultatifs,
si, par conséquent, nous n'y pouvons trouver aucune contrainte
expresse, nous n'en avons pas moins constaté l'existence de
prohibitions, ou tout au moins de rétentions observées par
des groupes entiers à l'égard de certaines choses et de certains
actes. Il y en a, en effet, qui sont parfaitement propres à la
magie et qui probablement s'y sont produites. Ce sont en particulier les faits que nous avons appelés les tabous de sym-

pathie et ceux qu'on peut appeler tabous de mélange. En voici des exemples : Une femme enceinte ne doit pas regarder un meurtrier, la maison d'un mort ; régulièrement, des tabous pèsent, chez les Cherokees, non pas simplement sur le patient, mais encore sur le magicien, sur toute la famille et tous les voisins. Nous avons vu que ces prescriptions constituaient de véritables rites négatifs qui, pour n'être pas parfaitement obligatoires, n'en sont pas moins imposés à l'observance de tous. A vrai dire, ce n'est pas la société qui les sanctionne elle-même par des actes spéciaux ; les tabous magiques dont nous parlons n'ont que des sanctions mécaniques ; ils se protègent eux-mêmes par les effets nécessaires qui suivent leur violation. Mais, néanmoins, c'est bien la société qui impose l'idée de ces effets nécessaires et qui l'entretient.

Les rites négatifs isolés, les précautions populaires ne sont pas les seules prohibitions qu'édicte la magie. Souvent, nous l'avons vu, le rite positif est accompagné de tout un cortège de rites négatifs. Ce sont, en particulier, ceux que nous avons décrits comme préparant à la cérémonie rituelle. Le magicien ou le couple magique qui jeûnent, restent chastes, ou se purifient avant d'opérer, témoignent, par là, qu'ils sentent une sorte d'incompatibilité entre les choses auxquelles ils vont toucher, ou qu'ils vont faire, et la condition où ils se trouvent dans la vie banale. Ils éprouvent une résistance et la magie n'est pas, pour eux, une porte ouverte. D'autres interdictions, d'autres appréhensions, que marquent les rites de sortie, s'opposent à ce qu'ils quittent, sans autres formes, le monde anormal où ils sont entrés. D'ailleurs, ils n'y étaient pas restés indemnes ; comme le sacrifice, la magie exige et produit une altération, une modification de l'esprit. Celle-ci se traduit par la solennité des gestes, le changement de la voix et, même, par l'adoption d'un nouveau langage, celui des esprits et des dieux. Les rites négatifs de la magie forment donc une espèce de seuil où l'individu abdique pour n'être plus qu'un personnage.

Il y a d'ailleurs, en magie comme en religion, entre les rites négatifs et les rites positifs des corrélations étroites. Nous supposons, sans pouvoir actuellement le démontrer d'une façon satisfaisante, que tout rite positif, toute qualité positive correspondent nécessairement à un rite négatif ou à une qualité négative ; par exemple, le tabou du fer correspond aux qualités magiques du forgeron. Si facultatif que soit un rite positif, il se relie, plus ou moins directement, à un rite négatif qui,

lui, est ou obligatoire, ou tout au moins conçu comme sanctionné
par des effets mécaniques, inéluctables. Êtres et actes, agents
et mythes, dans la magie comme dans la religion, il n'y a pour
ainsi dire rien qui ne soit ainsi entouré, presque interdit. Les
choses magiques les plus vulgaires, les êtres magiques les plus
familiers, le rebouteux de village, un fer à cheval inspirent
toujours une sorte de respect. Le rite magique le plus simple,
la plus innocente des séances spirites ne vont pas sans appréhension ; il y a toujours hésitation, inhibition passagère produite
souvent par la répugnance que la religion commande. En même
temps que la magie attire, elle repousse. Nous en revenons ici
au secret, au mystère dont elle s'enveloppe, qui nous a paru sa
marque distinctive quand nous la définissions et où nous voyons
maintenant le signe des forces collectives qui la créent. La
magie a donc son système d'interdictions rituelles bien à elle,
et si peu adventice qu'il contribue à la caractériser. En outre,
la magie se solidarise étroitement avec tout le système des
interdictions collectives, y compris les interdictions religieuses ;
et cela à tel point qu'on ne sait pas toujours si le caractère
magique résulte de l'interdiction, ou l'interdiction du caractère
magique. Ainsi, les restes de repas sont magiques, parce qu'ils
sont tabous, et ils sont tabous parce qu'on craint la magie
à laquelle ils peuvent servir. La magie a une véritable prédilection pour les choses interdites. La cure des tabous violés, sources
de maladies ou de malchances, est l'une de ses spécialités,
par laquelle elle fait concurrence à la fonction expiatoire de
la religion. Elle exploite également à son usage les violations
des tabous, et fait cas de tous les détritus dont la religion proscrit l'emploi, restes sacrificiels qui devraient être consommés
ou brûlés, menstrues, sang, etc. C'est de cette façon que la magie,
dans sa partie négative dont nous venons de voir les faces
multiples, nous apparaît comme l'œuvre même de la collectivité. Celle-ci seule est capable de légiférer ainsi, de poser les
prohibitions et d'entretenir les répugnances derrière lesquelles
la magie s'abrite.

Outre que ces dernières sont observées socialement, on se
demande ce qui, dans cet être théorique qu'est l'individu isolé,
pourrait créer et nourrir de pareilles appréhensions. L'expérience répétée de ce qui est, en général, nuisible à l'espèce
n'aboutirait qu'à lui donner des instincts qui le prémuni-
raient contre des dangers réels. Mais il ne s'agit pas de cela ;
l'esprit est peuplé de craintes chimériques, qui ne proviennent
que de l'exaltation mutuelle des individus associés. En effet,

si la chimère magique est universelle, l'objet des craintes varie selon des groupes sociaux. Celles-ci, produites par l'agitation collective, par une espèce de convention involontaire, se transmettent traditionnellement. Elles sont toujours spéciales à des sociétés données. La superstition que l'on pourrait croire la plus répandue de toutes, celle du mauvais œil, ne se trouve expressément ni en Australie, ni en Mélanésie, ni dans l'Amérique du Nord, ni même, sous une forme claire, dans l'Inde ancienne et moderne non islamisée.

Nous sommes donc arrivés à penser qu'il y a, à la racine même de la magie, des états affectifs, générateurs d'illusions, et que ces états ne sont pas individuels, mais qu'ils résultent du mélange des sentiments propres de l'individu aux sentiments de toute la société. On voit dans quelle mesure nous nous rapprochons de la théorie proposée par M. Lehmann. Celui-ci, se plaçant au point de vue de la psychologie individuelle, explique, on le sait, la magie par des erreurs de perception, des illusions, des hallucinations d'une part, et, d'autre part, par des états émotifs, aigus ou subconscients, d'attente, de prépossession, d'excitabilité ; les uns et les autres allant de l'automatisme psychologique simple jusqu'à l'hypnose.

Comme lui, nous voyons dans les attentes et les illusions qu'elles produisent les phénomènes capitaux de la magie. Même les rites les plus vulgaires, qui s'accomplissent le plus machinalement, s'accompagnent toujours d'un minimum d'émotions, d'appréhensions et surtout d'espoirs. La force magique du désir est si consciente qu'une bonne partie de la magie ne consiste qu'en désirs : la magie du mauvais œil, celle des eulogies, celle des euphémismes, celle des souhaits et, en somme, presque toute celle des incantations. D'autre part, nous avons vu que la direction d'intention et le choix arbitraire, qui jouent un rôle prépondérant dans la détermination du rituel et des croyances magiques particulières, viennent d'attentions exclusives et d'états de monoïdéisme. C'est ce qu'on voit, par exemple, dans les cas où un même objet peut servir à deux rites contraires, comme le bois d'*arka*, dont on enfouit les charbons ardents pour faire cesser l'orage (l'éclair, *arka*) ou dont on étale un bûcher pour faire venir le soleil *(arka)*. Une même idée peut, à volonté, être dirigée dans deux sens différents, sans contradiction. L'attention est généralement si intense chez les agents des rites et chez leurs assistants, ils la sentent, d'autre part, si précieuse qu'ils ne peuvent admettre qu'elle soit, un seul instant, détournée sans dommage. Toute interruption du rite le brise et en gâche l'effet : les séances spirites ne souffrent pas la distraction. Un des thèmes fréquents des contes de magie populaire témoigne bien de la valeur attachée à la continuité de l'attention dans les rites : c'est celui de la demande d'emprunt faite au milieu d'un rite et, en particulier, d'un rite de contre-magie exercé contre une sorcière : une vieille femme survient, c'est la sorcière ; elle demande qu'on lui prête un objet usuel, et, si on l'écoute, le charme est rompu.

Nous admettons donc, comme M. Lehmann, que la magie implique l'excitabilité mentale de l'individu et qu'il se développe, par exemple chez le chercheur d'eau, une espèce d'hyperesthésie. Mais nous nions que le magicien puisse arriver tout seul à cet état et que lui-même se sente isolé. Derrière Moïse qui tâte le rocher, il y a tout Israël et, si Moïse doute, Israël ne doute pas ; derrière le sourcier de village qui suit son bâton, il y a l'anxiété du village en quête de sources. L'état de l'individu est, pour nous, toujours conditionné par l'état de la société. Ce qui nous explique la théorie d'un psychologue comme M. Lehmann, c'est que la part de la société, dans la magie moderne, est à peu près entièrement subconsciente. Il a pu ne pas l'apercevoir et, par suite, la négliger. Nous convenons aussi que, dans nos civilisations, il est rare que ce qui reste de la magie traditionnelle s'accomplisse en groupe. Mais il ne faut pas considérer comme fondamentales ces formes cadavérisées et pauvres. C'est dans les sociétés primitives chez lesquelles les phénomènes sont plus complexes et plus riches, qu'il faut rechercher les faits qui expliquent les origines et qui sont collectifs. Au surplus, l'expérience des psychologues est loin de nous démentir ; car, toutes les fois qu'ils ont pu observer des faits magiques de nouvelle formation, ils auraient pu constater qu'ils se produisent toujours dans des réunions sympathiques, au sein de petites chapelles de spirites et d'occultistes.

Mais nous connaissons des sociétés où la collaboration magique est normale. Dans toute l'aire d'extension des langues et de la civilisation malayo-polynésiennes, des séries de rites magiques fort importants, ceux de la chasse, de la pêche, de la guerre, s'accomplissent en groupe. Ces rites sont accompagnés normalement de rites négatifs observés par toute la société. Parmi ces observances, les plus remarquables et les plus développées sont des tabous de pureté. La plus stricte chasteté est imposée à la femme pendant l'absence de son mari guerroyant, chassant ou pêchant. Tout ce qui troublerait l'ordre domestique, la paix du village, compromettrait la vie ou le succès des absents. Il y a une solidarité étroite entre eux et ceux qui sont restés à la maison. La conscience de cette solidarité se manifeste par des dispositions légales qui, à Madagascar en particulier, aboutissent à une législation spéciale de l'adultère ; ce crime domestique n'entraîne en temps de paix que des sanctions civiles ; en temps de guerre, il est puni de mort. Ces pratiques collectives ne sont pas d'ailleurs propres au monde malayo-polynésien. Elles y sont simplement mieux conservées. Au surplus, leur absence dans d'autres magies n'a rien qui doive nous étonner, car ce sont choses mal définies et instables, dont la transformation a dû être très rapide : ailleurs, elles ont été sanctionnées par la religion, absorbées par elle, ou bien se sont décomposées, un peu au hasard, en pratiques populaires, individuellement accomplies, dont l'origine n'est plus apparente. Une foule de rites sympathiques négatifs de la vie agricole ou pastorale dont le caractère arbitraire nous intrigue, doivent être les ruines de pareils systèmes de rites collectifs.

Les observances négatives dont nous parlons dénotent que les rites qui en sont entourés n'affectent pas seulement ceux qui les exécutent, mais encore tous leurs associés naturels. Ce sont des actes publics, sous lesquels il y a des états de la mentalité publique. C'est tout un milieu social qui est ému, par cela seul que dans une de ses parties se passe un acte magique. Il se forme autour de cet acte un cercle de spectateurs passionnés, que le spectacle immobilise, absorbe et hypnotise. Ils ne se sentent pas moins acteurs que spectateurs de la comédie magique, tel le chœur dans le drame antique. La société tout entière est dans l'état d'attente et de prépossession où nous voyons encore chez nous les chasseurs, les pêcheurs, les joueurs, dont les superstitions sont légendaires. La réunion de tout un groupe ainsi affecté forme un terrain mental où fleurissent les fausses perceptions, les illusions immédiatement propagées, les constatations de miracles qui en sont la conséquence. Les membres de ces groupes sont des expérimentateurs qui ont accumulé toutes les chances d'erreurs possibles. Il sont dans un état constant d'aberration où, pour tous en même temps, tout rapport accidentel peut devenir une loi, toute coïncidence, une règle.

La collaboration magique ne se borne pas d'ailleurs à l'immobilité ou à l'abstention. Il arrive que le groupe tout entier se mette en mouvement. Le chœur des spectateurs ne se contente plus d'être un acteur muet. Au rite négatif de magie publique s'ajoutent, dans ces mêmes sociétés malayo-polynésiennes, des rites publics de magie positive. Le groupe poursuit, par son mouvement unanime, son but unique et préconçu. Pour Madagascar, les anciens textes nous disent que, pendant l'expédition des hommes, les femmes devaient autrefois veiller sans rémission, entretenir constamment le feu et danser continuellement. Ces rites positifs, encore plus instables que les rites négatifs, ont disparu chez les Hovas. Mais ils ont subsisté ailleurs : chez les Dayaks par exemple, quand les hommes sont à la chasse aux têtes, les femmes portent des sabres qu'elles ne doivent pas laisser tomber ; tout le village, vieillards et enfants compris, doit se lever tôt, parce que, au loin, le guerrier se lève tôt. Dans les tribus maritimes de la Nouvelle-Guinée, pendant la chasse, la pêche, la guerre où vont les hommes, la danse des femmes dure toute la nuit. Il y a bien, dans ces pratiques, des faits de *savage telepathy*, comme dit M. Frazer, mais de télépathie active. Tout le corps social est animé d'un même mouvement. Il n'y a plus d'individus. Ils sont, pour ainsi dire, les pièces d'une machine ou, mieux encore, les rayons d'une roue, dont la ronde magique, dansante et chantante, serait l'image idéale, probablement primitive, certainement reproduite encore de nos jours dans les cas cités, et ailleurs encore. Ce mouvement rythmique, uniforme et continu, est l'expression immédiate d'un état mental où la conscience de chacun est accaparée par un seul sentiment, une seule idée, hallucinante, celle du but commun. Tous les corps ont le même branle, tous les visages ont le même masque, toutes les voix ont le même cri ; sans compter la profondeur de l'impression produite par la cadence, la musique et le chant. A voir sur toutes les figures l'image de son désir, à entendre dans toutes les bouches la preuve de sa certitude, chacun se sent emporté, sans résistance possible, dans la conviction de tous. Confondus dans le transport de leur danse, dans la fièvre de leur agitation, ils ne forment plus qu'un seul corps et qu'une seule âme. C'est alors seulement que le corps social est véritablement réalisé. Car, à ce moment, ses cellules, les individus, sont aussi peu isolées peut-être que celles de l'organisme individuel. Dans de pareilles conditions (qui, dans nos sociétés, ne sont plus réalisées, même par nos foules les plus surexcitées, mais que l'on constate encore ailleurs), le consentement universel peut créer des réalités. Toutes ces femmes dayaks qui dansent et portent des sabres sont, en fait, à la guerre ; elles la font ainsi et c'est pour cela qu'elles croient au succès de leur rite. Les lois de la psychologie collective violent ici les lois de la psychologie individuelle. Toute la série des phénomènes, normalement successifs, volition, idée, mouvement musculaire, satisfaction du désir, deviennent alors absolument simultanés. C'est parce que la société gesticule que la croyance magique s'impose et c'est à cause de la croyance magique que la société gesticule. On n'est plus en présence d'individus isolés qui croient, chacun pour soi, à leur magie, mais en présence du groupe entier qui croit à la sienne.

Mais, dans la vie des sociétés, de pareils phénomènes où, pour ainsi dire, se fabrique consciemment du social, sont nécessairement rares. Sans que la société ait besoin de se donner tout ce mouvement, des états mentaux analogues peuvent se produire. C'est ce que montrent très bien les descriptions connues de rites destinés à procurer la pluie. Chez les Pitta-Pitta du Queensland central, lorsqu'elle désire la pluie, la société ne se borne pas à assister de loin aux opérations du chef et du groupe des sorciers qui, entre autres rites, éclaboussent les bâtons à eau ; la cérémonie faite, tous chantent en chœur avec eux, sur les bords de la mare, et, de retour au camp, se grattent à qui mieux mieux, pendant une journée tout entière, tandis que le chant continue, monotone. Dans de pareils rites, la société n'agit que pour partie. Il y a, pour ainsi dire, division du travail mental et du travail manuel entre un groupe de suggestionneurs et un groupe de suggestionnés. Mais ces deux groupes sont naturellement et parfaitement solidaires. S'ils se sont séparés, si le contact a cessé, l'union sympathique subsiste pour se produire à distance, les actions et les réactions mentales n'en sont pas moins violentes. Chez les acteurs, comme chez les spectateurs-acteurs, nous trouvons les mêmes idées, les mêmes illusions, les mêmes volontés, qui font leur magie commune.

Il y a lieu de généraliser cette observation. La présence de la société autour du magicien, qui paraît cesser quand il se retire dans son enclos, est, au contraire, à ce moment même, plus réelle que jamais, car c'est elle qui l'y pousse pour s'y recueillir, et ne lui permet d'en sortir que pour agir. L'impatience du groupe, par laquelle il est lui-même surexcité, lui livre le groupe ; celui-ci est prêt à se laisser fasciner par toutes les simulations dont le magicien est, quelquefois, la première victime. Cette attente fébrile et les anticipations qu'elle produit se comprennent, si l'on songe qu'il s'agit de besoins économiques communs qui sont terriblement pressants, pour toutes les tribus agricoles ou pastorales, même chasseresses, en tout cas, pour tout peuple qui vit sous des climats continentaux. Un conte, recueilli par Mrs. Langloh Parker dans l'Australie centrale, nous décrit admirablement l'état d'âme de toute une tribu qui a besoin de pluie, la façon dont elle oblige son sorcier à opérer, et l'influence reconnue à ce sorcier, influence qui va jusqu'à déchaîner un déluge, qu'il finit par arrêter.

De même que la magie des faiseurs de pluie, qui se fait partiellement en public, la magie médicale, qui se fait en famille, nous permet de constater des états sociaux fort bien caractérisés. On y voit un groupe social minime, il est vrai, mais un groupe organisé, avec un chef qui est toute autorité et tout pouvoir, le magicien, et un embryon de foule qui est toute attente, toute crainte, tout espoir, toute crédulité et toute illusion. L'action suggestive d'une partie de ce milieu sur l'autre est immanquable. On peut encore voir, de nos jours, se produire de ces états de groupes élémentaires dans la magie médicale des Malais, même hindouisés, même islamisés. A Bornéo, autour des Détroits, chez les Chames, en Indochine, nous trouvons toujours la famille, la sorcière ou le sorcier, le patient formant, au moment de la consultation, une espèce de congrès spirite, où l'administration des médecines n'est, en somme, qu'un moment fort secondaire des opérations. On peut admettre, en général, que les rites médicaux sont au plus haut point suggestifs, non seulement pour le malade, sur l'état duquel nous sommes bien informés, mais encore pour l'assistance dont l'esprit est tendu, et que les gestes du magicien, ses transes quelquefois, fascinent et frappent au plus profond de l'âme.

Parmi les faits que nous venons de citer, les rites médicaux ont un caractère magique probablement indiscutable et répondent suffisamment à la définition que nous avons donnée des rites magiques ; mais les autres rites et, en particulier, ceux où nous avons vu se développer les états sociaux les plus parfaits, ont un caractère public, obligatoire, et par suite répondent mal à cette définition. Serions-nous donc arrivés à donner une explication de la magie qui n'en serait plus une, puisque les phénomènes sociaux, où nous croyons trouver son explication, se produisent au cours de rites qui sont précisément publics, non pas parce qu'ils sont magiques, mais parce qu'ils répondent à des besoins publics, et qui, par conséquent, semblent porter plutôt la marque de la religiosité et du culte ? Nous aurions donc expliqué le caractère collectif non pas de la magie, mais de la religion, et nous ferions la faute logique de prétendre que celui-ci rend

compte de celui-là. Après avoir distingué soigneusement magie
et religion, après être restés constamment dans le domaine de
la magie, nous nous serions introduits subrepticement dans le
domaine de la religion. Mais, répondant à cette objection, nous
soutenons que les faits en question ne sont pas exclusivement
religieux. Même, ils n'ont pas paru tels à la plupart des historiens et des théoriciens qui nous ont précédés, puisque ceux-ci
les font généralement figurer parmi les faits magiques. Ce qui
est sûr, c'est qu'ils sont la souche de faits magiques, et qu'ils
sont, en réalité, au moment même où ils sont accomplis, en
partie magiques. En effet, si l'on peut dire que les rites des
faiseurs de pluie sont quasi religieux, on ne peut nier que le
rôle principal y soit joué par un personnage qui précisément,
en général, fait aussi l'office de sorcier maléficiant.

Restent donc les rites où nous ne voyons pas de magicien,
qui sont accomplis en chœur par tous les membres du groupe.
Ceux-là ne sont qu'en partie religieux. S'ils ont donné, autre
part, naissance à des cultes, nous ne les voyons pas apparaître,
là où nous les observons, sous la forme de cultes organisés.
Nous n'y trouvons qu'une sorte de tonalité religieuse. Dans ce
milieu, la religion peut naître ; elle n'en est pas encore sortie.
D'autre part, dans ces rites, nous voyons réalisés au moins deux
des caractères de la magie, caractères secondaires il est vrai,
à savoir : la contrainte et l'efficacité mécanique directe, sans
intermédiaires spirituels différenciés. Enfin, nous nous croyons
autorisés à penser que nous sommes justement en présence de
faits qui perpétuent ceux où a dû se former la notion de *mana*.
Les femmes dayaks, dans leur danse de guerre, opèrent fatalement, toutes ensemble, cette synthèse qu'est un jugement
magique, synthèse qui implique la notion de *mana*. Leur danse
est en effet leur manière de collaborer à la guerre ; collaboration
sentie et crue parfaitement efficace. Pour elles, il n'y a plus ni
distance ni durée ; elles sont sur le terrain de guerre. Les formes
expérimentales de l'idée de cause n'existent plus pour elles, il
n'y a plus que la causalité magique. Leur conscience est absorbée
par la sensation de leur pouvoir et de l'impuissance des choses,
à ce point que tout démenti de l'expérience ne peut être expliqué
par elles que comme œuvre de pouvoirs contraires mais de même
nature que le leur. Leur sensibilité est absorbée par le sentiment
très vif de leur existence comme groupe de femmes et de la
relation sociale qu'elles ont à l'égard de leurs guerriers, sentiment qui se traduit sous la forme de l'idée de leur pouvoir à
elles et des relations de ce pouvoir avec celui de leurs hommes.

Tout ce que nous pouvons deviner de leur pensée est en harmonie avec l'énumération que nous avons faite des caractères de
la notion de *mana*. On pourrait dire que ces femmes sont en
proie à un monoïdéisme qui graviterait autour d'une pareille
notion, ou en d'autres termes, que leurs idées, leurs tendances
et leurs actes s'ordonnent suivant la catégorie de *mana*. Tout au
contraire, nous ne voyons pas que, dans leur esprit, soit présente cette notion précise des choses sacrées qui est le signe
de l'état religieux.

A vrai dire, la notion de *mana* ne nous a pas paru plus
magique que religieuse. Mais comme elle est, pour nous, l'idée
mère de la magie, puisque les faits que nous décrivons sont
parmi ceux qui lui correspondent le mieux, nous sommes bien
sûrs d'être en présence des faits-souches de la magie. Nous
pensons, il est vrai, que ce sont aussi les faits-souches de la religion. Nous nous réservons d'ailleurs de démontrer autre part
que l'une et l'autre viennent d'une source commune. Et, si
nous avons fait voir par l'étude de ces faits que la magie est
sortie d'états affectifs sociaux, il ne nous déplaît pas d'avoir
consolidé, du même coup, l'hypothèse que nous avions déjà
faite pour la religion.

Les faits que nous venons d'interpréter ne se sont pas produits seulement dans le monde malayo-polynésien ou océanien. Ils sont universels. Ces observances collectives qui témoignent de la solidarité magique d'une famille ou d'un groupe,
nous les retrouvons aussi en Europe. Nous en avons constaté
nous-mêmes : par exemple en plusieurs points de la France,
la femme se purge en même temps que son mari. Mais ce ne
sont plus là que des témoins d'états disparus. Ils n'expriment que faiblement l'existence d'une solidarité réelle de pensées et de sentiments entre les êtres qui pratiquent ce genre
de rites en même temps. Quant aux assemblées magiques, elles
sont également universelles et nulle part, sans doute, la foule
n'y est restée inerte. Ce genre d'assemblées et les sentiments
qu'elles produisent sont perpétués par la curiosité impatiente
des badauds qui se pressent, dans nos foires, autour des charlatans, vendeurs de panacées. Mais le peu que nous connaissons
de ces faits nous semble justifier la généralité de nos conclusions,
dont nous souhaitons que des recherches de détail, portant sur
une magie particulière, viennent un jour vérifier la justesse.
Nous sommes intimement persuadés que, à l'origine de toutes
ses manifestations, on trouverait un état de groupe, soit que
cette magie les ait empruntées à une religion ancienne ou étran

gère, soit qu'elles se soient formées sur le terrain même de la magie.

Dans tout le cours de son histoire, celle-ci provoque des états collectifs de sensibilité ; elle s'y entretient et s'y rajeunit. Les épidémies de sorcières au moyen âge sont une des meilleures preuves de la merveilleuse surexcitation sociale dont elle a été quelquefois le centre. Si l'Inquisition brûlait plus de sorcières qu'il n'y en avait réellement, elle en créait par cela même ; elle imprimait dans tous les esprits l'idée de la magie et cette idée exerçait une terrible fascination. Il s'opérait, avec une invraisemblable rapidité, de véritables conversions en masse. D'autre part, dans les pièces des procès de sorcellerie, on voit les sorciers se rechercher, s'aboucher, recruter des prosélytes et des acolytes. Ils n'ont d'initiative que quand ils sont en groupe. Il faut qu'ils soient au moins deux pour risquer des expériences douteuses. Réunis, ils prennent conscience du mystère qui les protège. Dans l'histoire de la sorcière Marie-Anne de La Ville, condamnée en 1711, nous lisons à quel point les chercheurs de trésors, qui gravitent autour d'elle, nourrissent leur foi de leur agitation mutuelle. Mais le groupe magique, si étendu qu'il soit, ne se suffit pas à lui-même. Après chaque déception des associés, il leur faut l'appoint d'espoirs tout frais, que leur apportent quelques nouvelles recrues. De même, le magicien de Moulins dont nous avons parlé déjà, le menuisier Jean Michel, retrouve ses certitudes au contact de la croyance de son juge et fait des aveux pour le plaisir de parler magie.

Ainsi, le magicien reçoit du dehors un encouragement perpétuel. La croyance à la magie, encore vivace dans certains coins de nos sociétés, encore générale il y a à peine un siècle, est le signe le plus réel et le plus vivant de cet état d'inquiétude et de sensibilité sociales, où flottent toutes les idées vagues, toutes les espérances et les craintes vaines, auxquelles ce qui subsiste de l'ancienne catégorie de *mana* donne un corps. Il y a, dans la société, un inépuisable fond de magie diffuse, auquel le magicien lui-même puise et qu'il exploite consciemment. Tout se passe comme si elle formait autour de lui, à distance, une sorte d'immense conclave magique. C'est ce qui fait que le magicien vit, pour ainsi dire, dans une atmosphère spéciale qui le suit partout. Si loin qu'il soit du siècle, il ne sent pas qu'il en soit vraiment détaché. Sa conscience d'individu est profondément altérée par ce sentiment. En tant que magicien, il n'est pas lui-même. Quand il réfléchit sur son état, il arrive à se dire que son pouvoir magique lui est étranger ; il le tient d'ailleurs, et n'en est que le dépositaire. Or, sans pouvoir, sa science d'individu est vaine. Prospero n'est pas le maître d'Ariel, son pouvoir magique, il l'a pris en charge, quand il l'a délivré de l'arbre où l'avait enfermé la sorcière Sycorax, mais à condition et à temps. Quand il le rend à l'air, à la nature et au monde, il n'est plus qu'un homme et peut brûler ses livres.

> Now my charms are all o'erthrown,
> And what strength I have's mine own ;
> Which is most faint.......

La magie s'est souvenue, tout le long de son existence, de son origine sociale. Chacun de ses éléments, agents, rites, et représentations, non seulement perpétue le souvenir de ces états collectifs originels, mais encore donne lieu à leur reproduction sous une forme atténuée. Tous les jours, la société ordonne, pour ainsi dire, de nouveaux magiciens, expérimente des rites, écoute des contes inédits, qui sont toujours les mêmes. Pour être à chaque instant interrompue, la création de la magie par la société n'en est pas moins continuée. Sans cesse se produisent, dans la vie commune, de ces émotions, de ces impressions, de ces impulsions, d'où est sortie la notion de *mana*. Sans cesse, les habitudes populaires sont dérangées par ce qui paraît troubler l'ordre des choses, sécheresse, richesse, maladie, mort, guerre, météores, pierres à formes spéciales, individus anormaux, etc. A chacun de ces heurts, à chaque perception de l'extraordinaire, la société hésite, elle cherche, elle attend. Ambroise Paré, lui-même, croyait à la vertu universelle de la pierre de Bézoar, que l'empereur Rodolphe tenait du roi de Portugal. C'est cette attitude qui fait que l'anormal est *mana*, c'est-à-dire magique ou produit de la magie. D'autre part, tout ce qui est magique est efficace, parce que l'attente de tout un groupe donne aux images que cette attente suscite, comme à celle qu'elle poursuit, une réalité hallucinante. Nous avons vu que, dans certaines sociétés, le malade abandonné par le magicien meurt. Nous le voyons aussi guérir de confiance ; car tel est le confort que peut apporter une suggestion collective et traditionnelle. Le monde du magique est peuplé des attentes successives des générations, de leurs illusions tenaces, de leurs espoirs réalisés en recettes. Il n'est au fond que cela, mais c'est ce qui lui confère une objectivité bien supérieure à celle qu'il aurait, s'il n'était qu'un tissu d'idées individuelles fausses, une science primitive et aberrante.

Mais, sur ce fond de phénomènes sociaux, il est très remarquable que, dès que la magie s'est différenciée de la religion, il ne se détache plus que des phénomènes individuels. Après avoir retrouvé des phénomènes sociaux sous la magie que nous avions définie par son caractère individualiste, il nous est facile de revenir maintenant à ce dernier. Car, s'il nous était impossible de comprendre la magie sans le groupe magique, nous pouvons, au contraire, parfaitement concevoir que le groupe magique se soit décomposé en individus. De même, on aperçoit aisément comment les besoins collectifs publics du petit groupe primitif ont fait place plus tard à des besoins individuels, très généraux. On imagine encore facilement que, une fois donnée cette suggestion définitive qu'est l'éducation et la tradition, la magie ait pu vivre comme un phénomène individuel.

Même, l'éducation magique semble avoir été, comme l'éducation scientifique ou technique, donnée le plus souvent d'individus à individus. Les formes de la transmission des rituels magiques chez les Cherokees sont des plus instructives à cet égard. Il y a eu tout un enseignement magique, des écoles de magiciens. Sans doute, pour enseigner la magie à des individus, il fallait la rendre intelligible pour des individus. On en fit alors la théorie expérimentale ou dialectique, qui négligeait naturellement les données collectives inconscientes. Les alchimistes grecs et, à leur suite, les magiciens modernes essayèrent de la déduire de principes philosophiques. D'autre part, toutes les magies, même les plus primitives, même les plus populaires, justifient leurs recettes par des expériences antérieures. De plus, les magies se sont développées par des recherches objectives, par de véritables expériences ; elles se sont enrichies progressivement de découvertes, fausses ou vraies. Ainsi s'est réduite de plus en plus la part relative de la collectivité dans la magie, à mesure que celle-ci se dépouillait elle-même de tout ce qu'elle pouvait abandonner d'*a priori* et d'irrationnel. Par là, elle s'est rapprochée des sciences et, en définitive, elle leur ressemble puisqu'elle se dit résulter de recherches expérimentales et de déductions logiques faites par des individus. Par là encore, elle ressemble également, et de plus en plus, aux techniques qui, d'ailleurs, répondent aux mêmes besoins positifs et individuels. Elle tâche de ne garder de collectif que son caractère traditionnel ; tout ce qu'elle fait de travail théorique et pratique est l'œuvre d'individus ; elle n'est plus exploitée que par des individus.

Chapitre V

CONCLUSION

La magie est donc un phénomène social. Il nous reste à montrer quelle est sa place parmi les autres phénomènes sociaux, abstraction faite des faits religieux, sur lesquels nous reviendrons. Les rapports qu'elle a avec le droit et les mœurs, avec l'économie et l'esthétique, avec le langage, pour curieux qu'ils soient, ne nous intéressent pas maintenant. Entre ces séries de faits et la magie, il n'y a que des échanges d'influences. La magie n'a de parenté véritable qu'avec la religion, d'une part, les techniques et la science, de l'autre.

Nous venons de dire que la magie tendait à ressembler aux techniques, à mesure qu'elle s'individualisait et se spécialisait dans la poursuite de ses diverses fins. Mais il y a, entre ces deux ordres de faits, plus qu'une similitude extérieure : il y a identité de fonction, puisque, comme nous l'avons vu dans notre définition, les uns et les autres tendent aux mêmes fins. Tandis que la religion tend vers la métaphysique et s'absorbe dans la création d'images idéales, la magie sort, par mille fissures, de la vie mystique où elle puise ses forces, pour se mêler à la vie laïque et y servir. Elle tend au concret, comme la religion tend à l'abstrait. Elle travaille dans le sens où travaillent nos techniques, industries, médecine, chimie, mécanique, etc. La magie est essentiellement un art de faire et les magiciens ont utilisé avec soin leur savoir-faire, leur tour de main, leur habileté manuelle. Elle est le domaine de la production pure, *ex nihilo* ; elle fait avec des mots et des gestes ce que les techniques font avec du travail. Par bonheur, l'art magique n'a pas toujours gesticulé à vide. Il a traité des matières, fait des expériences réelles, et même des découvertes.

Mais on peut dire qu'il est toujours la technique la plus facile. Il évite l'effort, parce qu'il réussit à remplacer la réalité par des images. Il ne fait rien ou presque rien, mais fait tout croire, d'autant plus facilement qu'il met au service de l'imagination individuelle des forces et des idées collectives. L'art des magiciens suggère des moyens, amplifie les vertus des choses, anticipe les effets, et par là satisfait pleinement aux désirs, aux attentes qu'ont nourris en commun des générations entières. Aux gestes mal coordonnés et impuissants, par lesquels s'exprime le besoin des individus, la magie donne une forme et, parce qu'elle en fait ainsi des rites, elle les rend efficaces.

Il faut dire que ces gestes sont des ébauches de techniques. La magie est à la fois un *opus operatum* au point de vue magique et un *opus inoperans* au point de vue technique. La magie, étant la technique la plus enfantine, est peut-être la technique ancienne. En effet, l'histoire des techniques nous apprend qu'il y a, entre elles et la magie, un lien généalogique. C'est même en vertu de son caractère mystique qu'elle a collaboré à leur formation. Elle leur a fourni un abri, sous lequel elles ont pu se développer, quand elle a donné son autorité certaine et prêté son efficacité réelle aux essais pratiques, mais timides, des magiciens techniciens, essais que l'insuccès eût étouffés sans elle. Certaines techniques d'objet complexe et d'action incertaine, de méthodes délicates, comme la pharmacie, la médecine, la chirurgie, la métallurgie, l'émaillerie (ces deux dernières sont les héritières de l'alchimie) n'auraient pas pu vivre, si la magie ne leur avait donné son appui, et, pour les faire durer, ne les avait, en somme, à peu près absorbées. Nous sommes en droit de dire que la médecine, la pharmacie, l'alchimie, l'astrologie, se sont développées dans la magie autour d'un noyau de découvertes purement techniques, aussi réduit que possible. Nous nous hasardons à supposer que d'autres techniques plus anciennes, plus simples peut-être, plus tôt dégagées de la magie, se sont également confondues avec elle au début de l'humanité. M. Hewitt nous apprend, à propos des Woivorung, que le clan local qui fournit les bardes magiciens est aussi propriétaire de la carrière de silex où les tribus à la ronde viennent s'approvisionner d'instruments. Ce fait peut être fortuit ; il nous semble cependant projeter quelque jour sur la façon dont se sont produites l'invention et la fabrication des premiers instruments. Pour nous, les techniques sont comme des germes qui ont fructifié sur le terrain de la magie ; mais elles ont dépossédé celle-ci. Elles se sont progressivement dépouillées de tout ce qu'elles lui avaient emprunté de mystique ; les procédés qui en subsistent ont, de plus en plus, changé de valeur ; on leur attribuait autrefois une vertu mystique, ils n'ont plus qu'une action mécanique ; c'est ainsi que l'on voit de nos jours le massage médical sortir des passes du rebouteux.

La magie se relie aux sciences, de la même façon qu'aux techniques. Elle n'est pas seulement un art pratique, elle est aussi un trésor d'idées. Elle attache une importance extrême à la connaissance et celle-ci est un de ses principaux ressorts ; en effet, nous avons vu, à maintes reprises, que, pour elle, savoir c'est pouvoir. Mais, tandis que la religion, par ses éléments intellectuels, tend vers la métaphysique, la magie que nous avons dépeinte plus éprise du concret, s'attache à connaître la nature. Elle constitue, très vite, une sorte d'index des plantes, des métaux, des phénomènes, des êtres en général, un premier répertoire des sciences astronomiques, physiques et naturelles. De fait, certaines branches de la magie, comme l'astrologie et l'alchimie, étaient, en Grèce, des physiques appliquées ; c'était donc à bon droit que les magiciens recevaient le nom de φύσικοι et que le mot de φυσικός était synonyme de magique.

Les magiciens ont même tenté parfois de systématiser leurs connaissances et d'en trouver les principes. Quand pareille théorie s'élabore au sein des écoles des magiciens, c'est par des procédés tout rationnels et individuels. Au cours de ce travail doctrinal, il arrive que les magiciens se préoccupent de rejeter le plus possible de leur mystique et qu'ainsi la magie prenne l'aspect d'une science véritable. C'est ce qui s'est produit dans les derniers temps de la magie grecque. « Je veux te représenter l'esprit des anciens, dit l'alchimiste Olympiodore, te dire comment, étant philosophes, ils ont le langage des philosophes et ont appliqué la philosophie à l'art par le moyen de la science » καὶ παρεισήνεγκαν τῇ τεχνῇ διὰ τῆς σοφίας τὴν φιλοσοφίαν (Olympiodore, II, 4 ; Berthelot, *Coll. des anciens Alchimistes grecs*, I, p. 86).

Il est certain qu'une partie des sciences ont été élaborées, surtout dans les sociétés primitives, par les magiciens. Les magiciens alchimistes, les magiciens astrologues, les magiciens médecins ont été, en Grèce, comme dans l'Inde et ailleurs, les fondateurs et les ouvriers de l'astronomie, de la physique, de la chimie, de l'histoire naturelle. On peut supposer, comme nous le faisions plus haut pour les techniques, que d'autres sciences, plus simples, ont eu les mêmes rapports généalogiques avec la magie. Les mathématiques ont certainement beaucoup dû aux recherches sur les carrés magiques ou sur les propriétés magiques des nombres et des figures. Ce trésor d'idées, amassé par la magie, a été longtemps le capital que les sciences ont exploité. La magie a nourri la science et les magiciens ont fourni les savants. Dans les sociétés primitives, seuls, les sorciers ont eu le loisir de faire des observations sur la nature et d'y réfléchir ou d'y rêver. Ils le firent par fonction. On peut croire que c'est aussi dans les écoles de magiciens que se sont constituées une tradition scientifique et une méthode d'éducation intellectuelle. Elles furent les premières académies. Dans les basses couches de la civilisation, les magiciens sont les savants et les savants sont des magiciens. Savants et magiciens, tels sont les bardes à métamorphoses des tribus australiennes, comme ceux de la littérature celtique : Amairgen, Taliessin, Talhwiarn, Gaion, prophètes, astrologues, astronomes, physiciens, mais qui semblent avoir puisé la connaissance de la nature et de ses lois dans le chaudron de la sorcière Ceridwen.

Si éloignés que nous pensions être de la magie, nous en sommes encore mal dégagés. Par exemple, les idées de chance et de malchance, de quintessence, qui nous sont encore familières, sont bien proches de l'idée de la magie elle-même. Ni les techniques, ni les sciences, ni même les principes directeurs de notre raison ne sont encore lavés de leur tache originelle. Il n'est pas téméraire de penser que, pour une bonne part, tout ce que les notions de force, de cause, de fin, de substance ont encore de non positif, de mystique et de poétique, tient aux vieilles habitudes d'esprit dont est née la magie et dont l'esprit humain est lent à se défaire.

Ainsi, nous pensons trouver à l'origine de la magie la forme première de représentations collectives qui sont devenues depuis les fondements de l'entendement individuel. Par là, notre travail n'est pas seulement, comme nous le disions au début, un chapitre de sociologie religieuse, mais c'est encore une contribution à l'étude des représentations collectives. La sociologie générale pourra même, nous l'espérons, y trouver quelque profit, puisque nous pensons avoir montré, à propos de la magie, comment un phénomène collectif peut revêtir des formes individuelles.

APPENDICE

Jusqu'à présent, l'histoire des religions a vécu sur un bagage d'idées indécises. Elle est déjà riche de faits authentiques et instructifs, qui fourniront, un jour, une abondante matière à la science des religions. Mais ces faits sont classés au hasard, sous des rubriques imprécises ; souvent même, leur description est gâtée par les vices du vocabulaire. Les mots de religion et de magie, de prière et d'incantation, de sacrifice et d'offrande, de mythe et de légende, de dieu et d'esprit, etc., sont employés indifféremment les uns pour les autres. La science des religions n'a pas encore de nomenclature scientifique. Elle a tout bénéfice à commencer par en arrêter une. Notre ambition d'ailleurs n'est pas seulement de définir des mots, mais de constituer des classes naturelles de faits et, une fois ces classes constituées, d'en tenter une analyse aussi explicative que possible. Ces définitions et ces explications nous donneront des notions scientifiques, c'est-à-dire des idées claires sur les choses et leurs rapports.

Nous avons déjà, dans cet esprit, étudié le sacrifice. Nous l'avions choisi comme objet de notre étude parce que entre tous les actes religieux, il nous semblait être un des plus typiques. Il s'agissait d'en expliquer le mécanisme et, de plus, la multiplicité apparente des fonctions auxquelles, le rite une fois donné, on le faisait servir ; de justifier, en somme, l'importance de la place qu'il tient dans l'ensemble du système religieux.

Ce premier problème en faisait surgir d'autres auxquels nous arrivons aujourd'hui. Nous nous sommes rendu compte, en étudiant le sacrifice, de ce qu'était un rite. Son universalité, sa constance, la logique de son développement lui ont donné, à nos yeux, une sorte de nécessité, très supérieure à l'autorité de la convention légale qui semblait suffire à en imposer l'observance. Par là déjà, le sacrifice et, par extension, les rites en général, nous ont paru profondément enracinés dans la vie sociale. D'autre part, le mécanisme du sacrifice ne s'expliquait, selon nous, que par une application logique de la notion de sacré ; nous supposions qu'elle nous était accordée et nous en faisions notre point de départ ; nous affirmions, en outre, dans notre conclusion, que les choses sacrées, mises en jeu par le sacrifice, n'étaient pas un système d'illusions propagées, mais que c'étaient des choses sociales, partant réelles. Nous avions constaté enfin que les choses sacrées étaient considérées comme une source inépuisable de forces, capables de produire des effets infiniment spéciaux et infiniment variés. Dans la mesure où nous pouvons voir dans le sacrifice un rite suffisamment représentatif de tous les autres, nous arrivions à cette conclusion générale que la notion fondamentale de tout rituel, celle dont l'analyse devait être le terme de notre enquête, était la notion de sacré.

Mais cette première généralisation était boiteuse, parce que nous la tirions de l'étude d'un fait trop singulier, que nous n'avions pas assez dépouillé de ses caractéristiques différentielles. Nous l'avions considéré exclusivement comme un rite religieux et non pas simplement comme un rite. Notre induction ne vaut-elle donc que pour les rites religieux, de la qualité religieuse desquels elle dépendrait ? ou peut-on l'étendre à toute espèce de rites, qu'ils soient religieux ou non ? Mais d'abord, y a-t-il d'autres rites que les rites religieux ? On l'admet implicitement puisqu'on parle couramment de rites magiques. La magie comprend, en effet, tout un ensemble de pratiques qu'on s'accorde pour comparer à celles de la religion. S'il y a quelque part des rites autres que ceux qui sont nommément religieux, c'est bien là.

Pour vérifier et pour élargir les conclusions de notre travail, nous avons donc été amenés à faire de la magie l'objet de notre seconde étude. Si nous arrivons à retrouver à la base de la magie des notions apparentées à la notion de sacré, nous serons en droit d'étendre à toute espèce de techniques mystiques et traditionnelles, ce qui aura été démontré vrai pour le sacrifice. Car les rites magiques sont précisément ceux qui, au premier abord, semblent faire intervenir le moins de puissance sacrée. On conçoit tout l'intérêt de cette recherche qui doit nous conduire vers une théorie du rite en général. Mais là ne se borne pas notre ambition. Nous nous acheminons en même temps vers une théorie de la notion de sacré ; car, si, dans la magie, nous voyons fonctionner des notions de même ordre, nous aurons une tout autre idée de sa portée, de sa généralité et aussi de son origine.

Nous soulevons en même temps une difficulté grave et c'est une des raisons qui nous a conduits à ce travail. Nous avons dit autrefois que la notion de sacré était une notion sociale, c'est-à-dire un produit de l'activité collective ; d'ailleurs, la prohibition ou la prescription de certaines choses paraissent bien être, en effet, le fruit d'une sorte d'entente. Nous devrions donc conclure que les pratiques magiques, issues de cette notion ou d'une notion semblable, sont des faits sociaux au même titre que les rites religieux. Mais ce n'est pas sous cet aspect que se présentent normalement les rites magiques. Pratiqués par des individus isolés du groupe social, agissant dans leur intérêt propre ou dans celui d'autres individus et en leur nom,

ils semblent demander beaucoup plus à l'ingéniosité et au savoir-faire
des opérateurs. Comment, dans ces conditions, la magie peut-elle
procéder en dernière analyse d'une notion collective comme la notion
de sacré et l'exploiter ? Nous sommes en présence d'un dilemme :
ou la magie est collective, ou la notion de sacré est individuelle ? Pour
résoudre ce dilemme, nous allons avoir à chercher si les rites magiques
se passent dans un milieu social ; car, si nous pouvons constater, en
magie, la présence d'un pareil milieu, nous aurons, par cela même,
démontré qu'une notion de nature sociale comme celle de sacré, peut
fonctionner dans la magie et ce ne sera plus qu'un jeu de montrer
qu'en réalité elle y fonctionne.

C'est ici le troisième profit que nous nous promettons de cette
étude. Nous passons de l'observation du mécanisme d'un rite à l'étude
du milieu des rites, puisque ce n'est que dans le milieu, où se passent
les rites magiques, que se trouvent les raisons d'être des pratiques
de l'individu magicien.

Nous n'allons donc pas analyser une série de rites magiques, mais
l'ensemble de la magie, qui est le milieu prochain des rites magiques.
Cet essai de description nous permettra peut-être de résoudre pro-
chainement la question si controversée des rapports de la magie et
de la religion. Pour le moment, nous ne nous interdisons pas d'y toucher,
mais nous ne nous y arrêterons pas, pressés que nous sommes d'atteindre notre but. Nous voulons comprendre la magie avant d'en expliquer
l'histoire. Nous laissons de côté pour le moment et nous réservons
pour un prochain mémoire, ce que ces recherches doivent apporter de
faits nouveaux à la sociologie religieuse. Nous avons été tentés, d'ailleurs,
de sortir du cercle de nos préoccupations habituelles pour contribuer
à l'étude de la sociologie en général, en montrant comment, dans la
magie, l'individu isolé travaille sur des phénomènes sociaux.

Le sujet que nous nous sommes assigné commande une méthode
différente de celle qui nous a servi dans notre étude du sacrifice. Il
ne nous est pas possible ici, ou plutôt il ne serait pas fructueux, de
procéder par l'analyse, même très complète, d'un nombre, même considérable, de cérémonies magiques. La magie n'est pas en effet, comme
le sacrifice, une de ces habitudes collectives qu'on peut nommer, décrire,
analyser, sans jamais craindre de perdre le sentiment qu'elles ont
une réalité, une forme et une fonction distinctes. Elle n'est qu'à un
faible degré une institution ; elle est une espèce de total d'actions
et de croyances, mal défini, mal organisé, même pour celui qui la pratique et qui y croit. Il en résulte que nous ne la connaissons pas à priori
ses limites et, par conséquent, que nous ne sommes pas en état de
choisir, à bon escient, des faits typiques qui représentent la totalité
des faits magiques. Il nous faudra donc d'abord faire une sorte d'inventaire de ces faits qui nous permettra de circonscrire à peu près le domaine
où notre recherche doit se mouvoir. Autrement dit, nous ne devrons pas
considérer indépendamment une série de rites isolés, mais considérer

à la fois tout ce qui constitue la magie, en un mot la décrire et la définir d'abord. Dans l'analyse qui suivra, nous ne serons pas guidés par l'ordre de succession des moments d'un rite. L'intérêt porte moins, en effet sur le plan et la composition des rites que sur la nature des moyens d'actions de la magie, indépendamment de leur application, sur les croyances qu'elle implique, les sentiments qu'elle provoque et les agents qui la font.

DEUXIÈME PARTIE

ESSAI SUR LE DON[1]
FORME ET RAISON DE L'ÉCHANGE
DANS LES SOCIÉTÉS ARCHAÏQUES

(1) Extrait de l'*Année Sociologique*, seconde série, 1923-1924, t. I.

DU DON, ET EN PARTICULIER
DE L'OBLIGATION
A RENDRE LES PRÉSENTS

Épigraphe

Voici quelques strophes de l'Havamál, l'un des vieux poèmes de l'Edda scandinave (1). Elles peuvent servir d'épigraphe à ce travail, tant elles mettent directement le lecteur dans l'atmosphère d'idées et de faits où va se mouvoir notre démonstration (2).

39 Je n'ai jamais trouvé d'homme si généreux
    et si large à nourrir ses hôtes
    que « recevoir ne fût pas reçu »,
    ni d'homme si... (l'adjectif manque)
    de son bien
    que recevoir en retour lui fût désagréable (3).

(1) C'est M. CASSEL qui nous a mis sur la voie de ce texte, *Theory of Social Economy,* vol. II, p. 345. Les savants scandinaves sont familiers avec ce trait de leur antiquité nationale.

(2) M. Maurice Cahen a bien voulu faire pour nous cette traduction.

(3) La strophe est obscure, surtout parce que l'adjectif manque au vers 4, mais le sens est clair quand on supplée, comme on fait d'ordinaire, un mot qui veut dire libéral, dépensier. Le vers 3 est lui aussi difficile. M. Cassel traduit : « qui ne prenne pas ce qu'on lui offre ». La traduction de M. Cahen au contraire est littérale. « L'expression est ambiguë, nous écrit-il, les uns comprennent : « que recevoir ne lui fût pas agréable », les autres interprètent : « que recevoir un cadeau ne comportât pas l'obligation de le rendre ». Je penche naturellement pour la seconde explication. » Malgré notre incompétence en vieux norrois, nous nous permettons une autre interprétation. L'expression correspond évidemment à un vieux centon qui devait être quelque chose comme « recevoir est reçu ». Ceci admis, le vers ferait allusion à cet état d'esprit dans lequel sont le visiteur et le visité. Chacun est supposé offrir son hospitalité ou ses présents comme s'ils devaient ne jamais lui être rendus. Cependant chacun accepte tout de même les présents du visiteur ou les contre-prestations de l'hôte, parce qu'ils sont des biens et aussi un moyen de fortifier le contrat, dont ils sont partie intégrante.

Il nous semble même que l'on peut démêler dans ces strophes une partie

41   Avec des armes et des vêtements
      les amis doivent se faire plaisir ;
      chacun le sait de par lui-même (par ses propres expériences)
      Ceux qui se rendent mutuellement les cadeaux
      sont le plus longtemps amis,
      si les choses réussissent à prendre bonne tournure.

42   On doit être un ami
      pour son ami
      et rendre cadeau pour cadeau ;
      on doit avoir
      rire pour rire
      et dol pour mensonge.

44   Tu le sais, si tu as un ami
      en qui tu as confiance
      et si tu veux obtenir un bon résultat,
      il faut mêler ton âme à la sienne
      et échanger les cadeaux
      et lui rendre souvent visite.

44   Mais si tu en as un autre
      de qui tu te défies
      et si tu veux arriver à un bon résultat,
      il faut lui dire de belles paroles
      mais avoir des pensées fausses
      et rendre dol pour mensonge.

46   Il en est ainsi de celui
      en qui tu n'as pas confiance
      et dont tu suspectes les sentiments,
      il faut lui sourire
      mais parler contre cœur :
      les cadeaux rendus doivent être semblables aux cadeaux reçus.

48   Les hommes généreux et valeureux
      ont la meilleure vie ;
      ils n'ont point de crainte.
      Mais un poltron a peur de tout ;
      l'avare a toujours peur des cadeaux.

plus ancienne. La structure de toutes est la même, curieuse et claire. Dans chacune un centon juridique forme centre : « que recevoir ne soit pas reçu » (39), « ceux qui se rendent les cadeaux sont amis » (41), « rendre cadeaux pour cadeaux » (42), « il faut mêler ton âme à la sienne et échanger les cadeaux » (44), « l'avare a toujours peur des cadeaux » (48), « un cadeau donné attend toujours un cadeau en retour » (145), etc. C'est une véritable collection de dictons. Ce proverbe ou règle est entouré d'un commentaire qui le développe. Nous avons donc affaire ici non seulement à une très ancienne forme de droit, mais même à une très ancienne forme de littérature.

M. Cahen nous signale aussi la strophe 145 :

145   Il vaut mieux ne pas prier (demander)
      que de sacrifier trop (aux dieux) :
      Un cadeau donné attend toujours un cadeau en retour.
      Il vaut mieux ne pas apporter d'offrande
      que d'en dépenser trop.

Programme

On voit le sujet. Dans la civilisation scandinave et dans bon nombre d'autres, les échanges et les contrats se font sous la forme de cadeaux, en théorie volontaires, en réalité obligatoirement faits et rendus.

Ce travail est un fragment d'études plus vastes. Depuis des années, notre attention se porte à la fois sur le régime du droit contractuel et sur le système des prestations économiques entre les diverses sections ou sous-groupes dont se composent les sociétés dites primitives et aussi celles que nous pourrions dire archaïques. Il y a là tout un énorme ensemble de faits. Et ils sont eux-mêmes très complexes. Tout s'y mêle, tout ce qui constitue la vie proprement sociale des sociétés qui ont précédé les nôtres — jusqu'à celles de la protohistoire. — Dans ces phénomènes sociaux « totaux », comme nous proposons de les appeler, s'expriment à la fois et d'un coup toutes sortes d'institutions : religieuses, juridiques et morales — et celles-ci politiques et familiales en même temps ; économiques — et celles-ci supposent des formes particulières de la production et de la consommation, ou plutôt de la prestation et de la distribution ; sans compter les phénomènes esthétiques auxquels aboutissent ces faits et les phénomènes morphologiques que manifestent ces institutions.

De tous ces thèmes très complexes et de cette multiplicité de choses sociales en mouvement, nous voulons ici ne considérer qu'un des traits, profond mais isolé : le caractère volontaire, pour ainsi dire, apparemment libre et gratuit, et cependant contraint et intéressé de ces prestations. Elles ont revêtu presque toujours la forme du présent, du cadeau offert généreusement même quand, dans ce geste qui accompagne la transaction, il n'y a que fiction, formalisme et mensonge social, et quand il y a, au fond, obligation et intérêt économique. Même, quoique nous indiquerons avec précision tous les divers principes qui ont donné cet aspect à une forme nécessaire de l'échange — c'est-à-dire, de la division du travail social elle-même — de tous ces principes, nous n'en étudions à fond qu'un. *Quelle est la règle de droit et d'intérêt qui, dans les sociétés de type arriéré ou archaïque, fait que le présent reçu est obligatoirement rendu? Quelle force y a-t-il dans la chose qu'on donne qui fait que le donataire la rend?* Voilà le problème auquel nous nous attachons plus spécialement tout en indiquant les autres. Nous espérons donner, par un assez grand nombre de faits, une réponse à cette question précise et montrer dans quelle direction on peut engager toute une étude des questions connexes. On verra aussi à quels problèmes nouveaux nous sommes amenés : les uns concernant une forme permanente de la morale contractuelle, à savoir : la façon dont le droit réel reste encore de nos jours attaché au droit personnel ; les autres concernant les formes et les idées qui ont toujours présidé, au moins en partie, à l'échange et qui, encore maintenant, suppléent en partie la notion d'intérêt individuel.

Ainsi, nous atteindrons un double but. D'une part, nous arriverons à des conclusions en quelque sorte archéologiques sur la nature des transactions humaines dans les sociétés qui nous entourent ou nous ont immédiatement précédés. Nous décrirons les phénomènes d'échange et de contrat dans ces sociétés qui sont non pas privées de marchés économiques comme on l'a prétendu, — car le marché est un phénomène humain qui selon nous n'est étranger à aucune société connue, — mais dont le régime d'échange est différent du nôtre. On y verra le marché avant l'institution des marchands et avant leur principale invention, la monnaie proprement dite ; comment il fonctionnait avant qu'eussent été trouvées les formes, on peut dire modernes (sémitique, hellénique, hellénistique et romaine) du contrat et de la vente d'une part, la monnaie titrée d'autre part. Nous verrons la morale et l'économie qui agissent dans ces transactions.

Et comme nous constaterons que cette morale et cette économie fonctionnent encore dans nos sociétés de façon constante et pour ainsi dire sous-jacente, comme nous croyons avoir ici trouvé un des rocs humains sur lesquels sont bâties nos sociétés, nous pourrons en déduire quelques conclusions morales sur quelques problèmes que posent la crise de notre droit et la crise de notre économie et nous nous arrêterons là. Cette page d'histoire sociale, de sociologie théorique, de conclusions de morale, de pratique politique et économique, ne nous mène, au fond, qu'à poser une fois de plus, sous de nouvelles formes, de vieilles mais toujours nouvelles questions (1).

Méthode suivie

Nous avons suivi une méthode de comparasion précise. D'abord, comme toujours, nous n'avons étudié notre sujet que dans des aires déterminées et choisies : Polynésie, Mélanésie, Nord-Ouest américain, et quelques grands droits. Ensuite, naturellement, nous n'avons choisi que des droits où, grâce aux documents et au travail philologique, nous avions accès à la conscience des sociétés elles-mêmes, car il s'agit ici de termes et de notions ; ceci restreignait encore le champ de nos comparaisons. Enfin chaque étude a porté sur des systèmes que nous nous sommes astreint à décrire, chacun à la suite, dans son intégrité ; nous avons donc renoncé à cette comparaison constante où tout se mêle et où les institutions perdent toute couleur locale, et les documents leur saveur (2).

Prestation. Don et potlatch

Le présent travail fait partie de la série de recherches que nous poursuivons depuis longtemps, M. Davy et moi, sur les formes archaïques du contrat (3). Un résumé de celles-ci est nécessaire.

* *

Il ne semble pas qu'il ait jamais existé, ni jusqu'à une époque assez rapprochée de nous, ni dans les sociétés qu'on confond

---

(1) Je n'ai pas pu consulter BURCKHARD, *Zum Begriff der Schenkung*, p. 53 sq.

Mais pour le droit anglo-saxon, le fait que nous allons mettre en lumière a été fort bien senti par POLLOCK and MAITLAND, *History of English Law*, t. II, p. 82 : « The wide word gift, which will cover sale, exchange, gage and lease. » Cf. *ibid.*, p. 12 ; *ibid.*, p. 212-214 : « Il n'y a pas de don gratuit qui tienne force de loi. »

Voir aussi toute la dissertation de Neubecker, à propos de la dot germanique, *Die Milgift*, 1909, p. 65 sq.

(2) Les notes et tout ce qui n'est pas en gros caractères ne sont indispensables qu'aux spécialistes.

(3) DAVY, Foi jurée (*Travaux de l'Année Sociologique*, 1922) ; voir indications bibliographiques dans MAUSS, Une forme archaïque de contrat chez es Thraces, *Revue des Etudes grecques*, 1921 ; R. LENOIR, L'Institution du Potlatch, *Revue Philosophique*, 1924.

fort mal sous le nom de primitives ou inférieures, rien qui ressemblât à ce qu'on appelle l'Économie naturelle (1). Par une étrange mais classique aberration, on choisissait même pour donner le type de cette économie les textes de Cook concernant l'échange et le troc chez les Polynésiens (2). Or, ce sont ces mêmes Polynésiens que nous allons étudier ici et dont on verra combien ils sont éloignés, en matière de droit et d'économie, de l'état de nature.

Dans les économies et dans les droits qui ont précédé les nôtres, on ne constate pour ainsi dire jamais de simples échanges de biens, de richesses et de produits au cours d'un marché passé entre les individus. D'abord, ce ne sont pas des individus, ce sont des collectivités qui s'obligent mutuellement, échangent et contractent (3) ; les personnes présentes au contrat sont des personnes morales : clans, tribus, familles, qui s'affrontent et

---

(1) M. F. Somlo, *Der Güterverkehr in der Urgesellschaft* (Institut Solvay, 1909), a donné de ces faits une bonne discussion et un aperçu où, p. 156, il commence à entrer dans la voie où nous allons nous engager nous-même.

(2) Grierson, *Silent Trade*, 1903, a déjà donné les arguments nécessaires pour en finir avec ce préjugé. De même von Moszkowski, *Vom Wirtschaftsleben der primitiven Völker*, 1911 ; mais il considère le vol comme primitif et confond en somme le droit de prendre avec le vol. On trouvera un bon exposé des faits Maori dans W. von Brun, *Wirtschafts organisation der Maori* (*Beitr.* de Lamprecht, 18), Leipzig, 1912, où un chapitre est consacré à l'échange. Le plus récent travail d'ensemble sur l'économie des peuples dits primitifs est : Koppers, Ethnologische Wirtschaftsordnung, *Anthropos*, 1915-1916, p. 611 à 651, p. 971 à 1079 ; surtout bon pour l'exposé des doctrines ; un peu dialectique pour le reste.

(3) Depuis nos dernières publications, nous avons constaté, en Australie, un début de prestation réglée entre tribus, et non plus seulement entre clans et phratries, en particulier à l'occasion de mort. Chez les Kakadu, du territoire nord, il y a une troisième cérémonie funéraire après le deuxième enterrement. Pendant cette cérémonie les hommes procèdent à une sorte d'enquête judiciaire pour déterminer au moins fictivement qui a été l'auteur de la mort par envoûtement. Mais contrairement à ce qui suit dans la plupart des tribus australiennes, aucune vendetta n'est exercée. Les hommes se contentent de rassembler leurs lances et de définir ce qu'ils demanderont en échange. Le lendemain, ces lances sont emportées dans une autre tribu, les Umoriu par exemple, au camp desquels on comprend parfaitement le but de cet envoi. Là les lances sont disposées par paquets suivant leurs propriétaires. Et suivant un tarif connu à l'avance, les objets désirés sont mis en face de ces paquets. Puis tous sont ramenés aux Kakadu (Baldwin Spencer, *Tribes of the Northern Territory*, 1914, p. 247). Sir Baldwin mentionne que ces objets pourront être de nouveau échangés contre des lances, fait que nous ne comprenons pas très bien. Au contraire, il trouve difficile de comprendre la connexion entre ces funérailles et ces échanges et il ajoute que « les natifs n'en ont pas idée ». L'usage est pourtant parfaitement compréhensible : c'est en quelque sorte une composition juridique régulière, remplaçant la vendetta, et servant d'origine à un marché intertribal. Cet échange de choses est en même temps échange de gages de paix et de solidarité dans le deuil, comme cela a lieu d'ordinaire, en Australie entre clans de familles associées et alliées par mariage. La seule différence est que cette fois l'usage est devenu intertribal.

s'opposent soit en groupes se faisant face sur le terrain même, soit par l'intermédiaire de leurs chefs, soit de ces deux façons à la fois (1). De plus, ce qu'ils échangent, ce n'est pas exclusivement des biens et des richesses, des meubles et des immeubles, des choses utiles économiquement. Ce sont avant tout des politesses, des festins, des rites, des services militaires, des femmes, des enfants, des danses, des fêtes, des foires dont le marché n'est qu'un des moments et où la circulation des richesses n'est qu'un des termes d'un contrat beaucoup plus général et beaucoup plus permanent. Enfin, ces prestations et contre-prestations s'engagent sous une forme plutôt volontaire, par des présents, des cadeaux, bien qu'elles soient au fond rigoureusement obligatoires, à peine de guerre privée ou publique. Nous avons proposé d'appeler tout ceci le *système des prestations totales*. Le type le plus pur de ces institutions nous paraît être représenté par l'alliance des deux phratries dans les tribus australiennes ou nord-américaines en général, où les rites, les mariages, la succession aux biens, les liens de droit et d'intérêt, rangs militaires et sacerdotaux, tout est complémentaire et suppose la collaboration des deux moitiés de la tribu. Par exemple, les jeux sont tout particulièrement régis par elles (2). Les Tlinkit et les Haïda, deux tribus du nord-ouest américain expriment fortement la nature de ces pratiques en disant que « les deux phratries se montrent respect (3) ».

Mais, dans ces deux dernières tribus du nord-ouest américain et dans toute cette région apparaît une forme typique certes, mais évoluée et relativement rare, de ces prestations totales. Nous avons proposé de l'appeler *pollatch*, comme font d'ailleurs les auteurs américains se servant du nom chinook devenu partie du langage courant des Blancs et des Indiens de Vancouver à

---

(1) Même un poète aussi tardif que Pindare dit : νεανίᾳ γαμβρῷ προπίνων οἴκοθεν οἴκαδε, *Olympique*, VIII, 4. Tout le passage se ressent encore de l'état de droit que nous allons décrire. Les thèmes du présent, de la richesse, du mariage, de l'honneur, de la faveur, de l'alliance, du repas en commun et de la boisson dédiée, même celui de la jalousie qu'excite le mariage, tous y sont représentés par des mots expressifs et dignes de commentaires.

(2) V. en particulier les remarquables règles du jeu de balle chez les Omaha : Alice Fletcher et La Flesche, Omaha Tribe, *Annuel Report of the Bureau of American Anthropology*, 1905-1906, XXVII, p. 197 et 366.

(3) Krause, *Tlinkit Indianer*, p. 234 et suiv., a bien vu ce caractère des fêtes et rites et contrats qu'il décrit, sans leur donner le nom de potlatch. Boursin, in Porter, Report on the Population, etc., of Alaska, in *Eleventh Ceusus* (1900), p. 54-66 et Porter, *ibid.*, p. 33, ont bien vu ce caractère de glorification réciproque du potlatch, cette fois nommé. Mais c'est M. Swanton qui l'a le mieux marqué : Social Conditions, etc., of the Tlingit Indians, *Ann. Rep. of the Bureau of Amer. Ethn.*, 1905, XXVI, p. 345, etc. Cf. nos observations, *Ann. Soc.*, t. XI, p. 207 et Davy, *Foi jurée*, p. 172.

l'Alaska. « Potlatch » veut dire essentiellement « nourrir »,
« consommer « (1). Ces tribus, fort riches, qui vivent dans les
îles ou sur la côte ou entre les Rocheuses et la côte, passent leur
hiver dans une perpétuelle fête : banquets, foires et marchés,
qui sont en même temps l'assemblée solennelle de la tribu.
Celle-ci y est rangée suivant ses confréries hiérarchiques, ses
sociétés secrètes, souvent confondues avec les premières et
avec les clans ; et tout, clans, mariages, initiations, séances de
shamanisme et du culte des grands dieux, des totems ou des
ancêtres collectifs ou individuels du clan, tout se mêle en un
inextricable lacis de rites, de prestations juridiques et économiques, de fixations de rangs politiques dans la société des
hommes, dans la tribu et dans les confédérations de tribus et
même internationalement (2). Mais ce qui est remarquable dans
ces tribus, c'est le principe de la rivalité et de l'antagonisme qui
domine toutes ces pratiques. On y va jusqu'à la bataille, jusqu'à la mise à mort des chefs et nobles qui s'affrontent ainsi.
On y va d'autre part jusqu'à la destruction purement somptuaire (3) des richesses accumulées pour éclipser le chef rival
en même temps qu'associé (d'ordinaire grand-père, beau-père
ou gendre). Il y a prestation totale en ce sens que c'est bien
tout le clan qui contracte pour tous, pour tout ce qu'il possède
et pour tout ce qu'il fait, par l'intermédiaire de son chef (4).
Mais cette prestation revêt de la part du chef une allure agonistique très marquée. Elle est essentiellement usuraire et somp-

(1) Sur le sens du mot potlatch, v. BARBEAU, *Bulletin de la Société de
Géographie de Québec*, 1911 ; DAVY, p. 162. Cependant il ne nous paraît
pas que le sens proposé soit originaire. En effet BOAS indique pour le mot
potlatch, en Kwakiutl il est vrai et non pas en Chinook, le sens de *Fedeer*,
nourrisseur, et littéralement « *place of being satiated* », place où on se ras-
sasie. Kwakiutl Texts, Second Series, *Jesup Expedit.*, vol. X, p. 43, n. 2 ;
cf. *ibid.*, vol. III, p. 255, p. 517, s. v. POL. Mais les deux sens de potlatch :
don et aliment ne sont pas exclusifs, la forme essentielle de la prestation étant
ici alimentaire, en théorie du moins. Sur ces sens v. plus loin, p. 154 et suiv.
(2) Le côté juridique du potlatch est celui qu'ont étudié M. ADAM, dans
ses articles de la *Zeitschr. f. vergleich. Rechtswissenschaft*, 1911 et suiv.
et *Festschrift* à Seler, 1920, et M. DAVY dans sa *Foi jurée*. Le côté religieux et l'économique ne sont pas moins essentiels et doivent être traités
non moins à fond. La nature religieuse des personnes impliquées et des
choses échangées ou détruites ne sont en effet pas indifférentes à la nature
même des contrats, pas plus que les valeurs qui leur sont affectées.
(3) Les Haïda disent « tuer » la richesse.
(4) V. les documents de Hunt dans BOAS, Ethnology of the Kwakiutl,
XXXVth Annual Rep. of the Bureau of American Ethn., t. II, p. 1340,
où l'on trouvera une intéressante description de la façon dont le clan apporte
ses contributions au chef pour le potlatch, et de très intéressants palabres.
Le chef dit en particulier : « Car ce ne sera pas en mon nom. Ce sera en
votre nom et vous deviendrez fameux parmi les tribus quand on dira que
vous donnez votre propriété pour un potlatch » (p. 1342, l. 31 et suiv.).

tuaire et l'on assiste avant tout à une lutte des nobles pour assurer entre eux une hiérarchie dont ultérieurement profite leur clan.

Nous proposons de réserver le nom de *pollatch* à ce genre d'institution que l'on pourrait, avec moins de danger et plus de précision, mais aussi plus longuement, appeler : *prestations totales de type agonistique.*

Jusqu'ici nous n'avions guère trouvé d'exemples de cette institution que dans les tribus du nord-ouest américain et dans celles d'une partie du nord américain (1), en Mélanésie et en Papouasie (2). Partout ailleurs, en Afrique, en Polynésie et en Malaisie, en Amérique du Sud, dans le reste de l'Amérique du Nord, le fondement des échanges entre les clans et les familles, nous semblait rester du type plus élémentaire de la prestation totale. Cependant, des recherches plus approfondies font apparaître maintenant un nombre assez considérable de formes intermédiaires entre ces échanges à rivalité exaspérée, à destruction de richesses comme ceux du nord-ouest américain et de Mélanésie, et d'autres, à émulation plus modérée où les contractants rivalisent de cadeaux : ainsi nous rivalisons dans nos étrennes, nos festins, nos noces, dans nos simples invitations et nous nous sentons encore obligés à nous *revanchieren* (3), comme disent les Allemands. Nous avons constaté de ces formes intermédiaires dans le monde indo-européen antique, en particulier chez les Thraces (4).

Divers thèmes — règles et idées — sont contenus dans ce type de droit et d'économie. Le plus important, parmi ces mécanismes spirituels, est évidemment celui qui oblige à rendre le présent reçu. Or, nulle part la raison morale et religieuse de cette contrainte n'est plus apparente qu'en Polynésie. Étudions-la particulièrement, nous verrons clairement quelle force pousse à rendre une chose reçue, et en général à exécuter les contrats réels.

(1) Le domaine du potlatch dépasse en effet les limites des tribus du Nord-Ouest. En particulier il faut considérer l' « *asking Festival* » des Eskimos de l'Alaska comme autre chose que comme un emprunt aux tribus indiennes voisines : v. plus loin p. 164, n. 3.

(2) V. nos observations dans *Ann. Soc.*, t. XI, p. 101 et t. XII, p. 372-374 et *Anthropologie*, 1920 (C. R. des séances de l'Institut français d'Anthropologie). M. LENOIR a signalé deux faits assez nets de potlatch en Amérique du Sud (Expéditions maritimes en Mélanésie in *Anthropologie*, sept. 1924).

(3) M. THURNWALD, *Forschungen auf den Salomo Inseln*, 1912, t. III, p. 8, emploie le mot.

(4) *Rev. des Et. grecques*, t. XXXIV, 1921.

CHAPITRE PREMIER

LES DONS ÉCHANGÉS
ET L'OBLIGATION DE LES RENDRE
(POLYNÉSIE)

I

PRESTATION TOTALE, BIENS UTÉRINS
CONTRE BIENS MASCULINS (SAMOA)

Dans ces recherches sur l'extension du système des dons contractuels, il a semblé longtemps qu'il n'y avait pas de potlatch proprement dit en Polynésie. Les sociétés polynésiennes où les institutions s'en rapprochaient le plus ne semblaient pas dépasser le système des « prestations totales », des contrats perpétuels entre clans mettant en commun leurs femmes, leurs hommes, leurs enfants, leurs rites, etc. Les faits que nous avons étudiés alors, en particulier à Samoa, le remarquable usage des échanges de nattes blasonnées entre chefs lors du mariage, ne nous paraissaient pas au-dessus de ce niveau (1). L'élément de rivalité, celui de destruction, de combat, paraissaient manquer, tandis qu'il ne manque pas en Mélanésie. Enfin il y avait trop peu de faits. Nous serions moins critique maintenant.

D'abord ce système de cadeaux contractuels à Samoa s'étend bien au-delà du mariage ; ils accompagnent les événements suivants : naissance d'enfant (2), circoncision (3), maladie (4),

---

(1) DAVY, *Foi jurée*, p. 140, a étudié ces échanges à propos du mariage et de ses rapports avec le contrat. On va voir qu'ils ont une autre extension.
(2) TURNER, *Nineteen years in Polynesia*, p. 178 ; *Samoa*, p. 82 sq. ; STAIR, *Old Samoa*, p. 175.
(3) KRÄMER, *Samoa Inseln*, t. II, p. 52-63.
(4) STAIR, *Old Samoa*, p. 180 ; TURNER, *Nineteen years*, p. 225 *Samoa*, p. 142.

puberté de la fille (1), rites funéraires (2), commerce (3).

Ensuite deux éléments essentiels du potlatch proprement dit sont nettement attestés : celui de l'honneur, du prestige, du « mana » que confère la richesse (4), et celui de l'obligation absolue de rendre ces dons sous peine de perdre ce « mana », cette autorité, ce talisman et cette source de richesse qu'est l'autorité elle-même (5).

D'une part, Turner nous le dit : « Après les fêtes de la naissance, après avoir reçu et rendu les *oloa* et les *tonga* — autrement dit les biens masculins et les biens féminins — le mari et la femme n'en sortaient pas plus riches qu'avant. Mais ils avaient la satisfaction d'avoir vu ce qu'ils considéraient comme un grand honneur : des masses de propriétés rassemblées à l'occasion de la naissance de leur fils (6). » D'autre part, ces dons peuvent être obligatoires, permanents, sans autre contre-prestation que l'état de droit qui les entraîne. Ainsi, l'enfant, que la sœur, et par conséquent le beau-frère, oncle utérin, reçoivent pour l'élever de leur frère et beau-frère, est lui-même appelé un *tonga*, un bien utérin (7). Or, il est « le canal

---

(1) Turner, *Nineteen years*, p. 184 ; *Samoa*, p. 91.

(2) Krämer, *Samoa Inseln*, t. II, p. 105 ; Turner, *Samoa*, p. 146.

(3) Krämer, *Samoa Inseln*, t. II, p. 96 et p. 363. L'expédition commerciale, le « malaga » (cf. « walaga », Nouvelle-Guinée), est en effet tout près du potlatch qui, lui, est caractéristique des expéditions dans l'archipel mélanésien voisin. Krämer emploie le mot de « Gegengeschenk », pour l'échange des « oloa » contre les « tonga » dont nous allons parler. Au surplus, s'il ne faut pas tomber dans les exagérations des ethnographes anglais de l'école de Rivers et de M. Elliot Smith, ni dans celles des ethnographes américains qui, à la suite de M. Boas, voient dans tout le système du potlatch américain une série d'emprunts, il faut cependant faire au voyage des institutions une large part ; spécialement dans ce cas, où un commerce considérable, d'île en île, de port en port, à des distances très grandes, depuis des temps très reculés, a dû véhiculer non seulement les choses, mais aussi les façons de les échanger. M. Malinowski, dans les travaux que nous citons plus loin, a eu le juste sentiment de ce fait. V. une étude sur quelques-unes de ces institutions (Mélanésie Nord-Ouest) dans R. Lenoir, *Expéditions maritimes en Mélanésie*, *Anthropologie*, septembre 1924.

(4) L'émulation entre clans maori est en tout cas mentionnée assez souvent, en particulier à propos des fêtes, ex. S. P. Smith, *Journal of the Polynesian Society* (dorénavant cité *J.P.S.*), XV, p. 87, v. plus loin p. 59, n. 4.

(5) La raison pour laquelle nous ne disons pas qu'il y a, dans ce cas, potlatch proprement dit, c'est que le caractère usuraire de la contre-prestation manque. Cependant, comme nous le verrons en droit maori, le fait de ne pas rendre entraîne la perte du « mana », de la « face » comme disent les Chinois ; et, à Samoa, il faut, sous la même peine, donner et rendre.

(6) Turner, *Nineteen years*, p. 178 ; *Samoa*, p. 52. Ce thème de la ruine et de l'honneur est fondamental dans le potlatch nord-ouest américain, v. ex. *in* Porter, *11th Census*, p. 34.

(7) Turner, *Nineteen years*, p. 178 ; *Samoa*, p. 83, appelle le jeune homme « adopté ». Il se trompe. L'usage est exactement celui du « fosterage », de l'éducation donnée hors de la famille natale, avec cette pré-

par lequel les biens de nature indigène (1), les *tonga*, continuent
à couler de la famille de l'enfant vers cette famille. D'autre
part, l'enfant est le moyen pour ses parents d'obtenir des biens
de nature étrangère *(oloa)* des parents qui l'ont adopté, et
cela tout le temps que l'enfant vit ». « ... Ce sacrifice [des liens
naturels crée une] facilité systématique de trafic entre propriétés
indigènes et étrangères. » En somme, l'enfant, bien utérin, est
le moyen par lequel les biens de la famille utérine s'échangent
contre ceux de la famille masculine. Et il suffit de constater
que, vivant chez son oncle utérin, il a évidemment un droit d'y
vivre, et par conséquent un droit général sur ses propriétés,
pour que ce système de « fosterage » apparaisse comme fort
voisin du droit général reconnu au neveu utérin sur les propriétés de son oncle en pays mélanésien (2). Il ne manque que
le thème de la rivalité, du combat, de la destruction, pour
qu'il y ait potlatch.

Mais remarquons les deux termes : *oloa, tonga* ; ou plutôt
retenons le deuxième. Ils désignent l'un des *parapharnalia*
permanents, en particulier les nattes de mariage (3), dont
héritent les filles issues du dit mariage, les décorations, les
talismans, qui entrent par la femme dans la famille nouvellement fondée, à charge de retour (4) ; ce sont en somme des
sortes d'immeubles par destination. Les *oloa* (5) désignent en
somme des objets, instruments pour la plupart, qui sont spécifiquement ceux du mari ; ce sont essentiellement des meubles.
Aussi applique-t-on ce terme maintenant aux choses provenant
des blancs (6). C'est évidemment une extension récente de

cision que ce « fosterage » est une sorte de retour à la famille utérine, puisque
l'enfant est élevé dans la famille de la sœur de son père, en réalité chez
son oncle utérin, époux de celle-ci. Il ne faut pas oublier qu'en Polynésie
nous sommes en pays de double parenté classificatoire : utérine et masculine, v. notre C. R. du travail d'Elsdon Best, *Maori Nomenclature, Ann.
Soc.*, t. VII, p. 420 et les observations de Durkheim, *Ann. Soc.*, t. V, p. 37.

(1) Turner, *Nineteen years*, p. 179 ; *Samoa*, p. 83.
(2) V. nos observations sur le *vasu* fijien, *in* Procès-verb. de l'I.F.A.,
in *Anthropologie*, 1921.
(3) Kramer, *Samoa Inseln*, s. v. *toga*, t. I, p. 482 ; t. II, p. 90.
(4) *Ibid.*, t. II, p. 296 ; cf. p. 90 *(toga = Miigift)* ; p. 94, échange des *oloa*
contre *toga*.
(5) *Ibid.*, t. I, p. 477. Violette, *Dictionnaire Samoan-Français*, s. v. « *toga* »
dit fort bien : « richesses du pays consistant en nattes fines et *oloa*, richesses
telles que maisons, embarcations, étoffes, fusils » (p. 194, col. 2) ; et il renvoie à *oa*, richesses, biens, qui comprend tous les articles étrangers.
(6) Turner, *Nineteen years*, p. 179, cf. p. 186. Tregear (au mot *toga*,
s. v. *taonga*), *Maori Comparative Dictionary*, p. 468, confond les propriétés qui portent ce nom et celles qui portent le nom d'*oloa*. C'est évidemment une négligence.
Le Rev. Ella, *Polynesian native clothing, J.P.S.*, t. IX, p. 165, décrit

sens. Et nous pouvons négliger cette traduction de Turner :
« *Oloa-foreign* » ; « *tonga-native* ». Elle est inexacte et insuffisante
sinon sans intérêt, car elle prouve que certaines propriétés
appelées *tonga* sont plus attachées au sol (1), au clan, à la famille
et à la personne que certaines autres appelées *oloa*.

Mais si nous étendons notre champ d'observation, la notion
de *tonga* prend tout de suite une autre ampleur. Elle connote
en maori, en tahitien, en tongan et mangarevan, tout ce qui
est propriété proprement dite, tout ce qui fait riche, puissant,
influent, tout ce qui peut être échangé, objet de compensation (2). Ce sont exclusivement les trésors, les talismans, les
blasons, les nattes et idoles sacrées, quelquefois même les
traditions, cultes et rituels magiques. Ici nous rejoignons cette
notion de propriété-talisman dont nous sommes sûr qu'elle
est générale dans tout le monde malayo-polynésien et même
pacifique entier (3).

II

L'ESPRIT DE LA CHOSE DONNÉE (MAORI)

Or, cette observation nous mène à une constatation fort
importante. Les *taonga* sont, au moins dans la théorie du droit
et de la religion maori, fortement attachés à la personne, au
clan, au sol ; ils sont le véhicule de son « mana », de sa force
magique, religieuse et spirituelle. Dans un proverbe, heureusement recueilli par sir G. Grey (4), et C. O. Davis (5), ils sont
priés de détruire l'individu qui les a acceptés. C'est donc qu'ils

ainsi les *ie tonga* (nattes) : « Ils étaient la richesse principale des indigènes ;
on s'en servait autrefois comme d'un moyen monétaire dans les échanges
de propriété, dans les mariages et dans des occasions de spéciale courtoisie.
On les garde souvent dans les familles comme « *heirlooms* » (biens substitués),
et bien des vieux « *ie* » sont connus et plus hautement appréciés comme
ayant appartenu à quelque famille célèbre », etc. Cf. TURNER, *Samoa*,
p. 120. — Toutes ces expressions ont leur équivalent en Mélanésie, en
Amérique du Nord, dans notre folklore, comme on va le voir.

(1) KRÄMER, *Samoa Inseln*, t. II, p. 90, 93.
(2) V. TREGEAR, *Maori Comparative Dictionary*, ad verb. *taonga* : (Tahitien), *tataoa*, donner de la propriété, *faataoa*, compenser, donner de la
propriété ; (Marquises) LESSON, *Polynésiens*, t. II, p. 232, *taelae* ; cf. « tire
les présents » *tiau tae-tae*, présents donnés, « cadeaux, biens de leur pays
donnés pour obtenir des biens étrangers » ; RADIGUET, *Derniers Sauvages*,
p. 157. La racine du mot est *tahu*, etc.
(3) V. MAUSS, Origines de la notion de Monnaie, *Anthropologie*, 1914
(Procès-verbaux de l'*I.F.A.*), où presque tous les faits cités, hors les faits
nigritiens et américains appartiennent à ce domaine.
(4) *Proverbs*, p. 103 (trad. p. 103).
(5) *Maori Mementoes*, p. 21.

contiennent en eux cette force, aux cas où le droit, surtout l'obligation de rendre, ne serait pas observée.

Notre regretté ami Hertz avait entrevu l'importance de ces faits ; avec son touchant désintéressement, il avait noté « pour Davy et Mauss » sur la fiche contenant le fait suivant. Colenso dit (1) : « Ils avaient une sorte de système d'échange, ou plutôt de donner des cadeaux qui doivent être ultérieurement échangés ou rendus. » Par exemple, on échange du poisson sec contre des oiseaux confits, des nattes (2). Tout ceci est échangé entre tribus ou « familles amies sans aucune sorte de stipulation ».

Mais Hertz avait encore noté — et je retrouve dans ses fiches — un texte dont l'importance nous avait échappé à tous deux, car je le connaissais également.

A propos du *hau*, de l'esprit des choses et en particulier de celui de la forêt, et des gibiers qu'elle contient, Tamati Ranai-piri, l'un des meilleurs informateurs maori de R. Elsdon Best, nous donne tout à fait par hasard, et sans aucune prévention la clef du problème (3). « Je vais vous parler du *hau*... Le *hau* n'est pas le vent qui souffle. Pas du tout. Supposez que vous possédez un article déterminé *(taonga)* et que vous me donnez cet article ; vous me le donnez sans prix fixé (4). Nous ne faisons pas de marché à ce propos. Or, je donne cet article à une troi-sième personne qui, après qu'un certain temps s'est écoulé, décide de rendre quelque chose en paiement *(utu)* (5), il me fait présent de quelque chose *(taonga)*. Or, ce *taonga* qu'il me donne est l'esprit *(hau)* du *taonga* que j'ai reçu de vous et que je lui ai donné à lui. Les *taonga* que j'ai reçus pour ces *taonga* (venus de vous) il faut que je vous les rende. Il ne serait pas juste *(tika)* de ma part de garder ces *taonga* pour moi, qu'ils soient désirables *(rawe)*, ou désagréables *(kino)*. Je dois vous les donner car ils sont un *hau* (6) du *taonga* que vous m'avez donné.

(1) In *Transactions of New-Zealand Institute*, t. I, p. 354.
(2) Les tribus de Nouvelle-Zélande sont théoriquement divisées, par la tradition maori elle-même, en pêcheurs, agriculteurs et chasseurs et sont censées échanger constamment leurs produits, cf. Elsdon BEST, *Forest-Lore*, *Transact. N.-Z. Inst.*, vol. XLII, p. 435.
(3) *Ibid.*, p. 431 texte maori, trad., p. 439.
(4) Le mot *hau* désigne, comme le latin *spiritus*, à la fois le vent et l'âme, plus précisément, au moins dans certains cas, l'âme et le pouvoir des choses inanimées et végétales, le mot de *mana* étant réservé aux hommes et aux esprits et s'appliquant aux choses moins souvent qu'en mélanésien.
(5) Le mot *utu* se dit de la satisfaction des vengeurs du sang, des com-pensations, des repaiements, de la responsabilité, etc. Il désigne aussi le prix. C'est une notion complexe de morale, de droit, de religion et d'éco-nomie.
(6) *He hau*. Toute la traduction de ces deux phrases est écourtée par M. Elsdon Best, je la suis pourtant.

Si je conservais ce deuxième *taonga* pour moi, il pourrait m'en venir du mal, sérieusement, même la mort. Tel est le *hau*, le *hau* de la propriété personnelle, le *hau* des *taonga*, le *hau* de la forêt. *Kati ena.* (Assez sur ce sujet.) »

Ce texte capital mérite quelques commentaires. Purement maori, imprégné de cet esprit théologique et juridique encore imprécis, les doctrines de la « maison des secrets », mais étonnamment clair par moments, il n'offre qu'une obscurité : l'intervention d'une tierce personne. Mais pour bien comprendre le juriste maori, il suffit de dire : « Les *taonga* et toutes propriétés rigoureusement dites personnelles ont un *hau*, un pouvoir spirituel. Vous m'en donnez un, je le donne à un tiers ; celui-ci m'en rend un autre, parce qu'il est poussé par le *hau* de mon cadeau ; et moi je suis obligé de vous donner cette chose, parce qu'il faut que je vous rende ce qui est en réalité le produit du *hau* de votre *taonga*. »

Interprétée ainsi, non seulement l'idée devient claire, mais elle apparaît comme une des idées maîtresses du droit maori. Ce qui, dans le cadeau reçu, échangé, oblige, c'est que la chose reçue n'est pas inerte. Même abandonnée par le donateur, elle est encore quelque chose de lui. Par elle, il a prise sur le bénéficiaire, comme par elle, propriétaire, il a prise sur le voleur (1). Car le *taonga* est animé du *hau* de sa forêt, de son terroir, de son sol ; il est vraiment « native » (2) : le *hau* poursuit tout détenteur.

---

(1) Un grand nombre de faits démonstratifs avaient été rassemblés sur ce dernier point par R. Hertz, pour un des paragraphes de son travail sur le *Péché et l'Expiation*. Ils prouvent que la sanction du vol est le simple effet magique et religieux du *mana*, du pouvoir que le propriétaire garde sur la chose volée ; et que, de plus, celle-ci, entourée des tabous et marquée des marques de propriété, est toute chargée par ceux-ci de *hau*, de pouvoir spirituel. C'est ce *hau* qui venge du volé, qui s'empare du voleur, l'enchante, le mène à la mort ou le contraint à restitution. On trouvera ces faits dans le livre de Hertz que nous publierons, aux paragraphes qui seront consacrés au *hau*.

(2) On trouvera dans le travail de R. Hertz les documents sur les *mauri* auxquels nous faisons allusion ici. Ces *mauri* sont à la fois des talismans, des palladiums et des sanctuaires où réside l'âme du clan, *hapu*, son *mana* et le *hau* de son sol.

Les documents de M. Elsdon Best sur ce point ont besoin de commentaire et de discussion, en particulier ceux qui concernent les remarquables expressions de *hau whitia* et de *kai hau*. Les passages principaux sont Spiritual Concepts, *Journal of the Polynesian Society*, t. X, p. 10 (texte maori) et t. IX, p. 198. Nous ne pouvons les traiter comme il conviendrait : mais voici notre interprétation : « *hau whitia*, averted *hau* », dit M. Elsdon Best, et sa traduction semble exacte. Car le péché de vol ou celui de non-paiement ou de non-contre-prestation est bien un détournement d'âme, de *hau* comme dans les cas (que l'on confond avec le vol) de refus de faire un marché ou de faire un cadeau : au contraire *kai hau* est mal traduit quand on le considère comme l'équivalent simple de *hau whitia*. Il désigne

Il poursuit non seulement le premier donataire, même éventuellement un tiers, mais tout individu auquel le *taonga* est simplement transmis (1). Au fond, c'est le *hau* qui veut revenir au
lieu de sa naissance, au sanctuaire de la forêt et du clan et au
propriétaire. C'est le *taonga* ou son *hau* — qui d'ailleurs est lui-
même une sorte d'individu (2) — qui s'attache à cette série
d'usagers jusqu'à ce que ceux-ci rendent de leurs propres, de
leurs *taonga*, de leurs propriétés ou bien de leur travail ou de
leur commerce par leurs festins, fêtes et présents, un équivalent
ou une valeur supérieure qui, à leur tour, donneront aux donateurs autorité et pouvoir sur le premier donateur devenu dernier donataire. Et voilà l'idée maîtresse qui semble présider à
Samoa et en Nouvelle-Zélande, à la circulation obligatoire des
richesses, tributs et dons.

Un pareil fait éclaire deux systèmes importants de phénomènes sociaux en Polynésie et même hors de Polynésie. D'abord,
on saisit la nature du lien juridique que crée la transmission
d'une chose. Nous reviendrons tout à l'heure sur ce point.
Nous montrerons comment ces faits peuvent contribuer à une
théorie générale de l'obligation. Mais, pour le moment, il est
net qu'en droit maori, le lien de droit, lien par les choses, est
un lien d'âmes, car la chose elle-même a une âme, est de l'âme.

bien en effet l'acte de manger l'âme et est bien le synonyme de *whanga
hau*, cf. TREGEAR, *Maori Comp. Dict.*, s. v. *kai* et *whangai* ; mais cette équivalence n'est pas simple. Car le présent type, c'est celui de nourriture, *kai*,
et le mot fait allusion à ce système de la communion alimentaire, de la faute
qui consiste à y rester en débet. Il y a plus : le mot de *hau* lui-même rentre
dans cette sphère d'idées : WILLIAMS, *Maori Dict.*, p. 23, s. v. dit : « *hau*,
présent rendu en forme de reconnaissance pour un présent reçu ».

(1) Nous attirons aussi l'attention sur la remarquable expression *kai-
hau-kai*, TREGEAR, *M.C.D.*, p. 116 : « rendre un présent de nourriture
offert par une tribu à une autre ; fête (île du Sud) ». Elle signifie que ce
présent et cette fête rendus sont en réalité l'âme de la première prestation
qui revient à son point de départ : « nourriture qui est le *hau* de la nourriture ». Dans ces institutions et ces idées se confondent toutes sortes de principes que nos vocabulaires européens mettent au contraire le plus grand
soin à distinguer.

(2) En effet les *taonga* semblent être doués d'individualité, même en
dehors du *hau* que leur confère leur relation avec leur propriétaire. Ils
portent des noms. D'après la meilleure énumération (celle que TREGEAR,
loc. cit., p. 360, s. v. *pounamu*, extrait des mss. de Colenso) ils ne comprennent, limitativement, que les catégories suivantes : les *pounamu*, les fameux
jades, propriété sacrée des chefs et des clans, d'ordinaire les *tiki* si rares,
si individuels, et si bien sculptés ; puis diverses sortes de nattes dont l'une,
blasonnée sans doute comme à Samoa, porte le nom de *korowai* (c'est le
seul mot maori qui nous rappelle le mot samoan *oloa*, dont nous avons
vainement cherché l'équivalent maori).

Un document maori donne le nom de *taonga* aux *Karakia*, formules
magiques individuellement intitulées et considérées comme talismans personnels transmissibles : *Jour. Pol. Soc.*, t. IX, p. 126 (trad., p. 133).

D'où il suit que présenter quelque chose à quelqu'un c'est présenter quelque chose de soi. Ensuite, on se rend mieux compte ainsi de la nature même de l'échange par dons, de tout ce que nous appelons prestations totales, et, parmi celles-ci, « potlatch ». On comprend clairement et logiquement, dans ce système d'idées, qu'il faille rendre à autrui ce qui est en réalité parcelle de sa nature et substance ; car, accepter quelque chose de quelqu'un, c'est accepter quelque chose de son essence spirituelle, de son âme ; la conservation de cette chose serait dangereuse et mortelle et cela non pas simplement parce qu'elle serait illicite, mais aussi parce que cette chose qui vient de la personne, non seulement moralement, mais physiquement et spirituellement, cette essence, cette nourriture (1), ces biens, meubles ou immeubles, ces femmes ou ces descendants, ces rites ou ces communions, donnent prise magique et religieuse sur vous. Enfin, cette chose donnée n'est pas chose inerte. Animée, souvent individualisée, elle tend à rentrer à ce que Hertz appelait son « foyer d'origine » ou à produire, pour le clan et le sol dont elle est issue, un équivalent qui la remplace.

III

AUTRES THÈMES : L'OBLIGATION DE DONNER
L'OBLIGATION DE RECEVOIR

Il reste pour comprendre complètement l'institution de la prestation totale et du potlatch, à chercher l'explication des deux autres moments qui sont complémentaires de celui-là ; car la prestation totale n'emporte pas seulement l'obligation de rendre les cadeaux reçus ; mais elle en suppose deux autres aussi importantes : obligation d'en faire, d'une part, obligation d'en recevoir, de l'autre. La théorie complète de ces trois obligations, de ces trois thèmes du même complexus, donnerait l'explication fondamentale satisfaisante de cette forme du contrat entre clans polynésiens. Pour le moment, nous ne pouvons qu'indiquer la façon de traiter le sujet.

On trouvera aisément un grand nombre de faits concernant l'obligation de recevoir. Car un clan, une maisonnée, une compagnie, un hôte, ne sont pas libres de ne pas demander l'hos-

---

(1) Elsdon BEST, *Forest Lore, ibid.*, p. 449.

pitalité (1), de ne pas recevoir de cadeaux, de ne pas commercer (2), de ne pas contracter alliance, par les femmes et par le
sang. Les Dayaks ont même développé tout un système de
droit et de morale, sur le devoir que l'on a de ne pas manquer
de partager le repas auquel on assiste ou que l'on a vu préparer. (3)

L'obligation de donner est non moins importante ; son étude
pourrait faire comprendre comment les hommes sont devenus
échangistes. Nous ne pouvons qu'indiquer quelques faits. Refuser
de donner (4), négliger d'inviter, comme refuser de prendre (5),
équivaut à déclarer la guerre ; c'est refuser l'alliance et la

---

(1) Ici se placerait l'étude du système de faits que les Maori classent
sous le mot expressif de « mépris de *Tahu* ». Le document principal se trouve
dans Elsdon BEST, Maori Mythology, in *Jour. Pol. Soc.*, t. IX, p. 113. *Tahu*
est le nom « emblématique » de la nourriture en général, c'est sa personnification. L'expression « *Kaua e tokahi ia Tahu* » « ne méprise pas Tahu »
s'emploie vis-à-vis d'une personne qui a refusé de la nourriture qui lui a
été présentée. Mais l'étude de ces croyances concernant la nourriture en
pays maori nous entraînerait bien loin. Qu'il nous suffise de dire que ce
dieu, cette hypostase de la nourriture, est identique à *Rongo*, dieu des
plantes et de la paix, et l'on comprendra mieux ses associations d'idées :
hospitalité, nourriture, communion, paix, échange, droit.

(2) V. Elsdon BEST, Spir. Conc., *J. Pol. Soc.*, t. IX, p. 198.

(3) V. HARDELAND, *Dayak Wörterbuch* s. v. *indjok, irek, pahuni*, t. I,
p. 190, p. 397 *a*. L'étude comparative de ces institutions peut être étendue
à toute l'aire de la civilisation malaise, indonésienne et polynésienne. La
seule difficulté consiste à reconnaître l'institution. Un exemple : c'est sous
le nom de « commerce forcé » que Spencer Saint-John décrit la façon dont,
dans l'État de Brunei (Bornéo), les nobles prélevaient tribut sur les Bisayas
en commençant par leur faire cadeau de tissus payés ensuite à un faux
usuraire et pendant nombre d'années (*Life in the forests of the far East*,
t. II, p. 42). L'erreur provient déjà des Malais civilisés eux-mêmes qui
exploitaient une coutume de leurs frères moins civilisés qu'eux et ne les
comprenaient plus. Nous n'énumérerons pas tous les faits indonésiens de
ce genre (v. plus loin C. R. du travail de M. KRUYT, *Koopen in Midden
Celebes*).

(4) Négliger d'inviter à une danse de guerre est un péché, une faute
qui, dans l'île du Sud, porte le nom de *puha*. H. T. DE CROISILLES, Short
Traditions of the South Island, *J.P.S.*, t. X, p. 76 (à noter : *lahua, gift of
food*).

Le rituel d'hospitalité maori comprend : une invitation obligatoire, que
l'arrivant ne doit pas refuser, mais qu'il ne doit pas solliciter non plus ;
il doit se diriger vers la maison de réception (différente suivant les castes),
sans regarder autour de lui ; son hôte doit lui faire préparer un repas, exprès,
et y assister, humblement ; au départ, l'étranger reçoit un cadeau de via-
tique (TREGEAR, *Maori Race*, p. 29), v. plus loin les rites *identiques* de
l'hospitalité hindoue.

(5) En réalité, les deux règles se mêlent indissolublement, comme les
prestations antithétiques et symétriques qu'elles prescrivent. Un proverbe
exprime ce mélange : TAYLOR (*Te ika a maui*, p. 132, proverbe n° 60) le
traduit de façon approximative : « *When raw it is seen, when cooked, it is
taken.* » « Il vaut mieux manger une nourriture à demi cuite (que d'attendre
que les étrangers soient arrivés), qu'elle soit cuite et d'avoir à la partager
avec eux. »

communion (1). Ensuite, on donne parce qu'on y est forcé, parce que le donataire a une sorte de droit de propriété sur tout ce qui appartient au donateur (2). Cette propriété s'exprime et se conçoit comme un lien spirituel. Ainsi, en Australie, le gendre, qui doit tous les produits de sa chasse à son beau-père et à sa belle-mère, ne peut rien consommer devant eux, de peur que leur seule respiration n'empoisonne ce qu'il mange (3). On a vu plus haut les droits de ce genre qu'a le *taonga* neveu utérin à Samoa, et qui sont tout à fait comparables à ceux qu'a le neveu utérin *(vasu)* à Fiji (4).

En tout ceci, il y a une série de droits et de devoirs de consommer et de rendre, correspondant à des droits et des devoirs de présenter et de recevoir. Mais ce mélange étroit de droits et de devoirs symétriques et contraires cesse de paraître contradictoire si l'on conçoit qu'il y a, avant tout, mélange de liens spirituels entre les choses qui sont à quelque degré de l'âme et les individus et les groupes qui se traitent à quelque degré comme des choses.

Et toutes ces institutions n'expriment uniquement qu'un fait, un régime social, une mentalité définie : c'est que tout, nourriture, femmes, enfants, biens, talismans, sol, travail, services,

---

(1) Le chef Hekemaru (faute de Maru), selon la légende, refusait d'accepter « la nourriture » sauf quand il avait été vu et reçu par le village étranger. Si son cortège était passé inaperçu et si on lui envoyait des messagers pour le prier, lui et sa suite, de revenir sur ses pas et de partager la nourriture, il répondait que « la nourriture ne suivrait pas son dos ». Il voulait dire par là que la nourriture offerte au « dos sacré de sa tête » (c'est-à-dire quand il avait déjà dépassé les environs du village) serait dangereuse pour ceux qui la lui donneraient. De là le proverbe : « La nourriture ne suivra pas le dos de Hekemaru » (TREGEAR, *Maori Race*, p. 79).

(2) Dans la tribu de Turhoe, on commenta à M. Elsdon BEST (Maori Mythology, *J.P.S.*, t. VIII, p. 113) ces principes de mythologie et de droit. « Quand un chef de renom doit visiter un pays, « son *mana* le précède ». Les gens du district se mettent à chasser et à pêcher pour avoir de bonne nourriture. Ils ne prennent rien ; « c'est que notre mana parti en avant » a rendu tous les animaux, tous les poissons invisibles ; « notre mana les a bannis »..., etc. » (Suit une explication de la gelée et de la neige, du *Whai riri* (péché contre l'eau) qui retient la nourriture loin des hommes.) En réalité, ce commentaire un peu obscur décrit l'état dans lequel serait le territoire d'un *hapu* de chasseurs dont les membres n'auraient pas fait le nécessaire pour recevoir un chef d'un autre clan. Ils auraient commis un « *kaipapa*, une faute contre la nourriture », et détruit ainsi leurs récoltes et gibiers et pêches, leurs nourritures à eux.

(3) Ex. Arunta, Unmatjera, Kaitish, — SPENCER et GILLEN, *Northern Tribes of Central Australia*, p. 610.

(4) Sur le *vasu*, voir surtout le vieux document de WILLIAMS, *Fiji and the Fijians*, 1858, t. I, p. 34, sp. Cf. STEINMETZ, *Entwickelung der Strafe*, t. II, p. 241 sq. Ce droit du neveu utérin correspond seulement au communisme familial. Mais il permet de se représenter d'autres droits, par exemple ceux de parents par alliance et ce qu'on appelle en général le « vol légal ».

offices sacerdotaux et rangs, est matière à transmission et reddition. Tout va et vient comme s'il y avait échange constant d'une matière spirituelle comprenant choses et hommes, entre les clans et les individus, répartis entre les rangs, les sexes et les générations.

IV

REMARQUE

LE PRÉSENT FAIT AUX HOMMES
ET LE PRÉSENT FAIT AUX DIEUX

Un quatrième thème joue un rôle dans cette économie et cette morale des présents, c'est celui du cadeau fait aux hommes en vue des dieux et de la nature. Nous n'avons pas fait l'étude générale qu'il faudrait pour en faire ressortir l'importance. De plus, les faits dont nous disposons n'appartiennent pas tous aux aires auxquelles nous nous sommes limité. Enfin l'élément mythologique que nous comprenons encore mal y est trop fort pour que nous puissions en faire abstraction. Nous nous bornons donc à quelques indications.

Dans toutes les sociétés du nord-est sibérien (1) et chez les Eskimos, de l'ouest alaskan (2), comme chez ceux de la rive asiatique du détroit de Behring, le potlatch (3) produit un effet non seulement

---

(1) Voir BOGORAS, The Chukchee (*Jesup North Pacific Expedition* ; *Mem. of the American Museum of Natural History*, New York), vol. VII. Les obligations à faire, à recevoir et à rendre des cadeaux et l'hospitalité sont plus marquées chez les Chukchee maritimes que chez les Chukchee du Renne. V. Social Organization, *ibid.*, p. 634, 637. Cf. Règle du sacrifice et abattage du renne. Religion, *ibid.*, t. II, p. 375 : devoir d'inviter, droit de l'invité à demander ce qu'il veut, obligation pour lui de faire un cadeau.

(2) Le thème de l'obligation de donner est profondément eskimo. V. notre travail sur les *Variations saisonnières des Sociétés eskimo*, p. 121. Un des derniers recueils eskimo publiés contient encore des contes de ce type enseignant la générosité. HAWKES, The Labrador Eskimis *(Can. Geological Survey, Anthropological Series)*, p. 159.

(3) Nous avons (Variations saisonnières dans les Sociétés eskimo, *Année Sociologique*, t. IX, p. 121) considéré les fêtes des Eskimos de l'Alaska comme une combinaison d'éléments eskimo et d'emprunts faits au potlatch indien proprement dit. Mais, depuis l'époque où nous avons écrit, le potlatch a été identifié, ainsi que l'usage des cadeaux, chez les Chukchee et les Koryak de Sibérie, comme on va voir. L'emprunt peut, par conséquent, avoir été fait aussi bien à ceux-ci qu'aux Indiens d'Amérique. De plus, il faut tenir compte des belles et plausibles hypothèses de M. SAUVAGEOT (*Journal des Américanistes*, 1924) sur l'origine asiatique des langues eskimo, hypothèses qui viennent confirmer les idées les plus constantes des archéologues et des anthropologues sur les origines des Eskimos et de leur civilisation. Enfin tout démontre que les Eskimos de l'Ouest, au lieu d'être

sur les hommes qui rivalisent de générosité, non seulement sur les choses qu'ils s'y transmettent ou y consomment, sur les âmes des morts qui y assistent et y prennent part et dont les hommes portent le nom, mais encore sur la nature. Les échanges de cadeaux entre les hommes, « name-sakes », homonymes des esprits, incitent les esprits des morts, les dieux, les choses, les animaux, la nature, à être « généreux envers eux » (1). L'échange de cadeaux produit l'abondance de richesses, explique-t-on. MM. Nelson (2) et Porter (3) nous ont donné une bonne description de ces fêtes et de leur action sur les morts, sur les gibiers, cétacés et poissons que chassent et pêchent les Eskimos. On les appelle dans l'espèce de langue des trappeurs anglais du nom expressif de « Asking Festival » (4) d' « Inviting in festival ». Elles dépassent d'ordinaire les limites des villages d'hiver. Cette action sur la nature est tout à fait marquée dans l'un des derniers travaux sur ces Eskimos (5).

Même, les Eskimos d'Asie ont inventé une sorte de mécanique,

---

plutôt dégénérés par rapport à ceux de l'Est et du Centre, sont plus près, linguistiquement et ethnologiquement, de la souche. C'est ce qui semble maintenant prouvé par M. Thalbitzer.

Dans ces conditions, il faut être plus ferme et dire qu'il y a potlatch chez les Eskimos de l'Est et que ce potlatch est très anciennement établi chez eux. Restent cependant les totems et les masques qui sont assez spéciaux à ces fêtes de l'Ouest et dont un certain nombre sont évidemment d'origine indienne ; enfin on s'explique assez mal la disparition à l'est et au centre de l'Amérique arctique du potlatch eskimo, sinon par le rapetissement des sociétés eskimo de l'Est.

(1) Hall, *Life with the Esquimaux*, t. II, p. 320. Il est extrêmement remarquable que cette expression nous soit donnée, non pas à propos d'observations sur le potlatch alaskan, mais à propos des Eskimos centraux, qui ne connaissent que les fêtes d'hiver de communisme et d'échanges de cadeaux. Ceci prouve que l'idée dépasse les limites de l'institution du potlatch proprement dit.

(2) *Eskimos about Behring Straits*, *XVIIIth Ann. Rep. of the Bur. of Am. Ethn.*, p. 303 sq.

(3) Porter, *Alaskan*, *XIth Census*, p. 138 et 141, et surtout Wrangell, *Statistische Ergebnisse*, etc., p. 132.

(4) Nelson, Cf. « asking stick » dans Hawkes, *The Inviting-in Feast of the Alaskan Eskimos*, *Geological Survey*. Mémoire 45. *Anthropological Series*, II, p. 7.

(5) Hawkes, *loc. cit.*, p. 3 ; p. 9, description d'une de ces fêtes : Unalaklit contre Malemiut. Un des traits les plus caractéristiques de ce complexus est la série comique de prestations le premier jour et les cadeaux qu'elles engagent. La tribu qui réussit à faire rire l'autre peut lui demander tout ce qu'elle veut. Les meilleurs danseurs reçoivent des présents de valeur, p. 12, 13, 14. C'est un exemple fort net et fort rare de représentations rituelles (je n'en connais d'autres exemples qu'en Australie et en Amérique) d'un thème qui est, au contraire, assez fréquent dans la mythologie : celui de l'esprit jaloux qui, quand il rit, relâche la chose qu'il garde.

Le rite de l' « Inviting in Festival » se termine d'ailleurs par une visite de l'angekok (shamane) aux esprits hommes « inua » dont il porte le masque et qui l'informent qu'ils ont pris plaisir aux danses et enverront du gibier. Cf. cadeau fait aux phoques. Jenness, Life of the Copper Eskimos, *Rep. of the Can. Artic Exped.*, 1922, vol. XII, p. 178, n. 2.

Les autres thèmes du droit des cadeaux sont aussi fort bien développés, par exemple le chef « näskuk » n'a pas le droit de refuser aucun présent,

une roue ornée de toutes sortes de provisions, et portée sur une espèce
de mât de cocagne surmonté lui-même d'une tête de morse. Cette
partie du mât dépasse la tente de cérémonie dont il forme l'axe.
Il est manœuvré à l'intérieur de la tente à l'aide d'une autre roue et
on le fait tourner dans le sens du mouvement du soleil. On ne saurait
exprimer mieux la conjonction de tous ces thèmes (1).

Elle est aussi évidente chez les Chukchee (2) et les Koryaks de
l'extrême nord-est sibérien. Les uns et les autres ont le potlatch.
Mais ce sont les Chukchee maritimes qui, comme leurs voisins Yuit,
Eskimos asiatiques dont nous venons de parler, pratiquent le plus
ces échanges obligatoires et volontaires de dons, de cadeaux au
cours des longs « Thanksgiving Ceremonies » (3), cérémonials d'actions
de grâce qui se succèdent, nombreux en hiver, dans chacune des
maisons, l'une après l'autre. Les restes du sacrifice festin sont jetés
à la mer ou répandus au vent ; ils se rendent au pays d'origine et em-
mènent avec eux les gibiers tués de l'année qui reviendront l'an
suivant. M. Jochelson mentionne des fêtes du même genre chez les
Koryaks, mais n'y a pas assisté, sauf à la fête de la baleine (4). Chez
ceux-ci, le système du sacrifice apparaît très nettement développé (5).

M. Bogoras (6) rapproche avec raison ces usages de la « Koliada »
russe : des enfants masqués vont de maison en maison demander
des œufs, de la farine et on n'ose pas les leur refuser. On sait que cet
usage est européen (7).

Les rapports de ces contrats et échanges entre hommes et de ces
contrats et échanges entre hommes et dieux éclairent tout un côté
de la théorie du Sacrifice. D'abord, on les comprend parfaitement,
surtout dans ces sociétés où ces rituels contractuels et économiques se
pratiquent entre hommes, mais où ces hommes sont les incarnations masquées, souvent chamanistiques et possédées par l'esprit
dont ils portent le nom : ceux-ci n'agissent en réalité qu'en tant que
représentants des esprits (8). Car, alors, ces échanges et ces contrats

ni mets, si rare qu'il soit, sous peine d'être disgracié pour toujours, Hawkes,
ibid., p. 9.
    Mr. Hawkes a parfaitement raison de considérer (p. 19) la fête des Déné
(Anvik) décrite par Chapman (*Congrès des Américanistes de Québec*, 1907,
t. II) comme un emprunt fait par les Indiens aux Eskimos.
    (1) V. fig. dans *Chukchee*, t. VII (II), p. 403.
    (2) Bogoras, *ibid.*, p. 399 à 401.
    (3) Jochelson, The Koryak, *Jesup North Pacific Expedition*, t. VI, p. 64.
    (4) *Ibid.*, p. 90.
    (5) Cf. p. 98, « This for Thee ».
    (6) *Chukchee*, p. 400.
    (7) Sur des usages de ce genre, v. Frazer, *Golden Bough* (3ᵉ éd.), t. III,
p. 78 à 85, p. 91 et suiv. ; t. X, p. 169 et suiv. V. plus loin.
    (8) Sur le potlatch tlingit, v. plus loin p. 195 et suiv. Ce caractère est fon-
damental de tout le potlatch du nord-ouest américain. Cependant, il y
est peu apparent parce que le rituel est trop totémistique pour que son
action sur la nature soit très marquée en plus de son action sur les esprits.
Il est beaucoup plus clair, en particulier dans le potlatch qui se fait entre
Chukchee et Eskimos à l'île Saint-Lawrence, dans le détroit de Behring.

entraînent en leur tourbillon, non seulement les hommes et les choses, mais les êtres sacrés qui leur sont plus ou moins associés (1). Ceci est très nettement le cas du potlatch tlingit, de l'une des deux sortes du potlatch haïda et du potlatch eskimo.

L'évolution était naturelle. L'un des premiers groupes d'êtres avec lesquels les hommes ont dû contracter et qui par définition étaient là pour contracter avec eux, c'étaient avant tout les esprits des morts et les dieux. En effet, ce sont eux qui sont les véritables propriétaires des choses et des biens du monde (2). C'est avec eux qu'il était le plus nécessaire d'échanger et le plus dangereux de ne pas échanger. Mais, inversement, c'était avec eux qu'il était le plus facile et le plus sûr d'échanger. La destruction sacrificielle a précisément pour but d'être une donation qui soit nécessairement rendue. Toutes les formes du potlatch nord-ouest américain et du nord-est asiatique connaissent ce thème de la destruction (3). Ce n'est pas seulement pour manifester puissance et richesse et désintéressement qu'on met à mort des esclaves, qu'on brûle des huiles précieuses, qu'on jette des cuivres à la mer, qu'on met même le feu à des maisons princières. C'est aussi pour sacrifier aux esprits et aux dieux, en fait confondus avec leurs incarnations vivantes, les porteurs de leurs titres, leurs alliés initiés.

Mais déjà apparaît un autre thème qui n'a plus besoin de ce support humain et qui peut être aussi ancien que le potlatch lui-même : on croit que c'est aux dieux qu'il faut acheter et que les dieux savent rendre le prix des choses. Nulle part peut-être cette idée ne s'exprime d'une façon plus typique que chez les Toradja de Célèbes. Kruyt (4) nous dit « que le propriétaire y doit « acheter » des esprits le droit d'accomplir certains actes sur « sa », en réalité sur « leur »

---

(1) V. un mythe de potlatch dans Bogoras, *Chukchee Mythology*, p. 14, l. 2. Un dialogue s'engage entre deux shamanes : « What will you answer », c'est-à-dire « give as return present ». Ce dialogue finit par une lutte ; puis les deux shamanes contractent entre eux ; ils échangent entre eux leur couteau magique et leur collier magique, puis leur esprit (assistants magiques), enfin leur corps (p. 15, l. 2). Mais ils ne réussissent pas parfaitement leurs vols et leurs atterrissages ; c'est qu'ils ont oublié d'échanger leurs bracelets et leurs « tassels », « my guide in motion » : p. 16, l. 10. Ils réussissent enfin leurs tours. On voit que toutes ces choses ont la même valeur spirituelle que l'esprit lui-même, sont des esprits.

(2) V. Jochelson, Koryak Religion, *Jesup. Exped.*, t. VI, p. 30. Un chant kwakiutl de la danse des esprits (shamanisme des cérémonies d'hiver) commente le thème.

Vous nous envoyez tout de l'autre monde, esprits ! qui enlevez leurs sens aux hommes
Vous avez entendu que nous avions faim, esprits !...
Nous recevrons beaucoup de vous ! etc.

Boas, *Secret Societies and Social Organization of the Kwakiutl Indians*, p. 483.

(3) V. Davy, *Foi jurée*, p. 224 sq. et v. plus loin p. 201.

(4) *Koopen in midden Celebes. Meded. d. Konink. Akad. v. Wet.*, Afd. letterk. 56 ; série B, n° 5, p. 163 à 168, p. 158 et 159.

propriété ». Avant de couper « son » bois, avant de gratter même
« sa » terre, de planter le poteau de « sa » maison, il faut payer les
dieux. Même, tandis que la notion d'achat semble très peu développée dans la coutume civile et commerciale des Toradja (1), celle
de cet achat aux esprits et aux dieux est au contraire parfaitement
constante.

M. Malinowski, à propos des formes d'échange que nous allons
décrire tout de suite, signale des faits du même genre aux Trobriand.
On conjure un esprit malfaisant, un « *tauvau* » dont on a trouvé
un cadavre (serpent ou crabe de terre), en présentant à celui-ci
un de ces *vaygu'a*, un de ces objets précieux, ornement, talisman
et richesse à la fois, qui servent aux échanges du *kula*. Ce don a
une action directe sur l'esprit de cet esprit (2). D'autre part,
lors de la fête des *mila-mila* (3), potlatch en l'honneur des morts, les
deux sortes de *vaygu'a*, ceux du *kula* et ceux que M. Malinowski
appelle pour la première fois (4) les « *vaygu'a* permanents », sont
exposés et offerts aux esprits sur une plate-forme identique à celle du
chef. Ceci rend leurs esprits bons. Ils emportent l'ombre de ces
choses précieuses au pays des morts (5), où ils rivalisent de richesses
comme rivalisent les hommes vivants qui reviennent d'un kula solennel (6).

M. van Ossenbruggen, qui est non seulement un théoricien mais
un observateur distingué et qui vit sur place, a aperçu un autre trait
de ces institutions (7). Les dons aux hommes et aux dieux ont aussi
pour but d'acheter la paix avec les uns et les autres. On écarte ainsi
les mauvais esprits, plus généralement les mauvaises influences,
même non personnalisées : car une malédiction d'homme permet
aux esprits jaloux de pénétrer en vous, de vous tuer, aux influences
mauvaises d'agir, et les fautes contre les hommes rendent le coupable faible vis-à-vis des esprits et des choses sinistres. M. van Ossenbruggen interprète ainsi en particulier les jets de monnaie par le cortège
du mariage en Chine et même le prix d'achat de la fiancée. Sugges-

---

(1) *Ibid.*, p. 3 et 5 de l'extrait.
(2) *Argonauts of the Western Pacific*, p. 511.
(3) *Ibid.*, p. 72, 184.
(4) P. 512 (ceux qui ne sont pas objets d'échange obligatoire). Cf. Baloma,
Spirits of the Dead, *Jour. of the Royal Anthropological Institute*, 1917.
(5) Un mythe maori, celui de Te Kanava, GREY, *Polyn. Myth.*, Éd. Routledge, p. 213, raconte comment les esprits, les fées, prirent l'ombre des
pounamu (jades, etc.) (alias *taonga*) exposés en leur honneur. Un mythe
exactement identique à Mangaia, Wyatt GILL, *Myths and Song from the
South Pacific*, p. 257, raconte de même chose des colliers de disques de
nacre rouge, et comment ils gagnèrent la faveur de la belle Manapa.
(6) P. 513. M. MALINOWSKI exagère un peu, *Arg.*, p. 510 et suiv., la nouveauté de ces faits, parfaitement identiques à ceux du potlatch tlingit et
du potlatch haïda.
(7) *Het Primitieve Denken, voorn. in Pokkengebruiken... Bijdr. tot de Taal-,
Land-, en Volkenk. v. Nederl. Indië*, vol. 71, p. 245 et 246.

tion intéressante à partir de laquelle toute une chaîne de faits est à dégager (1).

On voit comment on peut amorcer ici une théorie et une histoire du sacrifice contrat. Celui-ci suppose des institutions du genre de celles que nous décrivons, et, inversement, il les réalise au suprême degré, car ces dieux qui donnent et rendent sont là pour donner une grande chose à la place d'une petite.

Ce n'est peut-être pas par l'effet d'un pur hasard que les deux formules solennelles du contrat : en latin *do ut des*, en sanscrit *dadami se, dehi me* (2), ont été conservées aussi par des textes religieux.

Autre remarque, l'aumône. — Cependant, plus tard, dans l'évolution des droits et des religions, réapparaissent les hommes, redevenus encore une fois représentants des dieux et des morts, s'ils ont jamais cessé de l'être. Par exemple, chez les Haoussa du Soudan, quand le « blé de Guinée » est mûr, il arrive que des fièvres se répandent ; la seule façon d'éviter cette fièvre est de donner des présents de ce blé aux pauvres (3). Chez les mêmes Haoussa (cette fois de Tripoli), lors de la Grande Prière (Baban Salla), les enfants (usages méditerranéens et européens) visitent les maisons : « Dois-je entrer ?... » « O lièvre à grandes oreilles ! répond-on, pour un os on reçoit des services. » (Un pauvre est heureux de travailler pour les riches.) Ces dons aux enfants et aux pauvres plaisent aux morts (4). Peut-être chez les Haoussa, ces usages sont-ils d'origine musulmane (5) ou d'origine musulmane, nègre et européenne à la fois, berbère aussi.

En tout cas, on voit comment s'amorce ici une théorie de l'aumône. L'aumône est le fruit d'une notion morale du don et de la fortune (6), d'une part, et d'une notion du sacrifice de l'autre. La libéralité est obligatoire, parce que la Némésis venge les pauvres et les dieux de l'excès de bonheur et de richesse de certains hommes

---

(1) Crawley, *Mystic Rose*, p. 386, a déjà émis une hypothèse de ce genre et M. Westermarck entrevoit la question et commence la preuve. V. en particulier *History of Human Marriage*, 2ᵉ éd., t. I, p. 394 et suiv. Mais il n'a pas vu clair dans le fond, faute d'avoir identifié le système des prestations totales et le système plus développé du potlatch dont tous ces échanges, et en particulier l'échange des femmes et le mariage, ne sont que l'une des parties. Sur la fertilité du mariage assurée par les dons faits aux conjoints, v. plus loin.

(2) Vâjasaneyisamhitâ, v. Hubert et Mauss, Essai sur le Sacrifice, p. 105 (*Année Soc.*, t. II).

(3) Tremearne, *Haussa Superstitions and Customs*, 1913, p. 55.

(4) Tremearne, *The Ban of the Bori*, 1915, p. 239.

(5) Robertson Smith, *Religion of the Semites*, p. 283. « Les pauvres sont les hôtes de Dieu. »

(6) Les Betsimisaraka de Madagascar racontent que de deux chefs, l'un distribuait tout ce qui était en sa possession, l'autre ne distribuait rien et gardait tout. Dieu donna la fortune à celui qui était libéral, et ruina l'avare (Grandidier, *Ethnographie de Madagascar*, t. II, p. 67, n. a.).

qui doivent s'en défaire : c'est la vieille morale du don devenue principe de justice ; et les dieux et les esprits consentent à ce que les parts qu'on leur en faisait et qui étaient détruites dans des sacrifices inutiles servent aux pauvres et aux enfants (1). Nous racontons là l'histoire des idées morales des Sémites. La sadaka (2) arabe est, à l'origine, comme la zedaqa hébraïque, exclusivement la justice ; et elle est devenue l'aumône. On peut même dater de l'époque mischnaïque, de la victoire des « Pauvres » à Jérusalem, le moment où naquit la doctrine de la charité et de l'aumône qui fit le tour du monde avec le christianisme et l'islam. C'est à cette époque que le mot zedaqa change de sens, car il ne voulait pas dire aumône dans la Bible.

Mais revenons à notre sujet principal : le don et l'obligation de rendre.

Ces documents et ces commentaires n'ont pas seulement un intérêt ethnographique local. Une comparaison peut étendre et approfondir ces données.

Les éléments fondamentaux du potlatch (3) se trouvent ainsi

---

(1) Sur les notions d'aumône, de générosité et de libéralité, voir le recueil de faits de M. WESTERMARCK, *Origin and Development of Moral Ideas*, I, chap. XXIII.

(2) Sur une valeur magique encore actuelle de la sadqâa, v. plus loin.

(3) Nous n'avons pu refaire le travail de relire à nouveau toute une littérature. Il y a des questions qui ne se posent qu'après que la recherche est terminée. Mais nous ne doutons pas qu'en recomposant les systèmes de faits disjoints par les ethnographes, on trouverait encore d'autres traces importantes de potlatch en Polynésie. Par exemple, les fêtes d'exposition de nourriture, *hakari*, en Polynésie, v. TREGEAR, *Maori Race*, p. 113, comportent exactement les mêmes étalages, les mêmes échafaudages, mises en tas, distribution de nourriture, que les *hekarai*, mêmes fêtes à noms identiques des Mélanésiens de Koita. V. SELIGMANN, *The Melanesians*, p. 141-145 et pl. Sur le Hakari, v. aussi TAYLOR, *Te ika a Maui*, p. 13 ; YEATS, *An account of New Zealand*, 1835, p. 139. Cf. TREGEAR, *Maori Comparative Dic.*, s. v. Hakari. Cf. un mythe dans GREY, *Poly. Myth.*, p. 213 (édition de 1855), p. 189 (édition populaire de Routledge), décrit le hakari de Maru, dieu de la guerre ; or la désignation solennelle des donataires est absolument identique à celle des fêtes néo-calédoniennes, fijiennes et néo-guinéennes. Voici encore un discours formant *Umu taonga* (Four à taonga) pour un *hikairo* (distribution de nourriture), conservé dans un chant (sir E. GREY, Konga Moteatea, *Mythology and Traditions, in New-Zealand*, 1853, p. 132) autant que je puis traduire (strophe 2) :

> Donne-moi de ce côté mes taonga
> donne-moi mes taonga, que je les place en tas
> que je les place en tas vers la terre
> que je les place en tas vers la mer
> etc... vers l'Est
> ....
> Donne-moi mes taonga.

La première strophe fait sans doute allusion aux taonga de pierre. On voit à quel degré la notion même de *taonga* est inhérente à ce rituel de la fête de nourriture. Cf. Percy SMITH, Wars of the Northern against the Southern Tribes, *J.P.S.*, t. VIII, p. 156 (Hakari de Te Toko).

en Polynésie, même si l'institution complète (1) ne s'y trouve pas ; en tout cas, l'échange-don y est la règle. Mais ce serait pure érudition que de souligner ce thème de droit s'il n'était que maori, ou à la rigueur polynésien. Déplaçons le sujet. Nous pouvons, au moins pour l'*obligation de rendre*, montrer qu'elle a une bien autre extension. Nous indiquerons également l'extension des autres obligations et nous allons prouver que cette interprétation vaut pour plusieurs autres groupes de sociétés.

(1) En supposant qu'elle ne se trouve pas dans les sociétés polynésiennes actuelles, il se pourrait qu'elle ait existé dans les civilisations et les sociétés qu'a absorbées ou remplacées l'immigration des Polynésiens, et il se peut aussi que les Polynésiens l'aient eue avant leur migration. En fait, il y a une raison pour qu'elle ait disparu d'une partie de cette aire. C'est que les clans sont définitivement hiérarchisés dans presque toutes les îles et même concentrés autour d'une monarchie ; il manque donc une des principales conditions du potlatch, l'instabilité d'une hiérarchie que la rivalité des chefs a justement pour but de fixer par instants. De même, si nous trouvons plus de traces (peut-être de seconde formation) chez les Maori, plus qu'en aucune autre île, c'est que précisément la chefferie s'y est reconstituée et que les clans isolés y sont devenus rivaux.

Pour des destructions de richesses de type mélanésien ou américain à Samoa, v. Krämer, *Samoa Inseln*, t. I. p. 375. V. index s. v. *ifoga*. Le *muru* maori, destruction de biens pour cause de faute, peut être étudié aussi de ce point de vue. A Madagascar, les relations des *Lohateny* — qui doivent commercer entre eux, peuvent s'insulter, abîmer tout les uns chez les autres — sont également des traces de potlatch anciens. V. Grandidier, *Ethnographie de Madagascar*, t. II, p. 131 et n. p. 132-133.

CHAPITRE II

EXTENSION DE CE SYSTÈME
LIBÉRALITÉ, HONNEUR, MONNAIE

I

RÈGLES DE LA GÉNÉROSITÉ. ANDAMANS (N. B.)

D'abord on trouve aussi ces coutumes chez les Pygmées, les plus primitifs des hommes, selon le Père Schmidt (1). Mr. Brown a observé, dès 1906, des faits de ce genre parmi les Andamans (île du Nord) et les a décrits en excellents termes à propos de l'hospitalité entre groupes locaux et des visites — fêtes, foires qui servent aux échanges volontaires-obligatoires — (commerce de l'ocre et produits de la mer contre produits de la forêt, etc.) : « Malgré l'importance de ces échanges, comme le groupe local et la famille, en d'autres cas, savent se suffire en fait d'outils, etc., ces présents ne servent pas au même but que le commerce et l'échange dans les sociétés plus développées. Le but est avant tout moral, l'objet en est de produire un senti-

---

N. B. — Tous ces faits, comme ceux qui vont suivre, sont empruntés à des provinces ethnographiques assez variées dont ce n'est pas notre but d'étudier les connexions. D'un point de vue ethnologique, l'existence d'une civilisation du Pacifique ne fait pas l'ombre d'un doute et explique en partie bien des traits communs, par exemple du potlatch mélanésien et du potlatch américain, de même l'identité du potlatch nord-asiatique et nord-américain. Mais, d'autre part, ces débuts chez les Pygmées sont bien extraordinaires. Les traces du potlatch indo-européen dont nous parlerons ne le sont pas moins. Nous nous abstiendrons donc de toutes les considérations à la mode sur les migrations d'institutions. Dans notre cas, il est trop facile et trop dangereux de parler d'emprunt et non moins dangereux de parler d'inventions indépendantes. Au surplus, toutes ces cartes qu'on dresse ne sont que celles de nos pauvres connaissances ou ignorances actuelles. Pour le moment, qu'il nous suffise de montrer la nature et la très large répartition d'un thème de droit ; à d'autres d'en faire l'histoire, s'ils peuvent.

(1) *Die Stellung der Pygmäenvölker*, 1910. Nous ne sommes pas d'accord avec le P. Schmidt sur ce point. V. *Année Soc.*, t. XII, p. 65 sq.

ment amical entre les deux personnes en jeu, et si l'opération n'avait pas cet effet, tout en était manqué (1)... »

« Personne n'est libre de refuser un présent offert. Tous, hommes et femmes, tâchent de se surpasser les uns les autres en générosité. Il y avait une sorte de rivalité à qui pourrait donner le plus d'objets de plus de valeur (2). » Les présents scellent le mariage, forment une parenté entre les deux couples de parents. Ils donnent aux deux « côtés » même nature, et cette identité de nature est bien manifestée par l'interdit qui, dorénavant, tabouera, depuis le premier engagement de fiançailles, jusqu'à la fin de leurs jours, les deux groupes de parents qui ne se voient plus, ne s'adressent plus la parole, mais échangent de perpétuels cadeaux (3). En réalité, cet interdit exprime, et l'intimité et la peur qui règnent entre ce genre de créditeurs et ce genre de débiteurs réciproques. Que tel soit le principe, c'est ce que prouve ceci : le même tabou, significatif de l'intimité et de l'éloignement simultanés, s'établit encore entre jeunes gens des deux sexes qui ont passé en même temps par les cérémonies du « manger de la tortue et manger du cochon (4) », et qui sont pour leur vie également obligés à l'échange de présents. Il y a des faits de ce genre également en Australie (5). M. Brown nous signale encore les rites de la rencontre après de longues séparations, l'embrassade, le salut par les larmes, et montre comment les échanges de présents en sont les équivalents (6) et comment on y mélange et les sentiments et les personnes (7).

Au fond, ce sont des mélanges. On mêle les âmes dans les choses ; on mêle les choses dans les âmes. On mêle les vies et voilà comment les personnes et les choses mêlées sortent chacune de sa sphère et se mêlent : ce qui est précisément le contrat et l'échange.

---

(1) *Andaman Islanders*, 1922, p. 83 : « Quoique les objets fussent regardés comme des présents, on s'attendait à recevoir quelque chose d'égale valeur et on se fâchait si le présent rendu ne correspondait pas à l'attente. »
(2) *Ibid.*, p. 73, 81 ; M. Brown observe ensuite combien cet état d'activité contractuelle est instable, comment il mène à des querelles soudaines alors qu'il avait souvent pour but de les effacer.
(3) *Ibid.*
(4) *Ibid.*
(5) Le fait est en effet parfaitement comparable aux relations *kalduke* des *ngia-ngiampe*, chez les Narrinyerri et aux *Yutchin* chez les Dieri ; sur ces relations, nous nous réservons de revenir.
(6) *Ibid.*
(7) *Ibid.* M. Brown donne une excellente théorie sociologique de ces manifestations de la communion, de l'identité des sentiments, du caractère à la fois obligatoire et libre de leur manifestations. Il y a là un autre problème, d'ailleurs connexe, sur lequel nous avons déjà attiré l'attention : Expression obligatoire des sentiments, *Journal de Psychologie*, 1921.

II

PRINCIPES, RAISONS ET INTENSITÉ
DES ÉCHANGES DE DONS (MÉLANÉSIE)

Les populations mélanésiennes ont, mieux que les polynésiennes, ou conservé ou développé le potlatch (1). Mais ceci
n'est pas notre sujet. Elles ont en tout cas, mieux que les polynésiennes, d'une part conservé, et d'autre part développé tout
le système des dons et de cette forme d'échange. Et comme
chez elles, apparaît beaucoup plus nettement qu'en Polynésie
la notion de monnaie (2), le système se complique en partie,
mais aussi se précise.

Nouvelle-Calédonie. — Nous retrouvons non seulement les
idées que nous voulons dégager, mais même leur expression,
dans les documents caractéristiques que M. Leenhardt a rassemblés sur les Néo-Calédoniens. Il a commencé à décrire le
pilou-pilou et le système de fêtes, cadeaux, prestations de
toute sorte, y compris de monnaie (3), qu'il ne faut pas hésiter
à qualifier de potlatch. Des dires de droit dans les discours
solennels du héraut sont tout à fait typiques. Ainsi, lors de la
présentation cérémonielle des ignames (4) du festin, le héraut
dit : « S'il y a quelque ancien pilou au devant duquel nous
n'avons pas été là-bas, chez les Wi..., etc., cette igname s'y
précipite comme autrefois une igname pareille est venue de
chez eux chez nous (5)... » C'est la chose elle-même qui revient.
Plus loin, dans le même discours, c'est l'esprit des ancêtres
qui laisse « descendre... sur ces parts de vivres l'effet de leur
action et leur force ». « Le résultat de l'acte que vous avez
accompli apparaît aujourd'hui. Toutes les générations ont
apparu dans sa bouche. » Voici une autre façon de figurer le lien
de droit, non moins expressive : « Nos fêtes sont le mouvement de l'aiguille qui sert à lier les parties de la toiture de

(1) V. plus haut, p. 152, n. 1.
(2) Il y aurait lieu de reprendre la question de la monnaie pour la Polynésie. V. plus haut, p. 156, n. 6, la citation d'Ella sur les nattes samoanes.
Les grandes haches, les jades, les *tiki*, les dents de cachalot, sont sans doute
des monnaies ainsi qu'un grand nombre de coquillages et de cristaux.
(3) La Monnaie néo-calédonienne, *Revue d'Ethnographie*, 1922, p. 328,
surtout en ce qui concerne les monnaies de fin de funérailles et le principe,
p. 332. La Fête du Pilou en Nouvelle-Calédonie, *Anthropologie*, p. 226 sq.
(4) *Ibid.*, p. 236-237 ; cf. p. 250 et 251.
(5) P. 247 ; cf. p. 250-251.

paille, pour ne faire qu'un seul toit, qu'une seule parole (1). »
Ce sont les mêmes choses qui reviennent, le même fil qui passe (2).
D'autres auteurs signalent ces faits (3).

Trobriand. — A l'autre extrémité du monde mélanésien,
un système fort développé est équivalent à celui des Néo-
Calédoniens. Les habitants des îles Trobriand sont parmi les
plus civilisés de ces races. Aujourd'hui riches pêcheurs de
perles et, avant l'arrivée des Européens, riches fabricants de
poterie, de monnaie de coquillages, de haches de pierre et de
choses précieuses, ils ont été de tout temps bons commerçants
et hardis navigateurs. Et M. Malinowski les appelle d'un nom
vraiment exact quand il les compare aux compagnons de Jason :
« Argonautes de l'ouest du Pacifique ». Dans un livre qui est
un des meilleurs de sociologie descriptive, se cantonnant pour
ainsi dire sur le sujet qui nous intéresse, il nous a décrit tout
le système de commerce intertribal et intratribal qui porte le
nom de *kula* (4). Il nous laisse encore attendre la description
de toutes les institutions auxquelles les mêmes principes de
droit et d'économie président : mariage, fête des morts, initiation, etc., et, par conséquent, la description que nous allons
donner n'est encore que provisoire. Mais les faits sont capitaux
et évidents (5).

(1) *Pilou*, p. 263. Cf. *Monnaie*, p. 332.
(2) Cette formule semble appartenir au symbolisme juridique polynésien.
Aux îles Mangaia, la paix était symbolisée par une « maison bien couverte »
rassemblant les dieux et les clans, sous un toit « bien lacé ». Wyatt GILL,
Myths and Songs of the South Pacific, p. 294.
(3) Le Père LAMBERT, *Mœurs des Sauvages néo-calédoniens*, 1900, décrit
de nombreux potlatch : un de 1856, p. 119 ; la série des fêtes funéraires,
p. 234-235 ; un potlatch de deuxième enterrement, p. 240-246 ; il a saisi que
l'humiliation et même l'émigration d'un chef vaincu était la sanction
d'un présent et d'un potlatch non rendus, p. 53 ; et il a compris que « tout
présent demande en retour un autre présent », p. 116 ; il se sert de l'expression populaire française « un retour » : « retour réglementaire » ; les « retours »
sont exposés dans la case des riches, p. 125. Les présents de visite sont obligatoires. Ils sont condition du mariage, p. 10, 93-94 ; ils sont irrévocables
et les « retours sont faits avec usure », en particulier au *bengam*, cousin ger-
main de certaine sorte, p. 215. Le *trianda*, danse des présents, p. 158,
est un cas remarquable de formalisme, de ritualisme et d'esthétique juridique mélangés.
(4) V. *Kula*, *Man*, juillet 1920, n° 51, p. 90 et suiv. ; *Argonauts of the
Western Pacific*, Londres, 1922. Toutes les références qui ne sont pas autrement dénommées dans cette section se réfèrent à ce livre.
(5) M. Malinowski exagère cependant, p. 513 et 515, la nouveauté des
faits qu'il décrit. D'abord le *kula* n'est au fond qu'un potlatch intertribal,
d'un type assez commun en Mélanésie et auquel appartiennent les expéditions que décrit le Père Lambert, en Nouvelle-Calédonie, et les grandes
expéditions, les Olo-Olo des Fijiens, etc., v. MAUSS, Extension du potlatch
en Mélanésie, dans *Procès-verbaux de l'I.F.A.*, *Anthropologie*, 1920. Le sens

Le *kula* est une sorte de grand potlatch ; véhiculant un grand commerce intertribal, il s'étend sur toutes les îles Trobriand, sur une partie des îles d'Entrecasteaux et des îles Amphlett. Dans toutes ces terres, il intéresse indirectement toutes les tribus et directement quelques grandes tribus : celles de Dobu dans les Amphlett, celles de Kiriwina, de Sinaketa et de Kitava dans les Trobriand, de Vakuta à l'île Woodlark. M. Malinowski ne donne pas la traduction du mot, qui veut sans doute dire cercle ; et, en effet, c'est comme si toutes ces tribus, ces expéditions maritimes, ces choses précieuses et ces objets d'usage, ces nourritures et ces fêtes, ces services de toutes sortes, rituels et sexuels, ces hommes et ces femmes, étaient pris dans un cercle (1) et suivaient autour de ce cercle, et dans le temps et dans l'espace, un mouvement régulier.

Le commerce kula est d'ordre noble (2). Il semble être réservé aux chefs, ceux-ci étant à la fois les chefs des flottes, des canots, et les commerçants et aussi les donataires de leurs vassaux, en l'espèce de leurs enfants, de leurs beaux-frères, qui sont aussi leurs sujets, et en même temps les chefs de divers villages inféodés. Il s'exerce de façon noble, en apparence purement désintéressée et modeste (3). On le distingue soigneusement du simple échange économique de marchandises utiles qui porte le nom de *gimwali* (4). Celui-ci se pratique, en effet, en plus du *kula*, dans les grandes foires primitives que sont les assemblées du *kula* intertribal ou dans les petits marchés du *kula* intérieur : il se distingue par un marchandage

du mot *kula* me semble se rattacher à celui d'autres mots de même type, par exemple : ulu-ulu. V. Rivers, *History of the Melanesian Society* t. II, p. 415 et 485, t. I, p. 160. Mais, même le *kula* est moins caractéristique, que le potlatch américain par certains côtés, les îles étant plus petites, les sociétés moins riches et moins fortes que celles de la côte de la Colombie britannique. Chez celles-ci, tous les traits des potlatch intertribaux se retrouvent. On rencontre même de véritables potlatch internationaux ; par exemple : Haïda contre Tlingit (Sitka était en fait une ville commune, et la Nass River un lieu de rencontre constant) ; Kwakiutl contre Bellacoola, contre Heiltsuq ; Haïda contre Tsimshian, etc. ; ceci est d'ailleurs dans la nature des choses : les formes d'échange sont normalement extensibles et internationales ; elles ont sans doute, là comme ailleurs, à la fois suivi et frayé les voies commerciales entre ces tribus également riches et également maritimes.

(1) M. Malinowski affectionne l'expression « *kula ring* ».
(2) *Ibid.*, « noblesse oblige ».
(3) *Ibid.*, les expressions de modestie : « mon reste de nourriture d'aujourd'hui, prends-le ; je l'apporte », pendant qu'on donne un collier précieux.
(4) *Ibid.* C'est de façon purement didactique et pour se faire comprendre d'Européens, que M. Malinowski, p. 187, range le *kula* parmi les « échanges cérémoniels avec paiement » (de retour) : le mot paiement comme le mot échange sont également européens.

très tenace des deux parties, procédé indigne du *kula*. On dit
d'un individu qui ne conduit pas le *kula* avec la grandeur
d'âme nécessaire, qu'il le « conduit comme un *gimwali* ». En
apparence, tout au moins, le *kula* — comme le *potlatch* nord-
ouest américain — consiste à donner, de la part des uns, à
recevoir, de la part des autres (1), les donataires d'un jour
étant les donateurs de la fois suivante. Même, dans la forme
la plus entière, la plus solennelle, la plus élevée, la plus compé-
titive (2) du *kula*, celle des grandes expéditions maritimes,
des *Uvalaku*, la règle est de partir sans rien avoir à échanger,
même sans rien avoir à donner, fût-ce en échange d'une nourriture, qu'on refuse même de demander. On affecte de ne faire
que recevoir. C'est quand la tribu visiteuse hospitalisera, l'an
d'après, la flotte de la tribu visitée, que les cadeaux seront
rendus avec usure.

Cependant, dans les *kula* de moindre envergure, on profite
du voyage maritime pour échanger des cargaisons ; les nobles
eux-mêmes font du commerce, car il y a beaucoup de théorie
indigène là-dedans ; de nombreuses choses sont sollicitées (3),
demandées et échangées, et toutes sortes de rapports se lient
en plus du *kula* ; mais celui-ci reste toujours le but, le moment
décisif de ces rapports.

La donation elle-même affecte des formes très solennelles, la
chose reçue est dédaignée, on se défie d'elle, on ne la prend qu'un
instant après qu'elle a été jetée au pied ; le donateur affecte une
modestie exagérée (4) : après avoir amené solennellement, et à
son de conque, son présent, il s'excuse de ne donner que ses
restes et jette au pied du rival et partenaire la chose donnée (5).
Cependant, la conque et le héraut proclament à tous la solennité
du transfert. On recherche en tout ceci à montrer de la libéralité,
de la liberté et de l'autonomie, en même temps que de la grandeur (6). Et pourtant, au fond, ce sont des mécanismes d'obligation, et même d'obligation par les choses, qui jouent.

(1) V. *Primitive Economics of the Trobriand Islanders*, *Economic Journal*,
mars 1921.
(2) Rite du *tanarere*, exposition des produits de l'expédition, sur la grève
de Muwa, p. 374-375, 391. Cf. *Uvalaku* de Dobu, p. 381 (20-21 avril). On
détermine celui qui a été le plus beau, c'est-à-dire le plus chanceux, le meilleur
commerçant.
(3) Rituel du *wawoyla*, p. 353-354 ; magie du *wawoyla*, p. 360-363.
(4) V. plus haut p. 176, n. 3.
(5) V. le frontispice et les photographies des planches, v. plus loin
p. 185 et suiv.
(6) Par exception, nous indiquerons qu'on peut comparer ces morales
avec les beaux paragraphes de l'*Ethique à Nicomaque* sur la μεγαλοπρέπεια et
l'έλευθερία.

L'objet essentiel de ces échanges-donations sont les *vaygu'a*,
sorte de monnaie (1). Il en est de deux genres : les *mwali*, beaux
bracelets taillés et polis dans une coquille et portés dans les
grandes occasions par leurs propriétaires ou leurs parents ; les
soulava, colliers ouvrés par les habiles tourneurs de Sinaketa
dans la jolie nacre du spondyle rouge. Ils sont portés solennelle-

(1) NOTE DE PRINCIPE SUR L'EMPLOI DE LA NOTION DE MONNAIE. Nous
persistons, malgré les objections de M. MALINOWSKI (Primitive Currency,
Economic Journal, 1923) à employer ce terme. M. MALINOWSKI a protesté
d'avance contre l'abus (*Argonauts*, p. 499, n. 2), et critique la nomenclature de M. Seligmann. Il réserve la notion de monnaie à des objets servant,
non pas seulement de moyen d'échange, mais encore d'étalon pour mesurer
la valeur. M. Simiand m'a fait des objections du même genre à propos de
l'emploi de la notion de valeur dans des sociétés de ce genre. Ces deux savants
ont sûrement raison à leur point de vue ; ils entendent le mot de monnaie
et le mot de valeur dans le sens étroit. A ce compte, il n'y a eu valeur économique que quand il y a eu monnaie et il n'y a eu monnaie que quand les
choses précieuses, richesses condensées elles-mêmes et signes de richesses
ont été réellement monnayées, c'est-à-dire titrées, impersonnalisées, détachées de toute relation avec toute personne morale, collective ou individuelle
autre que l'autorité de l'État qui les frappe. Mais la question ainsi posée
n'est que celle de la limite arbitraire que l'on doit mettre à l'emploi du mot.
A mon avis, on ne définit ainsi qu'un second type de monnaie : le nôtre.
    Dans toutes les sociétés qui ont précédé celles où l'on a monnayé l'or,
le bronze et l'argent, il y a eu d'autres choses, pierres, coquillages et métaux
précieux en particulier, qui ont été employées et ont servi de moyen d'échange
et de paiement ; dans un bon nombre de celles qui nous entourent encore
ce même système fonctionne en fait, et c'est celui-là que nous décrivons.
    Il est vrai que ces choses précieuses diffèrent de ce que nous avons l'habi-
tude de concevoir comme des instruments libératoires. D'abord, en plus
de leur nature économique, de leur valeur, ils ont plutôt une nature magique
et sont surtout des talismans : *life givers*, comme disait Rivers et comme
disent MM. Perry et Jackson. De plus, ils ont bien une circulation très générale
à l'intérieur d'une société et même entre les sociétés ; mais ils sont encore
attachés à des personnes ou à des clans (les premières monnaies romaines
étaient frappées par des *gentes*), à l'individualité de leurs anciens propriétaires, et à des contrats passés entre des êtres moraux. Leur valeur
est encore subjective et personnelle. Par exemple, les monnaies de coquillages enfilés, en Mélanésie, sont encore mesurées à l'empan du donateur,
RIVERS, *History of the Melanesian Society*, t. II, p. 527 ; t. I, p. 64, 71, 101
160 sq. Cf. l'expression *Schulterfaden* : THURNWALD, *Forschungen*, etc., t. III
p. 41 sq., vol. I, p. 189, v. 15 ; *Hüftschnur*, t. I, p. 263, 1. 6, etc. Nous
verrons d'autres exemples importants de ces institutions. Il est encore vrai
que ces valeurs sont instables, et qu'elles manquent de ce caractère nécessaire à l'étalon, à une mesure : par exemple leur prix croît et décroît avec
le nombre et la grandeur des transactions où elles ont été utilisées. M. Malinowski compare fort joliment les *vaygu'a* des Trobriand acquérant du prestige
au cours de leurs voyages, avec les joyaux de la couronne. De même les cuivres
blasonnés du nord-ouest américain et les nattes de Samoa croissent de valeur
à chaque *pottatch*, à chaque échange.
    Mais d'autre part, à deux points de vue, ces choses précieuses ont les
mêmes fonctions que la monnaie de nos sociétés et par conséquent peuvent
mériter d'être classées au moins dans le même genre. Elles ont un pouvoir
d'achat et ce pouvoir est nombré. A tel « cuivre » américain est dû un paiement de tant de couvertures, à tel *vaygu'a* correspondent tant et tant de
paniers d'ignames. L'idée de nombre est là, quand bien même ce nombre
est fixé autrement que par une autorité d'État et varie dans la succession

ment par les femmes (1), exceptionnellement par les hommes,
par exemple en cas d'agonie (2). Mais, normalement, les uns et
les autres sont thésaurisés. On les a pour jouir de leur possession.
La fabrication des uns, la pêche et la joaillerie des autres, le
commerce de ces deux objets d'échange et de prestige sont,
avec d'autres commerces plus laïques et vulgaires, la source de
la fortune des Trobriandais.

D'après M. Malinowski, ces *vaygu'a* sont animés d'une sorte
de mouvement circulaire : les *mwali*, les bracelets, se transmettent régulièrement d'Ouest en Est, et les *soulava* voyagent
toujours d'Est en Ouest (3). Ces deux mouvements de sens

des *kula* et des *potlatch*. De plus, ce pouvoir d'achat est vraiment libéra-
toire. Même s'il est reconnu qu'entre individus, clans et tribus déterminés
et seulement entre associés, il n'est pas moins public, officiel, fixe. M. Brudo,
ami de M. Malinowski et comme lui longtemps résident aux Trobriand, payait
ses pêcheurs de perles avec des *vaygu'a* aussi bien qu'avec de la monnaie européenne ou de la marchandise à cours fixe. Le passage d'un système à l'autre
s'est fait sans secousse, était donc possible. — Mr. Armstrong à propos des
monnaies de l'île Rossel, voisine des Trobriand, donne des indications fort
nettes et persiste, s'il y a erreur, dans la même erreur que nous. A unique
monetary system, *Economic Journal*, 1924 (communiqué en épreuves).
   Selon nous, l'humanité a longtemps tâtonné. D'abord, première phase
elle a trouvé que certaines choses, presque toutes magiques et précieuses
n'étaient pas détruites par l'usage et elle les a douées de pouvoir d'achat ;
v. MAUSS, Origines de la notion de Monnaie, *Anthropologie*, 1914, in *Proc.
verb. de l'I.F.A.* (A ce moment, nous n'avions trouvé que l'origine lointaine
de la monnaie.) Puis, deuxième phase, après avoir réussi à faire circuler ces choses, dans la tribu et hors d'elle, au loin, l'humanité a trouvé
que ces instruments d'achat pouvaient servir de moyen de numération et
de circulation des richesses. Ceci est le stade que nous sommes en train
de décrire. Et c'est à partir de ce stade qu'à une époque assez ancienne,
dans les sociétés sémitiques, mais peut-être pas très ancienne ailleurs, sans
doute, on a inventé — troisième phase — le moyen de détacher ces choses
précieuses des groupes et des gens, d'en faire des instruments permanents
de mesure de valeur, même de mesure universelle, sinon rationnelle — en
attendant mieux.
   Il y a donc eu, à notre avis, une forme de monnaie qui a précédé les nôtres.
Sans compter celles qui consistent en objets d'usage, par exemple,
par exemple encore, en Afrique et en Asie, les plaques et lingots de cuivre,
de fer, etc., et sans compter, dans nos sociétés antiques et dans les sociétés
africaines actuelles, le bétail (à propos de ce dernier, v. plus loin p. 247, n. 3).
   Nous nous excusons d'avoir été obligés de prendre parti sur ces questions
trop vastes. Mais elles touchent de trop près à notre sujet, et il fallait être clair.
   (1) Planche XIX. Il semble que la femme aux Trobriand, comme les
« princesses » au nord-ouest américain, et quelques autres personnes, servent
en quelque sorte de moyen d'exposer les objets de parade... sans compter
qu'on les « charme » ainsi. Cf. THURNWALD, *Forsch. Salomo Inseln*, t. I, p. 138,
159, 192, v. 7.
   (2) V. plus loin.
   (3) V. carte p. 82. Cf. *Kula*, in *Man*, 1920, p. 101. M. Malinowski n'a
pas trouvé, nous dit-il, de raisons mythiques ou autres sens de cette circulation. Il serait très important de les fixer. Car, si la raison était dans une
orientation quelconque de ces objets, tendant à revenir à un point d'origine
et suivant une voie d'origine mythique, le fait serait alors prodigieusement
identique au fait polynésien, au *hau* maori.

contraire se font entre toutes les îles Trobriand, d'Entrecasteaux, Amphlett et les îles isolées, Woodlark, Marshall Bennett, Tube-tube et enfin l'extrême côte sud-est de la Nouvelle-Guinée, dont viennent les bracelets bruts. Là ce commerce rencontre les grandes expéditions de même nature qui viennent de Nouvelle-Guinée (Massim-Sud) (1), et que M. Seligmann a décrites.

En principe, la circulation de ces signes de richesse est incessante et infaillible. Ni on ne doit les garder trop longtemps, ni il ne faut être lent, ni il ne faut être dur (2) à s'en défaire, ni on ne doit en gratifier personne d'autre que des partenaires déterminés dans un sens déterminé, « sens bracelet », « sens collier (3) ». On doit et on peut les garder d'un kula à l'autre, et toute la communauté s'enorgueillit des *vaygu'a* qu'a obtenus un de ses chefs. Même, il est des occasions, comme la préparation des fêtes funéraires, des grands *s'oi*, où il est permis de toujours recevoir et de ne rien rendre (4). Seulement, c'est pour rendre tout, dépenser tout lorsqu'on donnera la fête. C'est donc bien une propriété que l'on a sur le cadeau reçu. Mais c'est une propriété d'un certain genre. On pourrait dire qu'elle participe à toutes sortes de principes de droit que nous avons, nous, modernes, soigneusement isolés les uns des autres. C'est une propriété et une possession, un gage et une chose louée, une chose vendue et achetée et en même temps déposée, mandatée et fidéi-commise : car elle ne vous est donnée qu'à condition d'en faire usage pour un autre, ou de la transmettre à un tiers, « partenaire lointain », *murimuri* (5). Tel est le complexus économique, juridique et moral, vraiment typique, que M. Malinowski a su découvrir, retrouver, observer et décrire.

Cette institution a aussi sa face mythique, religieuse et magique. Les *vaygu'a* ne sont pas choses indifférentes, de simples pièces de monnaie. Chacun, du moins les plus chers et les plus convoités — et d'autres objets ont le même prestige (6), chacun

(1) V. sur cette civilisation et ce commerce, SELIGMANN, *The Melanesians of British New-Guinea*, chap. XXXIII sq. Cf. *Année Sociologique*, t. XII p. 374 ; *Argonauts*, p. 96.
(2) Les gens de Dobu sont « durs au kula », *Arg.*, p. 94.
(3) *Ibid.*
(4) P. 502, p. 492.
(5) Le « remote partner » (*muri muri*, cf. *muri* SELIGMANN, *Melanesians* p. 505, 752), est connu d'une partie au moins de la série des « partners », comme nos correspondants de banques.
(6) V. les observations, justes et de portée générale, p. 89 et 90, sur les objets de cérémonie.

a un nom (1), une personnalité, une histoire, même un roman. Tant et si bien que certains individus leur empruntent même leur nom. Il n'est pas possible de dire qu'ils sont réellement l'objet d'un culte, car les Trobriandais sont positivistes à leur façon. Mais il n'est pas possible de ne pas reconnaître leur nature éminente et sacrée. En posséder est « exhilarant, réconfortant, adoucissant en soi (2) ». Les propriétaires les manient et les regardent pendant des heures. Un simple contact en transmet les vertus (3). On pose des *vaygu'a* sur le front, sur la poitrine du moribond, on les frotte sur son ventre, on les fait danser devant son nez. Ils sont son suprême confort.

Mais il y a plus. Le contrat lui-même se ressent de cette nature des *vaygu'a*. Non seulement les bracelets et les colliers, mais même tous les biens, ornements, armes, tout ce qui appartient au partenaire est tellement animé, de sentiment tout au moins, sinon d'âme personnelle, qu'ils prennent part eux-mêmes au contrat (4). Une très belle formule, celle de l' « enchantement de la conque (5) », sert, après les avoir évoquées, à enchanter, à entraîner (6) vers le « partenaire candidat » les choses qu'il doit demander et recevoir.

---

(1) P. 504, noms de paires, p. 89, p. 271. V. le mythe p. 323 : façon dont on entend parler d'un *soulava*.

(2) P. 512.

(3) P. 513.

(4) P. 340, commentaire, p. 341.

(5) Sur l'emploi de la conque, v. p. 340, 387, 471. Cf. pl. LXI. La conque est l'instrument dont on sonne à chaque transaction, à chaque moment solennel du repas en commun, etc. Sur l'extension, sinon sur l'histoire de l'usage de la conque, v. JACKSON, *Pearls and Shells* (Univ. Manchester Series, 1921).

L'usage de trompettes, tambours, lors des fêtes et contrats, se rencontre dans un très grand nombre de sociétés nègres (guinéennes et bantus), asiatiques, américaines, indo-européennes, etc. Il se rattache au thème de droit et d'économie que nous étudions ici et mérite une étude à part, pour soi et dans son histoire.

(6) P. 340. *Mwanita, mwanita.* Cf. le texte en kiriwina des deux premiers vers (2e et 3e, à notre avis), p. 448. Ce mot est le nom de longs vers, à cercles noirs, auxquels sont identifiés les colliers de disques de spondyle, p. 341. Suit l'évocation-invocation : « Venez là ensemble. Je vous ferai venir là ensemble. Venez ici ensemble. Je vous ferai venir ici ensemble. L'arc-en-ciel apparaît là. Je ferai apparaître l'arc-en-ciel là. L'arc-en-ciel apparaît ici. Je ferai apparaître l'arc-en-ciel ici. » M. Malinowski, d'après les indigènes, considère l'arc-en-ciel comme un simple présage. Mais il peut aussi désigner les reflets multiples de la nacre. L'expression : « venez ici ensemble » a trait aux choses de valeur qui vont s'assembler dans le contrat. Les jeux de mots sur « ici » et « là-bas » sont représentés fort simplement par les sons *m* et *w*, sortes de formatifs ; ils sont très fréquents en magie.

Puis vient la deuxième partie de l'exorde : « Je suis l'homme unique, le chef unique, etc. » Mais elle n'est intéressante qu'à d'autres points de vue, celui du potlatch en particulier.

[Un état d'excitation (1) s'empare de mon partenaire (2),]
Un état d'excitation s'empare de son chien,
Un état d'excitation s'empare de sa ceinture,

Et ainsi de suite : « ... de son *gwara* (tabou sur les noix de coco et le bétel) (3) ; ... de son collier *bagido'u*... ; ... de son collier *bagiriku* ; ... de son collier *bagidudu* (4), etc. »

Une autre formule plus mythique (5), plus curieuse, mais d'un type plus commun, exprime la même idée. Le partenaire du *kula* a un animal auxiliaire, un crocodile qu'il invoque et qui doit lui apporter les colliers (à Kitava, les *mwali*).

Crocodile tombe dessus, emporte ton homme, pousse-le sous le *gebobo* (cale à marchandise du canot).
Crocodile, apporte-moi le collier, apporte-moi le *bagido'u*, le *bagiriku*, etc...

Une formule précédente du même rituel invoque un oiseau de proie (6).

La dernière formule d'enchantement des associés et contractants (à Dobu ou à Kitava, par les gens de Kiriwina) contient un couplet (7) dont deux interprétations sont données. Le rituel est

---

(1) Le mot qui est ainsi traduit est, cf. p. 449, *munumwaynise*, réduplicatif de *mwana* ou *mwayna* qui exprime le « itching » ou « state of excitement ».

(2) Je suppose qu'il devait y avoir un vers de ce genre parce que M. Malinowski dit formellement, p. 340, que ce mot principal du charme désigne l'état d'esprit dont est envahi le partenaire et qui lui fera donner de généreux cadeaux.

(3) Généralement imposé en vue du *kula* et des *s'oi*, fêtes funéraires, en vue d'assembler les aliments et noix d'arec nécessaires, ainsi que les objets précieux. Cf. p. 347 et 350. L'enchantement s'étend aux aliments.

(4) Noms divers des colliers. Ils ne sont pas analysés dans cet ouvrage. Ces noms se composent de *bagi*, collier (p. 351), et de divers mots. Suivent d'autres noms spéciaux de colliers, également enchantés.
Comme cette formule est une formule du *kula* de Sinaketa où l'on cherche des colliers et laisse des bracelets, on ne parle que des colliers. La même formule s'emploie dans le *kula* de Kiriwina ; mais alors, comme c'est là qu'on cherche des bracelets, ce seraient les noms des différentes sortes de bracelets qui seraient mentionnés, le reste de la formule restant identique.
La conclusion de la formule est, elle aussi, intéressante, mais encore une fois, seulement du point de vue du potlatch : « Je « vais *kula* » (faire mon commerce), je vais tromper mon *kula* (mon partenaire). Je vais voler mon *kula*, je vais piller mon *kula*, je vais *kula* tant que mon bateau coulera... Ma renommée est un tonnerre. Mon pas, un tremblement de terre. » La clausule a des apparences étrangement américaines. Il en est d'analogues aux Salomon. V. plus loin.

(5) P. 344, commentaire p. 345. La fin de la formule est la même que celle que nous venons de citer : « je vais « kula », etc.

(6) P. 343. Cf. p. 449, texte du premier vers avec commentaire grammatical.

(7) P. 348. Ce couplet vient après une série de vers (p. 347). « Ta furie, homme de Dobu, se retire (comme la mer). » Puis suit la même série avec

d'ailleurs très long ; il est longuement répété ; il a pour but d'énumérer tout ce que le *kula* proscrit, toutes les choses de haine et de guerre, qu'il faut conjurer pour pouvoir commencer entre amis.

> Ta furie, le chien renifle,
> Ta peinture de guerre, le chien renifle,
> Etc.

D'autres versions disent (1) :

> Ta furie, le chien est docile, etc.

ou bien :

> Ta furie part comme la marée, le chien joue ;
> Ta colère part comme la marée, le chien joue
> Etc.

Il faut entendre : « Ta furie devient comme le chien qui joue. » L'essentiel est la métaphore du chien qui se lève et vient lécher la main du maître. Ainsi doit faire l'homme, sinon la femme de Dobu. Une deuxième interprétation, sophistiquée, non exempte de scolastique, dit M. Malinowski, mais évidemment bien indigène, donne un autre commentaire qui coïncide mieux avec ce que nous savons de reste : « Les chiens jouent nez à nez. Quand vous mentionnez ce mot de chien, comme il est prescrit depuis longtemps, les choses précieuses viennent de même (jouer). Nous avons donné des bracelets, des colliers viendront, les uns et les autres se rencontreront (comme des chiens qui viennent se renifler). » L'expression, la parabole est jolie. Tout le plexus de sentiments collectifs y est donné d'un coup : la haine possible des associés, l'isolement des *vaygu'a* cessant par enchantement ; hommes et choses précieuses se rassemblant comme des chiens qui jouent et accourent à la voix.

Une autre expression symbolique est celle du mariage des *mwali*, bracelets, symboles féminins, et des *soulava*, colliers, symbole masculin, qui tendent l'un vers l'autre, comme le mâle vers la femelle (2).

Ces diverses métaphores signifient exactement la même chose

« Femme de Dobu ». Cf. plus loin. Les femmes de Dobu sont tabou, tandis que celles de Kiriwina se prostituent aux visiteurs. La seconde partie de l'incantation est du même type.

(1) P. 348, 349.

(2) P. 356, peut-être y a-t-il là un mythe d'orientation.

que ce qu'exprime en d'autres termes la jurisprudence mythique
des Maori. Sociologiquement, c'est, encore une fois, le mélange
des choses, des valeurs, des contrats et des hommes qui se
trouve exprimé (1).

Malheureusement, nous connaissons mal la règle de droit qui
domine ces transactions. Ou bien elle est inconsciente et mal
formulée par les gens de Kiriwina, informateurs de M. Malinowski ; ou bien, étant claire pour les Trobriandais, elle devrait
être l'objet d'une nouvelle enquête. Nous ne possédons que des
détails. Le premier don d'un *vaygu'a* porte le nom de *vaga*
« opening gift (2) ». Il ouvre, il engage définitivement le donataire à un don de retour, le *yotile* (3), que M. Malinowski traduit
excellement par « clinching gift » : le « don qui verrouille » la
transaction. Un autre titre de ce dernier don est *kudu*, la dent
qui mord, qui coupe vraiment, tranche et libère (4). Celui-là est
obligatoire ; on l'attend, et il doit être équivalent au premier ;
à l'occasion, on peut le prendre de force ou par surprise (5) ; on
peut (6) se venger (7) par magie, ou tout au moins par injure et
ressentiment, d'un *yotile* mal rendu. Si on est incapable de le
rendre, on peut à la rigueur offrir un *basi* qui seulement « perce »
la peau, ne la mord pas, ne finit pas l'affaire. C'est une sorte de
cadeau d'attente, d'intérêt moratoire ; il apaise le créancier
ex-donateur ; mais ne libère pas le débiteur (8), futur donateur.

----

(1) On pourrait se servir ici du terme qu'emploie d'ordinaire M. Lévy-
Bruhl : « participation ». Mais justement ce terme a pour origine des confusions et des mélanges et en particulier des identifications juridiques, des
communions du genre de ceux que nous avons en ce moment à décrire.
  Nous sommes ici au principe et il est inutile de descendre aux conséquences.
  (2) P. 345 sq.
  (3) P. 98.
  (4) Peut-être y a-t-il aussi dans ce mot une allusion à l'ancienne monnaie
de défenses de sanglier, p. 353.
  (5) Usage du *lebu*, p. 319. Cf. Mythe, p. 313.
  (6) Plainte violente *(injuria)*, p. 357 (v. de nombreux chants de ce genre
dans THURNWALD, *Forsch.*, I).
  (7) P. 359. On dit d'un *vaygu'a* célèbre : « Bien des hommes sont morts
pour lui. » Il semble, au moins dans un cas, celui de Dobu (p. 356), que le
yotile soit toujours un *mwali*, un bracelet, principe femelle de la transaction : « We do not *kwaypolu* or *pokala* them, they are women. » Mais à
Dobu, on ne cherche que des bracelets et il se peut que le fait n'ait pas d'autre
signification.
  (8) Il semble qu'il y ait ici plusieurs systèmes de transactions divers et
entremêlés. Le *basi* peut être un collier, cf. p. 98, ou un bracelet de moindre
valeur. Mais on peut donner en *basi* aussi d'autres objets qui ne sont pas
strictement *kula* : les spatules à chaux (pour bétel), les colliers grossiers,
les grandes haches polies *(beku)*, p. 358, 481, qui sont aussi des sortes de
monnaies, interviennent ici.

Tous ces détails sont curieux et tout est frappant dans ces expressions ; mais nous n'avons pas la sanction. Est-elle purement morale (1) et magique ? L'individu « dur au kula » n'est-il que méprisé, et éventuellement enchanté ? Le partenaire infidèle ne perd-il pas autre chose : son rang noble ou au moins sa place parmi les chefs ? Voilà ce qu'il faudrait encore savoir.

Mais par un autre côté, le système est typique. Excepté le vieux droit germanique dont nous parlons plus loin, dans l'état actuel de l'observation, de nos connaissances historiques, juridiques et économiques, il serait difficile de rencontrer une pratique du don-échange plus nette, plus complète, plus consciente et d'autre part mieux comprise par l'observateur qui l'enregistre que celle que M. Malinowski a trouvée aux Trobriand (2).

Le *kula*, sa forme essentielle, n'est lui-même qu'un moment, le plus solennel, d'un vaste système de prestations et de contre-prestations qui, en vérité, semble englober la totalité de la vie économique et civile des Trobriand. Le *kula* semble n'être que le point culminant de cette vie, le *kula* international et intertribal surtout ; certes il est un des buts de l'existence et des grands voyages, mais n'y prennent part, en somme, que les chefs et encore seulement ceux des tribus maritimes et plutôt ceux de quelques tribus maritimes. Il ne fait que concrétiser, rassembler bien d'autres institutions.

D'abord, l'échange des *vaygu'a* lui-même s'encadre, lors du *kula*, dans toute une série d'autres échanges d'une gamme extrêmement variée, allant du marchandage au salaire, de la sollicitation à la pure politesse, de l'hospitalité complète à la réticence et à la pudeur. En premier lieu, sauf les grandes expéditions solennelles, purement cérémonielles et compétitives (3), les *uvalaku*, tous les *kula*, sont l'occasion de *gimwali*, de prosaïques échanges, et ceux-ci ne se passent pas nécessairement entre partenaires (4). Il y a un marché libre entre les individus des tribus alliées à côté des associations plus étroites. En second lieu, entre les partenaires du *kula*, passent, comme une chaîne ininterrompue de cadeaux supplémentaires, donnés et rendus, et aussi de marchés obligatoires. Le *kula* les suppose même. L'association

(1) P. 157, 359.
(2) Le livre de M. Malinowski, comme celui de M. Thurnwald, montre la supériorité de l'observation d'un véritable sociologue. Ce sont d'ailleurs les observations de M. THURNWALD sur le *mamoko*, t. III, p. 40, etc., la « *Trost-gabe* », à Buin qui nous ont mis sur la voie d'une partie de ces faits.
(3) P. 211.
(4) P. 189. Cf. pl. XXXVII. Cf. p. 100, « *secondary trade* ».

qu'il constitue, qui en est le principe (1), débute par un premier
cadeau, le *vaga*, qu'on sollicite de toutes ses forces par des
« sollicitoires » ; pour ce premier don, on peut courtiser le partenaire futur encore indépendant, qu'on paye en quelque sorte
par une première série de cadeaux (2). Tandis qu'on est sûr que
le *vaygu'a* de retour, le *yotile*, le verrou sera rendu, on n'est pas
sûr que le *vaga* sera donné et les « sollicitoires » même acceptés.
Cette façon de solliciter et d'accepter un cadeau est de règle ;
chacun des cadeaux qu'on fait ainsi porte un nom spécial ; on
les expose avant de les offrir ; dans ce cas, ce sont les « *pari* » (3).
D'autres portent un titre désignant la nature noble et magique
de l'objet offert (4). Mais accepter l'une de ces offrandes, c'est
montrer qu'on est enclin à entrer en jeu, sinon à y rester. Certains noms de ces cadeaux expriment la situation de droit que
leur acceptation entraîne (5) : cette fois, l'affaire est considérée
comme conclue ; ce cadeau est d'ordinaire quelque chose d'assez
précieux : une grande hache de pierre polie par exemple, une
cuillère en os de baleine. Le recevoir, c'est s'engager vraiment à
donner le *vaga*, le premier don désiré. Mais l'on n'est encore qu'à
demi partenaire. Seule, la tradition solennelle engage complètement. L'importance et la nature de ces dons proviennent de
l'extraordinaire compétition qui prend place entre les partenaires possibles de l'expédition qui arrive. Ils recherchent le
meilleur partenaire possible de la tribu opposée. La cause est
grave : car l'association qu'on tend à créer établit une sorte de

---

(1) Cf. p. 93.

(2) Il semble que ces cadeaux portent un nom générique *wawoyla*, p. 353-
354 ; cf. p. 360-361. Cf. *Woyla*, « kula courting », p. 439, dans une formule
magique où sont précisément énumérés tous les objets que peut posséder
le futur partenaire et dont l' « ébullition » doit décider le donateur. Parmi
ces choses est justement la série des cadeaux qui suit.

(3) C'est là le terme le plus général : « presentation goods », p. 439, 205
et 350. Le mot *vata'i* est celui qui désigne les mêmes cadeaux faits par les
gens de Dobu. Cf. p. 391. Ces « arrival gifts » sont énumérés dans la formule : « Mon pot à chaux, cela bout ; ma cuillère, cela bout ; mon petit
panier, cela bout, etc. » (même thème et mêmes expressions, p. 200).

En plus de ces noms génériques, il y a des noms particuliers pour divers
cadeaux de diverses circonstances. Les offrandes de nourriture que les gens
de Sinaketa apportent à Dobu (et non *vice versa*), les poteries, nattes, etc.,
portent le simple nom de *pokala* qui correspond assez bien à salaire, offrande, etc. Sont aussi des *pokala*, les *gugu'a*, « personal belongings », p. 501,
cf. p. 313, 270, dont l'individu se départit pour tâcher de séduire (*poka-
pokala*, p. 360) son futur partenaire, cf. p. 369. Il y a dans ces sociétés
un très vif sentiment de la différence entre les choses qui sont d'usage personnel et celles qui sont des « properties », choses durables de la famille et de
la circulation.

(4) Ex. p. 313, *buna*.

(5) Ex. les *kaributu*, p. 344 et 358.

clan entre les partenaires (1). Pour choisir, il faut donc séduire, éblouir (2). Tout en tenant compte des rangs (3), il faut arriver au but avant les autres, ou mieux que les autres, provoquer ainsi de plus abondants échanges des choses les plus riches, qui sont naturellement la propriété des gens les plus riches. Concurrence, rivalité, étalage, recherche de la grandeur et de l'intérêt, tels sont les motifs divers qui sous-tendent tous ces actes (4).

Voilà les dons d'arrivée ; d'autres dons leur répondent et leur équivalent ; ce sont des dons de départ (appelés *talo'i* à Sinaketa) (5), de congé ; ils sont toujours supérieurs aux dons d'arrivée. Déjà le cycle des prestations et contre-prestations usuraires est accompli à côté du *kula*.

Il y a naturellement eu — tout le temps que ces transactions durent — prestations d'hospitalité, de nourriture et, à Sinaketa, de femmes (6). Enfin, pendant tout ce temps, interviennent d'autres dons supplémentaires, toujours régulièrement rendus. Même, il nous semble que l'échange de ces *korotumna* représente une forme primitive du *kula*, — lorsqu'il consistait à échanger aussi des haches de pierre (7) et des défenses recourbées de porc (8).

D'ailleurs, tout le *kula* intertribal n'est à notre sens que le cas exagéré, le plus solennel et le plus dramatique d'un système plus général. Il sort la tribu elle-même tout entière du cercle étroit de ses frontières, même de ses intérêts et de ses droits ; mais normalement, à l'intérieur, les clans, les villages sont liés par des liens de même genre. Cette fois ci, ce sont seulement les groupes locaux et domestiques et leurs chefs qui sortent de chez eux, se rendent visite, commercent et s'épousent. Cela ne s'appelle plus du *kula* peut-être. Cependant, M. Malinowski, par

(1) On dit à M. Malinowski : « Mon partenaire, la même chose que mon gentilice *(kakaveyogu)*. Il pourrait combattre contre moi. Mon vrai parent *(veyogu)*, la même chose qu'un cordon ombilical, serait toujours de mon côté » (p. 276).
(2) C'est ce qu'exprime la magie du *kula*, le *mwasila*.
(3) Les chefs d'expédition et les chefs de canots ont en effet préséance.
(4) Un mythe amusant, celui de Kasabwaybwayreta, p. 342, groupe tous ces mobiles. On voit comment le héros obtint le fameux collier Gumakarakedakeda, comment il distança tous ses compagnons de *kula*, etc. V. aussi le mythe de Takasikuna, p. 307.
(5) P. 390. A Dobu, p. 362, 365, etc.
(6) A Sinaketa, pas à Dobu.
(7) Sur le commerce des haches de pierre, v. SELIGMANN, *Melanesians*, etc., p. 350 et 353. Les *korotumna*, *Arg.*, p. 365, 358, sont d'ordinaire des cuillères en os de baleine décorées, des spatules décorées, qui servent aussi de *basi*. Il y a encore d'autres dons intermédiaires.
(8) *Doga, dogina*.

opposition au « *kula* maritime », parle à juste titre du « *kula* de l'intérieur » et de « communautés à *kula* » qui munissent le chef de ses objets d'échange. Mais il n'est pas exagéré de parler dans ces cas de potlatch proprement dit. Par exemple, les visites des gens de Kiriwina à Kitava pour les fêtes funéraires, *s'oi* (1), comportent bien d'autres choses que l'échange des *vaygu'a* ; on y voit une sorte d'attaque simulée *(youlawada)* (2), une distribution de nourriture, avec étalage de cochons et d'ignames.

D'autre part, les *vaygu'a* et tous ces objets ne sont pas acquis, fabriqués et échangés toujours par les chefs eux-mêmes (3) et, peut-on dire, ils ne sont ni fabriqués (4) ni échangés par les chefs pour eux-mêmes. La plupart parviennent aux chefs sous la forme de dons de leurs parents de rang inférieur, des beaux-frères en particulier, qui sont en même temps des vassaux (5), ou des fils qui sont fieffés à part. En retour, la plupart des *vaygu'a*, lorsque l'expédition rentre, sont solennellement transmis aux chefs des villages, des clans, et même aux gens du commun des clans associés : en somme à quiconque a pris part directe ou indirecte, et souvent très indirecte, à l'expédition (6). Ceux-ci sont ainsi récompensés.

Enfin, à côté ou, si l'on veut, par-dessus, par-dessous, tout autour et, à notre avis, au fond, de ce système du *kula* interne, le système des dons échangés envahit toute la vie économique et tribale et morale des Trobriandais. Elle en est « imprégnée », comme dit très bien M. Malinowski. Elle est un constant « donner et prendre (7) ». Elle est comme traversée, par un courant continu et en tous sens, de dons donnés, reçus, rendus, obligatoirement et par intérêt, par grandeur et pour services, en défis et en gages. Nous ne pouvons ici décrire tous ces faits dont M. Malinowski n'a d'ailleurs pas lui-même terminé la publication. En voici d'abord deux principaux.

(1) P. 486 à 491. Sur l'extension de ces usages, dans toutes les civilisations dites de Massim-Nord, v. Seligmann, *Melan.*, p. 584. Description du *walaga*, p. 594 et 603 ; cf. *Arg.*, p. 486-487.
(2) P. 479.
(3) P. 472.
(4) La fabrication et le don des *mwali* par beaux-frères portent le nom de *youlo*, p. 503, 280.
(5) P. 171 sq. ; cf. p. 98 sq.
(6) Par exemple pour la construction des canots, le rassemblement des poteries ou les fournitures de vivres.
(7) P. 167 : « Toute la vie tribale n'est qu'un constant « donner et recevoir » ; toute cérémonie, tout acte légal et coutumier n'est fait qu'avec un don matériel et un contre-don qui l'accompagnent ; la richesse donnée et reçue est l'un des principaux instruments de l'organisation sociale, du pouvoir du chef, des liens de la parenté par le sang et des liens de la parenté par mariage. » Cf. p. 175-176 et *passim* (v. index : *Give and Take*).

Une relation tout à fait analogue à celle du *kula* et celle des *wasi* (1). Elle établit des échanges réguliers, obligatoires entre partenaires de tribus agricoles d'une part, de tribus maritimes d'autre part. L'associé agriculteur vient déposer ses produits devant la maison de son partenaire pêcheur. Celui-ci, une autre fois, après une grande pêche, ira rendre avec usure au village agricole le produit de sa pêche (2). C'est le même système de division du travail que nous avons constaté en Nouvelle-Zélande.

Une autre forme d'échange considérable revêt l'aspect d'expositions (3). Ce sont les *sagali*, grandes distributions (4) de nourriture que l'on fait à plusieurs occasions : moissons, construction de la hutte du chef, construction de nouveaux canots, fêtes funéraires (5). Ces répartitions sont faites à des groupes qui ont rendu des services au chef ou à son clan (6) : culture, transport des grands fûts d'arbres où sont taillés les canots, les poutres, services funèbres rendus par les gens du clan du mort, etc. Ces distributions sont tout à fait équivalentes au potlatch tlingit ; le thème du combat et de la rivalité y apparaît même. On y voit s'affronter les clans et les phratries, les familles alliées, et en général elles semblent être des faits de groupes dans la mesure où l'individualité du chef ne s'y fait pas sentir.

Mais en plus de ces droits des groupes et de cette économie collective, déjà moins voisins du *kula*, toutes les relations individuelles d'échange, nous semble-t-il, sont de ce type. Peut-être seulement quelques-unes sont-elles de l'ordre du simple troc. Cependant, comme celui-ci ne se fait guère qu'entre parents, alliés, ou partenaires du *kula* et du *wasi*, il ne semble pas que l'échange soit réellement libre. Même, en général, ce qu'on reçoit, et dont on a ainsi obtenu la possession — de n'importe quelle façon — on ne le garde pas pour soi, sauf si on ne peut s'en passer ; d'ordinaire, on le transmet à quelqu'un d'autre, à un beau-frère, par exemple (7). Il arrive que des choses qu'on a

(1) Elle est souvent identique à celle du *kula*, les partenaires étant souvent les mêmes, p. 193 ; pour la description du *wasi*, v. p. 187-188. Cf. pl. XXXVI.

(2) L'obligation dure encore aujourd'hui, malgré les inconvénients et les pertes qu'en éprouvent les perliers, obligés de se livrer à la pêche et à perdre des salaires importants pour une obligation purement sociale.

(3) V. pl. XXXII et XXXIII.

(4) Le mot *sagali* veut dire distribution (comme *hakari* Polynésien), p. 491. Description p. 147 à 150 ; p. 170, 182-183.

(5) V. p. 491.

(6) Ceci est surtout évident dans le cas des fêtes funéraires. Cf. Selig-mann, *Melanesians*, p. 594-603.

(7) P. 175.

acquises et données vous reviennent dans la même journée, identiques.

Toutes les récompenses de prestations de tout genre, de choses et de services, rentrent dans ces cadres. Voici, en désordre, les plus importants.

Les *pokala* (1) et *kaributu* (2), « sollicitory gifts » que nous avons vus dans le *kula*, sont des espèces d'un genre beaucoup plus vaste qui correspond assez bien à ce que nous appelons salaire. On en offre aux dieux, aux esprits. Un autre nom générique du salaire, c'est *vakapula* (3), *mapula* (4) : ce sont des marques de reconnaissance et de bon accueil et elles doivent être rendues. A ce propos, M. Malinowski a fait (5), selon nous, une très grande découverte qui éclaire tous les rapports économiques et juridiques entre les sexes à l'intérieur du mariage : les services de toutes sortes rendus à la femme par le mari sont considérés comme un salaire-don pour le service rendu par la femme lorsqu'elle prête ce que le Koran appelle encore «le champ».

Le langage juridique un peu puéril des Trobriandais a multiplié les distinctions de noms pour toutes sortes de contre-prestations : suivant le nom de la prestation récompensée (6),

---

(1) P. 323, autre terme, *kwaypolu*, p. 356.

(2) P. 378-379, 354.

(3) P. 163, 373. Le *vakapula* a des subdivisions qui portent des titres spéciaux, par exemple : *vewoulo* (initial gift) et *yomelu* (final gift) (ceci prouve l'identité avec le *kula*, cf. la relation *yotile vaga*). Un certain nombre de ces paiements porte des titres spéciaux : *karibudaboda* désigne la récompense de ceux qui travaillent aux canots et en général de ceux qui travaillent, par exemple aux champs, et en particulier pour les paiements finaux pour récoltes (*urigubu*, dans le cas des prestations annuelles de récolte par un beau-frère, p. 63-65, p. 181), et pour fins de fabrication de colliers, p. 394 et 183. Elle porte aussi le titre de *sousala* quand elle est suffisamment grande (fabrication des disques de Kaloma, p. 373, 183). *Youlo* est le titre du paiement pour fabrication d'un bracelet. *Puwayu* est celui de la nourriture donnée en encouragement à l'équipe de bûcherons. V. le joli chant, p. 129 :

> Le cochon, la coco (boisson) et les ignames
> Sont finis et nous tirons toujours... très lourds.

(4) Les deux mots *vakapula* et *mapula* sont des modes différents du verbe *pula*, *vaka* étant évidemment le formatif du causatif. Sur le *mapula*, v. p. 178 sq., 182 sq. M. Malinowski traduit souvent par « repayment ». Il est en général comparé à un « emplâtre » ; car il calme la peine et la fatigue du service rendu, compense la perte de l'objet ou du secret donné, du titre et du privilège cédé.

(5) P. 179. Le nom des « dons pour cause sexuelle » est aussi *buwana* et *sebuwana*.

(6) V. notes précédentes : de même *Kabigidoya*, p. 164, désigne la cérémonie de la présentation d'un nouveau canot, les gens qui la font, l'acte qu'ils exécutent « briser la tête du nouveau canot », etc., et les cadeaux qui, d'ailleurs, sont rendus avec usure. D'autres mots désignent la location du canot, p. 186 ; dons de bienvenue, p. 232, etc.

de la chose donnée (1), de la circonstance (2), etc. Certains noms tiennent compte de toutes ces considérations ; par exemple, le don fait à un magicien, ou pour l'acquisition d'un titre, s'appelle *laga* (3). On ne saurait croire à quel degré tout ce vocabulaire est compliqué par une étrange inaptitude à diviser et à définir, et par d'étranges raffinements de nomenclatures.

AUTRES SOCIÉTÉS MÉLANÉSIENNES

Multiplier les comparaisons avec d'autres points de la Mélanésie n'est pas nécessaire. Cependant quelques détails empruntés ici et là fortifieront la conviction et prouveront que les Trobriandais et les Néo-Calédoniens n'ont pas développé de façon anormale un principe qui ne se retrouverait pas chez les peuples parents.

A l'extrémité sud de la Mélanésie, à Fiji, où nous avons identifié le potlatch, sont en vigueur d'autres institutions remarquables qui appartiennent au système du don. Il y a une saison, celle du *kere-kere*, pendant laquelle on ne peut rien refuser à personne (4) : Des dons sont échangés entre les deux familles lors du mariage (5), etc. De plus la monnaie de Fiji, en dents de cachalot, est exactement du même genre que celle des Trobriands. Elle porte le titre de *tambua* (6) ; elle est complétée par des pierres (mères des dents) et des ornements, sortes de « mascottes », talismans et « porte-bonheur » de la tribu. Les sentiments nourris par les Fijiens à l'égard de leurs *tambua* sont exactement les mêmes que ceux que nous venons de décrire : « On les traite comme des poupées ; on les sort du panier, les admire et parle de leur beauté ; on huile et polit leur mère (7). » Leur présentation constitue une requête ; les accepter, c'est s'engager (8).

Les Mélanésiens de la Nouvelle-Guinée et certains des Papous influencés par eux appellent leur monnaie du nom de

(1) *Buna*, dons de « big cowrie shell », p. 317.
(2) *Youlo*, *vaygu'a* donné en récompense de travail à une récolte, p. 280.
(3) P. 186, 426, etc., désigne évidemment toute contre-prestation usuraire. Car il y a un autre nom *ula-ula* pour les simples achats de formules magiques (*sousala* quand les prix-cadeaux sont très importants, p. 183). *Ula'ula* se dit aussi quand les présents sont offerts aux morts autant qu'aux vivants (p. 183), etc.
(4) Brewster, *Hill Tribes of Fiji*, 1922, p. 91-92.
(5) *Ibid.*, p. 191.
(6) *Ibid.*, p. 23. On reconnaît le mot tabou, tambu.
(7) *Ibid.*, p. 24.
(8) *Ibid.*, p. 26.

tau-tau (1) ; elle est du même genre et l'objet des mêmes croyances que la monnaie des Trobriand (2). Mais il faut rapprocher ce nom aussi de *tahu-tahu* (3) qui signifie le « prêt de porcs » (Motu et Koita). Or, ce nom (4) nous est familier. C'est le terme même polynésien, racine du mot *taonga*, à Samoa et en Nouvelle-Zélande, joyaux et propriétés incorporés à la famille. Les mots eux-mêmes sont polynésiens comme les choses (5).

On sait que les Mélanésiens et les Papous de la Nouvelle-Guinée ont le potlatch (6).

Les beaux documents que M. Thurnwald nous transmet sur les tribus de Buin (7) et sur les Banaro (8), nous ont fourni déjà de nombreux points de comparaison. Le caractère religieux des choses échangées y est évident, en particulier, celui de la monnaie, de la façon dont elle récompense les chants, les femmes, l'amour, les services ; elle est, comme aux Trobriand, une sorte de gage. Enfin M. Thurnwald a analysé, en un cas d'espèce bien étudié (9), l'un des faits qui illustrent le mieux à la fois ce que c'est que ce système de dons réciproques et ce que l'on appelle improprement le mariage par achat : celui-ci, en réalité, comprend des prestations en tous sens, y compris celles de la belle-famille : on renvoie la femme dont les parents n'ont pas fait des présents de retour suffisants.

En somme, tout le monde des îles, et probablement une partie du monde de l'Asie méridionale qui lui est apparenté, connaît un même système de droit et d'économie.

L'idée qu'il faut se faire de ces tribus mélanésiennes, encore plus riches et commerçantes que les polynésiennes, est donc très

(1) SELIGMANN, *The Melanesians* (glossaire, p. 754 et 77, 93, 94, 109, 204).

(2) V. la description des *doa*, *ibid.*, p. 89, 71, 91, etc.

(3) *Ibid.*, p. 95 et 146.

(4) Les monnaies ne sont pas les seules choses de ce système des dons que ces tribus du golfe de Nouvelle-Guinée appellent d'un nom identique au mot polynésien de même sens. Nous avons signalé déjà plus haut l'identité des *hakari* néo-zélandais, et des *hekarai*, fêtes expositions de nourriture que M. SELIGMANN nous a décrits en Nouvelle-Guinée (Motu et Koita), v. *The Melanesians*, p. 144-145, pl. XVI-XVIII.

(5) V. plus haut. Il est remarquable que le mot *tun*, dans le dialecte de Mota (îles Banks) — évidemment identique à *taonga* — ait le sens d'acheter (en particulier une femme). CODRINGTON, dans le mythe de Qat achetant la nuit (*Melanesian Languages*, p. 307-308, n. 9), traduit : « acheter à un grand prix ». En réalité c'est un achat fait suivant les règles du potlatch, bien attesté en cette partie de la Mélanésie.

(6) V. Documents cités dans *Année Sociologique*, XII, p. 372.

(7) V. surtout *Forsch.*, III, p. 38 à 41.

(8) *Zeitschrift für Ethnologie*, 1922.

(9) *Forsch.* III, pl. 2, n. 3.

différente de celle qu'on se fait d'ordinaire. Ces gens ont une économie extra-domestique et un système d'échange fort développé, à battements plus intenses et plus précipités peut-être que celui que connaissaient nos paysans ou les villages de pêcheurs de nos côtes il n'y a peut-être pas cent ans. Ils ont une vie économique étendue, dépassant les frontières des îles, et des dialectes, un commerce considérable. Or ils remplacent vigoureusement, par des dons faits et rendus, le système des achats et des ventes.

Le point sur lequel ces droits, et, on le verra, le droit germanique aussi, ont buté, c'est l'incapacité où ils ont été d'abstraire et de diviser leurs concepts économiques et juridiques. Ils n'en avaient pas besoin, d'ailleurs. Dans ces sociétés : ni le clan, ni la famille ne savent ni se dissocier ni dissocier leurs actes ; ni les individus eux-mêmes, si influents et si conscients qu'ils soient, ne savent comprendre qu'il leur faut s'opposer les uns aux autres et qu'il faut qu'ils sachent dissocier leurs actes les uns des autres. Le chef se confond avec son clan et celui-ci avec lui ; les individus ne se sentent agir que d'une seule façon. M. Holmes remarque finement que les deux langages, l'un papou, l'autre mélanésien, des tribus qu'il connaît à l'embouchure de la Finke (Toaripi et Namau), n'ont qu' « un seul terme pour désigner l'achat et la vente, le prêt et l'emprunt ». Les opérations « antithétiques sont exprimées par le même mot (1) ». « Strictement parlant, ils ne savaient pas emprunter et prêter dans le sens où nous employons ces termes, mais il y avait toujours quelque chose de donné en forme d'honoraires pour le prêt et qui était rendu lorsque le prêt était rendu (2). » Ces hommes n'ont ni l'idée de la vente, ni l'idée du prêt et cependant font des opérations juridiques et économiques qui ont même fonction.

De même, la notion de troc n'est pas plus naturelle aux Mélanésiens qu'aux Polynésiens.

Un des meilleurs ethnographes, M. Kruyt, tout en se servant du mot vente nous décrit avec précision (3) cet état d'esprit parmi les habitants des Célèbes centrales. Et cependant, les

---

(1) *In primitive New-Guinea*, 1924, p. 294.

(2) Au fond, M. Holmes nous décrit assez mal le système des dons intermédiaires, v. plus haut *basi*.

(3) V. le travail cité plus haut. L'incertitude du sens des mots que nous traduisons mal : « acheter, vendre », n'est pas particulière aux sociétés du Pacifique. Nous reviendrons plus loin sur ce sujet, mais dès maintenant nous rappelons que, même dans notre langage courant, le mot vente désigne aussi bien la vente que l'achat, et qu'en chinois il n'y a qu'une différence de ton entre les deux monosyllabes qui désignent l'acte de vendre et l'acte d'acheter.

Toradja sont depuis bien longtemps au contact des Malais, grands commerçants.

Ainsi une partie de l'humanité, relativement riche, travailleuse, créatrice de surplus importants, a su et sait changer des choses considérables, sous d'autres formes et pour d'autres raisons que celles que nous connaissons.

III

NORD-OUEST AMÉRICAIN

L'HONNEUR ET LE CRÉDIT

De ces observations sur quelques peuples mélanésiens et polynésiens se dégage déjà une figure bien arrêtée de ce régime du don. La vie matérielle et morale, l'échange, y fonctionnent sous une forme désintéressée et obligatoire en même temps. De plus, cette obligation s'exprime de façon mythique, imaginaire ou, si l'on veut, symbolique et collective : elle prend l'aspect de l'intérêt attaché aux choses échangées : celles-ci ne sont jamais complètement détachées de leurs échangistes ; la communion et l'alliance qu'elles établissent sont relativement indissolubles. En réalité, ce symbole de la vie sociale — la permanence d'influence des choses échangées — ne fait que traduire assez directement la manière dont les sous-groupes de ces sociétés segmentées, de type archaïque, sont constamment imbriqués les uns dans les autres, et sentent qu'ils se doivent tout.

Les sociétés indiennes du nord-ouest américain présentent les mêmes institutions, seulement elles sont encore chez elles plus radicales et plus accentuées. D'abord, on dirait que le troc y est inconnu. Même après un long contact avec les Européens (1), il ne semble pas qu'aucun des considérables transferts de richesses (2) qui s'y opèrent constamment se fasse autrement que dans les formes solennelles du *potlatch* (3). Nous allons décrire cette dernière institution à notre point de vue.

---

(1) Avec les Russes depuis le xviiie siècle et les trapeurs canadiens français depuis le début du xixe.

(2) Voir cependant des ventes d'esclaves : SWANTON, *Haida Texts and Myths*, in *Bur. Am. Ethn. Bull.*, 29, p. 410.

(3) Une bibliographie sommaire des travaux théoriques concernant ce « potlatch » est donnée plus haut.

N. B. — Auparavant une courte description de ces sociétés est indispensable. Les tribus, peuples ou plutôt groupes de tribus (1) dont nous allons parler résident toutes sur la côte du nord-ouest américain, de l'Alaska (1) : Tlingit et Haïda ; et de la Colombie britannique, principalement Haïda, Tsimshian et Kwakiutl (2). Elles aussi vivent de la mer, ou sur les fleuves, de leur pêche plus que de leur chasse ; mais, à la différence des Mélanésiens et des Polynésiens elles n'ont pas d'agriculture. Elles sont très riches cependant et,

(1) Ce tableau succinct est tracé sans justification, mais il est nécessaire. Nous prévenons qu'il n'est complet ni au point de vue même du nombre et du nom des tribus. ni au point de vue de leurs institutions.

Nous faisons abstraction d'un grand nombre de tribus, principalement des suivantes : 1° Nootka (groupe Wakash, ou Kwakiutl), Bella Kula (voisine) ; 2° tribus Salish de la côte sud. D'autre part, les recherches concernant l'extension du potlatch devraient être poussées plus au sud, jusqu'en Californie. Là — chose remarquable à d'autres points de vue — l'institution semble répandue dans les sociétés des groupes dits Penutia et Hoka : v. par ex. POWERS, *Tribes of California* (*Contrib. to North Amer. Ethn.*, III), p. 153 (Pomo), p. 238 (Wintun), p. 303, 311 (Maidu) ; cf. p. 247, 325, 332, 333, pour d'autres tribus ; observations générales, p. 411.

Ensuite les institutions et les arts que nous décrivons en quelques mots sont infiniment compliqués, et certaines absences y sont non moins curieuses que certaines présences. Par exemple, la poterie y est inconnue comme dans la dernière couche de la civilisation du Pacifique sud.

(2) Les sources qui permettent l'étude de ces sociétés sont considérables ; elles sont d'une remarquable sécurité, étant très abondamment philologiques et composées de textes transcrits et traduits. V. bibliographie sommaire, dans DAVY, *Foi jurée*, p. 21, 171 et 215. Ajouter principalement : F. BOAS et G. HUNT, *Ethnology of the Kwakiutl* (cité dorénavant *Ethn. Kwa.*), *35th An. Rep. of the Bur. of Amer. Ethnology*, 1921, v. compte rendu plus loin ; F. BOAS, *Tsimshian Mythology*, *31st An. Rep. of the Bur. of Amer. Ethn.*, 1916, paru 1923 (cité dorénavant *Tsim. Myth.*). Cependant toutes ces sources ont un inconvénient : ou bien les anciennes sont insuffisantes, ou bien les nouvelles, malgré leur détail et leur profondeur, ne sont pas assez complètes au point de vue qui nous occupe. C'est vers la civilisation matérielle, vers la linguistique et la littérature mythologique que s'est portée l'attention de M. Boas et de ses collaborateurs de la Jesup Expedition. Même les travaux des ethnographes professionnels plus anciens (Krause, Jacobsen) ou plus récents (MM. Sapir, Hill Tout, etc.) ont la même direction. L'analyse juridique, économique, la démographie restent sinon à faire du moins à compléter. (Cependant la morphologie sociale est commencée par les divers *Census* d'Alaska et de la Colombie britannique.) M. Barbeau nous promet une monographie complète des Tsimshian. Nous attendons cette information indispensable et nous souhaitons de voir d'ici peu cet exemple imité, tant qu'il en est temps. Sur de nombreux points concernant l'économie et le droit, les vieux documents : ceux des voyageurs russes, ceux de KRAUSE *(Tlinkit Indianer)*, de DAWSON (sur les Haïda, Kwakiutl, Bellakoola, etc.), la plupart parus dans le *Bulletin* du *Geological Survey* du Canada ou dans les *Proceedings of the Royal Society* du Canada ; ceux de SWAN (Nootka), Indians of Cape Flattery, Smiths. *Contrib. to Knowledge*, 1870 ; ceux de MAYNE, *Four years in British Columbia*, Londres, 1862, sont encore les meilleurs et leurs dates leur confèrent une définitive autorité.

Dans la nomenclature de ces tribus, il y a une difficulté. Les Kwakiutl forment une tribu, et donnent aussi leur nom à plusieurs autres tribus, qui, confédérées avec eux, forment une véritable nation de ce nom. Nous nous efforcerons de mentionner de quelle tribu kwakiutl nous parlons à chaque fois. Quand il ne sera pas autrement précisé, c'est des Kwakiutl

même maintenant, leurs pêcheries, leurs chasses, leurs fourrures, leur laissent des surplus importants, surtout chiffrés aux taux européens. Elles ont les plus solides maisons de toutes les tribus américaines, et une industrie du cèdre extrêmement développée. Leurs canots sont bons ; et quoiqu'ils ne s'aventurent guère en pleine mer, ils savent naviguer entre les îles et les côtes. Leurs arts matériels sont très élevés. En particulier, même avant l'arrivée du fer, au xviiie siècle, ils savaient recueillir, fondre, mouler et frapper le cuivre que l'on trouve à l'état natif en pays tsimshian et tlingit. Certains de ces cuivres, véritables écus blasonnés, leur servaient de sorte de monnaie. Une autre sorte de monnaie a sûrement été les belles couvertures dites de Chilkat (1), admirablement historiées et qui servent encore d'ornements, certaines ayant une valeur considérable. Ces peuples ont d'excellents sculpteurs et dessinateurs professionnels. Les pipes, masses, cannes, les cuillères de corne sculptées, etc., sont l'ornement de nos collections ethnographiques. Toute cette civilisation est remarquablement uniforme, dans des limites assez larges. Évidemment ces sociétés se sont pénétrées mutuellement à des dates très anciennes, bien qu'elles appartiennent, au moins par leurs langues, à au moins trois différentes familles de peuples (2). Leur vie d'hiver, même pour les tribus les plus méridionales, est très différente de celle d'été. Les tribus ont une double morphologie : dispersées dès la fin du printemps, à la chasse, à la cueillette des racines et des baies succulentes des montagnes, à la pêche fluviale du saumon, dès l'hiver, elles se reconcentrent dans ce qu'on appelle les « villes ». Et c'est alors, pendant tout le temps de cette concentration, qu'elles se mettent dans un état de perpétuelle effervescence. La vie sociale y devient extrêmement intense, même plus intense que dans les congrégations de tribus qui peuvent se faire à l'été. Elle consiste en une sorte d'agitation perpétuelle. Ce sont des visites constantes de tribus à tribus entières, de clans à clans et de familles à familles. Ce sont des fêtes répétées, continues, souvent chacune elle-même très longue. A l'occasion de mariage, de rituels variés, de promotions, on dépense sans compter tout ce qui a été amassé pendant l'été et l'automne avec grande industrie sur une des côtes les plus riches du monde. Même la vie privée se passe ainsi ; on invite les gens de son clan : quand on a tué un phoque, quand on ouvre une caisse de baies ou

---

proprement dits qu'il s'agira. Le mot kwakiutl veut d'ailleurs dire simplement riche, « fumée du monde », et indique déjà par lui-même l'importance des faits économiques que nous allons décrire.

Nous ne reproduirons pas tous les détails d'orthographe des mots de ces langues.

(1) Sur les couvertures de Chilkat, Emmons, The Chilkat Blanket, *Mem. of the Amer. Mus. of nat. Hist.*, III.

(2) V. Rivet, dans Meillet et Cohen, *Langues du Monde*, p. 616 sq. C'est M. Sapir, Na-Déné Languages, *American Anthropologist*, 1915, qui a définitivement réduit le tlingit et le haïda à des branches de la souche athapascane.

de racines conservées ; on invite tout le monde quand échoue une baleine.

La civilisation morale est, elle aussi, remarquablement uniforme, quoique s'étageant entre le régime de la phratrie (Tlingit et Haïda) à descendance utérine, et le clan à descendance masculine mitigée des Kwakiutl, les caractères généraux de l'organisation sociale et en particulier du totémisme se retrouvent à peu près les mêmes chez toutes les tribus. Elles ont des confréries, comme en Mélanésie, aux îles Banks, improprement appelées sociétés secrètes, souvent internationales, mais où la société des hommes, et, sûrement chez les Kwakiutl, la société des femmes, recoupent les organisations de clans. Une partie des dons et contre-prestations dont nous allons parler est destinée comme en Mélanésie (1) à payer les grades et les ascensions (2) successives dans ces confréries. Les rituels, ceux de ces confréries et des clans, succèdent aux mariages des chefs, aux « ventes des cuivres », aux initiations, aux cérémonies shamanistiques, aux cérémonies funéraires, ces dernières étant plus développées en pays haïda et tlingit. Tout cela accompli au cours d'une série indéfiniment rendue de « potlatch ». Il y a des potlatch en tout sens, répondant à d'autres potlatch en tout sens. Comme en Mélanésie, c'est un constant *give and take*, « donner et recevoir ».

Le potlatch lui-même, si typique comme fait, et en même temps si caractéristique de ces tribus, n'est pas autre chose que le système des dons échangés (3). Il n'en diffère que par la violence, l'exagération, les antagonismes qu'il suscite d'une part, et d'autre part, par une certaine pauvreté des concepts juridiques, par une structure plus simple, plus brute qu'en Mélanésie, surtout chez les deux nations du Nord : Tlingit, Haïda (4).

(1) Sur ces paiements pour acquisitions de grades, v. Davy, *Foi jurée*, p. 300-305. Pour la Mélanésie, v. des ex. dans Codrington, *Melanesians*, p. 106 sq., etc. ; Rivers, *History of the Melanesian Society*, I, p. 70 sq.

(2) Ce mot ascension doit être pris au propre et au figuré. De même que le rituel du *vājapeya* (védique postérieur) comporte un rituel d'ascension à une échelle, de même les rituels mélanésiens consistent à faire monter le jeune chef sur une plate-forme. Les Snahnaimuq et les Shushwap du nordouest connaissent le même échafaud d'où le chef distribue son potlatch. Boas, *9th Report on the Tribes of North-Western Canada. Brit. Ass. Adv. Sc.*, 1891, p. 39 ; *1th Report* (*B. Ass. Adv. Sc.*, 1894), p. 459. Les autres tribus ne connaissent que la plate-forme où siègent les chefs et les hautes confréries.

(3) C'est ainsi que les vieux auteurs, Mayne, Dawson, Krause, etc., décrivent son mécanisme. V. en particulier Krause, *Tlinkit Indianer*, p. 187 sq., une collection de documents de vieux auteurs.

(4) Si l'hypothèse des linguistiques est exacte et si les Tlingit et Haïda sont simplement des Athapascans qui ont adopté la civilisation du Nord-Ouest (hypothèse dont M. Boas est d'ailleurs peu éloigné), le caractère fruste du potlatch tlingit et haïda s'expliquerait de lui-même. Il est possible aussi que la violence du potlatch du nord-ouest américain provienne du fait que cette civilisation est au point de rencontre des deux groupes de familles

Le caractère collectif du contrat (1) y apparaît mieux qu'en
Mélanésie et en Polynésie. Ces sociétés sont au fond, plus près,
malgré les apparences, de ce que nous appelons les prestations
totales simples. Aussi les concepts juridiques et économiques y
ont-ils moins de netteté, de précision consciente. Cependant,
dans la pratique, les principes sont formels et suffisamment
clairs.

Deux notions y sont pourtant bien mieux en évidence que
dans le potlatch mélanésien ou que dans les institutions plus
évoluées ou plus décomposées de Polynésie : c'est la notion
de crédit, de terme, et c'est aussi la notion d'honneur (2).

Les dons circulent, nous l'avons vu, en Mélanésie, en Poly-

de peuples qui l'avaient également : une civilisation venant du sud de la
Californie, une civilisation venant d'Asie (sur celle-ci, v. plus haut).

(1) V. Davy, *Foi jurée*, p. 247 sq.

(2) Sur le potlatch, M. Boas n'a rien écrit de mieux que la page suivante :
12th Report on the North-Western Tribes of Canada. B. A. Adv. Sc., 1898,
p. 54-55 (cf. *Fifth Report*, p. 38) : « Le système économique des Indiens de
la colonie britannique est largement basé sur le crédit tout autant que
celui des peuples civilisés. Dans toutes ses entreprises, l'Indien se fie à l'aide
de ses amis. Il promet de les payer pour cette aide à une date ultérieure.
Si cette aide fournie consiste en choses de valeur qui sont mesurées par
les Indiens en couvertures comme nous les mesurons, nous, en monnaie,
il promet de rendre la valeur du prêt avec intérêt. L'Indien n'a pas de système
d'écriture et, par suite, pour donner sûreté à la transaction, elle est faite
en public. Contracter des dettes d'un côté, payer des dettes de l'autre
côté, c'est le potlatch. Ce système économique s'est développé à un
tel point que le capital possédé par tous les individus associés de la tribu
excède de beaucoup la quantité de valeurs disponibles qui existe ; autrement dit, les conditions sont tout à fait analogues à celles qui prévalent
dans notre société à nous : si nous désirions nous faire payer toutes nos créances,
nous trouverions qu'il n'y a à aucun degré assez d'argent, en fait, pour
les payer. Le résultat d'une tentative de tous les créanciers de se faire rem-
bourser leurs prêts, c'est une panique désastreuse dont la communauté met
longtemps à se guérir.

« Il faut bien comprendre qu'un Indien qui invite tous ses amis et voisins à un grand potlatch, qui, en apparence, gaspille tous les résultats accumulés
de longues années de travail, a deux choses en vue que nous ne pouvons
reconnaître que sages et dignes de louanges. Son premier objet est
de payer ses dettes. Ceci est fait publiquement, avec beaucoup de cérémonie et en manière d'acte notarié. Son second objet est de placer les fruits
de son travail de telle sorte qu'il en tire le plus grand profit pour lui aussi
bien que pour ses enfants. Ceux qui reçoivent des présents à cette fête,
les reçoivent comme prêts qu'ils utilisent dans leurs présentes entreprises,
mais après un intervalle de quelques années, il leur faut les rendre avec
intérêts au donateur ou à son héritier. Ainsi, le potlatch finit par être considéré par les Indiens comme un moyen d'assurer le bien-être de leurs enfants,
s'ils les laissent orphelins lorsqu'ils sont jeunes... »

En corrigeant les termes de « dette, paiement, remboursement, prêt »,
et en les remplaçant par des termes comme : présents faits et présents rendus,
termes que M. Boas finit d'ailleurs par employer, on a une idée assez exacte
du fonctionnement de la notion de crédit dans le potlatch.

Sur la notion d'honneur, voir Boas, *Seventh Report on the N. W. Tribes*,
p. 57.

nésie, avec la certitude qu'ils seront rendus, ayant comme
« sûreté » la vertu de la chose donnée qui est elle-même cette
« sûreté ». Mais il est, dans toute société possible, de la nature
du don d'obliger à terme. Par définition même, un repas en
commun, une distribution de kava, un talisman qu'on emporte
ne peuvent être rendus immédiatement. Le « temps » est nécessaire pour exécuter toute contre-prestation. La notion de terme
est donc impliquée logiquement quand il s'agit de rendre des
visites, de contracter des mariages, des alliances, d'établir une
paix, de venir à des jeux et des combats réglés, de célébrer des
fêtes alternatives, de se rendre les services rituels et d'honneur,
de se « manifester des respects » réciproques (1), toutes choses
que l'on échange en même temps que les choses de plus en
plus nombreuses et plus précieuses, à mesure que ces sociétés
sont plus riches.

L'histoire économique et juridique courante est grandement
fautive sur ce point. Imbue d'idées modernes, elle se fait des
idées *a priori* de l'évolution (2), elle suit une logique soi-disant
nécessaire ; au fond, elle en reste aux vieilles traditions. Rien
de plus dangereux que cette « sociologie inconsciente » comme
l'a appelée M. Simiand. Par exemple, M. Cuq dit encore :
« Dans les sociétés primitives, on ne conçoit que le régime du
troc ; dans celles qui sont avancées, on pratique la vente au
comptant. La vente à crédit caractérise une phase supérieure
de la civilisation ; elle apparaît d'abord sous une forme détournée
combinaison de la vente au comptant et du prêt (3). » En fait,
le point de départ est ailleurs. Il a été donné dans une catégorie de droits que laissent de côté les juristes et les économistes qui ne s'y intéressent pas ; c'est le don, phénomène
complexe, surtout dans sa forme la plus ancienne, celle de la
prestation totale que nous n'étudions pas dans ce mémoire ;
or, le don entraîne nécessairement la notion de crédit. L'évolution n'a pas fait passer le droit de l'économie du troc à la
vente et celle-ci du comptant au terme. C'est sur un système
de cadeaux donnés et rendus à terme que se sont édifiés d'une
part le troc, par simplification, par rapprochements de temps
autrefois disjoints, et d'autre part, l'achat et la vente, celle-ci
à terme et au comptant, et aussi le prêt. Car rien ne prouve

(1) Expression tlingit : SWANTON, *Tlingit Indians*, p. 421, etc.
(2) On ne s'est pas aperçu que la notion de terme était non seulement
aussi ancienne, mais aussi simple ou, si l'on veut, aussi complexe que la notion
de comptant.
(3) Étude sur les contrats de l'époque de la première dynastie babylonienne, *Nouv. Rev. Hist. du Droit*, 1910, p. 477.

qu'aucun des droits qui ont dépassé la phase que nous décrivons (droit babylonien en particulier) n'ait pas connu le crédit que connaissent toutes les sociétés archaïques qui survivent autour de nous. Voilà une autre façon simple et réaliste de résoudre le problème des deux « moments du temps » que le contrat unifie, et que M. Davy a déjà étudié (1).

Non moins grand est le rôle que dans ces transactions des Indiens joue la notion d'honneur.

Nulle part le prestige individuel d'un chef et le prestige de son clan ne sont plus liés à la dépense, et à l'exactitude à rendre usurairement les dons acceptés, de façon à transformer en obligés ceux qui vous ont obligés. La consommation et la destruction y sont réellement sans bornes. Dans certains potlatch on doit dépenser tout ce que l'on a et ne rien garder (2). C'est à qui sera le plus riche et aussi le plus follement dépensier. Le principe de l'antagonisme et de la rivalité fonde tout. Le statut politique des individus, dans les confréries et les clans, les rangs de toutes sortes s'obtiennent par la « guerre de propriété (3) » comme par la guerre, ou par la chance, ou par l'héritage, par l'alliance et le mariage. Mais tout est conçu comme si c'était une « lutte de richesse (4) ». Le mariage des enfants, les sièges

(1) Davy, *Foi jurée*, p. 207.
(2) Distribution de toute la propriété : Kwakiutl, Boas, Secret Societies and Social Organization of the Kwakiutl Indians, *Rep. Amer. Nat. Mus.*, 1895 (dorénavant cité *Sec. Soc.*), p. 469. Dans le cas d'initiation du novice, *ibid.*, p. 551, Koskimo. Shushwap : redistribution, Boas, *7th Rep.*, 1890, p. 91 ; Swanton, *Tlingit Indians, 21st Ann. Rep. Bur. of. Am. Ethn.* (dorénavant, *Tlingit*), p. 442 (dans un discours) : « Il a tout dépensé pour le faire voir » (son neveu). Redistribution de tout ce qu'on a gagné au jeu, Swanton, *Texts and Myths of the Tlingit Indians, Bull.* n° 39 *Bur. of Am. Ethn.* (dorénavant *Tlingit T.M.*), p. 139.
(3) Sur la guerre de propriété, v. le chant de Maa, *Sec. Soc.*, p. 577, p. 602 : « Nous combattons avec de la propriété. » L'opposition, guerre de richesses, guerre de sang, se retrouve dans les discours qui ont été faits au même potlatch de 1895 à Fort Rupert. V. Boas et Hunt, *Kwakiutl Texts*, 1re série, *Jesup Expedition*, t. III (dorénavant cité *Kwa*, t. III), p. 485, 482 ; cf. *Sec. Soc.*, p. 668 et 673.
(4) V. particulièrement le mythe de Haïyas (Haïda Texts, *Jesup*, VI, n° 83, Masset), qui a perdu la « face » au jeu, qui en meurt. Ses sœurs et ses neveux prennent le deuil, donnent un potlatch de revanche et il ressuscite.
Il y aurait lieu d'étudier, à ce propos, le jeu qui, même chez nous, n'est pas considéré comme un contrat, mais comme une situation où s'engage l'honneur et où se livrent des biens qu'après tout on pourrait ne pas livrer. Le jeu est une forme du potlatch et du système des dons. Son extension même au nord-ouest américain est remarquable. Quoiqu'il soit connu des Kwakiutl (v. *Ethn. Kwa.*, p. 1394, s. v. *ebayu* ; dés (?) s. v. *lepa*, p. 1435, cf. *lep*, p. 1448, « second potlatch, danse » ; cf. p. 1423, s. v. *maqwacte*) il ne semble pas jouer chez eux un rôle comparable à celui qu'il joue chez les Haïda, Tlingit et Tsimshian. Ceux-ci sont des joueurs invétérés et perpétuels.

dans les confréries ne s'obstiennent qu'au cours de potlatch échangés et rendus. On les perd au potlatch comme on les perd à la guerre, au jeu, à la course, à la lutte (1). Dans un certain nombre de cas, il ne s'agit même pas de donner et de rendre, mais de détruire (2), afin de ne pas vouloir même avoir l'air de désirer qu'on vous rende. On brûle des boîtes entières

V. des descriptions du jeu de bâtonnets chez les Haïda : SWANTON, Haïda (*Jesup Exped.*, V, I), p. 58 sq., 141 sq., pour les figures et les noms ; même jeu chez les Tlingit, description avec noms des bâtonnets : SWANTON, *Tlingit*, p. 443. Le *naq* tlingit ordinaire, la pièce qui gagne, équivaut au *djil* haïda.

Les histoires sont pleines de légendes de jeux, de chefs qui ont perdu tout au jeu. Un chef tsimshian a perdu même ses enfants et ses parents : *Tsim. Myth.*, p. 207, 101 ; cf. BOAS, *ibid.*, p. 409. Une légende haïda raconte l'histoire d'un jeu total des Tsimshian contre les Haïda. V. *Haïda T. M.*, p. 322. Cf. même légende : les jeux contre Tlingit, *ibid.*, p. 94. On trouvera un catalogue des thèmes de ce genre dans BOAS, *Tsim. Myth.*, p. 847 et 843. L'étiquette et la morale veulent que le gagnant laisse la liberté au perdant, à sa femme et à ses enfants, *Tlingit T. M.*, p. 137. Inutile de souligner la parenté de ce trait avec les légendes asiatiques.

D'ailleurs, il y a ici des influences asiatiques indéniables. Sur l'extension des jeux de hasard asiatiques en Amérique, v. le beau travail de E. B. TYLOR, On American Lot-games, as evidence of Asiatic Intercourse, *Bastian Festschr.* In suppl. *Int. Arch. f. Ethn.*, 1896, p. 55 sq.

(1) M. Davy a exposé le thème du défi, de la rivalité. Il faut y ajouter celui du pari. V. par ex. BOAS, *Indianische Sagen*, p. 203 à 206. Pari de mangeaille, pari de lutte, pari d'ascension, etc., dans les légendes. Cf. *ibid.*, p. 363, pour catalogue des thèmes. Le pari est encore de nos jours un reste de ces droits et de cette morale. Il n'engage que l'honneur et le crédit, et cependant fait circuler des richesses.

(2) Sur les potlatch de destruction, v. DAVY, *Foi jurée*, p. 224. Il faut y ajouter les observations suivantes. Donner, c'est déjà détruire, v. *Sec. Soc.*, p. 334. Un certain nombre de rituels de donation comporte des destructions : ex. le rituel du remboursement de la dot ou, comme l'appelle M. Boas, « repaiement de la dette de mariage », comporte une formalité qui s'appelle « couler le canot » : *Sec. Soc.*, p. 518, 520. Mais cette cérémonie est figurée. Cependant les visites au potlatch haïda et tsimshian comportent la destruction réelle des canots des arrivants. Chez les Tsimshian on le détruit à l'arrivée, après avoir soigneusement aidé au débarquement de tout ce qu'il contenait et on rend de plus beaux canots au départ : BOAS, *Tsim. Myth.*, p. 338.

Mais la destruction proprement dite semble constituer une forme supérieure de dépense. On l'appelle « tuer de la propriété » chez les Tsimshian et les Tlingit. BOAS, *Tsim. Myth.*, p. 344 ; SWANTON, *Tlingit*, p. 442. En réalité, on donne même ce nom aux distributions de couvertures : « tant de couvertures furent perdues pour le voir », *Tlingit*, *ibid.*, *ibid.*

Dans cette pratique de la destruction au potlatch interviennent encore deux mobiles : 1° le thème de la guerre : le potlatch est une guerre. Il porte ce titre, « danse de guerre », chez les Tlingit, SWANTON, *Tlingit*, p. 458, cf. p. 436. De la même façon que, dans une guerre, on peut s'emparer des masques, des noms et des privilèges des propriétaires tués, de la même façon dans une guerre de propriétés, on tue la propriété : soit la sienne, pour que les autres ne l'aient pas, soit celle des autres en leur donnant des biens qu'ils seront obligés de rendre ou ne pourront pas rendre.

Le deuxième thème est celui du sacrifice. V. plus haut. Si on tue la propriété c'est qu'elle a une vie. V. plus loin. Un héraut dit : « Que notre propriété reste en vie sous les efforts de notre chef, que notre cuivre reste non cassé. » *Ethn. Kwa.*, p. 1285, l. 1. Peut-être même les sens du mot « yäq » être étendu

d'huile d'olachen (candle-fisch, poisson-chandelle) ou d'huile
de baleine (1), on brûle les maisons et des milliers de couvertures ;
on brise les cuivres les plus chers, on les jette à l'eau, pour écra-
ser, pour « aplatir » son rival (2). Non seulement on se fait
ainsi progresser soi-même, mais encore on fait progresser sa
famille sur l'échelle sociale. Voilà donc un système de droit et
d'économie où se dépensent et se transfèrent constamment des
richesses considérables. On peut, si on veut, appeler ces transferts du nom d'échange ou même de commerce, de vente (3) ;
mais ce commerce est noble, plein d'étiquette et de générosité ;
et, en tout cas, quand il est fait dans un autre esprit, en vue de
gain immédiat, il est l'objet d'un mépris bien accentué (4).

mort, distribuer un potlatch, cf. *Kwa. T.*, III, p. 59, l. 3, et Index, *Ethn.
Kwa.*, s'expliquent-ils ainsi.
　　Mais, en principe, il s'agit bien de transmettre, comme dans le sacrifice
normal, des choses détruites à des esprits, en l'espèce aux ancêtres du clan.
Ce thème est naturellement plus développé chez les Tlingit (SWANTON, *Tlingit*,
p. 443, 462), chez lesquels les ancêtres non seulement assistent au potlatch
et profitent des destructions, mais profitent encore des présents qui sont
donnés à leurs homonymes vivants. La destruction par le feu semble être
caractéristique de ce thème. Chez les Tlingit, v. mythe très intéressant, *Tlingit
T. M.*, p. 82. Haïda, sacrifice dans le feu (Skidegate) ; SWANTON, Haïda
Texts and Myths, *Bull. Bur. Am. Ethn.*, n° 29 (dorénavant *Haïda T. M.*),
p. 36, 28 et 91. Le thème est moins évident chez les Kwakiutl chez lesquels
existe cependant une divinité qui s'appelle « Assis sur le feu » et à qui par
exemple on sacrifie le vêtement de l'enfant malade, pour la payer : *Ethn.
Kwa.*, p. 705, 706.
　　(1) BOAS, *Sec. Soc.*, p. 353, etc.
　　(2) V. plus loin, à propos du mot *plEs*.
　　(3) Il semble que les mots même d' « échange » et de « vente » soient étrangers à la langue kwakiutl. Je ne trouve le mot vente dans les divers glossaires
de M. Boas qu'à propos de la mise en vente d'un cuivre. Mais cette mise
aux enchères n'est rien moins qu'une vente, c'est une sorte de pari, de
lutte de générosité. Et quant au mot échange, je ne le trouve que sous la
forme *L'ay* : mais, au texte indiqué *Kwa. T.*, III, p. 77, l. 41, il s'emploie
à propos d'un changement de nom.
　　(4) V. l'expression « cupide de nourriture », *Ethn. Kwa.*, p. 1462, « dési-
reux de faire fortune rapidement », *ibid.*, p. 1394 ; v. la belle imprécation contre
les « petits chefs » : « Les petits qui délibèrent ; les petits qui travaillent ;.....
qui sont vaincus ; ..... qui promettent de donner des canots ; ..... qui
acceptent la propriété donnée ; ..... qui recherchent la propriété ; ..... qui
ne travaillent que pour la propriété (le terme que traduit « *property* » est
« maneq », rendre une faveur, *ibid.*, p. 1403), les traîtres. » *Ibid.*, p. 1287,
lignes 15 à 18, cf. un autre discours où il est dit du chef qui a donné le potlatch et de ces gens qui reçoivent et ne rendent jamais : « il leur a donné à
manger, il les a fait venir... il les a mis sur son dos... », *ibid.*, p. 1293 ; cf. 1291.
V. une autre imprécation contre « les petits », *ibid.*, p. 1381.
　　Il ne faut pas croire qu'une morale de ce genre soit contraire à l'économie ni corresponde à une paresse communiste. Les Tsimshian blâment l'avarice et racontent comment le héros principal, Corbeau (le créateur), comment il fut
renvoyé par son père parce qu'il était avare : *Tsim. Myth.*, p. 61, cf. p. 444.
Le même mythe existe chez les Tlingit. Ceux-ci blâment également la paresse
et la mendicité des hôtes et racontent comment furent punis Corbeau
et les gens qui vont de ville en ville se faire inviter : *Tlingit M. T.*, p. 260,
cf. 217.

On le voit, la notion d'honneur qui agit violemment en Polynésie, qui est toujours présente en Mélanésie, exerce ici de véritables ravages. Sur ce point encore, les enseignements classiques mesurent mal l'importance des mobiles qui ont animé les hommes, et tout ce que nous devons aux sociétés qui nous ont précédés. Même un savant aussi averti qu'Huvelin s'est cru obligé de déduire la notion d'honneur, réputée sans efficace, de la notion d'efficace magique (1). Il ne voit dans l'honneur, le prestige que le succédané de celle-ci. La réalité est plus complexe. Pas plus que la notion de magie, la notion d'honneur n'est étrangère à ces civilisations (2). Le *mana* polynésien, lui-même, symbolise non seulement la force magique de chaque être, mais aussi son honneur, et l'une des meilleures traductions de ce mot, c'est : autorité, richesse (3). Le potlatch tlingit, haïda, consiste à considérer comme des honneurs les services mutuels (4). Même dans des tribus réellement primitives comme les australiennes, le point d'honneur est aussi chatouilleux que

---

(1) Injuria, *Mélanges Appleton* ; Magie et Droit individuel, *Année Soc.*, X, p. 28.

(2) On paye pour l'honneur de danser chez les Tlingit : *Tl. M. T.*, p. 141. Paiement du chef qui a ccmposé une danse. Chez les Tsimshian : « On fait tout pour l'honneur... Par-dessus tout est la richesse et l'étalage de vanité » ; Boas, *Fifth Report*, 1899, p. 19, Duncan dans Mayne, *Four Years*, p. 265, disait déjà : « pour la simple vanité de la chose ». Au surplus, un grand nombre de rituels, non seulement celui de l'ascension, etc., mais encore ceux qui consistent par exemple à « lever le cuivre » (Kwakiutl), *Kwa. T.*, III, p. 499, l. 26 « lever la lance » (Tlingit), *Tl. M. T.*, p. 117, « lever le poteau de potlatch », funéraire et totémique, « lever la poutre » de la maison, le vieux mât de cocagne, traduisent des principes de ce genre. Il ne faut pas oublier que le potlatch a pour objet de savoir quelle est « la famille la plus « élevée » (commentaires du chef Katishan à propos du mythe du Corbeau, Tlingit, *Tl. M. T.*, p. 119, n. a.).

(3) Tregear, *Maori Comparative Dictionary*, s. v. *Mana*.
Il y aurait lieu d'étudier la notion de richesse elle-même. Du point de vue où nous sommes, l'homme riche est un homme qui a du *mana* en Polynésie, de l' « auctoritas » à Rome et qui, dans ces tribus américaines, est un homme « large », *walas* (*Ethn. Kwa.*, p. 1396). Mais nous n'avons strictement qu'à indiquer le rapport entre la notion de richesse, celle d'autorité, de droit de commander à ceux qui reçoivent des cadeaux, et le potlatch : elle est très nette. Par exemple, chez les Kwakiutl, l'un des clans les plus importants est celui des Walasaka (également nom d'une famille, d'une danse et d'une confrérie) ; ce nom veut dire « les grands qui viennent d'en haut », qui distribuent au potlatch ; *walasila* veut dire non seulement richesses, mais encore « distribution de couvertures à l'occasion d'une mise aux enchères d'un cuivre ». Une autre métaphore est celle qui consiste à considérer que l'individu est rendu « lourd » par les potlatch donnés : *Sec. Soc.*, p. 558, 559. Le chef est dit « avaler les tribus » auxquelles il distribue ses richesses ; il « vomit de la propriété », etc.

(4) Un chant tlingit, dit de la phratrie du Corbeau : « C'est elle qui fait les Loups « valuable ». *Tl. M. T.*, p. 398, n° 38. Le principe que les « respects » et « honneurs » à donner et à rendre comprennent les dons, est bien précis dans les deux tribus. » Swanton, *Tlingit*, p. 451 ; Swanton, *Haïda*, p. 162, dispense de rendre certains présents.

dans les nôtres, et on est satisfait par des prestations, des offrandes de nourriture, des préséances et des rites aussi bien que par des dons (1). Les hommes ont su engager leur honneur et leur nom bien avant de savoir signer.

Le potlatch nord-ouest américain a été suffisamment étudié pour tout ce qui concerne la forme même du contrat. Il est cependant nécessaire de situer l'étude qu'en ont faite M. Davy et M. Léonhard Adam (2) dans le cadre plus vaste où elle devrait prendre place pour le sujet qui nous occupe. Car le potlatch est bien plus qu'un phénomène juridique : il est un de ceux que nous proposons d'appeler « totaux ». Il est religieux, mythologique et shamanistique, puisque les chefs qui s'y engagent y représentent, y incarnent les ancêtres et les dieux, dont ils portent le nom, dont ils dansent des danses et dont les esprits les possèdent (3). Il est économique et il faut mesurer la valeur. l'importance, les raisons et les effets de ces transactions énormes, même actuellement, quand on les chiffre en valeurs européennes (4). Le potlatch est aussi un phénomène de morpholo-

---

(1) Cf. plus loin *(conclusion)*.
L'étiquette du festin, du don qu'on reçoit dignement, qu'on ne sollicite pas est extrêmement marquée dans ces tribus. Indiquons seulement trois faits kwakiutl, haïda et tsimshian instructifs à notre point de vue : les chefs et nobles aux festins mangent peu, ce sont les vassaux et les gens du commun qui mangent beaucoup ; eux font littéralement « fine bouche » : Boas, Kwa. Ind., *Jesup.*, V, II, p. 427, 430 ; dangers de manger beaucoup, *Tsim. Myth.*, p. 59, 149, 153, etc. (mythes) ; ils chantent au festin, Kwa. Ind., *Jesup Exped.*, V, II, p. 430, 437. On sonne de la conque, « pour qu'on dise que nous ne mourons pas de faim ». *Kwa. T.*, III, p. 486. Le noble ne sollicite jamais. Le shamane médecin ne demande jamais de prix, son « esprit » le lui défend. *Ethn. Kwa.*, p. 731, 742 ; *Haïda T. M.*, p. 238, 239. Il existe cependant une confrérie et une danse de « mendicité » chez les Kwakiutl.
(2) V. Bibliographie plus haut p. 152.
(3) Les potlatch tlingit et haïda ont spécialement développé ce principe. Cf. *Tlingit Indians*, p. 443, 462. Cf. discours dans *Tl. M. T.*, p. 373 ; les esprits fument, pendant que les invités fument. Cf. p. 385, l. 9 : « Nous qui dansons ici pour vous, nous ne sommes pas vraiment nous-mêmes. Ce sont nos oncles morts depuis longtemps qui sont en train de danser ici. » Les invités sont des esprits, des porte-chance *gona'qadet*, *ibid.*, p. 119, note *a*. En fait, nous avons ici, purement et simplement, la confusion des deux principes du sacrifice et du don ; comparable, sauf peut-être l'action sur la nature, à tous les cas que nous avons déjà cités (plus haut). Donner aux vivants, c'est donner aux morts. Une remarquable histoire tlingit (*Tl. M. T.*, p. 227), raconte qu'un individu ressuscité sait comment on a fait potlatch pour lui ; le thème des esprits qui reprochent aux vivants de n'avoir pas donné de potlatch est courant. Les Kwakiutl ont eu sûrement les mêmes principes. Ex. discours, *Ethn. Kwa.*, p. 788. Les vivants, chez les Tsimshian, représentent les morts : Tate écrit à M. Boas : « Les offrandes apparaissent surtout sous la forme de présents donnés à une fête. » *Tsim. Myth.*, p. 452 (légendes historiques), p. 287. Collection de thèmes, Boas, *ibid.*, p. 846, pour les comparaisons avec les Haïda, Tlingit et Tsimshian.
(4) V. plus loin quelques exemples de valeur des cuivres.

gie sociale : la réunion des tribus, des clans et des familles, même celle des nations y produit une nervosité, une excitation remarquables : on fraternise et cependant on reste étranger ; on communique et on s'oppose dans un gigantesque commerce et un constant tournoi (1). Nous passons sur les phénomènes esthétiques qui sont extrêmement nombreux. Enfin, même au point de vue juridique, en plus de ce qu'on a déjà dégagé de la forme de ces contrats et de ce qu'on pourrait appeler l'objet humain du contrat, en plus du statut juridique des contractants (clans, familles, rangs et épousailles), il faut ajouter ceci : les objets matériels des contrats, les choses qui y sont échangées, ont, elles aussi, une vertu spéciale, qui fait qu'on les donne et surtout qu'on les rend.

Il aurait été utile — si nous avions eu assez de place — de distinguer, pour notre exposé, quatre formes du potlatch nord-ouest américain : 1° un potlatch où les phratries et les familles des chefs sont seules ou presque seules en cause (Tlingit) ; 2° un potlatch où phratries, clans, chefs et familles jouent à peu près un égal rôle ; 3° un potlatch entre chefs affrontés par clans (Tsimshian) ; 4° un potlatch de chefs et de confréries (Kwakiutl). Mais il serait trop long de procéder ainsi et de plus, la distinction de trois formes sur quatre (manque la forme tsimshian) a été exposée par M. Davy (2). Enfin, en ce qui concerne notre étude, celle des trois thèmes du don, l'obligation de donner, l'obligation de recevoir et l'obligation de rendre, ces quatre formes du potlatch sont relativement identiques.

LES TROIS OBLIGATIONS : DONNER, RECEVOIR, RENDRE

L'obligation de donner est l'essence du potlatch. Un chef doit donner des *potlatch*, pour lui-même, pour son fils, son gendre ou sa fille (3), pour ses morts (4). Il ne conserve son autorité sur

---

(1) KRAUSE, *Tlinkit Indianer*, p. 240, décrit bien ces façons de s'aborder entre tribus Tlingit.

(2) DAVY, *Foi jurée*, p. 171 sq., p. 251 sq. La forme tsimshian ne se distingue pas très sensiblement de la forme haïda. Peut-être le clan y est-il plus en évidence.

(3) Il est inutile de recommencer la démonstration de M. Davy à propos de la relation entre le potlatch et le statut politique, en particulier celui du gendre et du fils. Il est également inutile de commenter la valeur communielle des festins et des échanges. Ex. l'échange de canots entre deux esprits fait qu'ils n'ont plus « qu'un seul cœur », l'un étant le beau-père et l'autre étant le gendre : *Sec. Soc.*, p. 387. Le texte, *Kwa. T.*, III, p. 274, ajoute : « c'était comme s'ils avaient échangé leur nom ». V. aussi *ibid.*, III, p. 23 : dans un mythe de fête Nimkish (autre tribu Kwakiutl), le festin de mariage a pour but d'introniser la fille dans le village « où elle va manger pour la première fois ».

(4) Le potlatch funéraire est attesté et suffisamment étudié chez les Haïda et Tlingit ; chez les Tsimshian, il semble être plus spécialement atta-

sa tribu et sur son village, voire sur sa famille, il ne maintient son rang entre chefs (1) — nationalement et internationalement — que s'il prouve qu'il est hanté et favorisé des esprits et de la fortune (2), qu'il est possédé par elle et qu'il la possède (3) ; et il ne peut prouver cette fortune qu'en la dépensant, en la distribuant, en humiliant les autres, en les mettant « à l'ombre de son nom (4). » Le noble kwakiutl et haïda a exactement la même notion de la « face » que le lettré ou l'officier chinois (5). On dit de l'un des grands chefs mythiques qui ne donnait pas de potlatch qu'il avait la « face pourrie (6) ». Même l'expression est ici plus exacte qu'en Chine. Car, au nord-ouest américain, perdre le prestige, c'est bien perdre l'âme : c'est vraiment la « face », c'est le masque de danse, le droit d'incarner un esprit, de porter un blason, un totem, c'est vraiment la *persona*, qui sont ainsi mis en jeu, qu'on perd au potlatch (7), au

ché à la fin du deuil, à l'érection du poteau totémique, et à la crémation : *Tsim. Myth.*, p. 534 sq. M. Boas ne nous signale pas de potlatch funéraire chez les Kwakiutl, mais on trouve une description d'un potlatch de ce genre dans un mythe : *Kwa. T.*, III, p. 407.

(1) Potlatch pour maintenir son droit à un blason, SWANTON, *Haïda*, p. 107. V. histoire de Leg.ek, *Tsim. Myth.*, p. 386. Leg.ek est le titre du principal chef tsimshian. V. aussi *ibid.*, p. 364, les histoires du chef Nesbalas, autre grand titre de chef tsimshian, et la façon dont il se moqua du chef Haïmas. L'un des titres de chefs le plus important chez les Kwakiutl (Lewikilaq) est celui de Dabend (*Kwa. T.*, III, p. 19, l. 22 ; cf. *dabend-gal'ala*, *Ethn. Kwa.*, p. 1406, col. 1) qui, avant le potlatch, a un nom qui veut dire « incapable de tenir la fin » et après le potlatch prend ce nom qui veut dire « capable de tenir la fin ».

(2) Un chef kwakiutl dit : « Ceci est ma vanité ; les noms, les racines de ma famille, tous mes ancêtres ont été des... » (et ici il décline son nom qui est à la fois un titre et un nom commun), « donateurs de maxwa » (grand potlatch) : *Ethn. Kwa.*, p. 887, l. 54 ; cf. p. 843, l. 70.

(3) V. plus loin (dans un discours) : « Je suis couvert de propriétés. Je suis riche de propriétés. Je suis compteur de propriétés. » *Ethn. Kwa.*, p. 1280, l. 18.

(4) Acheter un cuivre, c'est le mettre « sous le nom » de l'acheteur, BOAS, *Sec. Soc.*, p. 345. Une autre métaphore, c'est que le nom du donateur du potlatch « prend du poids » par le potlatch donné, *Sec. Soc.*, p. 349 ; « perd du poids » par le potlatch accepté, *Sec. Soc.*, p. 345. Il y a d'autres expressions de la même idée, de la supériorité du donateur sur le donataire : la notion que celui-ci est en quelque sorte un esclave tant qu'il ne s'est pas racheté (« le nom est mauvais » alors, disent les Haïda, SWANTON, *Haïda*, p. 70 ; cf. plus loin) ; les Tlingit disent qu' « on met les dons sur le dos des gens qui les reçoivent », SWANTON, *Tlingit*, p. 428. Les Haïda ont deux expressions bien symptomatiques : « faire aller », « courir vite », son aiguille (cf. l'expression néo-calédonienne, plus haut), et qui signifie, paraît-il, « combattre un inférieur », SWANTON, *Haïda*, p. 162.

(5) V. l'histoire de Haïmas, comment il perdit sa liberté, ses privilèges, masques et autres, ses esprits auxiliaires, sa famille et ses propriétés, *Tsim. Myth.*, p. 361, 362.

(6) *Ethn. Kwa.*, p. 805 ; Hunt, l'auteur kwakiutl de M. Boas, lui écrit : « Je ne sais pas pourquoi le chef Maxuyalidze (en réalité, « donneur de potlatch »), ne donna jamais une fête. C'est tout. Il était donc appelé Qelsem, c'est-à-dire Face Pourrie. » *Ibid.*, l. 13 à 15.

(7) Le potlatch est en effet une chose dangereuse, soit qu'on n'en donne

jeu des dons (1) comme on peut les perdre à la guerre (2) ou par une faute rituelle (3). Dans toutes ces sociétés, on se presse à donner. Il n'est pas un instant dépassant l'ordinaire, même hors les solennités et rassemblements d'hiver où on ne soit obligé d'inviter ses amis, de leur partager les aubaines de chasse ou de cueillette qui viennent des dieux et des totems (4) ; où

pas, soit qu'on en reçoive. Les personnes venues à un potlatch mythique en moururent (Haïda T., *Jesup*, VI, p. 626 ; cf. p. 667, même mythe, Tsimshian). Cf., pour les comparaisons, BOAS, *Indianische Sagen*, p. 356, n° 58. Il est dangereux de participer de la substance de celui qui donne le potlatch : par exemple de consommer à un potlatch des esprits, dans le monde d'en bas. Légende kwakiutl (Awikenoq), *Ind. Sagen*, p. 239. V. le beau mythe du Corbeau qui sort de sa chair les nourritures (plusieurs exemplaires), Ctatloq, *Ind. Sagen*, p. 76 ; Nootka, *ibid.*, p. 106. Comparaisons dans BOAS, *Tsim. Myth.*, p. 694, 695.

(1) Le potlatch est en effet un jeu et une épreuve. Par exemple, l'épreuve consiste à ne pas avoir le hoquet pendant le festin. « Plutôt mourir que d'avoir le hoquet », dit-on. BOAS, Kwakiutl Indians, *Jesup Expedition*, vol. V, partie II, p. 428. V. une formule du défi : « Essayons de les faire vider par nos hôtes (les plats)... » *Ethn. Kwa.*, p. 991, l. 43 ; cf. p. 992. Sur l'incertitude de sens entre les mots qui signifient donner de la nourriture, rendre de la nourriture et revanche, v. glossaire (*Ethn. Kwa.*, s. v. *yenesa*, *yenka* : donner de la nourriture, récompenser, prendre sa revanche).

(2) V. plus haut l'équivalence du potlatch et de la guerre. Le couteau au bout du bâton est un symbole du potlatch kwakiutl, *Kwa. T.*, III, p. 483. Chez les Tlingit, c'est la lance levée, *Tlingit M. T.*, p. 117. V. les rituels de potlatch de compensation chez les Tlingit. Guerre des gens de Kloo contre les Tsimshian, *Tling. T. M.*, p. 432, 433, n. 34 ; danses pour avoir fait quelqu'un esclave ; potlatch sans danse pour avoir tué quelqu'un. Cf. plus loin rituel du don du cuivre p. 221, n. 6.

(3) Sur les fautes rituelles chez les Kwakiutl, v. BOAS, *Sec. Soc.*, p. 433, 507, etc. L'expiation consiste précisément à donner un potlatch ou au moins un don.

C'est là, dans toutes ces sociétés, un principe de droit et de rituel extrêmement important. Une distribution de richesses joue le rôle d'une amende, d'une propitiation vis-à-vis des esprits et d'un rétablissement de la communion avec les hommes. Le P. LAMBERT, *Mœurs des sauvages néo-calédoniens*, p. 66, avait déjà remarqué chez les Canaques le droit des parents utérins de réclamer des indemnités lorsqu'un des leurs perd de son sang dans la famille de son père. L'institution se retrouve exactement chez les Tsimshian, Duncan dans MAYNE, *Four Years*, p. 265 ; cf. p. 296 (potlatch en cas de perte de sang du fils). L'institution du *muru* maori doit probablement être comparée à celle-ci.

Les potlatch de rachat de captifs doivent être interprétés de la même façon. Car c'est non seulement pour reprendre le captif, mais aussi pour rétablir « le nom », que la famille, qui l'a laissé faire esclave, doit donner un potlatch. V. histoire de Dzebasa, *Tsim. Myth.*, p. 388. Même règle chez les Tlingit, KRAUSE, *Tlinkit Indianer*, p. 245 ; PORTER *XIth Census*, p. 54 ; SWANTON, *Tlingit*, p. 449.

Les potlatch d'expiation de fautes rituelles kwakiutl sont nombreux. Mais il faut noter le potlatch d'expiation des parents de jumeaux qui vont travailler, *Ethn. Kwa.*, p. 691. Un potlatch est dû à un beau-père pour reconquérir une femme qui vous a quittée... évidemment par votre faute. V. vocabulaire, *ibid.*, p. 1423, col. 1, bas. Le principe peut avoir un emploi fictif : lorsqu'un chef veut avoir une occasion à potlatch, il renvoie sa femme chez son beau-père, pour avoir un prétexte à de nouvelles distributions de richesses, BOAS, *5th Report*, p. 42.

(4) Une longue liste de ces obligations à fêtes, après pêche, cueillette,

on ne soit obligé de leur redistribuer tout ce qui vous vient d'un potlatch dont on a été bénéficiaire (1) ; où on ne soit obligé de reconnaître par des dons n'importe quel service (2), ceux des chefs (3), ceux des vassaux, ceux des parents (4) ; le tout sous peine, au moins pour les nobles, de violer l'étiquette et de perdre leur rang (5).

L'obligation d'inviter est tout à fait évidente quand elle s'exerce de clans à clans ou de tribus à tribus. Elle n'a même de sens que si elle s'offre à d'autres qu'aux gens de la famille, du clan, ou de la phratrie (6), Il faut convier qui peut (7) et veut bien (8) ou vient (9) assister à la fête, au potlatch (10). L'oubli

chasse, ouverture de boîtes de conserves est donnée au premier volume de *Ethn. Kwa.*, p. 757 sq. ; cf. p. 607 sq., pour l'étiquette, etc.

(1) V. plus haut.

(2) V. *Tsim. Myth.*, p. 512, 439 ; cf. p. 534, pour paiement de services. Kwakiutl, ex. paiement au compteur de couvertures, *Sec. Soc.*, p. 614, 629 (Nimkish, fête d'été).

(3) Les Tsimshian ont une remarquable institution qui prescrit les partages entre potlatch de chefs et potlatch de vassaux et qui fait la part respective des uns et des autres. Quoique ce soit à l'intérieur des différentes classes féodales recoupées par les clans et phratries que les rivaux s'affrontent, il y a cependant des droits qui s'exercent de classe à classe, BOAS, *Tsim. Myth.*, p. 539.

(4) Paiements à des parents, *Tsim. Myth.*, p. 534 ; cf. DAVY, *Foi jurée*, pour les systèmes opposés chez les Tlingit et les Haïda, des répartitions de potlatch par familles, p. 196.

(5) Un mythe haïda de MASSET (Haïda Texts, *Jesup*, VI, n° 43) raconte comment un vieux chef ne donne pas assez de potlatch ; les autres ne l'invitent plus, il en meurt, ses neveux font sa statue, donnent une fête, dix fêtes en son nom : alors il renaît. Dans un autre mythe de MASSET, *ibid.*, p. 727, un esprit s'adresse à un chef, lui dit : « Tu as trop de propriétés, il faut en faire un potlatch » (*wal* = distribution, cf. le mot *walgal*, potlatch). Il construit une maison et paye les constructeurs. Dans un autre mythe, *ibid.*, p. 723, 1. 34, un chef dit : « Je ne garderai rien pour moi », cf. plus loin : « Je ferai potlatch dix fois *(wal).* »

(6) Sur la façon dont les clans s'affrontent régulièrement (Kwakiutl), BOAS, *Sec. Soc.*, p. 343 ; (Tsimshian), BOAS, *Tsim. Myth.*, p. 497. La chose va de soi en pays de phratrie, v. SWANTON, *Haïda*, p. 162 ; *Tlingit*, p. 424. Ce principe est remarquablement exposé dans le mythe de Corbeau, *Tlingit T. M.*, p. 115 sq.

(7) Naturellement, on se dispense d'inviter ceux qui ont dérogé, ceux qui n'ont pas donné de fêtes, ceux qui n'ont pas de noms de fêtes, HUNT, dans *Ethn. Kwa.*, p. 707 ; ceux qui n'ont pas rendu le potlatch, cf. *ibid.*, index, s. v. *Waya* et *Wayapo Lela*, p. 1395 ; cf. p. 358, 1. 25.

(8) De là le récit constant — commun également à notre folklore européen et asiatique — du danger qu'il y a à ne pas inviter l'orphelin, l'abandonné, le pauvre survenant. Ex. *Indianische Sagen*, p. 301, 303 ; v. *Tsim. Myth.*, p. 295, 292 : un mendiant qui est le totem, le dieu totémique. Catalogue de thèmes, BOAS, *Tsim. Myth.*, p. 784 sq.

(9) Les Tlingit ont une expression remarquable : les invités sont censés « flotter », leurs canots « errent sur la mer », le poteau totémique qu'ils apportent est à la dérive, c'est le potlatch, c'est l'invitation, qui les arrête, *Tl. M. T.*, p. 394, n° 22 ; p. 395, n° 24 (dans des discours). L'un des titres assez communs de chef kwakiutl, c'est « celui vers qui on pagaie », c'est « la place où on vient », ex. *Ethn. Kwa.*, p. 187, 1. 10 et 15.

(10) L'offense qui consiste à négliger quelqu'un fait que ses parents soli-

a des conséquences funestes (1). Un mythe tsimshian important (2) montre dans quel état d'esprit a germé ce thème essentiel du folklore européen : celui de la mauvaise fée oubliée au
baptême et au mariage. Le tissu d'institutions sur lequel il
est broché apparaît ici nettement ; on voit dans quelles civilisations il a fonctionné. Une princesse d'un des villages tsimshian
a conçu au « pays des loutres » et elle accouche miraculeu-
sement de « Petite Loutre ». Elle revient avec son enfant au
village de son père, le Chef. « Petite Loutre » pêche de grands
flétans dont son grand-père fait fête à tous ses confrères, chefs
de toutes les tribus. Il le présente à tous et leur recommande
de ne pas le tuer s'ils le rencontrent à la pêche, sous sa forme
animale : « Voici mon petit-fils qui a apporté cette nourriture
pour vous, que je vous ai servie, mes hôtes. » Ainsi, le grand
père devint riche de toutes sortes de biens qu'on lui donnait
lorsqu'on venait chez lui manger des baleines, les phoques et
tous les poissons frais que « Petite Loutre » rapportait pendant
les famines d'hiver. Mais on avait oublié d'inviter un chef.
Alors, un jour que l'équipage d'un canot de la tribu négligée
rencontra en mer « Petite Loutre » qui tenait dans sa gueule
un grand phoque, l'archer du canot tua « Petite Loutre » et
prit le phoque. Et le grand-père et les tribus cherchèrent « Petite
Loutre » jusqu'à ce qu'on apprît ce qui était arrivé à la tribu
oubliée. Celle-ci s'excusa ; elle ne connaissait pas « Petite Loutre ».
La princesse sa mère mourut de chagrin ; le chef involontaire-
ment coupable apporta au chef grand-père toutes sortes de
cadeaux en expiation. Et le mythe conclut (3) : « C'est pourquoi
les peuples faisaient de grandes fêtes lorsqu'un fils de chef
naissait et recevait un nom, pour que personne n'en ignorât. »
Le potlatch, la distribution des biens est l'acte fondamental
de la « reconnaissance » militaire, juridique, économique, reli-

---

daires s'abstiennent, eux, de venir au potlatch. Dans un mythe tsimshian,
les esprits ne viennent pas tant qu'on n'a pas invité le Grand Esprit, ils
viennent tous quand il est invité, *Tsim. Myth.*, p. 277. Une histoire raconte
qu'on n'avait pas invité le grand chef Nesbalas, les autres chefs tsimshian
ne vinrent pas ; ils disaient : « Il est chef, on ne peut se brouiller avec lui. »
Ibid., p. 357.

(1) L'offense a des conséquences politiques. Ex. potlatch des Tlingit
avec les Athapascans de l'Est, SWANTON, *Tlingit*, p. 435. Cf. *Tling. T. M.*,
p. 117.

(2) *Tsim. Myth.*, p. 170 et 171.

(3) M. Boas met en note cette phrase du texte de Tate, son rédacteur
indigène, *ibid.*, p. 171, n. *a*. Il faut au contraire souder la moralité du mythe
au mythe lui-même.

gieuse, dans tous les sens du mot. On « reconnaît » le chef ou
son fils et on lui devient « reconnaissant (1) ».

Quelquefois le rituel des fêtes kwakiutl (2) et des autres
tribus de ce groupe exprime ce principe de l'invitation obligatoire. Il arrive qu'une partie des cérémonies débute par celle
des Chiens. Ceux-ci sont représentés par des hommes masqués
qui partent d'une maison pour entrer de force dans une autre.
Elle commémore cet événement où les gens des trois autres
clans de la tribu des Kwakiutl proprement dits négligèrent
d'inviter le plus haut placé des clans d'entre eux, les Guetela (3).
Ceux-ci ne voulurent pas rester « profanes », ils entrèrent dans
la maison de danses et détruisirent tout.

L'obligation de recevoir ne contraint pas moins. On n'a pas le
droit de refuser un don, de refuser le potlatch (4). Agir ainsi
c'est manifester qu'on craint d'avoir à rendre, c'est craindre
d'être « aplati » tant qu'on n'a pas rendu. En réalité, c'est être
« aplati » déjà. C'est « perdre le poids » de son nom (5) ; c'est
ou s'avouer vaincu d'avance (6), ou, au contraire, dans certains
cas, se proclamer vainqueur et invincible (7). Il semble, en effet,
au moins chez les Kwakiutl, qu'une position reconnue dans la
hiérarchie, des victoires dans les potlatch antérieurs permettent
de refuser l'invitation ou même, quand on est présent, de refuser
le don, sans que guerre s'ensuive. Mais alors, le potlatch est
obligatoire pour celui qui a refusé ; en particulier, il faut rendre
plus riche la fête de graisse où précisément ce rituel du refus
peut s'observer (8). Le chef qui se croit supérieur refuse la
cuillère pleine de graisse qu'on lui présente ; il sort, va chercher

---

(1) Cf. le détail du mythe tsimshian de Negunaks, *ibid.*, p. 287 sq. et
les notes de la page 846 pour les équivalents de ce thème.
(2) Ex. l'invitation à la fête des cassis, le héraut dit : « Nous vous invi-
tons, vous qui n'êtes pas venus. » *Ethn. Kwa.*, p. 752.
(3) Boas, *Sec. Soc.*, p. 543.
(4) Chez les Tlingit, les invités qui ont tardé deux ans avant de venir au
potlatch auquel ils étaient invités sont des « femmes ». *Tl. M. T.*,
p. 119, n. *a.*
(5) Boas, *Sec. Soc.*, p. 345.
(6) Kwakiutl. On est obligé de venir à la fête des phoques, quoique la
graisse en fasse vomir, *Ethn. Kwa.*, p. 1046 ; cf. p. 1048 : « essaye de manger
tout ».
(7) C'est pourquoi on s'adresse quelquefois avec crainte à ses invités ;
car s'ils repoussaient l'offre, c'est qu'ils se manifesteraient supérieurs. Un
chef kwakiutl dit à un chef koskimo (tribu de même nation): « Ne refusez
pas mon aimable offre ou je serai honteux, ne repoussez pas mon cœur, etc.
Je ne suis pas de ceux qui prétendent, de ceux qui ne donnent qu'à ceux
qui leur achèteront (= donneront). Voilà, mes amis. » Boas, *Sec. Soc.*,
p. 546.
(8) Boas, *Sec. Soc.*, p. 355.

son « cuivre » et revient avec ce cuivre « éteindre le feu » (de la graisse). Suit une série de formalités qui marquent le défi et qui engagent le chef qui a refusé à donner lui-même un autre potlatch, une autre fête de graisse (1). Mais en principe, tout don est toujours accepté et même loué (2). On doit apprécier à haute voix la nourriture préparée pour vous (3). Mais, en l'acceptant, on sait qu'on s'engage (4). On reçoit un don « sur le dos (5) ». On fait plus que de bénéficier d'une chose et d'une fête, on a accepté un défi ; et on a pu l'accepter parce qu'on a la certitude de rendre (6), de prouver qu'on n'est pas inégal (7). En s'affrontant ainsi, les chefs arrivent à se mettre dans des situations comiques, et sûrement senties commes telles. Comme dans l'ancienne Gaule ou en Germanie, comme en nos festins d'étudiants, de troupiers ou de paysans, on s'engage à avaler des quantités de vivre, à « faire honneur » de façon grotesque à celui qui vous invite. On s'exécute même quand on n'est que l'héritier de celui qui a porté le défi (8). S'abstenir de donner, comme s'abstenir de recevoir (9), c'est déroger — comme s'abstenir de rendre (10).

(1) V. *Ethn. Kwa.*, p. 774 sq., une autre description donnée de la fête des huiles et des baies de salal ; elle est de Hunt et semble meilleure ; il semble aussi que ce rituel soit employé dans le cas où l'on n'invite pas et où on ne donne pas. Un rituel de fête du même genre, donnée en mépris d'un rival, comporte des chants au tambour (*ibid.*, p. 770 ; cf. p. 764), comme chez les Eskimos.
(2) Formule haïda : Fais la même chose, donne-moi bonne nourriture » (dans mythe), Haida Texts, *Jesup* VI, p. 685, 686 ; (Kwakiutl), *Ethn. Kwa.*, p. 767, l. 39 ; p. 738, l. 32 ; p. 770, histoire de PoLelasa.
(3) Des chants marquant que l'on n'est pas satisfait sont fort précis (Tlingit), *Tlingit M. T.*, p. 396, n° 26, n° 29.
(4) Les chefs chez les Tsimshian ont pour règle d'envoyer un messager examiner les cadeaux que leur apportent les invités au potlatch, *Tsim. Myth.*, p. 184 ; cf. p. 430 et 434. D'après un capitulaire de l'an 803, à la cour de Charlemagne, il y avait un fonctionnaire chargé d'une inspection de ce genre. M. Maunier me signale ce fait que mentionnent Démeunier.
(5) V. plus haut. Cf. l'expression latine *œre obœratus*, obéré.
(6) Le mythe de Corbeau chez les Tlingit raconte comment celui-ci n'est pas à une fête parce que les autres (la phratrie opposée ; mal traduit par M. Swanton qui aurait dû écrire phratrie opposée au Corbeau) se sont montrés bruyants et ont dépassé la ligne médiane qui, dans la maison de danse, sépare les deux phratries. Corbeau a craint qu'ils ne soient invincibles, *Tl. M. T.*, p. 118.
(7) L'inégalité qui est la suite du fait d'accepter est bien exposée dans des discours kwakiutl, *Sec. Soc.*, p. 355, 667, l. 17., etc. ; Cf. p. 669, l. 9.
(8) Ex. Tlingit, Swanton, *Tlingit*, p. 440, 441.
(9) Chez les Tlingit un rituel permet de se faire payer davantage et permet d'autre part à l'hôte de forcer un invité à accepter un cadeau : l'invité non satisfait fait le geste de sortir ; le donateur lui offre le double en mentionnant le nom d'un parent mort, Swanton, *Tlingit Indians*, p. 442. Il est probable que ce rituel correspond aux qualités qu'ont les deux contractants de représenter les esprits de leurs ancêtres.
(10) V. discours, *Ethn. Kwa.*, p. 1281 : « Les chefs des tribus ne **rendent**

L'obligation de rendre (1) *est tout le potlatch*, dans la mesure où il ne consiste pas en pure destruction. Ces destructions, elles, très souvent sacrificielles et bénéficiaires pour les esprits, n'ont pas, semble-t-il, besoin d'être toutes rendues sans conditions, surtout quand elles sont l'œuvre d'un chef supérieur dans le clan ou d'un chef d'un clan déjà reconnu supérieur (2). Mais normalement le potlatch doit toujours être rendu de façon usuraire et même tout don doit être rendu de façon usuraire. Les taux sont en général de 30 à 100 pour 100 par an. Même si pour un service rendu un sujet reçoit une couverture de son chef, il lui en rendra deux à l'occasion du mariage de la famille du chef, de l'intronisation du fils du chef, etc. Il est vrai que celui-ci à son tour lui redistribuera tous les biens qu'il obtiendra dans les prochains potlatch où les clans opposés lui rendront ses bienfaits.

L'obligation de rendre dignement est impérative (3). On perd la « face » à jamais si on ne rend pas, ou si on ne détruit pas les valeurs équivalentes (4).

La sanction de l'obligation de rendre est l'esclavage pour dette. Elle fonctionne au moins chez les Kwakiutl, Haïda et Tsimshian. C'est une institution comparable vraiment, en nature et en fonction, au *nexum* romain. L'individu qui n'a pu rendre le prêt ou le potlatch perd son rang et même celui d'homme libre. Quand, chez les Kwakiutl, un individu de mauvais crédit emprunte, il est dit « vendre un esclave ». Inutile de faire encore remarquer l'identité de cette expression et de l'expression romaine (5).

jamais... ils se disgracient eux-mêmes, et tu t'élèves comme grand chef, parmi ceux qui se sont disgraciés. »

(1) V. discours (récit historique) lors du potlatch du grand chef Legek (titre du prince des Tsimshian), *Tsim. Myth.*, p. 386 ; on dit aux Haïda : « Vous serez les derniers parmi les chefs parce que nous n'êtes pas capables de jeter dans la mer des cuivres, comme le grand chef l'a fait. »

(2) L'idéal serait de donner un potlatch et qu'il ne fût pas rendu. V. dans un discours : « Tu désires donner ce qui ne sera pas rendu. » *Ethn. Kwa.*, p. 1282, l. 63. L'individu qui a donné un potlatch est comparé à un arbre, à une montagne (cf. plus haut p. 72) : « Je suis le grand chef, le grand arbre, vous êtes sous moi... ma palissade... je vous donne de la propriété. » *Ibid.*, p. 1290, strophe I. « Levez le poteau du potlatch, l'inattaquable, c'est le seul arbre épais, c'est la seule racine épaisse... » *Ibid.*, strophe 2. Les Haïda expriment ceci par la métaphore de la lance. Les gens qui acceptent « vivent de sa lance » (du chef), *Haida Texts* (MASSET), p. 486. C'est d'ailleurs un type de mythes.

(3) V. récit d'une insulte pour potlatch mal rendu, *Tsim. Myth.*, p. 314. Les Tsimshian se souviennent toujours des deux cuivres qui leur sont dus par les Wutsenaluk, *ibid.*, p. 364.

(4) Le « nom » reste « brisé », tant que l'on n'a pas brisé un cuivre d'égale valeur à celui du défi, BOAS, *Sec. Soc.*, p. 543.

(5) Lorsqu'un individu ainsi discrédité emprunte de quoi faire une dis-

Les Haïda (1) disent même — comme s'ils avaient retrouvé indépendamment l'expression latine — d'une mère qui donne un présent pour fiançailles en bas âge à la mère d'un jeune chef : qu'elle « met un fil sur lui ».

Mais, de même que le « kula » trobriandais n'est qu'un cas suprême de l'échange des dons, de même le potlatch n'est, dans les sociétés de la côte nord-ouest américaine, qu'une sorte de produit monstrueux du système des présents. Au moins en pays de phratries, chez les Haïda et Tlingit, il reste d'importants vestiges de l'ancienne prestation totale, d'ailleurs si caractéristique des Athapascans, l'important groupe de tribus apparentées. On échange des présents à propos de tout, de chaque « service » ; et tout se rend ultérieurement ou même sur le champ pour être redistribué immédiatement (2). Les Tsimshian ne sont pas très loin d'avoir conservé les mêmes règles (3). Et dans de nombreux cas, elles fonctionnent même en dehors du potlatch, chez les Kwakiutl (4). Nous n'insisterons pas sur ce point évident : les vieux auteurs ne décrivent pas le potlatch dans d'autres termes, tellement qu'on peut se demander s'il constitue une institution distincte (5). Rappelons que chez les

---

tribution ou une redistribution obligatoire, il « engage son nom », et l'expression synonyme, c'est « il vend un esclave », BOAS, *Sec. Soc.*, p. 341 ; cf. *Elhn. Kwa.*, p. 1451, 1424, s. v. : *kelgelgend* ; cf. p. 1420.

(1) La future peut n'être pas encore née, le contrat hypothèque déjà le jeune homme, SWANTON, *Haïda*, p. 50.

(2) V. plus haut. En particulier, les rites de paix chez les Haïda, Tsimshian et Tlingit, consistent en prestations et contre-prestations immédiates ; au fond, ce sont des échanges de gages (cuivres blasonnés) et d'otages, esclaves et femmes. Ex. dans guerre de Tsimshian contre Haïda, *Haïda T. M.*, p. 395 : « Comme ils eurent des mariages de femmes de chaque côté, avec leurs opposés, parce qu'ils craignaient qu'ils pourraient se fâcher de nouveau, ainsi, il y eut paix. » Dans une guerre de Haïda contre Tlingit, voir un potlatch de compensation, *ibid.*, p. 396.

(3) V. plus haut et en particulier, BOAS, *Tsim. Myth.*, p. 511, 512.

(4) (Kwakiutl) : une distribution de propriété dans les deux sens, coup sur coup, BOAS, *Sec. Soc.*, p. 418 ; repaiement l'année suivante des amendes payées pour fautes rituelles, *ibid.*, p. 596 ; repaiement usuraire du prix d'achat de la mariée, *ibid.*, p. 365, 366, p. 518-520, 563, p. 423, l. 1.

(5) Sur le mot potlatch, v. plus haut p. 38, n. 1. Il semble d'ailleurs que ni l'idée ni la nomenclature supposant l'emploi de ce terme, n'ont dans les langues du nord-ouest le genre de précision que leur prête le « sabir » angloindien à base de chinook. En tout cas, le tsimshian distingue entre le *yaok*, grand potlatch intertribal (BOAS [Tate], *Tsim. Myth.*, p. 537 ; cf. p. 511 ; cf. p. 968, improprement traduit par potlatch) et les autres. Les Haïda distinguent entre le « *walgal* » et le « *sitka* », SWANTON, *Haïda*, p. 35, 178, 179, p. 68 (texte de Masset), potlatch funéraire et potlatch pour autres causes. En kwakiutl, le mot commun au kwakiutl et au chinook « *poLa* » (rassasier) (*Kwa. T.*, III, p. 211, l. 13. *PoL* rassasié, *ibid.*, III, p. 25, l. 7) semble

Chinook, une des tribus les plus mal connues, mais qui aurait
été parmi les plus importantes à étudier, le mot potlatch veut
dire don (1).

LA FORCE DES CHOSES

On peut encore pousser plus loin l'analyse et prouver que
dans les choses échangées au potlatch, il y a une vertu qui
force les dons à circuler, à être donnés et à être rendus.

D'abord, au moins les Kwakiutl et les Tsimshian font entre
les diverses sortes de propriétés, la même distinction que les
Romains ou les Trobriandais et les Samoans. Pour eux, il y a,
d'une part, les objets de consommation et de vulgaire partage (2). (Je n'ai pas trouvé traces d'échanges.) Et d'autre
part, il y a les choses précieuses de la famille (3), les talismans,

désigner non pas le potlatch, mais le festin ou l'effet du festin. Le mot « *poLas* »
désigne le donateur du festin (*Kwa. T.*, 2ᵉ série ; *Jesup*, t. X, p. 79,
1. 14 ; p. 43, 1. 2) et désigne aussi la place où l'on est rassasié. (Légende du
titre de l'un des chefs Dzawadaenoxu.) Cf. *Ethn. Kwa.*, p. 770, 1. 30. Le nom
le plus général en kwakiutl, c'est « *plEs* », « aplatir » (le nom du rival) (index,
Ethn. Kwa., s. v.) ou bien les paniers en les vidant (*Kwa. T.*, III, p. 93, 1. 1 ;
p. 451, 1. 4). Les grands potlatch tribaux et intertribaux semblent
avoir un nom à eux, *maxwa* (*Kwa T.*, III, p. 451, 1. 15) ; M. Boas
dérive, de sa racine *ma*, deux autres mots, de façon assez invraisemblable :
l'un d'eux est *mawil*, la chambre d'initiation, et l'autre le nom de l'orque
(*Ethn. Kwa.*, index, s. v.). — Au fait, chez les Kwakiutl, on trouve une foule
de termes techniques pour désigner toutes sortes de potlatch et aussi
chacune des diverses sortes de paiements et de repaiements, ou plutôt de
dons et de contre-dons : pour mariages, pour indemnités à shamanes,
pour avances, pour intérêts de retard, en somme pour toutes sortes de distributions et redistributions. Ex. « *men(a)* », « *pick up* », *Ethn. Kwa.*, p. 218 :
Un petit potlatch auquel les vêtements de jeune fille sont jetés au peuple pour
être ramassés par lui » ; « *payol* », « donner un cuivre » ; autre terme
pour donner un canot, *Ethn. Kwa.*, p. 1448. Les termes sont nombreux,
instables et concrets, et chevauchent les uns sur les autres, comme dans
toutes les nomenclatures archaïques.

(1) V. Barbeau, Le Potlatch, *Bull. Soc. Géogr. Québec*, 1911, vol. III,
p. 278, n. 3, pour ce sens et les références indiquées.

(2) Peut-être aussi de vente.

(3) La distinction de la propriété et des provisions est très évidente en
tsimshian, *Tsim. Myth.*, p. 435. M. Boas dit, sans doute d'après Tate, son
correspondant : « La possession de ce qui est appelé « *rich food* », riche nourriture (cf. *ibid.*, p. 406), était essentielle pour maintenir les dignités
dans la famille. Mais les provisions n'étaient pas comptées comme consti-
tuant de la richesse. La richesse est obtenue par la vente (nous dirions en
réalité : dons échangés), de provisions ou d'autres sortes de biens qui, après
avoir été accumulés, sont distribués au potlatch. » (Cf. plus haut p. 84, n. 9,
Mélanésie.)

Les Kwakiutl distinguent de même entre les simples provisions et la
richesse-propriété. Ces deux derniers mots sont équivalents. Celle-ci porte,
semble-t-il, deux noms, *Ethn. Kwa.*, p. 1454. Le premier est *yàq*, ou *yäq*
(philologie vacillante de M. Boas), cf. index, s. v., p. 1393 (cf. *yàqu*, distribuer). Le mot a deux dérivés « *yeqala* », propriété et « *yäxulu* », biens talis-

les cuivres blasonnés, les couvertures de peaux, ou de tissus armoriés. Cette dernière classe d'objets se transmet aussi solennellement que se transmettent les femmes dans le mariage, les « privilèges » au gendre (1), les noms et les gardes aux enfants

mans, paraphernaux, cf. les mots dérivés de *yä*, *ibid.*, p. 1406. L'autre mot est « *dadekas* », cf. index à *Kwa. T.*, III, p. 519 ; cf. *ibid.*, p. 473, l. 31 ; en dialecte de Newettee, *daoma, dedemala* (index à *Ethn. Kwa.*, s. v.). La racine de ce mot est *dā*. Celle-ci a pour sens, curieusement analogues à ceux du radical identique « *dā* », indo-européen : recevoir, prendre, porter en main, manier, etc. Même les dérivés sont significatifs. L'un veut dire « prendre un morceau de vêtement d'ennemi pour l'ensorceler », un autre, « mettre en main », « mettre à la maison » (rapprocher les sens de *manus* et *familia*, v. plus loin) (à propos de couvertures données en avances d'achat de cuivres, à retourner avec intérêt) ; un autre mot veut dire « mettre une quantité de couvertures sur la pile de l'adversaire, les accepter » en faisant ainsi. Un dérivé de la même racine est encore plus curieux : « *dadeka*, être jaloux l'un de l'autre », *Kwa. T.*, p. 133, l. 22 ; évidemment le sens originel doit être : la chose que l'on prend et qui rend jaloux ; cf. *dadego*, combattre », sans doute, combattre avec de la propriété.

D'autres mots sont encore de même sens, mais plus précis. Par ex. « propriété dans la maison », *mamekas*, *Kwa. T.*, III, p. 169, l. 20.

(1) V. de nombreux discours de transmission, Boas et Hunt, *Ethn. Kwa.*, p. 706 sq.

Il n'est presque rien de moralement et de matériellement précieux (intentionnellement nous n'employons pas le mot : utile) qui ne soit l'objet de croyances de ce genre. D'abord, en effet, les choses morales sont des biens, des propriétés, objet de dons et d'échanges. Par exemple, de même que dans les civilisations plus primitives, australiennes par exemple, on laisse à la tribu à qui on l'a transmis, le corroborree, la représentation qu'on lui a apprise, de même chez les Tlingit, après le potlatch, aux gens qui vous l'ont donné, on « laisse » une danse en échange, Swanton, *Tlingit Indians*, p. 442. La propriété essentielle chez les Tlingit, la plus inviolable et celle qui excite la jalousie des gens, c'est celle du nom et du blason totémique, *ibid.*, p. 416, etc. ; c'est d'ailleurs elle qui rend heureux et riche.

Emblèmes totémiques, fêtes et potlatch, noms conquis dans ces potlatch, présents que les autres devront vous rendre et qui sont attachés aux potlatch donnés, tout cela se suit : ex. Kwakiutl, dans un discours : « Et maintenant ma fête va à lui » (désignant le gendre, *Sec. Soc.*, p. 356). Ce sont les « sièges », et aussi les « esprits » des sociétés secrètes qui sont ainsi donnés et rendus (v. un discours sur les rangs des propriétés et la propriété des rangs), *Ethn. Kwa.*, p. 472. Cf. *ibid.*, p. 708, un autre discours : « Voilà votre chant d'hiver, votre danse d'hiver, tout le monde prendra de la propriété sur elle, sur la couverture d'hiver ; ceci est votre chant, ceci est votre danse. » Un seul mot en kwakiutl désigne les talismans de la famille noble et ses privilèges : le mot « *klezo* » blason, privilège », ex. *Kwa. T.*, III, p. 122, l. 32.

Chez les Tsimshian, les masques et chapeaux blasonnés de danse et de parade sont appelés « une certaine quantité de propriété » suivant la quantité donnée au potlatch (suivant les présents faits par les tantes maternelles du chef aux « femmes des tribus ») : Tate dans Boas, *Tsim. Myth.*, p. 541.

Inversement, par exemple chez les Kwakiutl, c'est sur le mode moral que sont conçues les choses et en particulier les deux choses précieuses, talismans essentiels, les « donneur de mort » *(halayu)* et « l'eau de vie » (qui sont évidemment un seul cristal de quartz), les couvertures, etc., dont nous avons parlé. Dans un curieux dire kwakiutl, tous ces paraphernaux sont identifiés au grand-père, comme il est naturel puisqu'ils ne sont prêtés au gendre que pour être rendus au petit-fils, Boas, *Sec. Soc.*, p. 507.

et aux gendres. Il est même inexact de parler dans leur cas
d'aliénation. Ils sont objets de prêts plus que de ventes et de
véritables cessions. Chez les Kwakiutl, un certain nombre
d'entre eux, quoiqu'ils apparaissent au potlatch, ne peuvent
être cédés. Au fond, ces « propriétés » sont des *sacra* dont la
famille ne se défait qu'à grand'peine et quelquefois jamais.

Des observations plus approfondies feront apparaître la
même division des choses chez les Haïda. Ceux-ci ont, en effet,
même divinisé la notion de propriété, de fortune, à la façon
des Anciens. Par un effort mythologique et religieux assez
rare en Amérique, ils se sont haussés à substantialiser une
abstraction : « Dame propriété » (les auteurs anglais disent
Property Woman) dont nous avons mythes et descriptions (1).
Chez eux, elle n'est rien moins que la mère, la déesse souche de
la phratrie dominante, celle des Aigles. Mais d'un autre côté,
fait étrange, et qui éveille de très lointaines réminiscences
du monde asiatique. et antique, elle semble identique à la
« reine » (2), à la pièce principale du jeu de bâtonnets, celle
qui gagne tout et dont elle porte en partie le nom. Cette déesse
se retrouve en pays tlingit (3) et son mythe, sinon son culte,

------

(1) Le mythe de Djïlaqons se trouve dans SWANTON, *Haida*, p. 92, 95,
171. La version de MASSET se trouve dans Haida T., *Jesup*, VI, p. 94, 98 ;
celle de SKIDEGATE, *Haida T. M.*, p. 458. Son nom figure dans un certain
nombre de noms de famille haïda appartenant à la phratrie des aigles. V. SWAN-
TON, *Haida*, p. 282, 283, 292 et 293. A Masset, le nom de la déesse de la fortune
est plutôt Skïl, Haida T., *Jesup*, VI, p. 665, l. 28, p. 306 ; cf. index,
p. 805. Cf. l'oiseau Skïl, Skirl (SWANTON, *Haida*, p. 120). Skïltagos,
veut dire cuivre-propriété, et le récit fabuleux de la façon dont on
trouve les « cuivres » se rattache à ce nom, cf. p. 146, fig. 4. Un poteau sculpté
représente Djïlqada, son cuivre et son poteau et ses blasons, SWANTON, *Haida*,
p. 125 ; cf. pl. 3, fig. 3. V. des descriptions de Newcombe, *ibid.*, p. 46. Cf. reproduction figurée, *ibid.*, fig. 4. Son fétiche doit être bourré de choses volées et
volé lui-même.

Son titre exact c'est, *ibid.*, p. 92, « propriété faisant du bruit ». Et elle
a quatre noms supplémentaires, *ibid.*, p. 95. Elle a un fils qui porte le titre
de « Côtes de pierre » (en réalité, de cuivre, *ibid.*, p. 110, 112). Qui la rencontre, elle ou son fils, ou sa fille est heureux au jeu. Elle a une plante magique ;
on devient riche si on en mange ; on devient riche également si on
touche une pièce de sa couverture, si on trouve des moules qu'elle a mises en
rang, etc., *ibid.*, p. 29, 109.

Un de ses noms est « De la propriété se tient dans la maison. » Un grand
nombre d'individus porte des titres composés avec Skïl : « Qui attend Skïl »,
« route vers Skïl ». V. dans les listes généalogiques haïda, E. 13, E. 14 ;
et dans la phratrie du corbeau, R. 14, R. 15, R. 16.

Il semble qu'elle soit opposée à « Femme pestilence », cf. *Haida T. M.*,
p. 299.

(2) Sur *djïl* haïda et *näq* tlingit, v. plus haut, p. 94, n. 3.

(3) Le mythe se retrouve complet chez les Tlingit, *Tl. M. T.*, p. 173,
292, 368. Cf. SWANTON, *Tlingit*, p. 460. A Sitka le nom de Skïl est, sans doute,
Lenaxxidek. C'est une femme qui a un enfant. On entend le bruit

se retrouve chez les Tsimshian (1) et les Kwakiutl (2).

L'ensemble de ces choses précieuses constitue le douaire magique ; celui-ci est souvent identique et au donateur et au *récipiendaire*, et aussi à l'esprit qui a doté le clan de ces talismans, ou au héros auteur du clan auquel l'esprit les a donnés (3). En tout cas, l'ensemble de ces choses est toujours dans toutes ces tribus d'origine spirituelle et de nature spirituelle (4). De plus, il est contenu dans une boîte, plutôt une grande caisse blasonnée (5) qui est elle-même douée d'une puissance indivi-

---

de cet enfant qui tète ; on court après lui ; si on est griffé par lui et qu'on garde des cicatrices, les morceaux des croûtes de celles-ci rendent les autres gens heureux.

(1) Le mythe tsimshian est incomplet, *Tsim. Myth.*, p. 154, 197. Comparer les notes de M. Boas, *ibid.*, p. 746, 760. M. Boas n'a pas fait l'identification, mais elle est claire. La déesse tsimshian porte un « vêtement de richesse » (garment of wealth).

(2) Il est possible que le mythe de la Qominoqa, de la (femme) « riche » soit de même origine. Elle semble être l'objet d'un culte réservé à certains clans chez les Kwakiutl, ex. *Ethn. Kwa.*, p. 862. Un héros des Qoexsotenoq porte le titre de « corps de pierre » et devient « propriété sur corps », *Kwa. T.*, III, p. 187 ; cf. p. 247.

(3) V. par ex. le mythe du clan des Orques, Boas, *Handbook of American Languages*, I, p. 554 à 559. Le héros auteur du clan est lui-même membre du clan des Orques. « Je cherche à trouver un *logwa* (un talisman, cf. p. 554, l. 49) de vous », dit-il à un esprit qu'il rencontre, qui a une forme humaine, mais qui est une orque, p. 557, l. 122. Celui-ci le reconnaît comme de son clan ; il lui donne le harpon à pointe de cuivre qui tue les baleines (oublié dans le texte p. 557) : les orques sont les « killer-whales ». Il lui donne aussi son nom (de potlatch). Il s'appellera « place d'être rassasié », « se sentant rassasié ». Sa maison sera la « maison de l'orque », avec une « orque peinte sur le devant ». « Et orque sera ton plat dans la maison (sera en forme d'orque) et aussi le *halayu* (donneur de mort) et l' « eau de vie » et le couteau à dents de quartz pour ton couteau à découper » (seront des orques), p. 559.

(4) Une boîte miraculeuse qui contient une baleine et qui a donné son nom à un héros portait le titre de « richesses venant au rivage », Boas, *Sec. Soc.*, p. 374. Cf. « de la propriété dérive vers moi », *ibid.*, p. 247, 414. La propriété « fait du bruit », v. plus haut. Le titre d'un des principaux chefs de Masset est « Celui dont la propriété fait du bruit », Haida Texts, *Jesup*, VI, p. 684. La propriété vit (Kwakiutl) : « Que notre propriété reste en vie sous ses efforts, que notre cuivre reste non cassé », chantent les Maamtagila, *Ethn. Kwa.*, p. 1285, l. 1.

(5) Les paraphernaux de la famille, ceux qui circulent entre les hommes, leurs filles ou gendres, et reviennent aux fils lorsqu'ils sont nouvellement initiés ou se marient, sont d'ordinaire contenus dans une boîte, ou caisse, ornée et blasonnée, dont les ajustages, la construction et l'usage sont tout à fait caractéristiques de cette civilisation du Nord-Ouest américain (depuis les Yurok de Californie jusqu'au détroit de Behring). En général, cette boîte porte les figures et les yeux soit des totems, soit des esprits, dont elle contient les attributs ; ceux-ci sont : les couvertures historiées, les talismans « de vie » et « de mort », les masques, les masques-chapeaux, les chapeaux et couronnes, l'arc. Le mythe confond souvent l'esprit avec cette boîte et son contenu. Ex. *Tlingit M. T.*, p. 173 : le *gonaqadet* qui est identique à la boîte, au cuivre, au chapeau et au hochet à grelot.

dualité (1), qui parle, s'attache à son propriétaire, qui contient
son âme, etc. (2).

Chacune de ces choses précieuses, chacun de ces signes de ces richesses a — comme aux Trobriand — son individualité, son nom (3),

(1) C'est son transfert, sa donation qui, à l'origine, comme à chaque
nouvelle initiation ou mariage, transforme le *récipiendaire* en un individu
« surnaturel », en un initié, un shamane, un magicien, un noble, un titulaire
de danses et de sièges dans une confrérie. V. des discours dans des histoires
de familles kwakiutl, *Ethn. Kwa.*, p. 965, 966 ; cf. p. 1012.

(2) La boîte miraculeuse est toujours mystérieuse, et conservée dans
les arcanes de la maison. Il peut y avoir des boîtes dans les boîtes, emboî-
tées en grand nombre les unes dans les autres (Haïda), MASSET, Haida Texts,
Jesup, VI, p. 395. Elle contient des esprits, par exemple la « femme souris »
(Haïda), *H.T.M.*, p. 340 ; par exemple encore, le Corbeau qui crève
les yeux du détenteur infidèle. V. le catalogue des exemples de ce
thème dans BOAS, *Tsim. Myth.*, p. 854, 851. Le mythe du soleil enfermé
dans la boîte qui flotte est un des plus répandus (catalogue dans BOAS, *Tsim.
Myth.*, p. 641, 549). On connaît l'extension de ces mythes dans l'ancien
monde.

Un des épisodes les plus communs des histoires de héros, c'est celui de
la toute petite boîte, assez légère pour lui, trop lourde pour tous, où il y a
une baleine, BOAS, *Sec. Soc.*, p. 374 ; *Kwa. T.*, 2e série, *Jesup*, X, p. 171 ;
dont la nourriture est inépuisable, *ibid.*, p. 223. Cette boîte est animée,
elle flotte de son propre mouvement, *Sec. Soc.*, p. 374. La boîte de Katlian
apporte les richesses, SWANTON, *Tlingit Indians*, p. 448 ; cf. p. 446. Les
fleurs, « fumier de soleil », « œuf de bois à brûler », « qui font riche », en
d'autres termes les talismans qu'elle contient, les richesses elles-mêmes, doivent
être nourris.

L'une d'elles contient l'esprit « trop fort pour être approprié » dont le
masque tue le porteur (*Tlingit M. T.*, p. 341).

Les noms de ces boîtes sont souvent symptomatiques de leur usage au
potlatch. Une grande boîte à graisse haïda s'appelle la mère (MASSET, Haida
Texts, *Jesup*, VI, p. 758). La « boîte à fond rouge » (soleil) « répand l'eau »
dans la « mer des Tribus » (l'eau, ce sont les couvertures que distribue le chef),
BOAS, *Sec. Soc.*, p. 551 et n. 1, p. 564.

La mythologie de la boîte miraculeuse est également caractéristique
des sociétés du Pacifique Nord-Asiatique. On trouvera un bel exemple d'un
mythe comparable, dans PILSUDSKI, *Material for the Study of the Aïnu Languages*, Cracovie, 1913, p. 124 et 125. Cette boîte est donnée par un ours,
le héros doit observer des tabous ; elle est pleine de choses d'or et d'argent,
de talismans qui donnent la richesse. — La technique de la boîte est d'ailleurs
la même dans tout le Pacifique Nord.

(3) Les « choses de la famille sont individuellement nommées » (Haïda),
SWANTON, *Haida*, p. 117 ; portent des noms : les maisons, les portes, les
plats, les cuillères sculptées, les canots, les pièges à saumons. Cf. l'expression « chaîne continue de propriétés », SWANTON, *Haida*, p. 15. — Nous avons
la liste des choses qui sont nommées par les Kwakiutl, par clans, en plus
des titres variables des nobles, hommes et femmes, et de leurs privilèges : danses, potlatch, etc., qui sont également des propriétés. Les
choses que nous appellerions meubles, et qui sont nommées, personnifiées
dans les mêmes conditions sont : les plats, la maison, le chien et le canot.
V. *Ethn. Kwa.*, p. 793 sq. Dans cette liste, Hunt a négligé de mentionner
les noms des cuivres, des grandes coquilles d'abalone, des portes. — Les
cuillères enfilées à une corde tenue à une espèce de canot figuré, portent
le titre de « ligne d'ancre de cuillères » (v. BOAS, *Sec. Soc.*, p. 422, dans un
rituel de paiement de dettes de mariage). Chez les Tsimshian, sont nommés : les canots, les cuivres, les cuillères, les pots de pierre, les couteaux de

ses qualités, son pouvoir (1). Les grandes coquilles d'*abalone* (2),
les écus qui en sont couverts, les ceintures et les couvertures

pierre, les plats de cheffesses, Boas, *Tsim. Myth.*, p. 506. Les esclaves et
les chiens sont toujours des biens de valeur et des êtres adoptés par les
familles.

(1) Le seul animal domestique de ces tribus est le chien. Il porte un nom
différent par clan (probablement dans la famille du chef), et ne peut être
vendu. « Ils sont des hommes, comme nous », disent les Kwakiutl, *Ethn.
Kwa.*, p. 1260. « Ils gardent la famille » contre la sorcellerie et contre les
attaques des ennemis. Un mythe raconte comment un chef koskimo et
son chien Waned se changeaient l'un dans l'autre et portaient le même
nom, *ibid.*, p. 835 ; cf. plus haut (Célèbes). Cf. le fantastique mythe des quatre
chiens de Lewiqilaqu, *Kwa. T.*, III, p. 18 et 20.

(2) « Abalone » est le mot de « sabir » chinook qui désigne les grandes
coquilles d' « *haliotis* » qui servent d'ornement, pendants de nez (Boas, Kwa.
Indians, *Jesup*, V, I, p. 484), pendants d'oreilles (Tlingit et Haïda, v. Swanton, *Haida*, p. 146). Elles sont aussi disposées sur les couvertures blasonnées, sur les ceintures, sur le chapeau. Ex. (Kwakiutl), *Ethn. Kwa.*, p. 1069.
Chez les Awikenoq et les Lasiqoala (tribus du groupe kwakiutl), les
coquilles d'abalone sont disposées autour d'un écu, d'un bouclier de forme
étrangement européenne, Boas, *5th Report*, p. 43. Ce genre d'écu semble
être la forme primitive ou équivalente des écus de cuivre, qui ont, eux aussi,
une forme étrangement moyenâgeuse.

Il semble que les coquilles d'abalone ont dû avoir autrefois valeur de
monnaie, du même genre que celle qu'ont les cuivres actuellement. Un mythe
Çtatlolq (Salish du sud) associe les deux personnages, K'obois « cuivre » et
Teadjas « abalone » ; leurs fils et fille se marient et le petit-fils prend la
« caisse de métal » de l'ours, s'empare de son masque et de son potlatch,
Indianische Sagen, p. 84. Un mythe Awikenoq rattache les noms des coquilles,
tout comme les noms des cuivres, à des « filles de la lune », *ibid.*, p. 218
et 219.

• Ces coquilles portent chacune leur nom chez les Haïda, du moins quand
elles sont d'une grande valeur et connues, exactement comme en Mélanésie,
Swanton, *Haida*, p. 146. Ailleurs, elles servent à nommer des individus
ou des esprits. Ex. chez les Tsimshian, index des noms propres, Boas, *Tsim.
Myth.*, p. 960. Cf. chez les Kwakiutl, les « noms d'abalone », par clans,
Ethn. Kwa., p. 1261 à 1275, pour les tribus Awikenoq, Naqoatok et
Gwasela. Il y a certainement eu là un usage international. — La boîte
d'abalone des Bella Kula (boîte enrichie de coquilles) est elle-même mentionnée et décrite exactement dans le mythe awikenoq ; de plus elle ren-
ferme la couverture d'abalone, et toutes deux ont l'éclat du soleil. Or le nom
du chef dont le mythe contient le récit est Legek, Boas, *Ind. Sag.*,
p. 218 sq. Ce nom est le titre du principal chef tsimshian. On comprend que
le mythe a voyagé avec la chose. — Dans un mythe haïda de Masset, celui
de « Corbeau créateur » lui-même, le soleil qu'il donne à sa femme
est une coquille d'abalone, Swanton, Haida Texts, *Jesup*, VI, p. 313, p. 227.
Pour des noms de héros mythiques portant des titres d'abalone, v. des exemples,
Kwa. T., III, p. 50, 222, etc.

Chez les Tlingit, ces coquillages étaient associés aux dents de requin,
Tl. M. T., p. 129. (Comparer l'usage des dents de cachalot plus haut, Mélanésie.)

Toutes ces tribus ont de plus le culte des colliers de *dentalia* (petits coquillages). V. en particulier Krause, *Tlinkit Indianer*, p. 186. En somme, nous
retrouvons ici exactement toutes les mêmes formes de la monnaie, avec
les mêmes croyances et servant au même usage qu'en Mélanésie et,
en général, dans le Pacifique.

Ces divers coquillages étaient d'ailleurs l'objet d'un commerce qui fut
aussi pratiqué par les Russes pendant leur occupation de l'Alaska ; et ce

qui en sont ornées, les couvertures elles-mêmes (1) blasonnées,
couvertes de faces, d'yeux et de figures animales et humaines
tissées, brodées. Les maisons et les poutres, et les parois décorées (2) sont des êtres. Tout parle, le toit, le feu, les sculptures,
les peintures ; car la maison magique est édifiée (3) non seulement par le chef ou ses gens ou les gens de la phratrie d'en
face, mais encore par les dieux et les ancêtres ; c'est elle qui
reçoit et vomit à la fois les esprits et les jeunes initiés.

Chacune de ces choses précieuses (4) a d'ailleurs en soi une
vertu productrice (5). Elle n'est pas que signe et gage ; elle

commerce allait dans les deux sens, du golfe de Californie au détroit de Behring,
SWANTON, Haida Texts, *Jesup*, VI, p. 313.

(1) Les couvertures sont historiées tout comme les boîtes ; même elles
sont souvent calquées sur les dessins des boîtes (v. fig., KRAUSE, *Tlinkit
Indianer*, p. 200). Elles ont toujours quelque chose de spirituel, cf. les expres-
sions : (Haïda), « ceintures d'esprit », couvertures déchirées, SWANTON, Haida,
Jesup Exped, V, I, p. 165 ; cf. p. 174. Un certain nombre de manteaux
mythiques sont des « manteaux du monde » : (Lilloët), mythe de Qäls,
BOAS, *Ind. Sagen*, p. 19 et 20 ; (Bellakula), des « manteaux de soleil », *Ind.
Sagen*, p. 260 ; un manteau aux poissons : (Heiltsuq), *Ind. Sagen*, p. 248 ;
comparaison des exemplaires de ce thème, BOAS, *ibid.*, p. 359, n° 113.
Cf. la natte qui parle, *Haida Texts* ; MASSET, *Jesup Expedition*, VI, p. 430
et 432. Le culte des couvertures, des nattes, des peaux arrangées en couvertures, semble devoir être rapproché du culte des nattes blasonnées en
Polynésie.

(2) Chez les Tlingit il est admis que tout parle dans la maison, que les
esprits parlent aux poteaux et aux poutres de la maison et qu'ils parlent
depuis les poteaux et les poutres, que ceux-ci et celles-ci parlent, et que les
dialogues s'échangent ainsi entre les animaux totémiques, les esprits et les
hommes et les choses de la maison ; ceci est un principe régulier de la religion tlingit. Ex., SWANTON, *Tlingit*, p. 458, 459. La maison écoute et parle
chez les Kwakiutl, *Kwa. Ethn.*, p. 1279, l. 15.

(3) La maison est conçue comme une sorte de meuble. (On sait qu'elle
est restée telle en droit germanique, pendant longtemps.) On la transporte
et elle se transporte. V. de très nombreux mythes de la « maison magique »,
édifiée en un clin d'œil, en particulier donnée par un grand-père (catalo-
gués par BOAS, *Tsim. Myth.*, p. 852, 853). V. des exemples kwakiutl, BOAS,
Sec. Soc., p. 376, et les figures et planches, p. 376 et 380.

(4) Sont également choses précieuses, magiques et religieuses : 1° les
plumes d'aigle, souvent identifiées à la pluie, à la nourriture, au quartz,
à la « bonne médecine ». Ex. *Tlingit T. M.*, p. 383, p. 128, etc. ; Haïda (MASSET),
Haida Texts, *Jesup*, VI, p. 292 ; 2° les cannes, les peignes, *Tlingit
T. M.*, p. 385. Haïda, SWANTON, *Haida*, p. 38 ; BOAS, Kwakiutl Indians,
Jesup, V, partie II, p. 455 ; 3° les bracelets, ex. tribu de la Lower Fraser,
BOAS, *Indianische Sagen*, p. 36 ; (Kwakiutl), BOAS, Kwa. Ind., *Jesup*, V,
II, p. 454.

(5) Tous ces objets, y compris les cuillères et plats et cuivres portent
en kwakiutl le titre générique de *logwa*, qui veut dire exactement talisman,
chose surnaturelle. (V. les observations que nous avons faites au sujet de
ce mot dans notre travail sur les *Origines de la notion de monnaie* et dans
notre préface, HUBERT et MAUSS, *Mélanges d'histoire des Religions*.) La
notion de « *logwa* » est exactement celle de *mana*. Mais, en l'espèce, et pour
l'objet qui nous occupe, c'est la « vertu » de richesse et de nourriture qui
produit la richesse et la nourriture. Un discours parle du talisman, du
« *logwa* » qui est « le grand augmenteur passé de propriété », *Ethn. Kwa.*,
p. 1280, l. 18. Un mythe raconte comment un « *logwa* » fut « aise d'acquérir

est encore signe et gage de richesse, principe magique et religieux du rang et de l'abondance (1). Les plats (2) et les cuillères (3) avec lesquels on mange solennellement, décorés et sculptés, blasonnés du totem de clan ou du totem de rang, sont des choses animées. Ce sont des répliques des instruments inépuisables, créateurs de nourriture, que les esprits donnèrent aux ancêtres. Eux-mêmes sont supposés féeriques. Ainsi les choses sont confondues avec les esprits, leurs auteurs, les instruments à manger avec les nourritures. Aussi, les plats kwakiutl et les cuillères haïda sont-ils des biens essentiels à circulation très stricte et sont-ils soigneusement répartis entre les clans et les familles des chefs (4).

LA « *MONNAIE DE RENOMMÉE* (5) »

Mais ce sont surtout les cuivres (6) blasonnés qui, biens fondamentaux du potlatch, sont l'objet de croyances impor-

de la propriété », comment quatre « *logwa* » (des ceintures, etc.) en amassèrent. L'un d'eux s'appelait « la chose qui fait que propriété s'accumule », *Kwa. T.*, III, p. 108. En réalité, c'est la richesse qui fait la richesse. Un dire haïda parle même de « propriété qui rend riche » à propos des coquilles d'abalone que porte la fille pubère, SWANTON, *Haida*, p. 48.

(1) Un masque est appelé « obtenant nourriture ». Cf. « et vous serez riches en nourriture » (mythe nimkish), *Kwa. T.*, III, p. 36, l. 8. L'un des nobles les plus importants chez les Kwakiutl porte le titre d' « Inviteur », celui de « donneur de nourriture », celui de « donneur de duvet d'aigle ». Cf. BOAS, *Sec. Soc.*, p. 415.

Les paniers et les boîtes historiées (par exemple celles qui servent à la récolte des baies) sont également magiques ; ex. : mythe haïda (MASSET), Haida T., *Jesup*, VI, p. 404 ; le mythe très important de Qäls mêle le brochet, le saumon et l'oiseau-tonnerre, et un panier qu'un crachat de cet oiseau remplit de baies. (Tribu de la Lower Fraser River), *Ind. Sag.*, p. 34 ; mythe équivalent Awikenoq, *5th Rep.*, p. 28, un panier porte le nom de « jamais vide ».

(2) Les plats sont nommés chacun suivant ce que sa sculpture figure. Chez les Kwakiutl, ils représentent les « chefs animaux ». Cf. plus haut p. 115. L'un d'eux porte le titre de « plat qui se tient plein », BOAS, *Kwakiutl Tales* (Columbia University), p. 264, l. 11. Ceux d'un certain clan sont des « logwa » ; ils ont parlé à un ancêtre, l'Inviteur (v. la pénultième note) et lui ont dit de les prendre, *Ethn. Kwa.*, p. 809. Cf. le mythe de Kaniqilaku, *Ind. Sag.*, p. 198 ; cf. *Kwa. T.*, 2ᵉ série, *Jesup*, X, p. 205 : comment le transformeur a donné à manger à son beau-père (qui le tourmentait) les baies d'un panier magique. Celles-ci se transformèrent en roncier et lui sortirent par tout le corps.

(3) V. plus haut.

(4) V. plus haut, *ibid.*

(5) L'expression est empruntée à la langue allemande « Renommiergeld » et a été employée par M. Krickeberg. Elle décrit fort exactement l'emploi de ces boucliers écus, plaques qui sont en même temps des pièces de monnaie et surtout des objets de parade qu'au potlatch portent les chefs ou ceux au profit desquels ils donnent le potlatch.

(6) Si discutée qu'elle soit, l'industrie du cuivre au Nord-Ouest américain est encore mal connue. M. RIVET, dans son remarquable travail sur l'Orfè-

tantes et même d'un culte (1). D'abord, dans toutes ces tribus,
il y a un culte et un mythe du cuivre (2) être vivant. Le cuivre,
au moins chez les Haïda et les Kwakiutl, est identifié au saumon,
lui-même objet d'un culte (3). Mais en plus de cet élément de

vrerie précolombienne, *Journal des Américanistes*, 1923, l'a intentionnellement laissée de côté. Il semble en tout cas certain que cet art est antérieur
à l'arrivée des Européens. Les tribus du Nord, Tlingit et Tsimshian recher-
chaient, exploitaient ou recevaient du cuivre de la Copper River. Cf. les
anciens auteurs et KRAUSE, *Tlinkit Indianer*, p. 186. Toutes ces tribus
parlent de la « grande montagne de cuivre » : (Tlingit). *Tl. M. T.*,
p. 160 ; (Haïda), SWANTON, Haïda, *Jesup*, V, p. 130 ; (Tsimshian), *Tsim.
Myth.*, p. 299.

(1) Nous saisissons l'occasion pour rectifier une erreur que nous avons
commise dans notre *Note sur l'origine de la notion de monnaie*. Nous avons
confondu le mot *Laqa*, *Laqwa* (M. Boas emploie les deux graphies) avec
logwa. Nous avions pour excuse qu'à ce moment M. Boas écrivait souvent
les deux mots de la même façon. Mais depuis, il est devenu évident que l'un
veut dire rouge, cuivre, et que l'autre veut dire seulement chose surnaturelle, chose de prix, talisman, etc. Tous les cuivres sont cependant des *logwa*,
ce qui fait que notre démonstration reste. Mais dans ce cas, le mot
est une sorte d'adjectif et de synonyme. Ex. *Kwa. T.*, III, p. 108, deux titres
de « *logwa* » qui sont des cuivres : celui qui est « aise d'acquérir de
la propriété », « celui qui fait que la propriété s'accumule ». Mais tous les
logwa ne sont pas des cuivres.

(2) Le cuivre est chose vivante ; sa mine, sa montagne sont magiques,
pleines de « plantes à richesse », MASSET, Haida Texts, *Jesup*, VI, p. 681,
692. Cf. SWANTON, *Haïda*, p. 146, autre mythe. Il a, ce qui est vrai, une
odeur, *Kwa. T.*, III, p. 64, l. 8. Le privilège de travailler le cuivre est l'objet
d'un important cycle de légendes chez les Tsimshian : mythe de Tsauda
et de Gao, *Tsim. Myth.*, p. 306 sq. Pour le catalogue des thèmes équivalents,
v. BOAS, *Tsim. Myth.*, p. 856. Le cuivre semble avoir été personnalisé chez
les Bellakula, *Ind. Sagen*, p. 261 ; cf. BOAS, Mythology of the Bella Coola
Indians, *Jesup Exp.*, I, part 2, p. 71, où le mythe de cuivre est associé au
mythe des coquilles d'abalone. Le mythe tsimshian de Tsauda se rattache
au mythe du saumon dont il va être question.

(3) En tant que rouge, le cuivre est identifié : au soleil, ex. *Tlingit T. M.*,
nᵒ 39, nᵒ 81 ; au « feu tombé du ciel » (nom d'un cuivre), BOAS, *Tsimshian
Texts and Myths*, p. 467 ; et, dans tous ces cas, au saumon. Cette identification est particulièrement nette dans le cas du culte des jumeaux chez les
Kwakiutl, gens du saumon et du cuivre, *Ethn. Kwa.*, p. 685 sq. La séquence
mythique semble être la suivante : printemps, arrivée du saumon, soleil
neuf, couleur rouge, cuivre. L'identité cuivre et saumon est plus caracté-
risée chez les nations du Nord (v. Catalogue des cycles équivalents, BOAS,
Tsim. Myth., p. 856). Ex. mythe haïda de MASSET, Haida T., *Jesup*, VI,
p. 689, 691, l. 6, sq., n. 1 ; cf. p. 692, mythe nᵒ 73. On trouve ici un équivalent exact de la légende de l'anneau de Polycrate : celle d'un saumon qui
a avalé du cuivre, SKIDEGATE (*H.T.M.*, p. 82). Les Tlingit ont (et les Haïda
à leur suite) le mythe de l'être dont on traduit en anglais le nom
par Mouldy-end (nom du saumon) ; v. mythe de Sitka : chaînes de cuivres
et saumons, *Tl. M. T.*, p. 307. Un saumon dans une boîte devient un homme,
autre version de Wrangel, *ibid.*, nᵒ 5. Pour les équivalents, v. BOAS, *Tsim.
Myth.*, p. 857. Un cuivre tsimshian porte le titre de « cuivre qui remonte
la rivière », allusion évidente au saumon, BOAS, *Tsim. Myth.*, p. 857.

Il y aurait lieu de rechercher ce qui rapproche de la culte du cuivre du culte
du quartz, v. plus haut. Ex. mythe de la montagne de quartz, *Kwa. T.*, 2ᵉ série,
Jesup, X, p. 111.

De la même façon, le culte du jade, au moins chez les Tlingit, doit être
rapproché de celui du cuivre : un jade-saumon parle, *Tl. M. T.*, p. 5. Une

mythologie métaphysique et technique (1), tous ces cuivres
sont, chacun à part, l'objet de croyances individuelles et spéciales. Chaque cuivre principal des familles de chefs de clans a
son nom (2), son individualité propre, sa valeur propre (3), au
plein sens du mot, magique et économique, permanente, perpétuelle sous les vicissitudes des potlatch où ils passent et
même par-delà les destructions partielles ou complètes (4).

Ils ont en outre une vertu attractive qui appelle les autres

pierre de jade parle et donne des noms, SITKA, *Tl. M. T.*, p. 416. Enfin il
faut rappeler le culte des coquillages et ses associations avec celui du cuivre.
(1) Nous avons vu que la famille de Tsauda chez les Tsimshian semble
être celle des fondeurs ou des détenteurs des secrets du cuivre. Il semble
que le mythe (Kwakiutl) de la famille princière Dzawadaenoqu, est un mythe
du même genre. Il associe : Laqwagila, le faiseur de cuivre, avec Qom-
qomgila, le Riche, et Qomoqoa, « la Riche », qui fait des cuivres,
Kwa. T., III, p. 50 ; et lie le tout avec un oiseau blanc (soleil), fils de l'oiseau-
tonnerre, qui sent le cuivre, qui se transforme en femme, laquelle donne
naissance à deux jumeaux qui sentent le cuivre, *Kwa. T.*, III, p. 61 à 67.
(2) Chaque cuivre à son nom. « Les grands cuivres qui ont des noms »,
disent les discours kwakiutl, BOAS, *Sec. Soc.*, p. 348, 349, 350. Liste des noms
de cuivres, malheureusement, sans indication du clan perpétuellement
propriétaire, *ibid.*, p. 344. Nous sommes assez bien renseignés sur les noms
des grands cuivres kwakiutl. Ils montrent les cultes et croyances qui y sont
attachés. L'un porte le titre de « Lune » (tribu des Nisqa), *Ethn. Kwa.*,
p. 856. D'autres portent le nom de l'esprit qu'ils incarnent, et qui les a donnés.
Ex. la Dzonoqoa, *Ethn. Kwa.*, p. 1421 ; ils en reproduisent la figure.
D'autres portent le nom des esprits fondateurs des totems : un cuivre s'appelle « face de castor », *Ethn. Kwa.*, p. 1427 ; un autre, « lion de mer », *ibid.*,
p. 894. D'autres noms font simplement allusion à la forme, « cuivre en T »,
ou « long quartier supérieur », *ibid.*, p. 862. D'autres s'appellent simplement
« Grand cuivre », *ibid.*, p. 1289, « Cuivre sonnant », *ibid.*, p. 962 (également
nom d'un chef). D'autres noms font allusion au potlatch qu'ils incarnent,
et dont ils concentrent la valeur. Le nom du cuivre Maxtoselem est « celui
dont les autres sont honteux ». Cf. *Kwa. T.*, III, p. 452, n. 1 : « ils sont honteux
de leurs dettes » (dettes : *gagim*). Autre nom, « cause-querelle », *Ethn. Kwa.*,
p. 893, 1026, etc.
Sur les noms des cuivres tlingit, v. SWANTON, *Tlingit*, p. 421, 405. La
plupart de ces noms sont totémiques. Pour les noms des cuivres haïda et
tsimshian, nous ne connaissons que ceux qui portent le même nom que les
chefs, leurs propriétaires.
(3) La valeur des cuivres chez les Tlingit variait suivant leur hauteur
et se chiffrait en nombre d'esclaves, *Tl. M. T.*, p. 337, 260, p. 131 (Sitka
et Skidegate, etc., Tsimshian), Tate, dans BOAS, *Tsim Myth.*, p. 540 ; cf. *ibid.*,
p. 436. Principe équivalent : (Haïda), SWANTON, *Haida*, p. 146.
M. Boas a bien étudié la façon dont chaque cuivre augmente de valeur
avec la série des potlatch ; par exemple : la valeur actuelle du cuivre Lesaxa-
layo était vers 1906-1910 : 9 000 couvertures de laines, valeur 4 dollars chaque,
50 canots, 6 000 couvertures à boutons, 260 bracelets d'argent, 60 bracelets d'or, 70 boucles d'oreilles d'or, 40 machines à coudre, 25 pho-
nographes, 50 masques, et le héraut dit : « Pour le prince Laqwagila, je vais
donner toutes ces pauvres choses. » *Ethn. Kwa.*, p. 1352 ; cf. *ibid.*, l. 28, où
le cuivre est comparé à un « corps de baleine ».
(4) Sur le principe de la destruction, v. plus haut. Cependant la destruction des cuivres semblent être d'un caractère particulier. Chez les Kwakiutl,
on la fait par morceaux, brisant à chaque potlatch un nouveau quartier.
Et l'on se fait honneur de tâcher de reconquérir, au cours d'autres potlatch,

cuivres, comme la richesse attire la richesse, comme les dignités
entraînent les honneurs, la possession des esprits et les belles
alliances (1), et inversement. — Ils vivent et ils ont un mouvement autonome (2) et ils entraînent (3) les autres cuivres.
L'un d'eux (4), chez les Kwakiutl, est appelé « l'entraîneur de
cuivres », et la formule dépeint comment les cuivres s'amassent
autour de lui en même temps que le nom de son propriétaire
est « propriété s'écoulant vers moi ». Un autre nom fréquent des
cuivres est celui « d'apporteur de propriétés ». Chez les Haïda,
les Tlingit, les cuivres sont un « fort » autour de la princesse
qui les apporte (5) ; ailleurs le chef qui les possède (6) est rendu

chacun des quartiers, et de les river ensemble à nouveau lorsqu'ils sont au
complet. Un cuivre de ce genre augmente de valeur, Boas, *Sec. Soc.*, p. 334.
  En tout cas, les dépenser, les briser, c'est les tuer, *Ethn. Kwa.*, p. 1285,
l. 8 et 9. L'expression générale, c'est « les jeter à la mer » ; elle est commune
aussi aux Tlingit, *Tl. M. T.*, p. 63 ; p. 399, chant n° 43. Si ces cuivres ne
se noient pas, s'ils n'échouent pas, ne meurent pas, c'est qu'ils sont faux,
ils sont en bois, ils surnagent. (Histoire d'un potlatch de Tsimshian contre
Haïda, *Tsim. Myth.*, p. 369.) Brisés, on dit qu'ils sont « morts sur la grève »
(Kwakiutl), Boas, *Sec. Soc.*, p. 564 et n. 5.
  (1) Il semble que chez les Kwakiutl, il y avait deux sortes de cuivres :
les plus importants, qui ne sortent pas de la famille, qu'on ne peut que briser
pour les refondre, et d'autres qui circulent intacts, de moindre valeur et qui
semblent servir de satellites aux premiers. Ex. Boas, *Sec. Soc.*, p. 564,
579. La possession de ces cuivres secondaires, chez les Kwakiutl, correspond
sans doute à celle des titres nobiliaires et des rangs de second ordre avec
lesquels ils voyagent, de chef à chef, de famille à famille, entre les générations et les sexes. Il semble que les grands titres et les grands cuivres
restent fixes à l'intérieur des clans et des tribus tout au moins. Il serait d'ailleurs
difficile qu'il en fût autrement.
  (2) Un mythe haïda du potlatch du chef Hayas relate comment un cuivre
chantait : « Cette chose est très mauvaise. Arrête Gomsiwa (nom d'une
ville et d'un héros) ; autour du petit cuivre, il y a beaucoup de cuivres. »
Haida Texts, Jesup, VI, p. 760. Il s'agit d'un « petit cuivre » qui devient
« grand » par lui-même et autour duquel d'autres se groupent. Cf. plus haut
le cuivre-saumon.
  (3) Dans un chant d'enfant, *Ethn. Kwa.*, p. 1312, l. 3, 1, 14, « les cuivres
aux grands noms des chefs des tribus s'assembleront autour de lui ». Les
cuivres sont censés « tomber d'eux-mêmes dans la maison du chef » (nom
d'un chef haïda, Swanton, *Haida*, p. 274, E). Ils se « rencontrent dans la
maison », ils sont des « choses plates qui s'y rejoignent », *Ethn. Kwa.*, p. 701.
  (4) V. le mythe d' « Apporteur de cuivres » dans le mythe d' « Inviteur »
(Qoexsot'enox), *Kwa. T.*, III, p. 248, l. 25, l. 26. Le même cuivre est appelé
« apporteur de propriétés », Boas, *Sec. Soc.*, p. 415. Le chant secret du noble
qui porte le titre d'Inviteur est :
  « Mon nom sera « propriété se dirigeant vers moi », à cause de mon « apporteur » de propriétés. »
  « Les cuivres se dirigent vers moi à cause de l' « apporteur » de cuivres. »
  Le texte kwakiutl dit exactement « L'aqwagila », le « faiseur de cuivres »,
et non pas simplement « l'apporteur ».
  (5) Ex. dans un discours de potlatch tlingit, *Tl. M. T.*, p. 379 ; (Tsimshian) le cuivre est un « bouclier », *Tsim. Myth.*, p. 385.
  (6) Dans un discours à propos de donations de cuivres en l'honneur d'un
fils nouvellement initié, « les cuivres donnés sont une « armure », une

nvincible. Ils sont les « choses plates divines » (1) de la maison.
Souvent le mythe les identifie tous, les esprits donateurs des
cuivres (2), les propriétaires des cuivres et les cuivres eux-
mêmes (3). Il est impossible de discerner ce qui fait la force de
l'un de l'esprit et de la richesse de l'autre : le cuivre parle,
grogne (4) ; il demande à être donné, détruit, c'est lui qu'on
couvre de couvertures pour le mettre au chaud, de même qu'on
enterre le chef sous les couvertures qu'il doit distribuer (5).

Mais d'un autre côté, c'est, en même temps que les biens (6),

armure de propriété, Boas, *Sec. Soc.*, p. 557. (Faisant allusion aux
cuivres pendus autour du cou.) Le titre du jeune homme est d'ailleurs Yaqois
porteur de propriété ».

(1) Un rituel important, lors de la claustration des princesses pubères
kwakiutl, manifeste très bien ces croyances : elles portent des cuivres et
les coquilles d'abalone, et, à ce moment-là, elles prennent elles-mêmes le
titre des cuivres, de « choses plates et divines, se rencontrant dans la
maison ». Il est dit alors qu' « elles et leurs maris auront facilement des cuivres »,
Ethn. Kwa., p. 701. « Cuivres dans la maison » est le titre de la sœur
d'un héros awikenoq, *Kwa. T.*, III, p. 430. Un chant de fille noble kwakiutl,
prévoyant une sorte de *svayamvara*, un choix du marié à l'hindoue
appartient peut-être au même rituel, et s'exprime ainsi : « Je suis
assise sur des cuivres. Ma mère me tisse une ceinture pour quand j'aurai des
« plats de la maison », etc. » *Ethn. Kwa.*, p. 1314.

(2) Les cuivres sont souvent identiques aux esprits. C'est le thème bien
connu de l'écu et du blason héraldique animé. Identité du cuivre et de la
« Dzonoqoa » et de la « Qominoqa », *Ethn. Kwa.*, p. 1421, 860. Des cuivres
sont des animaux totémiques, Boas, *Tsim. Myth.*, p. 460. Dans d'autres
cas, ils ne sont que des attributs de certains animaux mythiques. « Le daim
de cuivre » et ses « andouillers de cuivre » jouent un rôle dans les fêtes d'été
kwakiutl, Boas, *Sec. Soc.*, p. 630, 631 ; cf. p. 729 : « Grandeur sur
son corps » (littéralement, richesse sur son corps). Les Tsimshian considèrent
les cuivres : comme des « cheveux d'esprits », Boas, *Sec. Soc.*, p. 326 ; comme
des « excréments d'esprits » (catalogue de thèmes, Boas, *Tsim. Myth.*, p. 837) ;
des griffes de la femme-loutre-de-terre, *ibid.*, p. 563. Les cuivres sont
usités par les esprits dans un potlatch qu'ils se donnent entre eux,
Tsim. Myth., p. 285 ; *Tlingit T. M.*, p. 51. Les cuivres « leur plaisent ». Pour
des comparaisons, v. Boas, *Tsim. Myth.*, p. 846 ; v. plus haut p. 56.

(3) Chant de Neqapenkem (Face de Dix coudées) : « Je suis des pièces
de cuivre, et les chefs des tribus sont des cuivres cassés. » Boas, *Sec. Soc.*,
p. 482 ; cf. p. 667, pour le texte et une traduction littérale.

(4) Le cuivre Dandalayu « grogne dans sa maison » pour être donné,
Boas, *Sec. Soc.*, p. 622 (discours). Le cuivre Maxtoslem « se plaignait qu'on
ne le brisât pas ». Les couvertures dont on le paie « lui tiennent chaud »,
Boas, *Sec. Soc.*, p. 572. On se souvient qu'il porte le titre « Celui que les autres
cuivres sont honteux de regarder ». Un autre cuivre participe au potlatch
et « est honteux », *Ethn. Kwa.*, p. 882, l. 32.

Un cuivre haïda (Masset), Haida Texts, *Jesup*, VI, p. 689, propriété
du chef « Celui dont la propriété fait du bruit », chante après avoir été brisé :
« Je pourrirai ici, j'ai entraîné bien du monde » (dans la mort, à cause des
potlatch).

(5) Les deux rituels du donateur ou donataire enterrés sous les piles
ou marchant sur les piles de couvertures sont équivalents : dans un cas on
est supérieur, dans un autre cas inférieur à sa propre richesse.

(6) *Observation générale*. Nous savons assez bien comment et pourquoi,
au cours de quelles cérémonies, dépenses et destructions se transmettent
les biens au Nord-Ouest américain. Cependant, nous sommes mal renseignés

la richesse et la chance qu'on transmet. C'est son esprit, ce son
ses esprits auxiliaires qui rendent l'initié possesseur de cuivres
de talismans qui sont eux-mêmes moyens d'acquérir : cuivre
richesses, rang, et enfin esprits, toutes choses équivalente
d'ailleurs. Au fond, quand on considère en même temps le
cuivres et les autres formes permanentes de richesses qu
sont également objet de thésaurisation et de potlatch alterné
masques, talismans, etc., toutes sont confondues avec leu
usage et avec leur effet (1). Par elles, on obtient les rangs
c'est parce qu'on obtient la richesse qu'on obtient l'esprit
et celui-ci à son tour possède le héros vainqueur des obstacles
et alors encore, ce héros se fait payer ses transes shamanis
tiques, ses danses rituelles, les services de son gouvernemen
Tout se tient, se confond ; les choses ont une personnalité et le
personnalités sont en quelque sorte des choses permanentes d
clan. Titres, talismans, cuivres et esprits des chefs sont homo
nymes et synonymes (2), de même nature et de même fonc

encore sur les formes que revêt l'acte même de la tradition des choses, e
particulier des cuivres. Cette question devrait être l'objet d'une enquête
Le peu que nous connaissons est extrêmement intéressant et marque ce
tainement le lien de la propriété et des propriétaires. Non seulement ce qu
correspond à la cession d'un cuivre s'appelle « mettre le cuivre à l'ombr
du nom » d'un tel et son acquisition « donne du poids » au nouveau propri
taire chez les Kwakiutl, Boas, *Sec. Soc.*, p. 349 ; non seulement che
les Haïda, pour manifester que l'on achète une terre, on lève un cuivre
Haida T. M., p. 86 ; mais encore chez eux, on se sert des cuivres par per
cussion comme en droit romain : on en frappe les gens à qui on les donne
rituel attesté dans une histoire (Skidegate), *ibid.*, p. 432. Dans ce cas, le
choses touchées par le cuivre lui sont annexées, sont tuées par lui ; ceci es
d'ailleurs un rituel de « paix » et de « don ».
     Les Kwakiutl ont, au moins dans un mythe (Boas, *Sec. Soc.*, p. 383 e
385 ; cf. p. 677, l. 10), gardé le souvenir d'un rite de transmission qui se retrouv
chez les Eskimos : le héros mord tout ce qu'il donne. Un mythe haïda décri
comment Dame Souris « léchait » ce qu'elle donnait, Haida Text
Jesup, VI, p. 191.
     (1) Dans un rite de mariage (briser le canot symbolique), on chante
     « Je vais aller et mettre en pièces le mont Stevens. J'en ferai des pierre
pour mon feu (tessons).
     « Je vais aller et briser le mont Qatsaï. J'en ferai des pierres pour mo
feu.
     « De la richesse est en train de rouler vers lui, de la part des grand
chefs.
     « De la richesse est en train de rouler vers lui de tous les côtés ;
     « Tous les grands chefs vont se faire protéger par lui. »
     (2) Ils sont d'ailleurs normalement, au moins chez les Kwakiutl, iden
tiques. Certains nobles sont identifiés avec leurs potlatch. Le principal titr
du principal chef est même simplement Maxwa, qui veut dire « grand potlatch
Ethn. Kwa., p. 972, 976, 805. Cf. dans le même clan les noms « donneurs d
potlatch », etc. Dans une autre tribu de la même nation, chez le
Dzawadeenoxu, l'un des titres principaux est celui de « Polas ». V. plu
haut p. 110, n. 1 ; v. *Kwa. T.*, III, p. 43, pour sa généalogie. L
principal chef des Heiltsuq est en relation avec l'esprit « Qominoqa », « l

ion. La circulation des biens suit celle des hommes, des femmes
t des enfants, des festins, des rites, des cérémonies et des
anses, même celle des plaisanteries et des injures. Au fond elle
st la même. Si on donne les choses et les rend, c'est parce qu'on
e donne et *se* rend « des respects » — nous disons encore « des
olitesses ». Mais aussi c'est qu'on *se* donne en donnant, et, si
n *se* donne, c'est qu'on *se* « doit » — soi et son bien — aux
utres.

PREMIÈRE CONCLUSION

Ainsi, dans quatre groupes importants de populations, nous
vons trouvé : d'abord dans deux ou trois groupes, le potlatch ;
uis la raison principale et la forme normale du potlatch lui-
nême ; et plus encore, par-delà celui-ci, et dans tous ces groupes,
a forme archaïque de l'échange : celui des dons présentés et
endus. De plus nous avons identifié la circulation des choses
lans ces sociétés à la circulation des droits et des personnes.
Nous pourrions à la rigueur en rester là. Le nombre, l'extension,
'importance de ces faits nous autorisent pleinement à concevoir
n régime qui a dû être celui d'une très grande partie de l'hu-
nanité pendant une très longue phase de transition et qui sub-
iste encore ailleurs que dans les peuples que nous venons de
lécrire. Ils nous permettent de concevoir que *ce principe de
'échange-don a dû être celui des sociétés qui ont dépassé la phase
le la « prestation totale » (de clan à clan, et de famille à famille)
t qui cependant ne sont pas encore parvenues au contrat individuel
ur, au marché où roule l'argent, à la vente proprement dite et
urtout à la notion du prix estimé en monnaie pesée et titrée.*

Riche », et porte le nom de « Faiseur de richesses », *ibid.*, p. 427, 424. Les
rinces Qaqtsenoqu ont des « noms d'été », c'est-à-dire des noms de clans
ui désignent exclusivement des « propriétés », noms en « yaq » : « propriété
ur le corps », « grande propriété », « ayant de la propriété », « place
le propriété », *Kwa. T.*, III, p. 191 ; cf. p. 187, l. 14. Une autre tribu kwa-
xiutl, les Naqoatoq, donne pour titre à son chef « Maxwa » et « Yaxlem »,
potlatch », « propriété » ; ce nom figure dans le mythe de « Corps de pierre ».
Cf. Côtes de pierres, fils de Dame Fortune, Haïda.) L'esprit lui dit : « Ton
nom sera « Propriété », Yaxlem. » *Kwa. T.*, III, p. 215, l. 39.
  De même chez les Haïda, un chef porte le nom : « Celui qu'on ne peut
as acheter » (le cuivre que le rival ne peut pas acheter), SWANTON, *Haida*,
. 294, XVI, I. Le même chef porte aussi le titre « Tous mélangés », c'est-
-dire « assemblée de potlatch », *ibid.*, nº 4. Cf. plus haut les titres « Pro-
riétés dans la maison ».

CHAPITRE III

SURVIVANCES DE CES PRINCIPES
DANS LES DROITS ANCIENS
ET LES ÉCONOMIES ANCIENNES

Tous les faits précédents ont été recueillis dans ce domaine qu'on appelle celui de l'Ethnographie. De plus, ils sont localisés dans les sociétés qui peuplent les bords du Pacifique (1). On se sert d'ordinaire de ce genre de faits à titre de curiosités ou, à la rigueur, de comparaison, pour mesurer de combien nos sociétés s'écartent ou se rapprochent de ces genres d'institutions qu'on appelle « primitives ».

Cependant, ils ont une valeur sociologique générale, puisqu'ils nous permettent de comprendre un moment de l'évolution sociale. Mais il y a plus. Ils ont encore une portée en histoire sociale. Des institutions de ce type ont réellement fourni la transition vers nos formes, nos formes à nous, de droit et d'économie. Elles peuvent servir à expliquer historiquement nos propres sociétés. La morale et la pratique des échanges usitées par les sociétés qui ont immédiatement précédé les nôtres gardent encore des traces plus ou moins importantes de tous les principes que nous venons d'analyser. Nous croyons pouvoir démontrer, en fait, que nos droits et nos économies se sont dégagés d'institutions similaires aux précédentes (2).

Nous vivons dans des sociétés qui distinguent fortement (l'opposition est maintenant critiquée par les juristes eux-mêmes) les droits réels et les droits personnels, les personnes et les choses. Cette séparation est fondamentale : elle constitue

---

(1) Naturellement nous savons qu'ils ont une autre extension (v. plus loin p. 179, n. 1) et ce n'est que provisoirement que la recherche s'arrête ici.
(2) MM. Meillet et Henri Lévy-Bruhl, ainsi que notre regretté Huvelin, ont bien voulu nous donner des avis précieux pour le paragraphe qui va suivre.

la condition même d'une partie de notre système de propriété,
d'aliénation et d'échange. Or, elle est étrangère au droit que
nous venons d'étudier. De même, nos civilisations, depuis les
civilisations sémitique, grecque et romaine, distinguent fortement entre l'obligation et la prestation non gratuite, d'une
part, et le don, de l'autre. Mais ces distinctions ne sont-elles
pas assez récentes dans les droits des grandes civilisations ?
Celles-ci n'ont-elles pas passé par une phase antérieure, où elles
n'avaient pas cette mentalité froide et calculatrice ? N'ont-elles
pas pratiqué même ces usages du don échangé où fusionnent
personnes et choses ? L'analyse de quelques traits des droits
indo-européens va nous permettre de montrer qu'ils ont bien
traversé eux-mêmes cet avatar. A Rome, ce sont des vestiges
que nous allons en retrouver. Dans l'Inde et en Germanie, ce
seront ces droits eux-mêmes, encore vigoureux, que nous verrons
fonctionner à une époque encore relativement récente.

I

DROIT PERSONNEL ET DROIT RÉEL
(DROIT ROMAIN TRÈS ANCIEN)

Un rapprochement entre ces droits archaïques et le droit
romain d'avant l'époque, relativement très basse où il entre
réellement dans l'histoire (1), et le droit germanique à l'époque
où il y entre (2), éclaire ses deux droits. En particulier, il permet
de poser à nouveau une des questions les plus controversées de
l'histoire du droit, la théorie du *nexum* (3).

(1) On sait qu'en dehors de reconstitutions hypothétiques des Douze
Tables et de quelques textes de lois conservés par des inscriptions, nous
n'avons que des sources très pauvres pour tout ce qui concerne les quatre
premiers siècles du droit romain. Cependant, nous n'adopterons pas l'attitude hypercritique de M. LAMBERT, L'Histoire traditionnelle des Douze
Tables *(Mélanges Appleton)*, 1906. Mais il faut convenir qu'une grande
partie des théories des romanistes, et même celle des « antiquaires » romains
eux-mêmes, sont à traiter comme des hypothèses. Nous nous permettons
d'ajouter une autre hypothèse à la liste.
(2) Sur le droit germanique, v. plus loin.
(3) Sur le *nexum*, v. HUVELIN, Nexum, in *Dict. des Ant.* ; Magie et Droit
individuel *(Année*, X), et ses analyses et discussions dans *Année Sociologique*, VII, p. 472 sq. ; IX, 412 sq. ; XI, p. 442 sq. ; XII, p. 482 sq. ; DAVY,
Foi jurée, p. 135 ; pour la bibliographie et les théories des romanistes, v. GIRARD,
Manuel élémentaire de Droit romain, 7e éd., p. 354.
Huvelin et M. Girard nous semblent à tous les points de vue bien près
de la vérité. A la théorie d'Huvelin, nous ne proposons qu'un complément
et une objection. La « clause d'injures » *(Magie et Droit ind.*, p. 28 ; cf. Injuria, *Mél. Appleton)*, à notre avis, n'est pas seulement magique. Elle est un

Dans un travail qui a plus qu'éclairé la matière (1), Huveli
a rapproché le *nexum* du *wadium* germanique et en général de
« gages supplémentaires » (Togo, Caucase, etc.) donnés à l'oc
casion d'un contrat, puis il a rapproché ceux-ci de la magi
sympathique et du pouvoir que donne à l'autre partie tout
chose qui a été en contact avec le contractant. Mais cette der
nière explication ne vaut que pour une partie des faits. La sanc
tion magique n'est que possible, et elle-même n'est que la consé
quence de la nature et du caractère spirituel de la chose donnée
D'abord, le gage supplémentaire et en particulier le *wadiu*
germanique (2) sont plus que des échanges de gages, même plu
que des gages de vie destinés à établir une emprise magique pos
sible. La chose gagée est d'ordinaire sans valeur : par exemple le
bâtons échangés, la *stips* dans la stipulation du droit romain (3
et la *festuca notata* dans la stipulation germanique ; même le
arrhes (4), d'origine sémitique, sont plus que des avances. C
sont des choses ; elles-mêmes animées. Surtout, ce sont encor
des résidus des anciens dons obligatoires, dus à réciprocité
les contractants sont liés par elles. A ce titre, ces échanges sup
plémentaires expriment par fiction ce va-et-vient des âmes e
des choses confondues entre elles (5). Le *nexum*, le « lien » d
droit vient des choses autant que des hommes.

cas très net, un vestige, d'anciens droits à potlatch. Le fait que l'u
est débiteur et l'autre créditeur rend celui qui est ainsi supérieur capabl
d'injurier son opposé, son obligé. De là une série considérable de relation
sur lesquelles nous attirons l'attention dans ce tome de l'*Année Sociologique*
à propos des *Joking relationships*, des « parentés à plaisanterie » en parti
culier Winnebago (Sioux).

(1) Huvelin, Magie et Droit individuelle, *Année*, X.
(2) V. plus loin, p. 153. Sur la *wadiatio*, v. Davy, *Année*, XII, p. 52
et 523.
(3) Cette interprétation du mot *stips* a pour fondement celle d'Isidor
de Séville, V, p. 24, 30. V. Huvelin, Stips, stipulatio, etc. *(Mélanges Fadda)*
1906. M. Girard, *Manuel*, p. 507, n. 4, après Savigny, oppose les texte
de Varron et de Festus à cette interprétation figurée pure et simple. Mai
Festus, après avoir dit en effet « stipulus » « firmus », a dû, dans une phras
malheureusement détruite en partie, parler d'un « [.. ?] defixus », peut-êtr
bâton fiché en terre (cf. le jet du bâton lors d'une vente de terre dans le
contrats de l'époque d'Hammurabi à Babylone, v. Cuq, Étude sur le
contrats, etc., *Nouvelle Revue historique du Droit*, 1910, p. 467).
(4) V. Huvelin, *loc. cit.*, dans *Année Sociologique*, X, p. 33.
(5) Nous n'entrons pas dans la discussion des romanistes ; mais nou
ajoutons quelques observations à celles d'Huvelin et de M. Girard à propo
du *nexum*. 1° Le mot lui-même vient de *nectere* et, à propos de ce der
nier mot, Festus *(ad verb.* ; cf. s. v. *obnectere)* a conservé un des rares docu
ments des Pontifes qui nous soient parvenus : *Napuras stramentis nectito*
Le document fait évidemment allusion au tabou de propriété, indiqué par
des nœuds de paille. Donc la chose *tradita* était elle-même marquée
et liée, et venait à l'*accipiens* chargée de ce lien. Elle pouvait donc le lier.
— 2° L'individu qui devient *nexus*, c'est le recevant, l'*accipiens*. Or, la formule

Le formalisme même prouve l'importance des choses. En droit omain quiritaire, la tradition des biens — et les biens essentiels taient les esclaves et le bétail, plus tard, les biens-fonds — 'avait rien de commun, de profane, de simple. La tradition est oujours solennelle et réciproque (1) ; elle se fait encore en roupe : les cinq témoins, amis au moins, plus le « peseur ». Clle est mêlée de toutes sortes de considérations étrangères à os conceptions purement juridiques et purement économiques aodernes. Le n*exum* qu'elle établit est donc encore plein, comme Iuvelin l'a bien vu, de ces représentations religieuses qu'il a eulement trop considérées comme exclusivement magiques.

olennelle du *nexum* suppose qu'il est *emptus*, acheté traduit-on d'ordinaire. Iais (v. plus loin) *emptus* veut dire réellement *acceptus*. L'individu ui a reçu la chose est lui-même, encore plus qu'acheté, accepté par e prêt : parce qu'il a reçu la chose et parce qu'il a reçu le lingot de cuivre ue le prêt lui donne en plus de la chose. On discute la question de savoir i, dans cette opération, il y a *damnatio*, *mancipatio*, etc. (GIRARD, *Man.*, s 503). Sans prendre parti dans cette question, nous croyons que tous ces ermes sont relativement synonymes (cf. l'expression *nexo mancipioque* t celle : *emit mancipioque accepit* des inscriptions (ventes d'esclaves). Et ien n'est plus simple que cette synonymie, puisque le seul fait d'avoir ccepté quelque chose de quelqu'un vous en fait l'obligé : *damnatus, emptus, exus*. — 3° Il nous semble que les romanistes et même Huvelin n'ont pas ommunément fait assez attention à un détail du formalisme du *nexum* : a destinée du lingot d'airain, de *l'aes nexum* si discuté de Festus *(ad verb. exum)*. Ce lingot, lors de la formation du *nexum*, est donné par le *tradens* l'*accipiens*. Mais — croyons-nous — quand celui-ci se libère, non seule-nent il accomplit la prestation promise ou délivre la chose ou le prix, mais urtout avec la même balance et les mêmes témoins, il rend ce même *æs* u prêteur, au vendeur, etc. Alors il l'achète, le reçoit à son tour. Ce rite le la *solutio* du *nexum* nous est parfaitement décrit par GAIUS, III, 174 (le exte est assez reconstitué ; nous adoptons la leçon reçue par M. GIRARD, f. *Manuel*, p. 501, n. ; cf. *ibid.*, 751). Dans une vente au comptant, les deux ctes se passent pour ainsi dire en même temps, ou à très courts intervalles, e double symbole apparaissait moins que dans une vente à terme u dans un prêt opéré solennellement ; et c'est pourquoi on ne s'est pas aperçu lu double jeu. Mais il y fonctionnait tout de même. Si notre inter-rétation est exacte, il y a bien, en plus du *nexum* qui vient des formes solen-nelles, en plus du *nexum* qui vient de la chose, un autre *nexum* qui vient le ce lingot alternativement donné et reçu, et pesé avec la même balance, anc *tibi libram primam postremamque*, par les deux contractants, liés ainsi alternativement. — 4° D'ailleurs, supposons un instant que nous uissions nous représenter un contrat romain avant qu'on se servît de la nonnaie de bronze, et même de ce lingot pesé, ou même encore de ce morceau le cuivre moulé, l'*æs flatum* qui représentait une vache (on sait que es premières monnaies romaines furent frappées par les *gentes* et, repré-entant du bétail, furent sans doute des titres engageant le bétail de ces *jentes*). Supposons une vente où le prix est payé en bétail réel ou figuré. Il suffit de se rendre compte que la livraison de ce bétail-prix, ou de sa figuration, rapprochait les contractants, et en particulier le vendeur de l'acheteur ; comme dans une vente ou dans toute cession de bétail, l'ache-teur ou le dernier possesseur reste, au moins pour un temps (vices rédhibi-toires, etc.), en liaison avec le vendeur ou le possesseur précédent (v. plus oin les faits de droit hindou et de folklore).

(1) VARRON, *De re rustica*, II, p. 1, 15.

Certes, le contrat le plus ancien du droit romain, le *nexum* est détaché déjà du fond des contrats collectifs et détaché auss du système des anciens dons qui engagent. La préhistoire di système romain des obligations ne pourra peut-être jamais êtr écrite avec certitude. Cependant nous croyons pouvoir indique dans quel sens on pourrait chercher.

Il y a sûrement un lien dans les choses, *en plus* des lien magiques et religieux, ceux des mots et des gestes du formalism juridique.

Ce lien est encore marqué par quelques très vieux termes di droit des Latins et des peuples italiques. L'étymologie d'un cer tain nombre de ces termes paraît incliner dans ce sens. Nou indiquons ce qui suit à titre d'hypothèse.

A l'origine, sûrement, les choses elles-mêmes avaient un personnalité et une vertu.

Les choses ne sont pas les êtres inertes que le droit de Jus tinien et nos droits entendent. D'abord elles font partie de la famille : la *familia* romaine comprend les *res* et non pas seule ment les personnes. On en a la définition encore au *Digeste* (1) et il est très remarquable que, plus on remonte dans l'antiquité plus le sens du mot *familia* dénote les *res* qui en font parti jusqu'à désigner même les vivres et les moyens de vivre de la famille (2). La meilleure étymologie du mot *familia* est san doute celle qui le rapproche (3) du sanskrit *dhaman*, maison.

De plus, les choses étaient de deux sortes. On distinguait entre la *familia* et la *pecunia*, entre les choses de la maison (esclaves, chevaux, mulets, ânes) et le bétail qui vit aux champs loin des étables (4). Et on distinguait aussi entre les *res mancip*

---

(1) Sur *familia*, v. *Dig.*, L, XVI, *de verb. sign.*, n° 195, § 1. *Familiae appellatio*, etc., et *in res*, et *in personas diducitur*, etc. (Ulpien). Cf. Isidore de SÉVILLE, XV, 9, 5. En droit romain, jusqu'à une époque très tardive, l'action en division d'héritage s'est appelée *familiae erciscundae*, *Dig.*, XI, II. Encore au *Code*, III, XXXVIII. Inversement *res* égale *familia* ; aux *Douze Tables*, V, 3, *super pecunia tutelave suae rei*. Cf. GIRARD, *Textes de droit romain*, p. 869, n. ; *Manuel*, p. 322 ; CUQ, *Institutions*, I, p. 37. GAIUS, II, 224, reproduit ce texte en disant *super familia pecuniaque*. *Familia* égale *res et substantia*, encore au *Code* (JUSTINIEN), VI, XXX, 5. Cf. encore *familia rustica* et *urbana*, *Dig.*, L. XVI, *de verb. sign.*, n° 166.

(2) CICÉRON, *De Orat.*, 56 ; *Pro Caecina*, VII. — TÉRENCE, *Decem dierum vix mihi est familia*.

(3) WALDE, *Latein. etymol. Wörterb.*, p. 70. M. Walde hésite sur l'étymologie qu'il propose, mais il n'y a pas à hésiter. Au surplus, la *res* principale, le *mancipium* par excellence de la *familia*, c'est l'esclave *mancipium* dont l'autre nom *famulus* a la même étymologie que *familia*.

(4) Sur la distinction *familia pecuniaque* attestée par les *sacratæ leges* (v. FESTUS, *ad verbum*) et par de nombreux textes, v. GIRARD, *Textes*, p. 841,

et les *res nec mancipi*, suivant les formes de vente (1). Pour les unes, qui constituent les choses précieuses, y compris les immeubles et même les enfants, il ne peut y avoir aliénation que suivant les formules de la *mancipatio* (2), de la prise *(capere)* en mains *(manu)*. On discute beaucoup pour savoir si la distinction entre *familia* et *pecunia* coïncidait avec la distinction des *res mancipi* et des *res nec mancipi*. Pour nous cette coïncidence — à l'origine — ne fait pas l'ombre d'un doute. Les choses qui échappent à la *mancipatio* sont précisément le petit bétail des champs et la *pecunia*, l'argent, dont l'idée, le nom et la forme dérivaient du bétail. On dirait que les *veteres* romains font la même distinction que celles que nous venons de constater en pays tsimshian et kwakiutl, entre les biens permanents et essentiels de la « maison » (comme on dit encore en Italie et chez nous) et les choses qui passent : les vivres, le bétail des lointaines prairies, les métaux, l'argent, dont, en somme, même les fils non émancipés pouvaient commercer.

Ensuite, la *res* n'a pas dû être, à l'origine, la chose brute et seulement tangible, l'objet simple et passif de transaction qu'elle est devenue. Il semble que l'étymologie la meilleure est celle qui compare avec le mot sanscrit *rah*, *ratih* (3), don, cadeau, chose agréable. La *res* a dû être, avant tout, ce qui fait plaisir à quelqu'un d'autre (4). D'autre part, la chose est toujours marquée, au sceau, à la marque de propriété de la famille. On comprend dès lors que de ces choses *mancipi*, la tradition solennelle (5), *mancipatio*, crée un lien de droit. Car, entre les mains de l'*accipiens* elle reste encore, en partie, un moment, de la « famille » du premier propriétaire ; elle lui reste liée et elle lie

n. 2 ; *Manuel*, p. 274, 263, n. 3. Il est certain que la nomenclature n'a pas toujours été très sûre, mais, contrairement à l'avis de M. Girard, nous croyons que c'est anciennement, à l'origine, qu'il y a eu une distinction très précise. La division se retrouve d'ailleurs en osque, *famelo in eituo* (*Lex Bantia*, l. 13).

(1) La distinction des *res mancipi* et des *res nec mancipi* n'a disparu du droit romain qu'en l'an 532 de notre ère, par une abrogation expresse du droit quiritaire.

(2) Sur la *mancipatio*, v. plus loin. Le fait qu'elle ait été requise, ou licite tout au moins, jusqu'à une époque si tardive prouve avec quelle difficulté la *familia* se défaisait des *res mancipi*.

(3) Sur cette étymologie, v. Walde, p. 650, *ad verb.* Cf. *rayih*, propriété, chose précieuse, talisman ; cf. avestique *rae*, *rayyi*, mêmes sens ; cf. vieil irlandais *rath*, « présent gracieux ».

(4) Le mot qui désigne la *res* en osque est *egmo*, cf. *Lex Bant.*, l. 6, 11, etc. Walde rattache *egmo* à *egere*, c'est la « chose dont on manque ». Il est bien possible que les anciennes langues italiques aient eu deux mots correspondants et antithétiques pour désigner la chose qu'on donne et qui fait plaisir *res*, et la chose dont on manque *egmo* et qu'on attend.

(5) V. plus loin.

l'actuel possesseur jusqu'à ce que celui-ci soit dégagé par l'exécution du contrat, c'est-à-dire, par la tradition compensatoire de la chose, du prix ou service qui liera à son tour le premier contractant.

SCOLIE

La notion de la force inhérente à la chose n'a d'ailleurs jamais quitté le droit romain sur deux points : le vol, *furtum* et les contrats *re*.

En ce qui concerne le vol (1), les actions et obligations qu'il entraîne sont nettement dues à la puissance de la chose. Elle a une *æterna auctoritas* en elle-même (2), qui se fait sentir quand elle est volée et pour toujours. Sous ce rapport, la *res* romaine ne diffère pas de la propriété hindoue ou haïda (3).

Les contrats *re* forment quatre des contrats les plus importants du droit : prêt, dépôt, gage et commodat. Un certain nombre de contrats innommés aussi — en particulier ceux que nous croyons avoir été, avec la vente, à l'origine du contrat lui-même — le don et l'échange (4), sont dits également *re*. Mais ceci était fatal. En effet, même dans nos droits actuels, comme dans le droit romain, il est impossible de sortir ici (5) des plus anciennes règles du droit : il faut qu'il y ait chose ou service pour qu'il y ait don et il faut que la chose ou le service obligent. Il est évident par exemple que la révocabilité de la donation pour cause d'ingratitude, qui est de droit romain récent (6), mais qui est constante dans nos droits à nous, est une institution de droit normal, naturel peut-on dire.

Mais ces faits sont partiels et ne prouvent que pour certains contrats. Notre thèse est plus générale. Nous croyons qu'il n'a pu y avoir, dans les époques très anciennes du droit romain, un seul moment où l'acte de la *traditio* d'une *res*, n'ait pas été — même en plus des paroles et des écrits — l'un des moments essentiels. Le droit romain a d'ailleurs toujours hésité sur cette question (7). Si, d'une part, il proclame que la solennité des échanges, et au moins le contrat, est nécessaire comme prescrivent les droits archaïques que nous

---

(1) V. HUVELIN, Furtum *(Mélanges Girard)*, p. 159 à 175 ; *Étude sur le Furtum. 1. Les sources*, p. 272.

(2) Expression d'une très vieille loi, *Lex Atinia*, conservée par AULU-GELLE, XVII, 7, *Quod subruptum erit ejus rei æterna auctoritas esto.* Cf. extraits d'ULPIEN, III, p. 4 et 6 ; cf. HUVELIN, *Magie et Droit individuel*, p. 19.

(3) V. plus loin. Chez les Haïda, le volé n'a qu'à mettre un plat à la porte du voleur et la chose revient d'ordinaire.

(4) GIRARD, *Manuel*, p. 265. Cf. *Dig.*, XIX, IV, *De permut.*, 1, 2 : *permutatio autem ex re tradita initium obligationi praebet.*

(5) Mod. *Regul.*, dans *Dig.*, XLIV, VII, *de Obl. et act.*, 52, *re obligamur cum res ipsa intercedit.*

(6) JUSTINIEN (en 532 J.-C.), *Code* VIII, LVI, 10.

(7) GIRARD, *Manuel*, p. 308.

avons décrits, s'il disait *nunquam nuda traditio transfert dominium* (1) ;
il proclamait également, encore à une aussi tardive époque que
Dioclétien (2) (298 J.-C.) : *Traditionibus et usucapionibus dominia,
non pactis transferuntur.* La *res*, prestation ou chose, est un élément
essentiel du contrat.

Au surplus, toutes ces questions fort débattues sont des problèmes
de vocabulaire et de concepts et, vu la pauvreté des sources anciennes,
on est très mal placé pour les résoudre.

Nous sommes assez sûr jusqu'à ce point de notre fait. Cependant, il est peut-être permis de pousser encore plus loin et d'indiquer aux juristes et aux linguistes une avenue peut-être large où l'on
peut faire passer une recherche et au bout de laquelle on peut peut-
être imaginer tout un droit effondré déjà lors de la loi des Douze
Tables et probablement bien avant. D'autres termes de droit que
familia, res se prêtent à une étude approfondie. Nous allons ébaucher
une série d'hypothèses, dont chacune n'est peut-être pas très importante, mais dont l'ensemble ne laisse pas de former un corps assez
pesant.

Presque tous les termes du contrat et de l'obligation, et un certain
nombre des formes de ces contrats semblent se rattacher à ce système
de liens spirituels créés par le brut de la *traditio.*

Le contractant d'abord est *reus* (3) ; c'est avant tout l'homme
qui a reçu la *res* d'autrui, et devient à ce titre son *reus*, c'est-à-dire
l'individu qui lui est lié par la chose elle-même, c'est-à-dire par son
esprit (4). L'étymologie a déjà été proposée. Elle a été souvent éli-
minée comme ne donnant aucun sens ; elle en a au contraire un très
net. En effet, comme le fait remarquer Hirn (5), *reus* est originairement
un génitif en *os* de *res* et remplace *rei-jos*. C'est l'homme qui est possédé
par la chose. Il est vrai que Hirn et Walde qui le reproduit (6) traduisent ici *res* par « procès » et *rei-jos* par « impliqué dans le procès » (7).
Mais cette traduction est arbitraire, supposant que le terme *res*

---

(1) Paul, *Dig.*, XLI, I, 31, 1.
(2) *Code*, II, III, *De pactis*, 20.
(3) Sur le sens du mot *reus*, coupable, responsable, v. Mommsen, *Römisches
Strafrecht*, 3ᵉ éd. p. 189. L'interprétation classique provient d'une sorte
d'*a priori* historique qui fait du droit public personnel et en particulier cri-
minel le droit primitif, et qui voit dans les droits réels et dans les contrats
des phénomènes modernes et raffinés. Alors qu'il serait si simple de déduire
les droits du contrat lui-même !
(4) *Reus* appartient d'ailleurs à la langue de la religion (v. Wissowas
Rel. u. Kultus der Römer, p. 320, n. 3 et 4), non moins que du droit : *voti
reus*, *Énéide*, V, 237 ; *reus qui voto se numinibus obligat* (Servius, *Ad Æn.*,
IV, v. 699). L'équivalent de *reus* est *voti damnatus* (Virgile, *Egl.*, V. v. 80) ;
et ceci est bien symptomatique puisque *damnatus = nexus.* L'individu qui
a fait un vœu est exactement dans la position de celui qui a promis ou reçu
une chose. Il est *damnatus* jusqu'à ce qu'il se soit acquitté.
(5) *Indo-germ. Forsch.*, XIV, p. 131.
(6) *Latein. Etymol. Wörterb.*, p. 651, *ad verb. reus.*
(7) C'est l'interprétation des plus vieux juristes romains eux-même,

est avant tout un terme de procédure. Au contraire, si l'on accepte notre dérivation sémantique, toute *res* et toute *traditio* de *res* étant l'objet d'une « affaire », d'un « procès » public, on comprend que le sens d' « impliqué dans le procès » soit au contraire un sens secondaire. A plus forte raison le sens de coupable pour *reus* est-il encore plus dérivé et nous retracerions la généalogie des sens de la façon directement inverse de celle que l'on suit d'ordinaire. Nous dirions : 1° l'individu possédé par la chose ; 2° l'individu impliqué dans l'affaire causée par la *traditio* de la chose ; 3° enfin, le coupable et le responsable (1). De ce point de vue, toutes les théories du « quasi-délit », origine du contrat, du *nexum* et de l'*actio*, sont un peu plus éclaircies. Le seul fait *d'avoir la chose* met l'*accipiens* dans un état incertain de quasi-culpabilité *(damnatus, nexus, ære obœratus)*, d'infériorité spirituelle, d'inégalité morale *(magister, minister)* (2) vis-à-vis du livreur *(tradens)*.

Nous rattachons également à ce système d'idées un certain nombre de traits très anciens de la forme encore pratiquée sinon comprise de la *mancipatio* (3), de l'achat-vente qui deviendra l'*emptio*

(Cicéron, *De Or.*, II, 183, *Rei omnes quorum de re discepiatur*) ; ils avaient toujours le sens *res* = affaire présent à l'esprit. Mais c'est à cet intérêt qu'elle garde le souvenir du temps des *Douze Tables*, II, 2, où *reus* ne désigne pas seulement l'accusé mais les deux parties en toute affaire, l'*aclor* et le *reus* des procédures récentes. Festus (*ad verb. reus*, cf. autre fragment « *pro utroque ponitur* »), commentant les *Douze Tables*, cite deux très vieux jurisconsultes romains à ce sujet. Cf. Ulpien au *Dig.*, II, XI, 2, 3, *alteruler ex litigatoribus*. Les deux parties sont également liées par le procès. Il y a lieu de supposer qu'elles étaient également liées par la chose, auparavant.

(1) La notion de *reus*, responsable d'une chose, rendu responsable par la chose, est encore familière aux très vieux jurisconsultes romains que cite Festus *(ad verb.)*, « *reus stipulando est idem qui stipulator dicitur*, ... *reus promittendo qui suo nomine alteri quid promisit* », etc. Festus fait évidemment allusion à la modification du sens de ces mots dans ce système de cautionnement qu'on appelle la corréalité ; mais les vieux auteurs parlaient d'autre chose. D'ailleurs, la corréalité (Ulpien au *Dig.*, XIV, VI, 7, 1, et le titre *Dig.*, XLV, II, *de duo. reis const.*) a gardé le sens de ce lien indissoluble qui lie l'individu à la chose, en l'espèce, l'affaire, et avec lui, « ses amis et parents » corréaux.

(2) Dans la *Lex Bantia*, en osque, *minstreis* = *minoris partis* (l. 19), c'est la partie qui succombe au procès. Tant le sens de ces termes n'a jamais été perdu, dans les dialectes italiques !

(3) Les romanistes semblent faire remonter trop haut la division : *mancipatio* et *emptio vendilio*. A l'époque des *Douze Tables* et probablement bien après, il est peu vraisemblable qu'il y ait eu des contrats de vente qui aient été de purs contrats consensuels, comme ils sont devenus par la suite à une date qu'on peut à peu près dater, à l'époque de Q. M. Scævola. Les *Douze Tables* emploient le mot *venum duuit* juste pour désigner la vente la plus solennelle qu'on puisse faire et qui certainement ne pouvait s'opérer que par *mancipatio*, celle du fils (*XII T.*, IV, 2). D'autre part, au moins pour les choses *mancipi*, à cette époque la vente s'opère exclusivement, en tant que contrat, par un *mancipatio* ; tous ces termes sont donc synonymes. Les Anciens gardaient le souvenir de cette confusion. V. Pomponius, *Digeste*, XL, VII, *de statuliberis* : « *quoniam Lex XII, T., emtionis verbo omnem alienationem complexa videatur* ». Inversement, le mot *mancipatio* a bien longtemps désigné, jusqu'à l'époque des *Actions de la Loi*, des actes qui sont de purs

venditio (1), dans le très ancien droit romain. En premier lieu faisons attention qu'elle comporte toujours une *traditio* (2). Le premier détenteur, *tradens*, manifeste sa propriété, se détache solennellement de sa chose, la livre et ainsi achète l'*accipiens*. En second lieu, à cette opération, correspond la *mancipatio* proprement dite. Celui qui reçoit la chose la prend dans sa *manus* et non seulement la reconnaît acceptée, mais se reconnaît lui-même vendu jusqu'à paiement. On a l'habitude, à la suite des prudents Romains, de ne considérer qu'une *mancipatio* et de ne la comprendre que comme une prise de possession, mais il y a plusieurs prises de possession symétriques, de choses et de personnes, dans la même opération (3).

On discute d'autre part, et fort longuement, la question de savoir si l'*emptio venditio* (4) correspond à deux actes séparés ou à un seul. On le voit, nous fournissons une autre raison de dire que c'est deux qu'il faut compter, bien qu'ils puissent se suivre presque immédiatement dans la vente au comptant. De même que dans les droits plus primitifs, il y a le don, puis le don rendu, de même il y a en droit romain ancien la mise en vente, puis le paiement. Dans ces conditions il n'y a aucune difficulté à comprendre tout le système et même en plus la stipulation (5).

En effet, il suffit presque de remarquer les formules solennelles

---

contrats consensuels, comme la *fiducia*, avec laquelle elle est quelquefois confondue. V. documents dans GIRARD, *Manuel*, p. 545 ; cf. p. 299. Même *mancipatio*, *mancipium* et *nexum* ont été, sans doute à un moment donné très ancien, employés assez indifféremment.

Cependant, en réservant cette synonymie, nous considérons dans ce qui suit exclusivement la *mancipatio* des *res* qui font partie de la *familia* et nous partons du principe conservé par ULPIEN, XIX, 3 (cf. GIRARD, *Manuel*, p. 303) : « *mancipatio... propria alienatio rerum mancipi* ».

(1) Pour VARRON, *De re rustica*, II, 1, 15 ; II, 2, 5 ; II, V, 11 ; II, 10, 4, le mot d'*emptio* comprend la *mancipatio*.

(2) On peut même imaginer que cette *traditio* s'accompagnait de rites du genre de ceux qui nous sont conservés dans le formalisme de la *manumissio* de la libération de l'esclave qui est censé s'acheter lui-même. Nous sommes mal informés sur les gestes des deux parties dans la *mancipatio* et d'autre part, il est bien remarquable que la formule de la *manumissio* (FESTUS, s. v. *puri*) est au fond identique à celle de l'*emptio venditio* du bétail. Peut-être, après avoir pris dans sa main la chose qu'il livrait, le *tradens* la frappait-il de sa paume. On peut comparer le *vus rave*, la tape sur le cochon (îles Banks, Mélanésie) et la tape de nos foires sur la croupe du bétail vendu. Mais ce sont des hypothèses que nous ne nous permettrions pas si les textes, et en particulier celui de Gaius, n'étaient pas, à cet endroit précis, pleins de lacunes que des découvertes de manuscrits combleront sans doute un jour.

Rappelons aussi que nous avons retrouvé un formalisme identique à celui de la « percussion » avec le cuivre blasonné, chez les Haïda, v. plus haut p. 124, n. 5.

(3) V. plus haut observations sur le *nexum*.

(4) CUQ, *Institutions juridiques des Romains*, t. II, p. 454.

(5) V. plus haut. La *stipulatio*, l'échange des deux parties du bâton, correspond non pas seulement à d'anciens gages, mais à d'anciens dons supplémentaires.

dont on s'est servi : celle de la *mancipatio*, concernant le lingot d'airain, celle de l'acceptation de l'or de l'esclave qui se rachète (1) (cet or « doit être pur, probe, profane à lui », *puri, probi, profani, sui*) ; elles sont identiques. De plus, elles sont toutes les deux des échos de formules de la plus vieille *emptio*, celle du bétail et de l'esclave, qui nous a été conservée sous sa forme du *jus civile* (2). Le deuxième détenteur n'accepte la chose qu'exempte de vices et surtout de vices magiques ; et il ne l'accepte que parce qu'il peut rendre ou compenser, livrer le prix. A noter, les expressions : *reddit pretium, reddere*, etc., où apparaissent encore le radical *dare* (3).

D'ailleurs Festus nous a conservé clairement le sens du terme *emere* (acheter) et même de la forme de droit qu'il exprime. Il dit encore : « *abemito significat demito vel auferto; emere enimanti qui dicebant pro accipere* » (s. v. *abemito*) et il revient ailleurs sur ce sens : « *Emere quod nunc est mercari antiqui accipiebant pro sumere* » (s. v. *emere*), ce qui est d'ailleurs le sens du mot indo-européen auquel se rattache le mot latin lui-même. *Emere*, c'est prendre, accepter quelque chose de quelqu'un (4).

L'autre terme de l'*emptio venditio* semble également faire résonner une autre musique juridique que celle des prudents Romains (5), pour lesquels il n'y avait que troc et donation quand il n'y avait pas prix et monnaie, signes de la vente. *Vendere*, originairement *venumdare*, est un mot composé d'un type archaïque (6), préhistorique. Sans aucun doute il comprend nettement un élément *dare*, qui rappelle le don et la transmission. Pour l'autre élément, il semble bien emprunter un terme indo-européen qui signifiait déjà non pas la vente, mais le prix de vente ὠνή, sanskrit *vasna*h, que Hirn (7) a rapproché d'ailleurs d'un mot bulgare qui signifie dot, prix d'achat de la femme.

AUTRES DROITS INDO-EUROPÉENS

Ces hypothèses concernant le très ancien droit romain sont plutôt d'ordre préhistorique. Le droit et la morale et l'économie

---

(1) Festus, *ad manumissio.*

(2) V. Varron, *De re rustica* : 2, 1, 15 ; 2, 5 ; 2, 5, 11 : *sanos, noxis solutos*, etc.

(3) Noter aussi les expressions *mutui datio*, etc. En fait, les Romains n'avaient pas d'autre mot que *dare* donner, pour désigner tous ces actes qui consistent dans la *traditio*.

(4) Walde, *ibid.*, p. 253.

(5) *Dig.*, XVIII, I, — 33, Extraits de Paul.

(6) Sur les mots de ce type, v. Ernout, Credo-Craddhâ (*Mélanges Sylvain Lévi*, 1911). Encore un cas d'identité, comme pour *res* et tant d'autres mots, des vocabulaires juridiques italo-celtiques et indo-iraniens. Remarquons les formes archaïques de tous ces mots : *tradere, reddere.*

(7) V. Walde, *ibid.*, s. v. *Vendere.*

Il est même possible que le très vieux terme de *licitatio* conserve un souvenir de l'équivalence de la guerre et de la vente (à l'enchère) : « *Licitati in*

des Latins ont dû avoir ces formes, mais elles étaient oubliées quand leurs institutions sont entrées dans l'histoire. Car ce sont justement les Romains et les Grecs (1), qui, peut-être à la suite des Sémites du Nord et de l'Ouest (2), ont inventé la distinction des droits personnels et des droits réels, séparé la vente du don et de l'échange, isolé l'obligation morale et le contrat, et surtout conçu la différence qu'il y a entre des rites, des droits et des intérêts. Ce sont eux qui, par une véritable, grande et vénérable révolution ont dépassé toute cette moralité vieillie et cette économie du don trop chanceuse, trop dispendieuse et trop somptuaire, encombrée de considérations de personnes, incompatible avec un développement du marché, du commerce et de la production, et au fond, à l'époque, antiéconomique.

De plus, toute notre reconstitution n'est qu'une hypothèse vraisemblable. Cependant son degré de probabilité s'accroît en tout cas du fait que d'autres droits indo-européens, des droits véritables et écrits, ont sûrement connu, à des époques encore historiques, relativement proches de nous, un système du genre de celui que nous avons décrit dans ces sociétés océaniennes et américaines qu'on appelle vulgairement primitives et qui sont tout au plus archaïques. Nous pouvons donc généraliser avec quelque sécurité.

---

mercando sive pugnando contendentes », dit encore Festuc, *ad verb. Licistati* ; comparez l'expression tlingit, kwakiutl : « guerre de propriété » ; cf. plus haut p. 97, n. 2, pour des enchères et des potlatch.

(1) Nous n'avons pas suffisamment étudié le droit grec ou plutôt les survivances du droit qui a dû précéder les grandes codifications des Ioniens et des Doriens, pour pouvoir dire si vraiment les différents peuples grecs ont ignoré ou connu ces règles du don. Il faudrait revoir toute une littérature à propos des questions variées : dons, mariages, gages (v. GERNET, Ἐγγύαι, *Revue des Études grecques*, 1917 ; cf. VINOGRADOFF, *Outlines of the History of Jurisprudence*, I, p. 235), hospitalité, intérêt et contrats, et nous ne retrouverions encore que des fragments. En voici cependant un : ARISTOTE, *Éthique à Nicomaque*, 1123 a 3, à propos du citoyen magnanime et de ses dépenses publiques et privées, de ses devoirs et de ses charges, mentionne les réceptions d'étrangers, les ambassades, καὶ δωρεὰς καὶ ἀντιδωρεάς, comment ils dépensent εἰ ςτὰ κοινά, et il ajoute τὰ δὲ δῶρα τοῖς ἀναθήμασιν ἔχει τι ὅμοιον « Les dons ont quelque chose d'analogue aux consécrations » (cf. plus haut p. 99, n. 1, Tsimshian).

Deux autres droits indo-européens vivants présentent des institutions de ce genre : Albanais et Ossétien. Nous nous bornons à référer aux lois ou décrets modernes qui prohibent ou limitent chez ces peuples les excès des dilapidations en cas de mariage, mort, etc., ex. KOVALEWSKI, *Coutume contemporaine et Loi ancienne*, p. 187, n.

(2) On sait que presque toutes les formules du contrat sont attestées par les papyrus aramaïques des Juifs de Philae en Égypte, vᵉ siècle avant notre ère. V. COWLEY, *Aramaic Papyri*, Oxford, 1923. On connaît aussi les travaux d'Ungnad sur les contrats babyloniens (v. *Année*, XII, HUVELIN, p. 508, et CUQ, Études sur les contrats de l'époque de la Iʳᵉ Dynastie babylonienne (*Nouv. Rev. Hist. du Dr.*, 1910).

Les deux droits indo-européens qui ont le mieux conservé ces traces sont le droit germanique et le droit hindou. Ce sont aussi ceux dont nous avons des textes nombreux.

II

DROIT HINDOU CLASSIQUE (1)

THÉORIE DU DON

N. B. — Il y a, à se servir des documents hindous juridiques, une difficulté assez grave. Les codes et les livres épiques qui les valent en autorité ont été rédigés par les brahmanes et, on peut le dire, sinon pour eux, du moins à leur profit à l'époque même de leur triomphe (2). Ils ne nous montrent qu'un droit théorique. Ce n'est

(1) Le droit hindou ancien nous est connu par deux séries de recueils de rédaction assez tardive par rapport au reste des Écritures. La plus ancienne série est constituée par les *Dharmasutra* auxquels Bühler assigne une date antérieure au boudhisme (*Sacred Laws* dans *Sacred Books of the East*, intr.). Mais il n'est pas évident qu'un certain nombre de ces *sutra* — sinon la tradition sur laquelle ils sont fondés — ne datent pas d'après le bouddhisme. En tout cas, ils font partie de ce que les Hindous appellent la *Çruti*, la Révélation. L'autre série est celle de la *smrti*, la Tradition, ou des *Dharmaçastra* : Livres de la Loi dont le principal est le fameux code de Manu qui, lui, est à peine postérieur aux *sutra*.

Nous nous sommes cependant plutôt servi d'un long document épique, lequel a, dans la tradition brahmanique, une valeur de *smrti* et de Ça*stra* (tradition et loi enseignée). L'*Anuçasanaparvan* (livre XIII du *Mahabharata*) est bien autrement explicite sur la morale du don que les livres de loi. D'autre part, il a autant de valeur et il a la même inspiration que ceux-ci. En particulier, il semble qu'à la base de sa rédaction, il y a la même tradition de l'école brahmanique des Manava que celle sur laquelle s'appuie le *Code* de Manu lui-même (v. Buhler, The Laws of Manu, in *Sacred Books of the East*, p. lxx sq.). D'ailleurs, on dirait que ce *parvan* et Manu se citent l'un l'autre.

En tout cas, ce dernier document est inappréciable. Livre énorme d'une énorme épopée du don, *dana-dharmakathana*m, comme dit le commentaire, auquel plus du tiers du livre, plus de quarante « leçons sont consacrées ». De plus, ce livre est extrêmement populaire dans l'Inde. Le poème raconte comment il fut récité de façon tragique à Yudhis*t*hira, le grand roi, incarnation de Dharma, la Loi, par le grand Roi-voyant Bh*i*sma, couché sur son lit de flèches, au moment de sa mort.

Nous le citons dorénavant ainsi : *Anuç.*, et indiquons en général les deux références : n° du vers et n° du vers par *adhyaya*. Les caractères de transcription sont remplacés par les caractères d'italiques.

(2) Il est évident à plus d'un trait que, sinon les règles, au moins les rédactions des çastra et des épopées sont postérieures à la lutte contre le bouddhisme dont ils parlent. Ceci est en tout cas certain pour l'*Anuçasanaparvan* qui est plein d'allusions à cette religion. (V. en particulier l'*Adhyaya*, 120.) Peut-être même — tant la date des rédactions définitives peut être tardive — pourrait-on trouver une allusion au christianisme, précisément à propos de la théorie des dons, dans le même parvan (adhyaya

donc que par un effort de reconstitution, à l'aide des nombreux aveux qu'ils contiennent, que nous pouvons entrevoir ce qu'étaient le droit et l'économie des deux autres castes, *ksatriya* et *vaiçya*. En l'espèce, la théorie, « la loi du don » que nous allons décrire, le *danadharma*, ne s'applique réellement qu'aux brahmanes, à la façon dont ils le sollicitent, le reçoivent... sans le rendre autrement que par leurs services religieux, et aussi à la façon dont le don leur est dû. Naturellement, c'est ce devoir de donner aux brahmanes qui est l'objet de nombreuses prescriptions. Il est probable que de tout autres relations régnaient entre gens nobles, entre familles princières, et, à l'intérieur des nombreuses castes et races, parmi les gens du commun. Nous les devinons à peine. Mais il n'importe. Les faits hindous ont une dimension considérable.

L'Inde ancienne, immédiatement après la colonisation aryenne, était en effet doublement un pays de potlach (1). D'abord, le potlatch se retrouve encore dans deux très grands groupes qui étaient autrefois beaucoup plus nombreux et ont formé le substrat d'une grande partie de la population de l'Inde : les tribus de l'Assam (thibéto-birmanes) et les tribus de souche mu*nda* (austro-asiatiques). On a même le droit de supposer que la tradition de ces tribus est celle qui a subsisté dans un décor brahmanique (2). Par exemple, on

---

114, vers 10), où Vyasa ajoute : « Telle est la loi enseignée avec subtilité (*nipu-nena*, Calcutta) (*naipunena*, Bombay) » : « qu'il ne fasse pas à autrui ce qui est contraire à son moi, voilà le *dharma* (la loi) résumé » (vers 5673). Mais, d'autre part, il n'est pas impossible que les brahmanes, ces faiseurs de formules et proverbes aient pu arriver par eux-mêmes à une pareille invention. En fait, le vers précédent (vers 9 = 5672) a une allure profondément brahmanique : « Tel autre se guide par le désir (et se trompe). Dans le refus et dans le don, dans le bonheur et dans le malheur, dans le plaisir et le déplaisir, c'est en rapportant à soi (à son moi) (les choses) que l'homme le mesure, etc. » Le commentaire de N*i*laka*ntha* est formel et bien original, non chrétien : « Comme quelqu'un se conduit vis-à-vis des autres, ainsi (se conduisent les autres vis-à-vis de lui). C'est en sentant comment on accepterait soi-même un refus après avoir sollicité..., etc., qu'on voit ce qu'il faut donner. »

(1) Nous ne voulons pas dire que, dès une époque très ancienne, celle de la rédaction du Rig Veda, les Aryas arrivés dans l'Inde du Nord-Est n'ont pas connu le marché, le marchand, le prix, la monnaie, la vente (v. Zim-mern, *Altindisches Leben*, p. 257 et suiv.) : *Rig Veda*, IV, 24, 9. Surtout l'*Atharva Veda* est familier avec cette économie. Indra lui-même est un marchand. (*Hymne*, III, 15, employé dans *Kauçika-sutra*, VII, 1 ; VII, 10 et 12, dans un rituel d'homme allant à une vente. V. cependant *dhanada*, *ibid.*, v. 1, et *vajin*, épithète d'Indra, *ibid.*

Nous ne voulons pas dire non plus que le contrat n'ait eu dans l'Inde que cette origine, partie réelle, partie personnelle et partie formelle de la transmission des biens, et que l'Inde n'ait pas connu d'autres formes d'obligations, par exemple le quasi-délit. Nous ne cherchons à démontrer que ceci : la subsistance, à côté de ces droits, d'un autre droit, d'une autre économie et d'une autre mentalité.

(2) En particulier, il a dû avoir — comme il y en a encore dans les tribus et nations aborigènes — des prestations totales de clans et de villages. L'interdiction faite aux brahmanes (Vasi*stha*, 14, 10, et *Gautama*, XIII, 17 ; Manu, IV, 217) d'accepter quoi que ce soit « de multitudes » et surtout de participer à un festin offert par elles, vise sûrement des usages de ce genre,

pourrait voir les traces (1) d'une institution comparable à l'*indjok*
batak et aux autres principes d'hospitalité malaise dans les règles qui
défendent de manger sans avoir invité l'hôte survenu : « il mange
du poison *halahalah* (celui qui mange) sans participation de son
ami ». D'autre part, des institutions de même genre sinon de même
espèce ont laissé quelques traces dans le plus ancien Veda.
Et comme nous les retrouvons dans presque tout le monde
indo-européen (2), nous avons des raisons de croire que les Aryens
les apportaient, eux aussi, dans l'Inde (3). Les deux courants ont
sans doute conflué à une époque que l'on peut presque situer, contemporaine des parties postérieures du Veda et de la colonisation des
deux grandes plaines des deux grands fleuves, l'Indus et le Gange.
Sans doute aussi ces deux courants se renforcèrent l'un l'autre.

(1) *Anuç.*, vers 5051 et vers 5045 (= *Adh.* 104, vers 98 et 95) : « qu'il
ne consomme pas de liquide dont l'essence est ôtée... ni sans en faire le don
à celui qui est assis à table avec lui » (commentaire : et qu'il a fait asseoir
et qui doit manger avec lui).

(2) Par exemple l'*adanam*, don que font les amis aux parents du jeune
tonsuré ou du jeune initié, à la fiancée et au fiancé, etc., est identique, même
dans le titre au *gaben*, germanique dont nous parlons plus loin (v. les
grhycsutra (rituels domestiques), OLDENBERG, *Sacred Books* à l'index sous
ces divers titres).

Autre exemple, l'honneur qui provient des cadeaux (de nourriture), *Anuç.*,
122, vers 12, 13 et 14 : « Honorés, ils honorent ; eux décorés, ils déco-
rent. « C'est un donateur ici, là, dit-on », de toutes parts, il est glorifié. »
(*Anuç.*, vers 5850.)

(3) Une étude étymologique et sémantique permettrait d'ailleurs d'obtenir ici des résultats analogues à ceux que nous avons obtenus à propos du
droit romain. Les plus vieux documents védiques fourmillent de mots dont
les étymologies sont encore plus claires que celles des termes latins
et qui supposent tous, même ceux qui concernent le marché et la vente,
un autre système où des échanges, des dons et des paris tenaient lieu des
contrats auxquels nous pensons d'ordinaire quand nous parlons de ces choses.
On a souvent remarqué (d'ailleurs générale dans toutes les langues
indo-européennes), des sens du mot sanscrit que nous traduisons par donner :
da, et de ses dérivés infiniment nombreux. Ex. a*da*, recevoir, prendre, etc.

Par exemple encore, choisissons même les deux mots védiques qui désignent le mieux l'acte technique de la vente ; ce sont : *parada çulkaya*, vendre
à un prix, et tous les mots dérivés du verbe *pan*, ex. *pani*, marchand. Outre
que *parada* comprend *da*, donner, *çulka* qui a vraiment le sens technique du
latin *pretium*, veut dire bien autre chose : il signifie, non seulement
valeur et prix, mais encore : prix du combat, prix de la fiancée, salaire du
service sexuel, impôt, tribut. Et *pan* qui a donné, dès le *Rig Veda*, le mot
pani (marchand, avare, cupide, et un nom d'étrangers), et le nom de
la monnaie, *pana* (plus tard le fameux *karsapana*), etc., veut dire vendre,
aussi bien que jouer, parier, se battre pour quelque chose, donner, échanger,
risquer, oser, gagner, mettre en jeu. De plus, il n'est sans doute pas
nécessaire de supposer que *pan*, honorer, louer, apprécier, soit un verbe différent du premier. *Pana*, monnaie, veut dire aussi bien : la chose que
l'on vend, le salaire, l'objet du pari et du jeu, la maison de jeux et même
l'auberge qui a remplacé l'hospitalité. Tout ce vocabulaire lie des idées qui
ne sont liées que dans le potlatch ; tout décèle le système originel dont
on s'est servi pour concevoir le système ultérieur de la vente proprement dite.
Mais ne poursuivons pas cette tentative de reconstruction par étymologie. Elle n'est pas nécessaire dans le cas de l'Inde et nous mènerait loin hors
du monde indo-européen sans doute.

Aussi, dès que nous quittons les temps védiques de la littérature, trouvons-nous cette théorie extraordinairement développée comme ces usages. Le Mahabharata est l'histoire d'un gigantesque potlatch ; jeu des dés des Kauravas contre les Pandavas ; tournois et choix de fiancés par Draupadi sœur et épouse polyandre des Pandavas (1). D'autres répétitions du même cycle légendaire se rencontrent parmi les plus beaux épisodes de l'épopée, par exemple le roman de Nala et de Damayanti raconte, comme le Mahabharata entier, la construction d'assemblée d'une maison, un jeu de dés, etc... (2). Mais tout est défiguré par la tournure littéraire et théologique du récit.

D'ailleurs, notre démonstration actuelle ne nous oblige pas à doser ces multiples origines et à reconstituer hypothétiquement le système complet (3). De même, la quantité des classes qui y étaient intéressées, l'époque où il fleurit n'ont pas besoin d'être très précisées dans un travail de comparaison. Plus tard, pour des raisons qui ne nous concernent pas ici, ce droit disparut, sauf en faveur des brahmanes ; mais on peut dire qu'il fut certainement en vigueur, pendant six à dix siècles, du VIII° siècle avant notre ère aux deux ou troisième après notre ère. Et cela suffit : l'épopée et la loi brahmanique se meuvent encore dans la vieille atmosphère : les présents y sont encore obligatoires, les choses y ont des vertus spéciales et font partie des personnes humaines. Bornons-nous à décrire ces formes de vie sociale et à étudier leurs raisons. La simple description sera assez démonstrative.

La chose donnée produit sa récompense dans cette vie et dans l'autre. Ici, elle engendre automatiquement pour le donateur la même chose qu'elle (4) : elle n'est pas perdue, elle se

---

(1) V. résumé de l'épopée dans *Mhbh.* Adiparvan, lect. 6.

(2) V. par ex. la légende de Hariçcandra, *Sabhaparvan, Mahbh.*, livre II, lect. 12 ; autre ex. *Virata Parvan*, lect. 72.

(3) Il faut convenir que, sur le sujet principal de notre démonstration, l'obligation de rendre, nous avons trouvé peu de faits dans le droit hindou, sauf peut-être MANU, VIII, 213. Même le plus clair consiste dans la règle qui l'interdit. Il semble bien qu'à l'origine, le çraddha funéraire, le repas des morts que les brahmanes ont tant développé, était une occasion de s'inviter et de rendre les invitations. Or, il est formellement défendu de procéder ainsi. *Anuc.*, vers 4311, 4315 = XIII, lect. 90, v. 43 sq. : « Celui qui n'invite que des amis au çraddha ne vas pas au ciel. Il ne faut inviter ni amis ni ennemis, mais des neutres, etc. Le salaire des prêtres offert à des prêtres qui sont des amis porte le nom de démoniaque » *(piçaca)*, v. 4316. Cette interdiction constitue sans doute une véritable révolution par rapport à des usages courants. Même le poète juriste la rattache à un moment et à une école déterminés *(Vaikhanasa Çruti, ibid.*, vers 4323 = lect. 90, vers 51). Les malins brahmanes ont en effet chargé les dieux et les mânes de rendre les présents qu'on leur fait à eux. Le commun des mortels sans nul doute continua à inviter ses amis au repas funéraire. Il continue d'ailleurs encore actuellement dans l'Inde. Le brahmane, lui, ne rendait, n'invitait et même, au fond, n'acceptait pas. Cependant ses codes nous ont gardé assez de documents pour illustrer notre cas.

(4) *Vas. Dh. su.*, XXIX, 1, 8, 9, 11 à 19 = MANU, IV, 229 s.. Cf. *Anuç.*,

reproduit ; là-bas, c'est la même chose augmentée que l'on
retrouve. La nourriture donnée est de la nourriture qui reviendra en ce monde au donateur ; c'est de la nourriture, la même,
pour lui dans l'autre monde ; et c'est encore de la nourriture,
la même, dans la série de ses renaissances (1) : l'eau, les puits
et les fontaines qu'on donne assurent contre la soif (2) ; les vêtements, l'or, les ombrelles, les sandales qui permettent de marcher
sur le sol brûlant, vous reviennent dans cette vie et dans l'autre.
La terre dont vous avez fait donation et qui produit ses récoltes
pour autrui fait cependant croître vos intérêts dans ce monde
et dans l'autre et dans les renaissances futures. « Comme de la
lune la croissance s'acquiert de jour en jour, de même le don
de terre une fois fait s'accroît d'année en année (de récolte en
récolte) (3). » La terre engendre des moissons, des rentes et des
impôts, des mines, du bétail. Le don qui en est fait enrichit de
ces mêmes produits le donateur et le donataire (4). Toute cette
théologie juridico-économique se développe en magnifiques sen-
tences à l'infini, en centons versifiés sans nombre, et ni les
codes ni les épopées ne tarissent à ce sujet (5).

La terre, la nourriture, tout ce qu'on donne, sont d'ailleurs
personnifiées, ce sont des êtres vivants avec qui on dialogue et
qui prennent part au contrat. Elles veulent être données. La

toutes les lectures de 64 à 69 (avec citations de Paraçara). Toute cette partie
du livre semble avoir pour base une sorte de litanie ; elle est à moitié astrologique et débute par un *danakalpa*, lect. 64, déterminant les constellations
sous lesquelles il faut que ceci ou cela soit donné par tel ou tel, à tel ou tel.
(1) *Anuç.*, 3212 ; même celle qu'on offre aux chiens et au çudra, à « celui
qui cuit pour le chien » (*susqui* cuit le chien) çvapaka (= lect. 63, vers 13.
Cf. *ibid.*, vers 45 = v. 3243, 3248).
(2) V. les principes généraux sur la façon dont on retrouve les choses
données dans la série des renaissances (XIII, lect. 145, vers 1-8, vers 23
et 30). Les sanctions concernant l'avare sont exposées dans la même lecture, vers 15 à 23. En particulier, il « renaît dans une famille pauvre ».
(3) *Anuç.*, 3135 ; cf. 3162 (= lect. 62, vers 33, 90).
(4) Vers 3162 (= *ibid.*, vers 90).
(5) Au fond, tout ce *parvan*, ce chant du Mahabharata est une réponse
à la question suivante : Comment acquérir la Fortune, Çri déesse instable ?
Une première réponse est que Çri réside parmi les vaches, dans leur bouse
et leur urine, où les vaches, ces déesses, lui ont permis de résider. C'est pourquoi faire don d'une vache assure le bonheur (lect. 82 ; v. plus loin, p. 148, n. 3).
Une seconde réponse fondamentalement hindoue, et qui est même
la base de toutes les doctrines morales de l'Inde, enseigne que le secret
de la Fortune et du Bonheur c'est (lect. 163) de donner, de ne pas garder,
de ne pas rechercher la Fortune, mais de la distribuer, pour qu'elle
vous revienne, en ce monde, d'elle-même, et sous la forme du bien que vous
avez fait, et dans l'autre. Renoncer à soi, n'acquérir que pour donner,
voilà la loi qui est celle de la nature et voilà la source du vrai profit (vers 5657
= lect. 112, vers 27) : « Chacun doit rendre ses jours fertiles en distribuant
des aliments. »

terre parla autrefois au héros solaire, à Rama, fils de Jamadagni ; et quand il entendit son chant, il la donna tout entière au rsi Kaçyapa lui-même ; elle disait (1) en son langage, sans doute antique :

> Reçois-moi (donataire)
> donne-moi (donateur)
> me donnant tu m'obtiendras à nouveau.

et elle ajoutait, parlant cette fois un langage brahmanique un peu plat : « dans ce monde et dans l'autre, ce qui est donné est acquis à nouveau ». Un très vieux code (2) dit que *Anna*, la nourriture déifiée elle-même, proclama le vers suivant :

Celui qui, sans me donner aux dieux, aux mânes, à ses serviteurs et à ses hôtes, (me) consomme préparée, et, dans sa folie, (ainsi) avale du poison, je le consomme, je suis sa mort.

Mais à celui qui offre l'*agnihotra*, accomplit le *vaiçvadeva* (3), et mange ensuite — en contentement, en pureté et en foi — ce qui reste après qu'il a nourri ceux qu'il doit nourrir, pour celui-là, je deviens de l'ambroisie et il jouit de moi.

Il est de la nature de la nourriture d'être partagée ; ne pas en faire part à autrui c'est « tuer son essence », c'est la détruire pour soi et pour les autres. Telle est l'interprétation, matérialiste et idéaliste à la fois, que le brahmanisme a donnée de la charité et de l'hospitalité (4). La richesse est faite pour être donnée.

---

(1) Le vers 3136 (= lect. 62, vers 34) appelle cette stance une *gàtha*. Elle n'est pas un *çloka* ; elle provient donc d'une tradition ancienne. De plus, je le crois, le premier demi-vers *mamevadattha, mam dattha, mam dattva mamevapsyaya* (vers 3137 = lect. 62, vers 35), peut fort bien s'isoler du second. D'ailleurs le vers 3132 l'isole par avance (= lect. 62, vers 30). « Comme une vache court vers son veau, ses mamelles pleines laissant tomber du lait, ainsi la terre bénie court vert le donateur de terres. »

(2) *Baudhayana Dh. su.*, 11, 18, contemporain évident non seulement de ces règles d'hospitalité, mais encore du Culte de la Nourriture, dont on peut dire qu'il est contemporain des formes postérieures de la région védique et qu'il dura jusqu'au Vishnuïsme, où il a été intégré.

(3) Sacrifices brahmaniques de l'époque védique tardive. Cf. *Baudh. Dh. su.*, 11, 6, 41 et 42. Cf. *Taittiriya Aranyaka*, VIII, 2.

(4) Toute la théorie est exposée dans le fameux entretien entre le rsi Maitreya et Vyasa, incarnation de Krsna dvaipaayana lui-même (*Anuç.*, XIII, 120 et 121). Tout cet entretien où nous avons trouvé trace de la lutte du brahmanisme contre le bouddhisme, v. surtout vers 5802 (= XIII, 120, vers 10) doit avoir eu une portée historique, et faire allusion à une époque où le krishnaïsme vainquit. Mais la doctrine qui est enseignée est bien celle de l'ancienne théologie brahmanique et peut-être même celle de la morale nationale la plus ancienne de l'Inde... d'avant les Aryens.

S'il n'y avait pas de brahmanes pour la recevoir, « vaine serait
la richesse des riches » (1).

Celui qui la mange sans savoir tue la nourriture et mangée elle
le tue (2).

L'avarice interrompt le cercle du droit, des mérites, des
nourritures renaissant perpétuellement les unes des autres (3).

D'autre part, le brahmanisme a nettement identifié dans ce
jeu d'échanges, aussi bien qu'à propos du vol, la propriété à
la personne. La propriété du brahmane, c'est le brahmane
lui-même.

La vache du brahmane, elle est un poison, un serpent venimeux,

dit déjà le *Veda* des magiciens (4). Le vieux code de Baudhayana (5) proclame : « La propriété du brahmane tue (le coupable) avec les fils et les petits-fils ; le poison n'est pas (du
poison) ; la propriété du brahmane est appelée du poison (par
excellence). » Elle contient en elle-même sa sanction parce
qu'elle est elle-même ce qu'il y a de terrible dans le brahmane.
Il n'y a même pas besoin que le vol de la propriété du brahmane
soit conscient et voulu. Toute une « lecture » de notre *Parvan* (6),
de la section du Mahabharata qui nous intéresse le plus, raconte
comment Nrga, roi des Yadus, fut transformé en un lézard

(1) *Ibid.*, vers 5831 (= lect. 121, vers 11).
(2) *Ibid.*, vers 5832 (= 121, vers 12). Il faut lire *anna*m avec l'édition
de Calcutta et non *artha*m (Bombay). Le deuxième demi-vers est obscur et
sans doute mal transmis. Il signifie cependant quelque chose. « Cette nourriture qu'il mange, ce en quoi elle est une nourriture, il en est le meurtrier
qui est tué, l'ignorant. » Les deux vers suivants sont encore énigma-
tiques, mais expriment plus clairement l'idée et font allusion à une doctrine
qui devait porter un nom, celui d'un rs*i* : vers 5834 = *ibid.*, 14), « le sage,
le savant, mangeant de la nourriture, la fait renaître, lui, maître — et à son
tour, la nourriture le fait renaître » (5863). « Voilà le développement (des
choses). Car ce qui est le mérite du donnant est le mérite du recevant (et
vice versa), car ici, il n'y a pas qu'une roue allant d'un seul côté. » La traduction de Pratâp (Mahâbhârata) est très paraphrasée, mais elle est fondée
ici sur d'excellents commentaires et mériterait d'être traduite (sauf
une erreur qui la dépare *evam janayati*, vers 14 : c'est la nourriture et non
la progéniture qui est reprocréée). Cf. = *Ap. Dh. su.*, 11, 7 et 3. « Celui qui
mange avant son hôte détruit la nourriture, la propriété, la descendance,
le bétail, le mérite de sa famille. »
(3) V. plus haut.
(4) *Atharvaveda*, v. 18, 3 ; cf. *ibid.*, v. 19, 10.
(5) I, 5 et 16 (cf. plus haut l'*aeterna auctoritas* de la *res* volée).
(6) Lect. 70. Elle vient à propos du don des vaches (dont le rituel est
donné dans la lect. 69).

pour avoir, par la faute de ses gens, donné à un brahmane une vache qui appartenait à un autre brahmane. Ni celui qui l'a reçue de bonne foi ne veut la rendre, pas même en échange de cent mille autres ; elle fait partie de sa maison, elle est des siens :

Elle est adaptée aux lieux et aux temps, elle est bonne laitière, paisible et très attachée. Son lait est doux, bien précieux et permanent dans ma maison (vers 3466).

Elle (cette vache) nourrit un petit enfant à moi qui est faible et sevré. Elle ne peut être donnée par moi... (vers 3467).

Ni celui à qui elle fut enlevée n'en accepte d'autre. Elle est la propriété des deux brahmanes, irrévocablement. Entre les deux refus, le malheureux roi reste enchanté pour des milliers d'années par l'imprécation qui y était contenue (1).

Nulle part la liaison entre la chose donnée et le donateur, entre la propriété et le propriétaire n'est plus étroite que dans les règles concernant le don de la vache (2). Elles sont illustres. En les observant, en se nourrissant d'orge et de bouse de vache, en se couchant à terre, le roi Dharma (3) (la loi), Yudhis*th*ira, lui-même, le héros principal de l'épopée, devint un « taureau » entre les rois. Pendant trois jours et trois nuits, le propriétaire de la vache l'imite et observe le « vœu de la vache (4) ». Il se nourrit exclusivement des « sucs de la vache » : eau, bouse, urine, pendant une nuit sur trois. (Dans l'urine réside Çri elle-même, la Fortune.) Pendant une nuit sur trois, il couche avec les vaches, sur le sol comme elles, et, ajoute le commentateur, « sans se gratter, sans tracasser la vermine », s'identifiant ainsi, « en âme unique, à elles (5) ». Quand il est entré dans l'étable, les appelant de noms sacrés (6), il ajoute : « la vache

---

(1) Vers 14 et suiv. « La propriété du brahmane tue comme la vache du brahmane (tue) N*rga* », vers 3462 (= *ibid.*, 33) (cf. 3519 = lect. 71, vers 36).

(2) *Anuç.*, lect. 77, 72 ; lect. 76. Ces règles sont relatées avec un luxe de détails un peu invraisemblable et sûrement théorique. Le rituel est attribué à une école déterminée, celle de B*r*haspati (lect. 76). Il dure trois jours et trois nuits avant l'acte et trois jours après ; dans certaines circonstances, il dure même dix jours. (Vers 3532 = lect. 71, 49 ; vers 3597 = 73, 40 ; 3517 = 71, 32.)

(3) Il vivait dans un constant « don de vaches » (*gavam pradana*), vers 3695 = lect. 76, vers 30.

(4) Il s'agit ici d'une véritable initiation des vaches au donateur et du donateur aux vaches ; c'est une espèce de mystère, *upanitesu gosu*, vers 3667 (= 76, vers 2).

(5) C'est en même temps un rituel purificatoire. Il se délivre ainsi de tout péché (vers 3673 = lect. 76, vers 8).

(6) Sama*n*ga (ayant tous ses membres), Bahula (large, grasse), vers 3670 (cf. vers 6042, les vaches dirent : « Bahula, Sama*n*ga. Tu es sans crainte,

est ma mère, le taureau est mon père, etc. ». Il répétera la
première formule pendant l'acte de donation. Et voici le moment
solennel du transfert. Après louanges des vaches, le donataire
dit :

> Celles que vous êtes, celles-là je le suis, devenu en ce jour de votre
> essence, vous donnant, je me donne (1) (vers 3676).

Et le donataire en recevant (faisant le pratigraha*n*a) (2) dit :

> Mues (transmises) en esprit, reçues en esprit, glorifiez-nous nous
> deux, vous aux formes de Soma (lunaires) et d'Ugra (solaires)
> (vers 3677) (3).

D'autres principes du droit brahmanique nous rappellent
étrangement certaines des coutumes polynésiennes, mélanésiennes et américaines que nous avons décrites. La façon de
recevoir le don est curieusement analogue. Le brahmane a un
orgueil invincible. D'abord, il refuse d'avoir affaire en quoi que
ce soit avec le marché. Même il ne doit accepter rien qui en
vienne (4). Dans une économie nationale où il y avait des villes,
des marchés, de l'argent, le brahmane reste fidèle à l'économie
et à la morale des anciens pasteurs indo-iraniens et aussi à celle
des agriculteurs allogènes ou aborigènes des grandes plaines.
Même il garde cette attitude digne du noble (5) qu'on offense
encore en le comblant (6). Deux « lectures » du Maha*bh*arata
racontent comment les sept *rs*i, les grands Voyants, et leur
troupe, en temps de disette, alors qu'ils allaient manger le
corps du fils du roi Çibi, refusèrent les cadeaux immenses et
même les figues d'or que leur offrait le roi Çaivya V*r*sadarbha
et lui répondirent :

---

tu es apaisée, tu es bonne amie »). L'épopée n'oublie pas de mentionner que
ces noms sont ceux du *Veda*, de la *Çruti*. Les noms sacrés en effet se
retrouvent dans *Atharvaveda*, V, 4, 18, vers 3 et vers 4.
(1) Exactement : « donateur de vous, je suis donateur de moi ».
(2) « L'acte de saisir » le mot est rigoureusement équivalent d'*accipere*,
λαμβάνειν, *take*, etc.
(3) Le rituel prévoit qu'on peut offrir des « vaches en gâteau de sésame
ou de beurre rance » et également des vaches « en or, argent ». Dans ce cas,
elles étaient traitées comme de vraies vaches, cf. 3523, 3839. Les rites, surtout
ceux de la transaction, sont alors un peu plus perfectionnés. Des noms
rituels sont donnés à ces vaches. L'un d'eux veut dire « la future ».
Le séjour avec les vaches, « le vœu des vaches », est encore aggravé.
(4) A*p. Dh. su.*, 1, 17 et 14, Manu, X, 86-95. Le brahmane peut vendre
ce qui n'a pas été acheté. Cf. A*p. Dh. su.*, 1, 19, 11.
(5) Cf. plus haut p. 51, n. 2 ; p. 66, n. 2, Mélanésie, Polynésie ; p. 1 (Germanie), p. 157, n. 1 ; A*p. Dh. su.*, 1, 18, 1 ; *Gautama Dh. su.*, XVII, 3.
(6) Cf. *Anuç.*, lect. 93 et 94.

O roi, recevoir des rois est au début du miel, à la fin du poison
(v. 4459 = Lect. 93, v. 34).

Suivent deux séries d'imprécations. Toute cette théorie est
même assez comique. Cette caste entière, qui vit de dons,
prétend les refuser (1). Puis elle transige et accepte ceux qui
ont été offerts spontanément (2). Puis elle dresse de longues
listes (3) des gens de qui, des circonstances où, et des choses (4)
qu'on peut accepter, jusqu'à admettre tout en cas de famine (5),
à condition, il est vrai, de légères expiations (6).

C'est que le lien que le don établit entre le donateur et le
donataire est trop fort pour les deux. Comme dans tous les
systèmes que nous avons étudiés précédemment, et même
encore plus, l'un est trop lié à l'autre. Le donataire se met dans
la dépendance du donateur (7). C'est pourquoi le brahmane ne
doit pas « accepter » et encore moins solliciter du roi. Divinité
parmi les divinités, il est supérieur au roi et dérogerait s'il
faisait autre chose que prendre. Et d'autre part, du côté du
roi, la façon de donner importe autant que ce qu'il donne (8).

Le don est donc à la fois ce qu'il faut faire, ce qu'il faut
recevoir et ce qui est cependant dangereux à prendre. C'est que
la chose donnée elle-même forme un lien bilatéral et irrévocable, surtout quand c'est un don de nourriture. Le donataire
dépend de la colère du donateur (9), et même chacun dépend de
l'autre. Aussi ne doit-on pas manger chez son ennemi (10).

---

(1) Ap. *Dh.* su., 1, 19 et 13, 3, où est cité Kanva, autre école brahmanique.
(2) Manu, IV, p. 233.
(3) *Gautama Dh.* su., XVII, 6, 7 ; Manu, IV, 253. Liste des gens de qui
le brahmane ne peut accepter, *Gautama*, XVII, 17 ; cf. Manu, IV, 215
à 217.
(4) Liste des choses qui doivent être refusées. Ap., 1, 18, 1 ; *Gautama*,
XVII. Cf. Manu, IV, 247 à 250.
(5) Voir toute la lect. 136 de l'*Anuç*. Cf. Manu, IV, p. 250 ; X, p. 101,
102. Ap. *Dh.* su., I, 18, 5-8 ; 14-15 ; *Gaut.*, VII, 4, 5.
(6) *Baudh. Dh.* su., 11, 5, 8 ; IV, 2, 5, La récitation des Taratsamandi
= Rigveda, IX, 58.
(7) « L'énergie et l'éclat des sages sont abattus par le fait qu'ils reçoivent » (acceptent, prennent). « De ceux qui ne veulent pas accepter, garde-
toi, O roi ! », *Anuç*. (v. 2164 = lect. 35, vers 34).
(8) *Gautama*, XVII, 19, 12 sq. ; Ap., I, 17, 2. Formule de l'étiquette
du don, Manu, VII, p. 86.
(9) Krodho hanti yad danam. « La colère tue le don, *Anuç.*, 3638 = lect. 75,
vers 16. »
(10) Ap., II, 6, 19 ; cf. Manu, III, 5, 8, avec interprétation théologique
absurde : dans ce cas, « on mange la faute de son hôte ». Cette interprétation se réfère à l'interdiction générale que les lois ont faite aux brahmanes
d'exercer un de leurs métiers essentiels, qu'ils exercent encore et qu'ils sont

Toutes sortes de précautions archaïques sont prises. Les codes et l'épopée s'étendent, comme savent s'étendre les littérateurs hindous, sur ce thème que dons, donateurs, choses données, sont termes à considérer relativement (1), avec précisions et scrupules, de façon qu'il n'y ait aucune faute dans la façon de donner et de recevoir. Tout est d'étiquette ; ce n'est pas comme au marché où, objectivement, pour un prix, on prend une chose. Rien n'est indifférent (2). Contrats, alliances, transmissions de biens, liens créés par ces biens transmis entre personnages donnants et recevants, cette moralité économique tient compte de tout cet ensemble. La nature et l'intention des contractants, la nature de la chose donnée sont indivisibles (3). Le poète juriste a su exprimer parfaitement ce que nous voulons décrire :

> Ici il n'y a pas qu'une roue (tournant d'un seul côté) (4).

III

DROIT GERMANIQUE

(LE GAGE ET LE DON)

Si les sociétés germaniques ne nous ont pas conservé des traces aussi anciennes et aussi complètes (5) de leur théorie du don,

---

censés ne pas exercer : de mangeurs de péchés. Ceci veut dire en tout cas qu'ils ne sont rien de bon de la donation, pour aucun des contractants.

(1) On renaît dans l'autre monde avec la nature de ceux dont on accepte la nourriture, ou de ceux dont on a la nourriture dans le ventre, ou de la nourriture elle-même.

(2) Toute la théorie est résumée dans une lecture qui semble récente. *Anuç.*, 131, sous le titre exprès de *danadharma* (vers 3 = 6278) : « Quels dons, à qui, quand, par qui. » C'est là que sont joliment exposés les cinq motifs du don : le devoir, quand on donne aux brahmanes spontanément ; l'intérêt (« il me donne, il m'a donné, il me donnera ») ; la crainte (« je ne suis pas à lui, il n'est pas à moi, il pourrait me faire du mal ») ; l'amour (« il m'est cher, je lui suis cher »), « et il donne sans retard » ; la pitié (« il est pauvre et se contente de peu »). V. aussi lect. 37.

(3) Il y aurait lieu aussi d'étudier le rituel par lequel on purifie la chose donnée, mais qui est évidemment aussi un moyen de la détacher du donateur. On l'asperge d'eau, à l'aide d'un brin d'herbe kuça (pour la nourriture, v. *Gaut.*, V. 21, 18 et 19, Ap., II, 9, 8. Cf. l'eau qui purifie de la dette, *Anuç.*, lect. 69, vers 21 et commentaires de Prâtap (*ad locum*, p. 313).

(4) Vers 5834, v, plus haut p. 147, n. 2.

(5) Les faits sont connus par des monuments assez tardifs. La rédaction des chants de l'Edda est bien postérieure à la conversion des Scandinaves au christianisme. Mais d'abord l'âge de la tradition peut être très différent de celui de la rédaction ; ensuite, même l'âge de la forme la plus anciennement connue de la tradition peut être bien différent de celui de

elles ont eu un système si net et si développé des échanges sous la forme de dons, volontairement et forcément donnés, reçus et rendus, qu'il en est peu d'aussi typiques.

La civilisation germanique, elle aussi, a été longtemps sans marchés (1). Elle était restée essentiellement féodale et paysanne ; chez elle, la notion et même les mots de prix d'achat et de vente semblent d'origine récente (2). Plus anciennement, elle avait développé, extrêmement, tout le système du potlatch, mais surtout tout le système des dons. Dans la mesure — et elle était assez grande — où les clans à l'intérieur des tribus, les grandes familles indivises à l'intérieur des clans (3), et où les tribus entre elles, les chefs entre eux, et même les rois entre eux, vivaient moralement et économiquement hors des sphères fermées du groupe familial, c'était sous la forme du don et de l'alliance, par des gages et par des otages, par des festins, par des présents, aussi grands que possible, qu'ils communiquaient, s'aidaient, s'alliaient. On a vu plus haut toute la litanie des cadeaux empruntés à l'*Havamal*. En plus de ce beau paysage de l'Edda nous indiquerons trois faits.

Une étude approfondie du très riche vocabulaire allemand des mots dérivés de *geben* et *gaben*, n'est pas encore faite (4).

l'institution. Il y a là deux principes de critique, que le critique ne doit jamais perdre de vue.

En l'espèce, il n'y a aucun danger à se servir de ces faits. D'abord, une partie des dons qui tiennent tant de place dans le droit que nous décrivons, sont parmi les premières institutions qui nous sont attestées chez les Germains. C'est Tacite lui-même qui nous en décrit de deux sortes : les dons à cause de mariage, et la façon dont ils reviennent dans la famille des donateurs (*Germania*, XVIII, dans un court chapitre sur lequel nous nous réservons de revenir) ; et les dons nobles, surtout ceux du chef, ou faits aux chefs (*Germania*, XV). Ensuite, si ces usages se sont conservés assez longtemps pour que nous en puissions trouver de pareils vestiges, c'est qu'ils étaient solides, et avaient poussé de fortes racines dans toute l'âme germanique.

(1) V. Schrader et les références qu'il indique, *Reallexikon der indogermanischen Altertumskunde*, s. v. *Markt*, *Kauf*.

(2) On sait que le mot *Kauf* et tous ses dérivés viennent du mot latin *caupo*, marchand. L'incertitude du sens des mots, *leihen*, *lehnen*, *lohn*, *bürgen*, *borgen*, etc., est bien connue et prouve que leur emploi technique est récent.

(3) Nous ne soulevons pas ici la question de la *geschlossene Hauswirtschaft*, de l'économie fermée, de Bücher, *Entstehung der Volkswirtschaft*. C'est pour nous un problème mal posé. Dès qu'il y a eu deux clans dans une société, ils ont nécessairement contracté entre eux et échangé, en même temps que leurs femmes (exogamie) et leurs rites, leurs biens, au moins à certaines époques de l'année et à certaines occasions de la vie. Le reste du temps, la famille, souvent fort restreinte, vivait repliée sur elle-même. Mais il n'y a jamais eu de temps où elle ait toujours vécu ainsi.

(4) V. ces mots au Kluge, et dans les autres dictionnaires étymologiques des différentes langues germaniques. V. von Amira sur *Abgabe*, *Ausgabe*, *Morgengabe* (*Hdb.* d'Hermann Paul) (pages citées à l'index).

Ils sont extraordinairement nombreux : *Ausgabe, Algabe, Angabe, Hingabe, Liebesgabe, Morgengabe*, la si curieuse *Trostgabe* (notre prix de consolation), *vorgeben, vergeben* (gaspiller et pardonner), *widergeben* et *wiedergeben* ; l'étude de *Gift, Mitgift*, etc. ; et l'étude des institutions qui sont désignées par ces mots est aussi à faire (1). Par contre, tout le système des présents, cadeaux, son importance dans la tradition et le folklore, y compris l'obligation à rendre, sont admirablement décrits par M. Richard Meyer dans un des plus délicieux travaux de folklore que nous connaissions (2). Nous y référons simplement et n'en retenons pour l'instant que les fines remarques qui concernent la force du lien qui oblige, l'*Angebinde* que constituent l'échange, l'offre, l'acceptation de cette offre et l'obligation de rendre.

Il y a d'ailleurs une institution qui persistait il y a bien peu de temps, qui persiste encore sans doute dans la morale et la coutume économique des villages allemands et qui a une importance extraordinaire au point de vue économique : c'est le *Gaben* (3), strict équivalent de l'*adanam* hindou. Lors du baptême, des communions, des fiançailles, du mariage, les invités — ils comprennent souvent tout le village — après le repas de noces, par exemple, ou le jour précédent — ou le jour suivant, — *(Guldentag)* présentent des cadeaux de noces dont la valeur généralement dépasse de beaucoup les frais de la noce. Dans certains pays allemands, c'est ce *Gaben* qui constitue même la dot de la mariée, qu'on lui présente le matin des épousailles et c'est lui qui porte le nom de *Morgengabe*. En quelques endroits, la générosité de ces dons est un gage de la fertilité du jeune couple (4). L'entrée en relations dans les fiançailles, les dons divers que les parrains et marraines font aux divers moments

---

(1) Les meilleurs travaux sont encore J. Grimm, Schenken und Geben, *Kleine Schriften*, II, p. 174 ; et Brunner, *Deutsche Rechtsbegriffe besch. Eigentum*. V. encore Grimm, *Deutsche Rechtsalterthümer*, I, p. 246, cf. p. 297, sur *Bete = Gabe*. L'hypothèse que l'on serait passé du don sans condition à un don obligatoire est inutile. Il y a toujours eu les deux sortes de dons, et surtout les deux caractères ont toujours été mélangés en droit germanique.

(2) Zur Geschichte des Schenkens, *Steinhausen Zeitschr. f. Kulturgesch*, v. p. 18 sq.

(3) V. Ém. Meyer, *Deutsche Volkskunde*, p. 115, 168, 181, 183, etc. Tous les manuels de folklore germanique (Wuttke, etc.) peuvent être consultés sur la question.

(4) Ici nous trouvons une autre réponse à la question posée (v. plus haut) par M. van Ossenbruggen, de la nature magique et juridique du « prix de la mariée ». V. à ce sujet la remarquable théorie des rapports entre les diverses prestations faites aux époux et par les époux au Maroc dans Westermarck, *Marriage ceremonies in Morocco*, p. 361 sq., et les parties du livre qui y sont citées.

de la vie, pour qualifier et aider *(Helfele)* leurs filleuls, sont tout aussi importants. On reconnaît ce thème qui est familier encore à toutes nos mœurs, à tous nos contes, toutes nos légendes de l'invitation, de la malédiction des gens non invités, de la bénédiction et de la générosité des invités, surtout quand ils sont des fées.

Une deuxième institution a la même origine. C'est la nécessité du gage en toutes sortes de contrats germaniques (1). Notre mot même de gage vient de là, de *wadium* (cf. anglais *wage*, salaire), Huvelin (2) a déjà montré que le *wadium* germanique (3) fournissait un moyen de comprendre le lien des contrats et le rapprochait du *nexum* romain. En effet, comme Huvelin l'interprétait, le gage accepté, permet aux contractants du droit germanique d'agir l'un sur l'autre, puisque l'un possède quelque chose de l'autre, puisque l'autre, ayant été propriétaire de la chose, peut l'avoir enchantée, et puisque, souvent, le gage, coupé en deux, était gardé par moitié par chacun des deux contractants. Mais à cette explication, il est possible d'en superposer une plus proche. La sanction magique peut intervenir, elle n'est pas le seul lien. La chose elle-même, donnée et engagée dans le gage, est, par sa vertu propre, un lien. D'abord, le gage est obligatoire. En droit germanique tout contrat, toute vente ou achat, prêt ou dépôt, comprend une constitution de gage ; on donne à l'autre contractant un objet, en général de peu de prix : un gant, une pièce de monnaie *(Treugeld)*, un couteau — chez nous encore, des épingles — qu'on vous rendra lors du paiement de la chose livrée. Huvelin remarque déjà que la chose est de petite valeur et, d'ordinaire, personnelle ; il rapproche avec raison ce fait du thème du « gage de vie »,

---

(1) Dans ce qui suit, nous ne confondons pas les gages avec les arrhes quoique celles-ci, d'origine sémitique — comme le nom l'indique en grec et en latin — aient été connues du droit germanique récent comme des nôtres. Même, dans certains usages, elles se sont confondues avec les anciens dons et par exemple, le *Handgeld* se dit « *Harren* » dans certains dialectes du Tyrol.

Nous négligeons aussi de montrer l'importance de la notion de gage en matière de mariage. Nous faisons seulement remarquer que dans les dialectes germaniques le « prix d'achat » porte à la fois les noms de *Pfand*, *Wetten*, *Trugge* et *Ehethaler*.

(2) *Année Sociologique*, IX, p. 29 sq. Cf. Kovalewski, *Coutume contemporaine et loi ancienne*, p. 111 sq.

(3) Sur le *wadium* germanique, on peut encore consulter : Thévenin, Contribution à l'étude du droit germanique, *Nouvelle Revue Historique du Droit*, IV, p. 72 ; Grimm, *Deutsche Rechtsalt.*, I, p. 209 à 213 ; von Amira, *Obligationen Recht* ; von Amira, in *Hdb.* d'Hermann Paul, I, p. 254 et 248. Sur la *wadiatio*, cf. Davy, *Année Soc.*, XII, p. 522 sq.

du « life-token » (1). La chose ainsi transmise est, en effet,
toute chargée de l'individualité du donateur. Le fait qu'elle est
entre les mains du donataire pousse le contractant à exécuter le
contrat, à se racheter en rachetant la chose. Ainsi le *nexum* est
dans cette chose, et non pas seulement dans les actes magiques,
ni non plus seulement dans les formes solennelles du contrat,
les mots, les serments et les rites échangés, les mains serrées ;
il y est comme il est dans les écrits, les « actes » à valeur magique,
les « tailles » dont chaque partie garde sa part, les repas pris
en commun où chacun participe de la substance de l'autre.

Deux traits de la *wadiatio* prouvent d'ailleurs cette force de
la chose. D'abord le gage non seulement oblige et lie, mais
encore il engage l'honneur (2), l'autorité, le « mana » de celui
qui le livre (3). Celui-ci reste dans une position inférieure tant
qu'il ne s'est pas libéré de son engagement-pari. Car le mot
welte, welten (4), que traduit le *wadium* des lois a autant le sens
de « pari » que celui de « gage ». C'est le prix d'un concours et la
sanction d'un défi, encore plus immédiatement qu'un moyen
de contraindre le débiteur. Tant que le contrat n'est pas terminé, il est comme le perdant du pari, le second dans la course,
et ainsi il perd plus qu'il n'engage, plus que ce qu'il aura à
payer ; sans compter qu'il s'expose à perdre ce qu'il a reçu et
que le propriétaire revendiquera tant que le gage n'aura pas
été retiré. — L'autre trait démontre le danger qu'il y a à
recevoir le gage. Car il n'y a pas que celui qui donne qui s'engage,
celui qui reçoit se lie aussi. Tout comme le donataire des Trobriand, il se défie de la chose donnée. Aussi la lui lance-t-on (5)
à ses pieds, quand c'est une *festuca notata* (6), chargée de caractères runiques et d'entailles — quand c'est une taille dont il
garde ou ne garde pas une partie — il la reçoit à terre ou dans
son sein *(in laisum)*, et non pas dans la main. Tout le rituel a
la forme du défi et de la défiance et exprime l'un et l'autre.
D'ailleurs en anglais, même aujourd'hui, *throw the gage* équi-

---

(1) Huvelin, p. 31.
(2) Brissaud, *Manuel d'Histoire du Droit français*, 1904, p. 1381.
(3) Huvelin, p. 31, n. 4, interprète ce fait exclusivement par une dégénérescence du rite magique primitif qui serait devenu un simple thème de
moralité. Mais cette interprétation est partielle, inutile (v. plus haut p. 97, n. 1),
et n'est pas exclusive de celle que nous proposons.
(4) Sur la parenté des mots *welte*, *wedding*, nous nous réservons de revenir. L'amphibologie du pari et du contrat se marque même dans nos langues,
par exemple : *se défier* et *défier*.
(5) Huvelin, p. 36, n. 4.
(6) Sur la *festuca notata*, v. Heusler, *Institutionen*, I, p. 76 sq. ; Huvelin, p. 33, nous semble avoir négligé l'usage des tailles.

vaut à *throw the gauntlet*. C'est que le gage, comme la chose donnée, contient du danger pour les deux « co-respondants ».

Et voici le troisième fait. Le danger que représente la chose donnée ou transmise n'est sans doute nulle part mieux senti que dans le très ancien droit et les très anciennes langues germaniques. Cela explique le sens double du mot *gift* dans l'ensemble de ces langues, don d'une part, poison de l'autre. Nous avons développé ailleurs l'histoire sémantique de ce mot (1). Ce thème du don funeste, du cadeau ou du bien qui se change en poison est fondamental dans le folklore germanique. L'or du Rhin est fatal à son conquérant, la coupe de Hagen est funèbre au héros qui y boit ; mille et mille contes et romans de ce genre, germaniques et celtiques hantent encore notre sensibilité. Citons seulement la strophe par laquelle un héros de l'Edda (2), Hreidmar, répond à la malédiction de Loki

> Tu as donné des cadeaux,
> Mais tu n'as pas donné des cadeaux d'amour,
> Tu n'as pas donné d'un cœur bienveillant,
> De votre vie, vous seriez déjà dépouillés,
> Si j'avais su plutôt le danger.

(1) Gift, gift. *Mélanges Ch. Andler*, Strasbourg, 1924. On nous a demandé pourquoi nous n'avons pas examiné l'étymologie *gift*, traduction du latin *dosis*, lui-même transcription du grec δόσισ, dose, dose de poison. Cette étymologie suppose que les dialectes hauts et bas allemands auraient réservé un nom savant à une chose d'usage vulgaire ; ce qui n'est pas la loi sémantique habituelle. Et de plus, il faudrait encore expliquer le choix du mot *gift* pour cette traduction, et le tabou linguistique inverse qui a pesé sur le sens « don » de ce mot, dans certaines langues germaniques. Enfin, l'emploi latin et surtout grec du mot *dosis* dans le sens de poison, prouve que, chez les Anciens aussi, il y a eu des associations d'idées et de règles morales du genre de celles que nous décrivons.

Nous avons rapproché l'incertitude du sens de *gift* de celle du latin *venenum*, de celle de φίλτρον et de φάρμακου ; il faudrait ajouter le rapprochement (BRÉAL, *Mélanges de la société linguistique*, t. III, p. 410), *venia, venus, venenum, de vanati* (sanskrit, faire plaisir), et *gewinnen, win* (gagner).

Il faut aussi corriger une erreur de citation. Aulu-Gelle a bien disserté sur ces mots, mais ce n'est pas lui qui cite HOMÈRE (*Odyssée*, IV, p. 226) ; c'est GAIUS, le juriste lui-même, en son livre sur les *Douze Tables* (*Digeste*, L, XVI, *De verb. signif.*, 236).

(2) Reginsmal, 7. Les Dieux ont tué Otr, fils de Hreidmar, ils ont été obligés de se racheter en couvrant d'or amoncelé la peau d'Otr. Mais le dieu Loki maudit cet or, et Hreidmar répond la strophe citée. Nous devons cette indication à M. Maurice Cahen, qui remarque au vers 3 : « d'un cœur bienveillant » est la traduction classique : *af heilom hug* signifie en réalité « d'une disposition d'esprit qui porte chance ».

DROIT CELTIQUE

Une autre famille de sociétés indo-européennes a certainement connu ces institutions : ce sont les peuples celtiques ; M. Hubert et moi, nous avons commencé à prouver cette assertion (1).

DROIT CHINOIS

Enfin une grande civilisation, la chinoise, a gardé, de ces temps archaïques, précisément le principe de droit qui nous intéresse ; elle reconnaît le lien indissoluble de toute chose avec l'originel propriétaire. Même aujourd'hui, un individu qui a vendu un de ses biens (2), même meuble, garde toute sa vie durant, contre l'acheteur, une sorte de droit « de pleurer son bien ». Le père Hoang a consigné des modèles de ces « billets de gémissement » que remet le vendeur à l'acheteur (3). C'est une espèce de droit de suite sur la chose, mêlée à un droit de suite sur la personne, et qui poursuit le vendeur même bien longtemps après que la chose est entrée définitivement dans d'autres patrimoines, et après que tous les termes du contrat « irrévocable » ont été exécutés. Par la chose transmise, même si elle est fongible, l'alliance qui a été contractée n'est pas momentanée, et les contractants sont censés en perpétuelle dépendance.

En morale annamite, accepter un présent est dangereux.

(1) On trouvera ce travail _Le Suicide du chef Gaulois_ avec les notes de M. Hubert, dans un prochain numéro de la _Revue Celtique_.

(2) Le droit chinois des immeubles, comme le droit germanique et comme notre ancien droit, connaissent et la vente à réméré et les droits qu'ont les parents — très largement comptés — de racheter les biens, fonds vendus qui n'eussent pas dû sortir de l'héritage, ce que l'on appelle le retrait lignager. V. Hoang (Variétés sinologiques), _Notions techniques sur la propriété en Chine_, 1897, p. 8 et 9. Mais, nous ne tenons pas grand compte de ce fait : la vente définitive du sol est, dans l'histoire humaine, et en Chine en particulier, quelque chose de si récent ; elle a été jusqu'en droit romain, puis de nouveau dans nos anciens droits germaniques et français, entourée de tant de restrictions, provenant du communisme domestique et de l'attachement profond de la famille au sol et du sol à la famille, que la preuve eût été trop facile ; puisque la famille, c'est le foyer et la terre, il est normal que la terre échappe au droit et à l'économie du capital. En fait les vieilles et nouvelles lois du « homestead » et les lois françaises plus récentes sur le « bien de famille insaisissable » sont une persistance de l'état ancien et un retour vers lui. Nous parlons donc surtout des meubles.

(3) V. Hoang, _ibid._, p. 10, 109, 133.

Je dois l'indication de ces faits à l'obligeance de MM. Mestre et Granet qui les ont d'ailleurs constatés eux-mêmes en Chine.

M. Westermarck (1), qui signale ce dernier fait, a entrevu une partie de son importance.

(1) *Origin... of the Moral Ideas*, v. I, p. 594. Westermarck a senti qu'il y avait un problème du genre de celui que nous traitons, mais ne l'a traité que du point de vue du droit de l'hospitalité. Cependant il faut lire ses observations fort importantes sur la coutume marocaine de *l'ar* (sacrifice contraignant du suppliant, *ibid.*, p. 386) et sur le principe, « Dieu et la nourriture le paieront » (expressions remarquablement identiques à celles du droit hindou). V. WESTERMARCK, *Marriage Ceremonies in Morocco*, p. 365 ; cf. *Anthr. Ess. E. B. Tylor*, p. 373 sq.

Chapitre IV

CONCLUSION

I

CONCLUSIONS DE MORALE

Il est possible d'étendre ces observations à nos propres sociétés.

Une partie considérable de notre morale et de notre vie elle-même stationne toujours dans cette même atmosphère du don, de l'obligation et de la liberté mêlés. Heureusement, tout n'est pas encore classé exclusivement en termes d'achat et de vente. Les choses ont encore une valeur de sentiment en plus de leur valeur vénale, si tant est qu'il y ait des valeurs qui soient seulement de ce genre. Nous n'avons pas qu'une morale de marchands. Il nous reste des gens et des classes qui ont encore les mœurs d'autrefois et nous nous y plions presque tous, au moins à certaines époques de l'année ou à certaines occasions.

Le don non rendu rend encore inférieur celui qui l'a accepté, surtout quand il est reçu sans esprit de retour. Ce n'est pas sortir du domaine germanique que de rappeler le curieux essai d'Emerson, *On Gifts and Presents* (1). La charité est encore blessante pour celui qui l'accepte (2), et tout l'effort de notre morale tend à supprimer le patronage inconscient et injurieux du riche « aumônier ».

L'invitation doit être rendue, tout comme la « politesse ». On voit ici, sur le fait, la trace du vieux fond traditionnel, celle des vieux potlatch nobles, et aussi on voit affleurer ces motifs fondamentaux de l'activité humaine : l'émulation entre

---

(1) Essais, 2ᵉ série, V.
(2) Cf. Koran, Sourate II, 265 ; cf. KOHLER in *Jewish Encyclopaedia*, I, p. 465.

lès individus du même sexe (1), cet « impérialisme foncier » des hommes ; fond social d'une part, fond animal et psychologique de l'autre, voilà ce qui apparaît. Dans cette vie à part qu'est notre vie sociale, nous-mêmes, nous ne pouvons « rester en reste », comme on dit encore chez nous. Il faut rendre plus qu'on a reçu. La « tournée » est toujours plus chère et plus grande. Ainsi telle famille villageoise de notre enfance, en Lorraine, qui se restreignait à la vie la plus modeste en temps courant, se ruinait pour ses hôtes, à l'occasion de fêtes patronales, de mariage, de communion ou d'enterrement. Il faut être « grand seigneur » dans ces occasions. On peut même dire qu'une partie de notre peuple se conduit ainsi constamment et dépense sans compter quand il s'agit de ses hôtes, de ses fêtes, de ses « étrennes ».

L'invitation doit être faite et elle doit être acceptée. Nous avons encore cet usage, même dans nos corporations libérales. Il y a cinquante ans à peine, peut-être encore récemment, dans certaines parties d'Allemagne et de France, tout le village prenait part au festin du mariage ; l'abstention de quelqu'un était bien mauvais signe, présage et preuve d'envie, de « sort ». En France, dans de nombreux endroits, tout le monde prend part encore à la cérémonie. En Provence, lors de la naissance d'un enfant, chacun apporte encore son œuf et d'autres cadeaux symboliques.

Les choses vendues ont encore une âme, elles sont encore suivies par leur ancien propriétaire et elles le suivent. Dans une vallée des Vosges, à Cornimont, l'usage suivant était encore courant il n'y a pas longtemps et dure peut-être encore dans certaines familles : pour que les animaux achetés oublient leur ancien maître et ne soient pas tentés de retourner « chez eux », on faisait une croix sur le linteau de la porte de l'étable, on gardait le licol du vendeur, et on leur donnait du sel à la main. A Raon-aux-Bois, on leur donnait une tartine de beurre que l'on avait fait tourner trois fois autour de la crémaillère et on la leur présentait de la main droite. Il s'agit, il est vrai, du gros bétail, qui fait partie de la famille, l'étable faisant partie de la maison. Mais nombre d'autres usages français marquent qu'il faut détacher la chose vendue du vendeur, par exemple : frapper sur la chose vendue, fouetter le mouton qu'on vend, etc. (2).

---

(1) William JAMES, *Principles of Psychology*, II, p. 409.
(2) KRUYT, *Koopen*, etc., cite des faits de ce genre aux Célèbes, p. 12 de l'extrait. Cf. *De Toradja's... Tijd. v. Kon. Balav. Gen.*, LXIII, 2 ; p. 299, rite de l'introduction du buffle dans l'étable ; p. 296, rituel de l'achat du

Même on peut dire que toute une partie du droit, droit des industriels et des commerçants, est, en ce temps, en conflit avec la morale. Les préjugés économiques du peuple, ceux des producteurs, proviennent de leur volonté ferme de suivre la chose qu'ils ont produite et de la sensation aiguë que leur travail est revendu sans qu'ils prennent part au profit.

De nos jours, les vieux principes réagissent contre les rigueurs, les abstractions et les inhumanités de nos codes. A ce point de vue, on peut le dire, toute une partie de notre droit en gestation et certains usages, les plus récents, consistent à revenir en arrière. Et cette réaction contre l'insensibilité romaine et saxonne de notre régime est parfaitement saine et forte. Quelques nouveaux principes de droit et d'usage peuvent être interprétés ainsi.

Il a fallu longtemps pour reconnaître la propriété artistique, littéraire et scientifique, au-delà de l'acte brutal de la vente du manuscrit, de la première machine ou de l'œuvre d'art originale. Les sociétés n'ont, en effet, pas très grand intérêt à reconnaître aux héritiers d'un auteur ou d'un inventeur, ce bienfaiteur humain, plus que certains droits sur les choses créées par l'ayant droit ; on proclame volontiers qu'elles sont le produit de l'esprit collectif aussi bien que de l'esprit individuel ; tout le monde désire qu'elles tombent au plus vite dans le domaine public ou dans la circulation générale des richesses. Cependant le scandale de la plus-value des peintures, sculptures et objets d'art, du vivant des artistes et de leurs héritiers immédiats, a inspiré une loi française de septembre 1923, qui donne à l'artiste et à ses ayants droit un droit de suite, sur ces plus-values successives dans les ventes successives de ses œuvres (1).

Toute notre législation d'assurance sociale, ce socialisme d'État déjà réalisé, s'inspire du principe suivant : le travailleur

---

chien qu'on achète membre à membre, partie du corps après partie du corps, et dans la nourriture duquel on crache ; p. 281, le chat ne se vend sous aucun prétexte, mais se prête, etc.

(1) Cette loi n'est pas inspirée du principe de l'illégitimité des bénéfices faits par les détenteurs successifs. Elle est peu appliquée.

La législation soviétique sur la propriété littéraire et ses variations sont bien curieuses à étudier de ce même point de vue : d'abord, on a tout nationalisé ; puis on s'est aperçu qu'on ne lésait ainsi que l'artiste vivant et qu'on ne créait pas ainsi de suffisantes ressources pour le monopole national d'édition. On a donc rétabli les droits d'auteurs, même pour les classiques les plus anciens, ceux du domaine public, ceux d'avant les médiocres lois, qui, en Russie, protégeaient les écrivains. Maintenant, on le dit, les Soviets ont adopté une loi d'un genre moderne. En réalité, comme notre morale, en ces matières, les Soviets hésitent et ne savent guère pour quel droit opter, droit de la personne ou droit sur les choses.

a donné sa vie et son labeur à la collectivité d'une part, à ses patrons d'autre part, et, s'il doit collaborer à l'œuvre d'assurance, ceux qui ont bénéficié de ses services ne sont pas quittes envers lui avec le paiement du salaire, et l'État lui-même, représentant la communauté, lui doit, avec ses patrons et avec son concours à lui, une certaine sécurité dans la vie, contre le chômage, contre la maladie, contre la vieillesse, la mort.

Même des usages récents et ingénieux, par exemple les caisses d'assistance familiale que nos industriels français ont librement et vigoureusement développées en faveur des ouvriers chargés de famille, répondent spontanément à ce besoin de s'attacher les individus eux-mêmes, de tenir compte de leurs charges et des degrés d'intérêt matériel et moral que ces charges représentent (1). Des associations analogues fonctionnent en Allemagne, en Belgique avec autant de succès. — En Grande-Bretagne en ce temps de terrible et long chômage touchant des millions d'ouvriers — se dessine tout un mouvement en faveur d'assurances contre le chômage qui seraient obligatoires et organisées par corporations. Les villes et l'État sont las de supporter ces immenses dépenses, ces paiements aux sans travail, dont la cause provient du fait des industries seules et des conditions générales du marché. Aussi des économistes distingués, des capitaines d'industries (Mr. Pybus, sir Lynden Macassey), agissent-ils pour que les entreprises elles-mêmes organisent ces caisses de chômage par corporations, fassent elles-mêmes ces sacrifices. Ils voudraient en somme, que le coût de la sécurité ouvrière, de la défense contre le manque de travail, fasse partie des frais généraux de chaque industrie en particulier.

Toute cette morale et cette législation correspondent à notre avis, non pas à un trouble, mais à un retour au droit (2). D'une part, on voit poindre et entrer dans les faits la morale professionnelle et le droit corporatif. Ces caisses de compensation, ces sociétés mutuelles, que les groupes industriels forment en faveur de telle ou telle œuvre corporative, ne sont entachées d'aucun vice, aux yeux d'une morale pure, sauf en ce point,

---

(1) M. Pirou a déjà fait des remarques de ce genre.
(2) Il va sans dire que nous préconisons ici aucune destruction. Les principes de droit qui président au marché, à l'achat et à la vente, qui sont la condition indispensable de la formation du capital, doivent et peuvent subsister à côté des principes nouveaux et des principes plus anciens.
Cependant il ne faut pas que le moraliste et le législateur se laissent arrêter par de soi-disant principes de droit naturel. Par exemple il ne faut considérer la distinction entre le droit réel et le droit personnel que comme une abstraction, un extrait théorique de certains de nos droits. Il faut la laisser subsister, mais la cantonner dans son coin.

leur gestion est purement patronale. De plus, ce sont des groupes qui agissent : l'État, les communes, les établissements publics d'assistance, les caisses de retraites, d'épargne, des sociétés mutuelles, le patronat, les salariés ; ils sont associés tous ensemble, par exemple dans la législation sociale d'Allemagne, d'Alsace-Lorraine ; et demain dans l'assurance sociale française, ils le seront également. Nous revenons donc à une morale de groupes.

D'autre part, ce sont des individus dont l'État et ses sous-groupes veulent prendre soin. La société veut retrouver la cellule sociale. Elle recherche, elle entoure l'individu, dans un curieux état d'esprit, où se mélangent le sentiment des droits qu'il a et d'autres sentiments plus purs : de charité, de « service social », de solidarité. Les thèmes du don, de la liberté et de l'obligation dans le don, celui de la libéralité et celui de l'intérêt qu'on a à donner, reviennent chez nous, comme reparaît un motif dominant trop longtemps oublié.

Mais il ne suffit pas de constater le fait, il faut en déduire une pratique, un précepte de morale. Il ne suffit pas de dire que le droit est en voie de se débarrasser de quelques abstractions : distinction du droit réel et du droit personnel ; — qu'il est en voie d'ajouter d'autres droits au droit brutal de la vente et du paiement des services. Il faut dire que cette révolution est bonne.

D'abord, nous revenons, et il faut revenir, à des mœurs de « dépense noble ». Il faut que, comme en pays anglo-saxon, comme en tant d'autres sociétés contemporaines, sauvages et hautement civilisées, les riches reviennent — librement et aussi forcément — à se considérer comme des sortes de trésoriers de leurs concitoyens. Les civilisations antiques — dont sortent les nôtres — avaient, les unes le jubilé, les autres les liturgies, chorégies et triérarchies, les syssities (repas en commun), les dépenses obligatoires de l'édile et des personnages consulaires. On devra remonter à des lois de ce genre. Ensuite il faut plus de souci de l'individu, de sa vie, de sa santé, de son éducation — chose rentable d'ailleurs — de sa famille et de l'avenir de celle-ci. Il faut plus de bonne foi, de sensibilité, de générosité dans les contrats de louage de services, de location d'immeubles, de vente de denrées nécessaires. Et il faudra bien qu'on trouve le moyen de limiter les fruits de la spéculation et de l'usure.

Cependant, il faut que l'individu travaille. Il faut qu'il soit forcé de compter sur soi plutôt que sur les autres. D'un autre côté, il faut qu'il défende ses intérêts, personnellement et en groupe. L'excès de générosité et le communisme lui seraient aussi nuisibles et seraient aussi nuisibles à la société que l'égoïsme de nos contemporains et l'individualisme de nos lois. Dans le Mahabharata, un génie malfaisant des bois explique à un brahmane qui donnait trop et mal à propos : « Voilà pourquoi tu es maigre et pâle. » La vie du moine et celle de Shylock doivent être également évitées. Cette morale nouvelle consistera sûrement dans un bon et moyen mélange de réalité et d'idéal.

Ainsi, on peut et on doit revenir à de l'archaïque, à des éléments ; on retrouvera des motifs de vie et d'action que connaissent encore des sociétés et des classes nombreuses : la joie à donner en public ; le plaisir de la dépense artistique généreuse ; celui de l'hospitalité et de la fête privée et publique. L'assurance sociale, la sollicitude de la mutualité, de la coopération, celle du groupe professionnel, de toutes ces personnes morales que le droit anglais décore du nom de « Friendly Societies » valent mieux que la simple sécurité personnelle que garantissait le noble à son tenancier, mieux que la vie chiche que donne le salaire journalier assigné par le patronat, et même mieux que l'épargne capitaliste — qui n'est fondée que sur un crédit changeant.

Il est même possible de concevoir ce que serait une société où régneraient de pareils principes. Dans les professions libérales de nos grandes nations fonctionnent déjà à quelque degré une morale et une économie de ce genre. L'honneur, le désintéressement, la solidarité corporative n'y sont pas un vain mot, ni ne sont contraires aux nécessités du travail. Humanisons de même les autres groupes professionnels et perfectionnons encore ceux-là. Ce sera un grand progrès fait, que Durkheim a souvent préconisé.

Ce faisant, on reviendra, selon nous, au fondement constant du droit, au principe même de la vie sociale normale. Il ne faut pas souhaiter que le citoyen soit ni trop bon et trop subjectif, ni trop insensible et trop réaliste. Il faut qu'il ait un sens aigu de lui-même mais aussi des autres, de la réalité sociale (y a-t-il même, en ces choses de morale, une autre réalité ?) Il faut qu'il agisse en tenant compte de lui, des sous-groupes, et de la société. Cette morale est éternelle ; elle est commune aux sociétés les plus évoluées, à celles du proche

futur, et aux sociétés les moins élevées que nous puissions
imaginer. Nous touchons le roc. Nous ne parlons même plus
en termes de droit, nous parlons d'hommes et de groupes
d'hommes parce que ce sont eux, c'est la société, ce sont des
sentiments d'hommes en esprit, en chair et en os, qui agissent
de tout temps et ont agi partout.

Démontrons cela. Le système que nous proposons d'appeler
le système des prestations totales, de clan à clan, — celui dans
lequel individus et groupes échangent tout entre eux — constitue le plus ancien système d'économie et de droit que nous
puissions constater et concevoir. Il forme le fond sur lequel
s'est détachée la morale du don-échange. Or, il est exactement,
toute proportion gardée, du même type que celui vers lequel
nous voudrions voir nos sociétés se diriger. Pour faire comprendre ces lointaines phases du droit, voici deux exemples
empruntés à des sociétés extrêmement diverses.

Dans un corroboree (danse dramatique publique) de Pine
Mountain (1) (Centre oriental du Queensland), chaque individu
à son tour entre dans le lieu consacré, tenant dans sa main son
propulseur de lance, l'autre main restant derrière son dos ; il
lance son arme dans un cercle à l'autre bout du terrain de danse,
nommant en même temps à haute voix le lieu dont il vient, par
exemple : « Kunyan est ma contrée » (2) ; il s'arrête un moment
et pendant ce temps-là ses amis « mettent un présent », une
lance, un boomerang, une autre arme, dans son autre main.
« Un bon guerrier peut ainsi recevoir plus que sa main ne peut
tenir, surtout s'il a des filles à marier (3). »

Dans la tribu des Winnebago (tribu Siou), les chefs de clans
adressent à leurs confrères (4), chefs des autres clans, des discours fort caractéristiques, modèles de cette étiquette (5) répandue dans toutes les civilisations des Indiens de l'Amérique
du Nord. Chaque clan cuit des aliments, prépare du tabac pour
les représentants des autres clans, lors de la fête de clan. Et
voici par exemple des fragments des discours du chef du clan des

(1) Roth, Games, *Bul. Ethn. Queensland*, p. 23, n° 28.
(2) Cette annonce du nom du clan survenant est un usage très général
dans tout l'Est australien et se rattache au système de l'honneur et de la vertu
du nom.
(3) Fait notable, qui laisse à penser que se contractent alors des enga-
gements matrimoniaux par la voie d'échanges de présents.
(4) Radin, Winnebago Tribe, *XXXVIIth Annual Report of the Bureau
of American Ethnology*, p. 320 et sq.
(5) V. art Etiquette, *Handbook of American Indians*, de Hodge.

Serpents (1) : « Je vous salue ; c'est bien ; comment pourrais-je dire autrement ? Je suis un pauvre homme sans valeur et vous vous êtes souvenus de moi. C'est bien... Vous avez pensé aux esprits et vous êtes venus vous asseoir avec moi... Vos plats vont être bientôt remplis, je vous salue donc encore, vous, humains qui prenez la place des esprits, etc. » Et lorsque chacun des chefs a mangé et qu'on a fait les offrandes de tabac dans le feu, la formule finale expose l'effet moral de la fête et de toutes ses prestations : « Je vous remercie d'être venus occuper ce siège, je vous suis reconnaissant. Vous m'avez encouragé... Les bénédictions de vos grands-pères (qui ont eu des révélations et que vous incarnez), sont égales à celles des esprits. Il est bien que vous ayez pris part à ma fête. Ceci doit être, que nos anciens ont dit : « Votre vie est faible et vous ne pouvez être fortifié que par le « conseil des braves. » Vous m'avez conseillé... C'est de la vie pour moi. »

Ainsi, d'un bout à l'autre de l'évolution humaine, il n'y a pas deux sagesses. Qu'on adopte donc comme principe de notre vie ce qui a toujours été un principe et le sera toujours : sortir de soi, donner, librement et obligatoirement ; on ne risque pas de se tromper. Un beau proverbe maori le dit :

> Ko Maru kai atu
> Ko Maru kai mai
> ka ngohe ngohe.

« Donne autant que tu prends, tout sera très bien (2). »

II

CONCLUSIONS DE SOCIOLOGIE ÉCONOMIQUE ET D'ÉCONOMIE POLITIQUE

Ces faits n'éclairent pas seulement notre morale et n'aident pas seulement à diriger notre idéal ; de leur point de vue, on peut

(1) P. 326, par exception, deux des chefs invités sont membres du clan du Serpent.
On peut comparer les discours exactement superposables d'une fête funéraire (tabac). Tlingit, SWANTON, Tlingit Myths and Texts (*Bull. of Am. Ethn.*, n° 39), p. 372.
(2) Rev. TAYLOR, Te Ika a Maui, *Old New Zealand*, p. 130, prov. 42, traduit fort brièvement « give as well as take and all will be right », mais la traduction littérale est probablement la suivante : Autant Maru donne, autant Maru prend, et ceci est bien, bien. (Maru est le Dieu de la guerre et de la justice.)

mieux analyser les faits économiques les plus généraux, et même
cette analyse aide à entrevoir de meilleurs procédés de gestion
applicables à nos sociétés.

A plusieurs reprises, on a vu combien toute cette économie
de l'échange-don était loin de rentrer dans les cadres de l'économie soi-disant naturelle, de l'utilitarisme. Tous ces phénomènes si considérables de la vie économique de tous ces peuples
— disons, pour fixer les esprits, qu'ils sont bons représentants
de la grande civilisation néolithique — et toutes ces survivances considérables de ces traditions, dans les sociétés proches
de nous ou dans les usages des nôtres, échappent aux schèmes
que donnent d'ordinaire les rares économistes qui ont voulu
comparer les diverses économies connues (1). Nous ajoutons
donc nos observations répétées à celles de M. Malinowski qui a
consacré tout un travail à « faire sauter » les doctrines courantes
sur l'économie « primitive » (2).

Voici une chaîne de faits bien solide :

La notion de valeur fonctionne dans ces sociétés ; des surplus
très grands, absolument parlant, sont amassés ; ils sont dépensés
souvent en pure perte, avec un luxe relativement énorme (3) et
qui n'a rien de mercantile ; il y a des signes de richesse, des sortes
de monnaies (4), qui sont échangées. Mais toute cette économie
très riche est encore pleine d'éléments religieux : la monnaie a
encore son pouvoir magique et est encore liée au clan ou à l'individu (5) ; les diverses activités économiques, par exemple le
marché, sont imprégnées de rites et de mythes ; elles gardent
un caractère cérémoniel, obligatoire, efficace (6) ; elles sont
pleines de rites et de droits. A ce point de vue nous répondons
déjà à la question que posait Durkheim à propos de l'origine
religieuse de la notion de valeur économique (7). Ces faits répondent aussi à une foule de questions concernant les formes et
les raisons de ce qu'on appelle si mal l'échange, le « troc », la

---

(1) M. BUCHER, *Entstehung der Volkswirtschaft* (3e éd.), p. 73, a vu ces
phénomènes économiques, mais en a sous-estimé l'importance en les réduisant
à l'hospitalité.

(2) *Argonauts*, p. 167 sq. ; Primitive Economics, *Economic Journal*, mars
1921. V. la préface de J. G. Frazer à Malinowski, *Arg.*

(3) Un des cas maximum que nous pouvons citer est celui du sacrifice
des chiens chez les Chukchee (v. plus haut p. 55, n. 2). Il arrive que les propriétaires des plus beaux chenils massacrent tous leurs équipages de traîneaux
et sont obligés d'en racheter de nouveaux.

(4) V. plus haut.

(5) Cf. plus haut.

(6) MALINOWSKI, *Arg.*, p. 95. Cf. Frazer, préface au livre de M. Malinowski.

(7) *Formes élémentaires de la vie religieuse*, p. 598, n. 2.

permutatio (1) des choses utiles, qu'à la suite des prudents Latins, suivant eux-mêmes Aristote (2), une économie historique met à l'origine de la division du travail. C'est bien autre chose que de l'utile, qui circule dans ces sociétés de tous genres, la plupart déjà assez éclairées. Les clans, les âges et, généralement, les sexes — à cause des multiples rapports auxquels les contacts donnent lieu — sont dans un état de perpétuelle effervescence économique et cette excitation est elle-même fort peu terre à terre ; elle est bien moins prosaïque que nos ventes et achats, que nos louages de service ou que nos jeux de Bourse.

Cependant, on peut encore aller plus loin que nous ne sommes parvenus jusqu'ici. On peut dissoudre, brasser, colorer et définir autrement les notions principales dont nous nous sommes servis. Les termes que nous avons employés : présent, cadeau, don, ne sont pas eux-mêmes tout à fait exacts. Nous n'en trouvons pas d'autres, voilà tout. Ces concepts de droit et d'économie que nous nous plaisons à opposer : liberté et obligation ; libéralité, générosité, luxe et épargne, intérêt, utilité, il serait bon de les remettre au creuset. Nous ne pouvons donner que des indications à ce sujet : choisissons par exemple (3) les Trobriand. C'est encore une notion complexe qui inspire tous les actes économiques que nous avons décrits ; et cette notion n'est ni celle de la prestation purement libre et purement gratuite, ni celle de la production et de l'échange purement intéressés de l'utile. C'est une sorte d'hybride qui a fleuri là-bas.

M. Malinowski a fait un effort sérieux (4) pour classer du point de vue des mobiles, de l'intérêt et du désintéressement, toutes les transactions qu'il constate chez ses Trobriandais ; il les étage entre le don pur et le troc pur après marchandage (5). Cette classification est au fond inapplicable. Ainsi, selon M. Mali-

---

(1) *Digeste*, XVIII, I ; *De Contr. Emt.*, 1. Paulus nous explique le grand débat entre prudents Romains pour savoir si la « permutatio » était une vente. Tout le passage est intéressant, même l'erreur que fait le savant juriste dans son interprétation d'Homère. II, VII, 472 à 475 : οἴνιστο veut bien dire acheter, mais que les monnaies grecques c'étaient le bronze, le fer, les peaux, les vaches elles-mêmes et les esclaves, qui avaient tous des valeurs déterminées.

(2) *Pol.*, livre I, 1257 a, 10 sq. ; remarquer le mot μετεδόσις, *ibid.*, 25.

(3) Nous pourrions tout aussi bien choisir la sadaqa arabe ; aumône, prix de la fiancée, justice, impôt. Cf. plus haut.

(4) *Argonauts*, p. 177.

(5) Il est très remarquable que, dans ce cas, il n'y ait pas vente, car il n'y a pas échange de *vaygu'a*, de monnaies. Le maximum d'économie auquel se sont haussés les Trobriandais, ne va donc pas jusqu'à l'usage de la monnaie dans l'échange lui-même.

nowski, le type du don pur serait le don entre époux (1). Or,
précisément, à notre sens, l'un des faits les plus importants
signalés par M. Malinowski et qui jette une lumière éclatante sur
tous les rapports sexuels dans toute l'humanité, consiste à rapprocher le *mapula* (2), le paiement « constant » de l'homme à sa
femme, d'une sorte de salaire pour service sexuel rendu (3). De
même les cadeaux au chef sont des tributs ; les distributions de
nourriture *(sagali)* sont des indemnités pour travaux, pour
rites accomplis, par exemple en cas de veillée funéraire (4). Au
fond, de même que ces dons ne sont pas libres, ils ne sont pas
réellement désintéressés. Ce sont déjà des contre-prestations
pour la plupart, et faites même en vue non seulement de payer
des services et des choses, mais aussi de maintenir une alliance
profitable (5) et qui ne peut même être refusée, comme par
exemple l'alliance entre tribus de pêcheurs (6) et tribus d'agriculteurs ou de potiers. Or, ce fait est général, nous l'avons rencontré par exemple en pays Maori, Tsimshian (7), etc. On voit
donc où réside cette force, à la fois mystique et pratique qui
soude les clans et en même temps les divise, qui divise leur travail et en même temps les contraint à l'échange. Même dans ces
sociétés, l'individu et le groupe, ou plutôt le sous-groupe, se sont
toujours senti le droit souverain de refuser le contrat : c'est ce
qui donne un aspect de générosité à cette circulation des biens ;
mais, d'autre part, ils n'avaient à ce refus, normalement, ni
droit ni intérêt ; et c'est ce qui rend ces lointaines sociétés tout de
même parentes des nôtres.

L'emploi de la monnaie pourrait suggérer d'autres réflexions.
Les *vaygu'a* des Trobriand, bracelets et colliers, tout comme les
cuivres du Nord-Ouest américain ou les *wampun* iroquois, sont à

---

(1) *Pure gift.*
(2) *Ibid.*
(3) Le mot s'applique au paiement de la sorte de prostitution licite des
filles non mariées ; cf. *Arg.*, p. 183.
(4) Cf. plus haut. Le mot *sagali* (cf. *hakari*) veut dire distribution.
(5) Cf. plus haut ; en particulier le don de l'*urigubu* au beau-frère : produits de récolte en échange de travail.
(6) V. plus haut *(wasi).*
(7) Maori, v. plus haut. La division du travail (et la façon dont elle fonctionne en vue de la fête entre clans Tsimshian), est admirablement décrite
dans un mythe de potlatch, Boas, Tsimshian Mythology, XXXIst *Ann. Rep.
Bur. Am. Ethn.*, p. 274, 275 ; cf. p. 378. Des exemples de ce genre pourraient
être indéfiniment multipliés. Ces institutions économiques existent en effet,
même chez les sociétés infiniment moins évoluées. V. par exemple en
Australie la remarquable position d'un groupe local possesseur d'un
gisement d'ocre rouge (Aiston et Horne, *Savage Life in Central Australia*,
Londres, 1924, p. 81, 130).

la fois des richesses, des signes (1) de richesse, des moyens d'échange et de paiement, et aussi des choses qu'il faut donner, voire détruire. Seulement, ce sont encore des gages liés aux personnes qui les emploient, et ces gages les lient. Mais comme, d'autre part, ils servent déjà de signes monétaires, on a intérêt à les donner pour pouvoir en posséder d'autres à nouveau, en les transformant en marchandises ou en services qui se retransformeront à leur tour en monnaies. On dirait vraiment que le chef trobriandais ou tsimshian procède à un lointain degré à la façon du capitaliste qui sait se défaire de sa monnaie en temps utile, pour reconstituer ensuite son capital mobile. Intérêt et désintéressement expliquent également cette forme de la circulation des richesses et celle de la circulation archaïque des signes de richesse qui les suivent.

Même la destruction pure des richesses ne correspond pas à ce détachement complet qu'on croirait y trouver. Même ces actes de grandeur ne sont pas exempts d'égotisme. La forme purement somptuaire, presque toujours exagérée, souvent purement destructrice, de la consommation, où des biens considérables et longtemps amassés sont donnés tout d'un coup ou même détruits, surtout en cas de potlatch (2), donne à ces institutions un air de pure dépense dispendieuse, de prodigalité enfantine. En effet, et en fait, non seulement on y fait disparaître des choses utiles, de riches aliments consommés avec excès, mais même on y détruit pour le plaisir de détruire, par exemple, ces cuivres, ces monnaies, que les chefs tsimshian, tlingit et haïda jettent à l'eau et que brisent les chefs kwakiutl et ceux des tribus qui leur sont alliées. Mais le motif de ces dons et de ces consommations forcenées, de ces pertes et de ces destructions folles de richesses, n'est, à aucun degré, surtout dans les sociétés à potlatch, désintéressé. Entre chefs et vassaux, entre vassaux et tenants, par ces dons, c'est la hiérarchie qui s'établit. Donner, c'est manifester sa supériorité, être plus, plus haut, *magister* ; accepter

(1) V. plus haut. L'équivalence dans les langues germaniques des mots *token* et *zeichen*, pour désigner la monnaie en général, garde la trace de ces institutions : le signe qu'est la monnaie, le signe qu'elle porte et le gage qu'elle est sont une seule et même chose — comme la signature d'un homme est encore ce qui engage sa responsabilité.
(2) V. Davy, *Foi jurée*, p. 344 sq. ; M. Davy (*Des clans aux Empires* ; *Éléments de Sociologie*, I) a seulement exagéré l'importance de ces faits. Le potlatch est utile pour établir la hiérarchie et l'établit souvent, mais il n'y est pas absolument nécessaire. Ainsi les sociétés africaines, nigritiennes ou bantu, ou n'ont pas le potlatch, ou n'en ont en tout cas pas de très développé, ou peut-être l'ont perdu — et elles ont toutes les formes d'organisation politique possibles.

sans rendre ou sans rendre plus, c'est se subordonner, deveni
client et serviteur, devenir petit, choir plus bas *(minister)*.

Le rituel magique du *kula* appelé *mwasila* (1) est plein de for
mules et de symboles qui démontrent que le futur contractan
recherche avant tout ce profit : la supériorité sociale, et o
pourrait même dire brutale. Ainsi, après avoir enchanté la noi
de bétel dont ils vont se servir avec leurs partenaires, aprè
avoir enchanté le chef, ses camarades, leurs porcs, les colliers
puis la tête et ses « ouvertures », plus tout ce qu'on apporte, le
pari, dons d'ouverture, etc., après avoir enchanté tout cela, l
magicien chante, non sans exagération (2) :

Je renverse la montagne, la montagne bouge, la montagn
s'écroule, etc. Mon charme va au sommet de la montagne de Dobu.
Mon canot va couler..., etc. Ma renommée est comme le tonnerre
mon pas est comme le bruit que font les sorciers volants. Tudu
dudu.

Être le premier, le plus beau, le plus chanceux, le plus fort e
le plus riche, voilà ce qu'on cherche et comment on l'obtien
Plus tard, le chef confirme son *mana* en redistribuant à ses vas
saux, parents, ce qu'il vient de recevoir ; il maintient son ran
parmi les chefs en rendant bracelets contre colliers, hospitalit
contre visites, et ainsi de suite... Dans ce cas la richesse est,
tout point de vue, autant un moyen de prestige qu'une chos
d'utilité. Mais est-il sûr qu'il en soit autrement parmi nous e
que même chez nous la richesse ne soit pas avant tout le moye
de commander aux hommes ?

Passons maintenant au feu d'épreuve l'autre notion que nou
venons d'opposer à celle de don et de désintéressement : l
notion d'intérêt, de recherche individuelle de l'utile. Celle-là no
plus ne se présente pas comme elle fonctionne dans notre espri
à nous. Si quelque motif équivalent anime chefs trobriandais o
américains, clans andamans, etc., ou animait autrefois géné
reux Hindous, nobles Germains et Celtes dans leurs dons e
dépenses, ce n'est pas la froide raison du marchand, du banquie
et du capitaliste. Dans ces civilisations, on est intéressé, mai

---

(1) *Arg.*, p. 199 à 201 ; cf. p. 203.
(2) *Ibid.*, p. 199. Le mot montagne désigne, dans cette poésie, les île
d'Entrecasteaux. Le canot coulera sous le poids des marchandises rappo
tées du kula. Cf. autre formule, p. 200, texte avec commentaires, p. 441
cf. p. 442, remarquable jeu de mots sur « écumer ». Cf. formule, p. 205 ; cf. plu
haut p. 124, n. 1.

d'autre façon que de notre temps. On thésaurise, mais pour dépenser, pour « obliger », pour avoir des « hommes liges ». D'autre part, on échange, mais ce sont surtout des choses de luxe, des ornements, des vêtements, ou ce sont des choses immédiatement consommées, des festins. On rend avec usure, mais c'est pour humilier le premier donateur ou échangiste et non pas seulement pour le récompenser de la perte que lui cause une « consommation différée ». Il y a intérêt, mais cet intérêt n'est qu'analogue à celui qui, dit-on, nous guide.

Entre l'économie relativement amorphe et désintéressée, à l'intérieur des sous-groupes, qui règle la vie des clans australiens ou américains du Nord (Est et Prairie), d'une part ; et l'économie individuelle et du pur intérêt que nos sociétés ont connu au moins en partie, dès qu'elle fut trouvée par les populations sémitiques et grecques, d'autre part ; entre ces deux types, dis-je, s'est étagée toute une série immense d'institutions et d'événements économiques, et cette série n'est pas gouvernée par le rationalisme économique dont on fait si volontiers la théorie.

Le mot même d'intérêt est récent, d'origine technique comptable : « *interest* », latin, qu'on écrivait sur les livres de comptes, en face des rentes à percevoir. Dans les morales anciennes les plus épicuriennes, c'est le bien et le plaisir qu'on recherche, et non pas la matérielle utilité. Il a fallu la victoire du rationalisme et du mercantilisme pour que soient mises en vigueur, et élevées à la hauteur de principes, les notions de profit et d'individu. On peut presque dater — après Mandeville *(Fable des Abeilles)* — le triomphe de la notion d'intérêt individuel. On ne peut que difficilement et seulement par périphrase traduire ces derniers mots, en latin ou en grec, ou en arabe. Même les hommes qui écrivirent le sanskrit classique, qui employèrent le mot *artha*, assez proche de notre idée d'intérêt, se sont fait de l'intérêt, comme des autres catégories de l'action, une autre idée que nous. Les livres sacrés de l'Inde classique répartissent déjà les activités humaines suivant : la loi *(dharma)*, l'intérêt *(artha)*, le désir *(kama)*. Mais c'est avant tout de l'intérêt politique qu'il s'agit : celui du roi et des brahmanes, des ministres, celui du royaume et de chaque caste. La littérature considérable des *Niliçastra* n'est pas économique.

Ce sont nos sociétés d'Occident qui ont, très récemment, fait de l'homme un « animal économique ». Mais nous ne sommes pas encore tous des êtres de ce genre. Dans nos masses et dans nos élites, la dépense pure et irrationnelle est de pratique courante ; elle est encore caractéristique des quelques fossiles de notre noblesse. L'*homo œconomicus* n'est pas derrière nous, il est devant nous ; comme l'homme de la morale et du devoir ; comme l'homme de la science et de la raison. L'homme a été très longtemps autre chose ; et il n'y a pas bien longtemps qu'il est une machine, compliquée d'une machine à calculer.

D'ailleurs nous sommes encore heureusement éloigné de ce constant et glacial calcul utilitaire. Qu'on analyse de façon approfondie, statistique, comme M. Halbwachs l'a fait pour les classes ouvrières, ce qu'est notre consommation, notre dépense à nous, occidentaux des classes moyennes. Combien de besoins satisfaisons-nous ? et combien de tendances ne satisfaisons-nous pas qui n'ont pas pour but dernier l'utile ? L'homme riche, lui, combien affecte-il, combien peut-il affecter de son revenu à son utilité personnelle ? Ses dépenses de luxe, d'art, de folie, de serviteurs ne le font-elles pas ressembler aux nobles d'autrefois ou aux chefs barbares dont nous avons décrit les mœurs ?

Est-il bien qu'il en soit ainsi ? C'est une autre question. Il est bon peut-être qu'il y ait d'autres moyens de dépenser et d'échanger que la pure dépense. Cependant, à notre sens, ce n'est pas dans le calcul des besoins individuels qu'on trouvera la méthode de la meilleure économie. Nous devons, je le crois, même en tant que nous voulons développer notre propre richesse, rester autre chose que de purs financiers, tout en devenant de meilleurs comptables et de meilleurs gestionnaires. La poursuite brutale des fins de l'individu est nuisible aux fins et à la paix de l'ensemble, au rythme de son travail et de ses joies et — par l'effet en retour — à l'individu lui-même.

Déjà, nous venons de le voir, des sections importantes, des associations de nos entreprises capitalistes elles-mêmes, cherchent en groupes à s'attacher leurs employés en groupes. D'autre part, tous les groupements syndicalistes, ceux des patrons comme ceux des salariés, prétendent qu'ils défendent et représentent l'intérêt général avec autant de ferveur que l'intérêt particulier de leurs adhérents ou même de leurs corporations. Ces beaux discours sont, il est vrai, émaillés de bien des métaphores. Cependant, il faut le constater, non seulement la morale et la philosophie, mais même encore l'opinion et l'art économique lui-même, commencent à se hausser à ce niveau « social ». On sent qu'on ne peut plus bien faire travailler que des hommes sûrs d'être loyalement payés toute leur vie, du travail qu'ils ont loyalement exécuté, en même temps pour autrui que pour eux-mêmes. Le producteur échangiste sent de nouveau — il a toujours senti — mais cette fois, il sent de façon aiguë, qu'il échange plus qu'un produit ou qu'un temps de travail, qu'il donne quelque chose de soi ; son temps, sa vie, Il veut donc être récompensé, même avec modération, de ce don. Et lui refuser cette récompense c'est l'inciter à la paresse et au moindre rendement.

Peut-être pourrions-nous indiquer une conclusion à la fois sociologique et pratique. La fameuse Sourate LXIV, « déception mutuelle » (Jugement dernier), donnée à La Mecque, à Mahomet, dit de Dieu :

15. Vos richesses et vos enfants sont votre tentation pendant que Dieu tient en réserve une récompense magnifique.

16. Craignez Dieu de toutes vos forces ; écoutez, obéissez, faites l'aumône (*sadaqa*) dans votre propre intérêt. Celui qui se tient en garde contre son avarice sera heureux.

17. Si vous faites à Dieu un prêt généreux, il vous paiera le double, il vous pardonnera car il est reconnaissant et plein de longanimité.

18. Il connaît les choses visibles et invisibles, il est le puissant et le sage.

Remplacez le nom d'Allah par celui de la société et celui du groupe professionnel ou additionnez les trois noms, si vous êtes religieux ; remplacez le concept d'aumône par celui de coopération, d'un travail, d'une prestation faite en vue d'autrui : vous aurez une assez bonne idée de l'art économique qui est en voie d'enfantement laborieux. On le voit déjà fonctionner dans certains groupements économiques, et dans les cœurs des masses qui ont, bien souvent, mieux que leurs dirigeants, le sens de leurs intérêts, de l'intérêt commun.

Peut-être, en étudiant ces côtés obscurs de la vie sociale, arrivera-t-on à éclairer un peu la route que doivent prendre nos nations, leur morale en même temps que leur économie.

III

CONCLUSION DE SOCIOLOGIE GÉNÉRALE ET DE MORALE

Qu'on nous permette encore une remarque de méthode à propos de celle que nous avons suivie.

Non pas que nous voulions proposer ce travail comme un modèle. Il est tout d'indications. Il est insuffisamment complet et l'analyse pourrait encore être poussée plus loin (1). Au fond, ce sont plutôt des questions que nous posons aux historiens, aux ethnographes, ce sont des objets d'enquêtes que nous proposons plutôt que nous ne résolvons un problème et ne rendons une réponse définitive. Il nous suffit pour le moment d'être persuadé que, dans cette direction, on trouvera de nombreux faits,

Mais, s'il en est ainsi, c'est qu'il y a dans cette façon de traiter un problème un principe heuristique que nous voudrions dégager. Les faits que nous avons étudiés sont tous, qu'on nous permette l'expression, des faits sociaux *totaux* ou, si l'on veut — mais nous aimons moins le mot — généraux : c'est-à-dire qu'ils mettent en branle dans certains cas la totalité de la société et de ses institutions (potlatch, clans affrontés, tribus se visitant, etc.) et dans d'autres cas, seulement un très grand nombre d'institutions, en particulier lorsque ces échanges et ces contrats concernent plutôt des individus.

Tous ces phénomènes sont à la fois juridiques, économiques, religieux, et même esthétiques, morphologiques, etc. Ils sont juridiques, de droit privé et public, de moralité organisée et diffuse, strictement obligatoires ou simplement loués et blâmés, politiques et domestiques en même temps, intéressant les classes sociales aussi bien que les clans et les familles. Ils sont religieux : de religion stricte et de magie et d'animisme et de mentalité religieuse diffuse. Ils sont économiques : car l'idée de la valeur, de l'utile, de l'intérêt, du luxe, de la richesse, de l'acquisition, de l'accumulation, et d'autre part, celle de la consommation, même celle de la dépense pure, purement somptuaire, y sont partout présentes, bien qu'elles y soient entendues autrement qu'aujourd'hui chez nous. D'autre part, ces institutions ont un côté esthétique important dont nous avons fait délibérément abstraction dans cette étude : mais les danses qu'on exécute alternativement, les chants et les parades de toutes sortes, les représentations dramatiques qu'on se donne de camp à camp et d'associé à associé ; les objets de toutes sortes

---

(1) L'aire sur laquelle nos recherches eussent dû porter le plus avec celles que nous avons étudiées, est la Micronésie. Il y existe un système de monnaie et de contrats extrêmement important, surtout à Yap et aux Palaos. En Indochine, surtout parmi les Mon-Khmer, en Assam et chez les Thibéto-Birmans, il y a aussi des institutions de ce genre. Enfin les Berbères ont développé les remarquables usages de la *thaoussa* (v. WESTERMARCK, *Marriage Ceremonies in Morocco*. V. ind. s. v. *Present*). MM. Doutté et Maunier, plus compétents que nous, se sont réservé l'étude de ce fait. Le vieux droit sémitique comme la coutume bédouine donneront aussi de précieux documents.

qu'on fabrique, use, orne, polit, recueille et transmet avec amour, tout ce qu'on reçoit avec joie et présente avec succès, les festins eux-mêmes auxquels tous participent ; tout, nourriture, objets et services, même le « respect », comme disent les Tlingit, tout est cause d'émotion esthétique et non pas seulement d'émotions de l'ordre du moral ou de l'intérêt (1). Ceci est vrai non seulement de la Mélanésie, mais encore plus particulièrement de ce système qu'est le potlatch du Nord-Ouest américain, encore plus vrai de la fête-marché du monde indo-européen (2). Enfin, ce sont clairement des phénomènes morphologiques. Tout s'y passe au cours d'assemblées, de foires et de marchés, ou tout au moins de fêtes qui en tiennent lieu. Toutes celles-ci supposent des congrégations dont la permanence peut excéder une saison de concentration sociale, comme les potlatch d'hiver des Kwakiutl, ou des semaines, comme les expéditions maritimes des Mélanésiens. D'autre part, il faut qu'il y ait des routes, des pistes tout au moins, des mers ou des lacs où on puisee se transporter en paix. Il faut les alliances tribales et intertribales ou internationales, le *commercium* et le *connubium* (3).

Ce sont donc plus que des thèmes, plus que des éléments d'institutions, plus que des institutions complexes, plus même que des systèmes d'institutions divisés par exemple en religion, droit, économie, etc. Ce sont des « touts », des systèmes sociaux entiers dont nous avons essayé de décrire le fonctionnement. Nous avons vu des sociétés à l'état dynamique ou physiologique. Nous ne les avons pas étudiées comme si elles étaient figées, dans un état statique ou plutôt cadavérique, et encore moins les avons-nous décomposées et disséquées en règles de droit, en mythes, en valeurs et en prix. C'est en considérant le tout ensemble que nous avons pu percevoir l'essentiel, le mouvement du tout, l'aspect vivant, l'instant fugitif où la société prend, où les hommes prennent conscience sentimentale d'eux-mêmes et de leur situation vis-à-vis d'autrui. Il y a, dans cette observation concrète de la vie sociale, le moyen de trouver

---

(1) V. le « rituel de Beauté » dans le « Kula » des Trobriand, MALINOWSKI, p. 334 et suivantes, 336, « notre partenaire nous voit, voit que notre figure est belle, il nous jette ses *vaygu'a* ». Cf. THURNWALD sur l'usage de l'argent comme ornement, *Forschungen*, III, p. 39 ; cf. l'expression *Prachtbaum*, t. III, p. 144, v. 6, v. 13 ; 156, v. 12 ; pour désigner un homme ou une femme décorés de monnaie. Ailleurs le chef est désigné comme l' « arbre », I, p. 298, v. 3. Ailleurs l'homme décoré dégage un parfum, I, p. 192, v. 7 ; v. 13, 14.

(2) Marchés aux fiancées ; notion de fête, *feria* foire.

(3) Cf. THURNWALD, *ibid.*, III, p. 36.

des faits nouveaux que nous commençons seulement à entrevoir. Rien à notre avis n'est plus urgent ni fructueux que cette étude des faits sociaux.

Elle a un double avantage. D'abord un avantage de généralité, car ces faits de fonctionnement général ont des chances d'être plus universels que les diverses institutions ou que les divers thèmes de ces institutions, toujours plus ou moins accidentellement teintés d'une couleur locale. Mais surtout, elle a un avantage de réalité. On arrive ainsi à voir les choses sociales elles-mêmes, dans le concret, comme elles sont. Dans les sociétés, on saisit plus que des idées ou des règles, on saisit des hommes, des groupes et leurs comportements. On les voit se mouvoir comme en mécanique on voit des masses et des systèmes, ou comme dans la mer nous voyons des pieuvres et des anémones. Nous apercevons des nombres d'hommes, des forces mobiles, et qui flottent dans leur milieu et dans leurs sentiments.

Les historiens sentent et objectent à juste titre que les sociologues font trop d'abstractions et séparent trop les divers éléments des sociétés les uns des autres. Il faut faire comme eux : observer ce qui est donné. Or, le donné, c'est Rome, c'est Athènes, c'est le Français moyen, c'est le Mélanésien de telle ou telle île, et non pas la prière ou le droit en soi. Après avoir forcément un peu trop divisé et abstrait, il faut que les sociologues s'efforcent de recomposer le tout. Ils trouveront ainsi de fécondes données. — Ils trouveront aussi le moyen de satisfaire les psychologues. Ceux-ci sentent vivement leur privilège, et surtout les psychopathologistes ont la certitude d'étudier du concret. Tous étudient ou devraient observer le comportement d'êtres totaux et non divisés en facultés. Il faut les imiter. L'étude du concret, qui est du complet, est possible et plus captivante et plus explicative encore en sociologie. Nous, nous observons des réactions complètes et complexes de quantités numériquement définies d'hommes, d'êtres complets et complexes. Nous aussi, nous décrivons ce qu'ils sont dans leurs organismes et leurs *psychai*, en même temps que nous décrivons ce comportement de cette masse et les psychoses qui y correspondent : sentiments, idées, volitions de la foule ou des sociétés organisées et de leurs sous-groupes. Nous aussi, nous voyons des corps et les réactions de ces corps, dont idées et sentiments sont d'ordinaire les interprétations et, plus rarement, les motifs. Le principe et la fin de la sociologie, c'est d'apercevoir le groupe entier et son comportement tout entier.

Nous n'avons pas eu le temps — ç'aurait été indûment étendre un sujet restreint — d'essayer d'apercevoir dès maintenant le tréfonds morphologique de tous les faits que nous avons indiqués. Il est peut-être cependant utile d'indiquer, au moins à titre d'exemple de la méthode que nous voudrions suivre, dans quelle voie nous poursuivrions cette recherche.

Toutes les sociétés que nous avons décrites ci-dessus, sauf nos sociétés européennes, sont des sociétés segmentées. Même les sociétés indo-européennes, la romaine d'avant les *Douze Tables*, les sociétés germaniques encore très tard, jusqu'à la rédaction de l'*Edda*, la société irlandaise jusqu'à la rédaction de sa principale littérature étaient encore à base de clans et tout au moins de grandes familles plus ou moins indivises à l'intérieur et plus ou moins isolées les unes des autres à l'extérieur. Toutes ces sociétés sont, ou étaient, loin de notre unification et de l'unité qu'une histoire insuffisante leur prête. D'autre part, à l'intérieur de ces groupes, les individus, même fortement marqués, étaient moins tristes, moins sérieux, moins avares et moins personnels que nous ne sommes ; extérieurement tout au moins, ils étaient ou sont plus généreux, plus donnants que nous. Lorsque, lors des fêtes tribales, des cérémonies des clans affrontés et des familles qui s'allient ou s'initient réciproquement, les groupes se rendent visite ; même lorsque, dans des sociétés plus avancées — quand la loi « d'hospitalité » s'est développée — la loi des amitiés et des contrats avec les dieux, est venue assurer la « paix » des « marchés » et des villes ; pendant tout un temps considérable et dans un nombre considérable de sociétés, les hommes se sont abordés dans un curieux état d'esprit, de crainte et d'hostilité exagérées et de générosité également exagérée, mais qui ne sont folles qu'à nos yeux. Dans toutes les sociétés qui nous ont précédés immédiatement et encore nous entourent, et même dans de nombreux usages de notre moralité populaire, il n'y a pas de milieu : se confier entièrement ou se défier entièrement ; déposer ses armes et renoncer à sa magie, ou donner tout : depuis l'hospitalité fugace jusqu'aux filles et aux biens. C'est dans des états de ce genre que les hommes ont renoncé à leur quant-à-soi et ont su s'engager à donner et à rendre.

C'est qu'ils n'avaient pas le choix. Deux groupes d'hommes qui se rencontrent ne peuvent que : ou s'écarter — et, s'ils se marquent une méfiance ou se lancent un défi, se battre — ou bien traiter. Jusqu'à des droits très proches de nous, jusqu'à des économies pas très éloignées de la nôtre, ce sont toujours des étrangers avec lesquels on « traite », même quand on est allié. Les gens de Kiriwina dans les Trobriand dirent à M. Malinowski (1) : « Les hommes de Dobu ne sont pas bons comme nous ; ils sont cruels, ils sont cannibales ; quand nous arrivons à Dobu, nous les craignons. Ils pourraient nous tuer. Mais voilà, je crache de la racine de gingembre, et leur esprit change. Ils déposent leurs lances et nous reçoivent bien. » Rien ne traduit mieux cette instabilité entre la fête et la guerre.

Un des meilleurs ethnographes, M. Thurnwald, nous décrit, à propos d'une autre tribu de Mélanésie, dans une statistique généalogique (2), un événement précis qui montre également bien comment ces gens passent, en groupe et d'un coup, de la fête à la bataille. Buleau, un chef, avait invité Bobal, un autre chef et ses gens à un festin, probablement le premier d'une longue série. On commença à répéter les danses, pendant toute une nuit. Au matin, tous étaient excités par la nuit de veille, de danses et de chants. Sur une simple observation de Buleau, un des hommes de Bobal le tua. Et la troupe massacra, pilla et enleva les femmes du village. « Buleau et Bobal étaient plutôt amis et seulement rivaux », a-t-on dit à M. Thurnwald. Nous avons tous observé de ces faits, même encore autour de nous.

C'est en opposant la raison et le sentiment, c'est en posant la volonté de paix contre de brusques folies de ce genre que les peuples réussissent à substituer l'alliance, le don et le commerce à la guerre et à l'isolement et à la stagnation.

Voilà donc ce que l'on trouverait au bout de ces recherches. Les sociétés ont progressé dans la mesure où elles-mêmes, leurs sous-groupes et enfin leurs individus, ont su stabiliser leurs rapports, donner, recevoir, et enfin, rendre. Pour commercer, il fallut d'abord savoir poser les lances. C'est alors qu'on a réussi à échanger les biens et les personnes, non plus seulement de clans à clans, mais de tribus à tribus et de nations à nations et — surtout — d'individus à individus. C'est seulement ensuite que les gens ont su se créer, se satisfaire mutuellement des intérêts, et enfin, les défendre sans avoir à recourir aux armes. C'est ainsi que le clan, la tribu, les peuples ont su — et c'est ainsi que demain, dans notre monde dit civilisé, les classes et les nations et aussi les individus, doivent savoir — s'opposer sans se massacrer et se donner sans se sacrifier les uns aux

(1) *Argonauts*, p. 246.
(2) *Salomo Inseln*, t. III, table 85, note 2.

autres. C'est là un des secrets permanents de leur sagesse et de leur solidarité.

Il n'y a pas d'autre morale, ni d'autre économie, ni d'autres pratiques sociales que celles-là. Les Bretons, les *Chroniques d'Arthur*, racontent (1) comment le roi Arthur, avec l'aide d'un charpentier de Cornouailles inventa cette merveille de sa cour : la « Table Ronde » miraculeuse autour de laquelle les chevaliers ne se battirent plus. Auparavant, « par sordide envie », dans des échauffourées stupides, des duels et des meurtres ensanglantaient les plus beaux festins. Le charpentier dit à Arthur : « Je te ferai une table très belle, où ils pourront s'asseoir seize cents et plus, et tourner autour, et dont personne ne sera exclu... Aucun chevalier ne pourra livrer combat, car là, le haut placé sera sur le même pied que le bas placé. » Il n'y eut plus de « haut bout » et partant, plus de querelles. Partout où Arthur transporta sa Table, joyeuse et invincible resta sa noble compagnie. C'est ainsi qu'aujourd'hui encore se font les nations, fortes et riches, heureuses et bonnes. Les peuples, les classes, les familles, les individus, pourront s'enrichir, ils ne seront heureux que quand ils sauront s'asseoir, tels des chevaliers, autour de la richesse commune. Il est inutile d'aller chercher bien loin quel est le bien et le bonheur. Il est là, dans la paix imposée, dans le travail bien rythmé, en commun et solitaire alternativement, dans la richesse amassée puis redistribuée dans le respect mutuel et la générosité réciproque que l'éducation enseigne.

On voit comment on peut étudier, dans certains cas, le comportement humain total, la vie sociale tout entière ; et on voit aussi comment cette étude concrète peut mener non seulement à une science des mœurs, à une science sociale partielle, mais même à des conclusions de morale, ou plutôt — pour reprendre le vieux mot — de « civilité », de « civisme », comme on dit maintenant. Des études de ce genre permettent en effet d'entrevoir, de mesurer, de balancer les divers mobiles esthétiques, moraux, religieux, économiques, les divers facteurs matériels et démographiques dont l'ensemble fonde la société et constitue la vie en commun, et dont la direction consciente est l'art suprême, la *Politique*, au sens socratique du mot.

---

(1) *Layamon's Brut*, vers 22736 sq. ; *Brut*, vers 9994 sq.

TROISIÈME PARTIE

RAPPORTS RÉELS ET PRATIQUES DE LA PSYCHOLOGIE ET DE LA SOCIOLOGIE[1]

(1) Extrait du *Journal de Psychologie Normale et Pathologique*, 1924.
Communication présentée le 10 janvier 1924 à la Société de Psychologie.

Il y a un danger dans l'honneur que vous nous faites en voulant bien considérer comme vôtres ceux qui, sans y être totalement étrangers, ne sont que des amateurs de votre science, la psychologie. Vous savez extraire de nous le meilleur de nous-mêmes, et, certes, nous ne vous en voulons pas. C'est notre devoir strict de vous soumettre nos idées et nos faits. Mais d'autre part, dans cette aventure, nous pouvons nous tromper gravement, et alors, prenez garde de nous décourager, de nous empêcher, par des critiques légitimes, de poursuivre des travaux dont nous n'aurons pas su prouver la portée, et qui n'en seraient pas moins honorables et vrais d'un autre point de vue que le vôtre.

* *

Aujourd'hui, je ne vais pas tâcher de vous apporter une véritable contribution à votre science. Je vais m'acquitter d'un devoir plus aisé à remplir, faire une de ces sortes de revues d'ensemble, de ces comparaisons, de ces bilans de deux sciences, qui, de temps en temps ont leur utilité.

* *

Je le sais — un de mes amis et des meilleurs sociologues le disait spirituellement un jour — « ceux qui ne savent pas faire une science, en font l'histoire, en discutent la méthode ou en critiquent la portée ».

Dans une certaine mesure, en effet, je saisis une échappatoire par laquelle je m'acquitte d'une tâche plus facile que l'invention. La discussion du rapport de nos sciences semble plus belle et plus philosophique, mais elle est certainement moins importante que le moindre progrès de fait ou de théorie sur un point quelconque. Mais, entendue comme je l'entends, une discussion pratique des rapports pratiques, des relations actuelles qui lient et doivent lier actuellement et pour quelque temps la sociologie et la psychologie, une discussion de ce genre n'est pas sans utilité et sans portée immédiates.

Car il ne s'agit plus de philosophie. Nous n'avons à défendre ni la psychologie, ni la sociologie. Les temps héroïques — pardonnez-moi ce mot — de Weber et de Fechner, de Wundt et de Ribot sont bien loin. Il y a longtemps que la psychologie s'est séparée de sa mère nourricière la philosophie. De même, il y a déjà plus de trente ans que Durkheim sut défendre la sociologie contre le simplisme individualiste de Tarde, le simplisme brutal de Spencer, et contre les métaphysiciens de la morale et de la religion. Les progrès de nos deux sciences, personne ne les conteste plus. Deux générations de savants, travaillant en même temps dans ces deux compartiments nouveaux des sciences naturelles, nous ont mis hors de l'atteinte des théologiens et des dialecticiens de l'âme, de l'être et du bien en soi. Parmi ces fondateurs communs, je nomme : Waitz et Wundt en Allemagne, Romanes et Lubbok en Angleterre, et, en France, Espinas. Grâce à quarante années d'efforts, nos sciences sont devenues des phénoménologies. Nous savons qu'il existe deux règnes spéciaux : le règne de la conscience d'une part, et le règne de la conscience collective et de la collectivité d'autre part. Nous savons que ces deux règnes sont dans le monde et dans la vie, sont dans la nature. Et ceci est déjà quelque chose. Car ceci nous permet de travailler depuis un quart de siècle, chacun de notre côté, les uns à l'histoire naturelle de l'homme vivant en société et les autres à la théorie des phénomènes de conscience individuelle. Sur ces deux points fondamentaux : le caractère phénoménologique et expérimental de nos deux sciences, la division de nos sciences, nous sommes tous d'accord. Les seules questions qui nous séparent sont des questions de mesure et des questions de faits.

Nous ne poserons donc qu'une question pratique et de fait : quels sont les rapports actuels, et quels sont les rapports désirables, sans doute prochains, de nos deux groupes de savants ? Quelles sont les collaborations à rechercher et quels sont les conflits, à éviter quelles incursions des uns sur le terrain des autres devons-nous nous épargner ? Et aussi quelles questions nous posez-vous auxquelles nous pourrions actuellement répondre ? Mais aussi quelles questions avez-vous déjà élucidées et dont le progrès fait avancer nos recherches ? Quelles questions avons-nous à vous poser, plus ou moins urgentes, et sur lesquelles nous attendons vos progrès pour pouvoir à notre tour faire avancer nos propres attelages ?

Voilà tout ce que je veux débattre aujourd'hui devant vous.

Mais voyons quels sont les rapports actuels, définis, entre nos sciences.

CHAPITRE PREMIER

PLACE DE LA SOCIOLOGIE
DANS L'ANTHROPOLOGIE

La question de ces rapports réels se posera déjà fort clairement si nous nous contentons, sans davantage définir les phénomènes psychologiques et les phénomènes sociologiques, de situer
simplement ces derniers dans l'ordre des faits et dans l'ordre des
sciences.

Vous verrez d'ailleurs que cette position de la question nous
permettra de résoudre provisoirement le problème si débattu
de la psychologie collective.

D'abord, il n'y a de sociétés qu'entre vivants. Les phénomènes sociologiques sont de la vie. Donc, la sociologie n'est
qu'une partie de la biologie tout comme la psychologie, car vous
et nous n'avons affaire qu'à des hommes en chair et en os,
vivant ou ayant vécu.

Ensuite, la sociologie comme la psychologie *humaine* est une
partie de cette partie de la biologie qu'est l'anthropologie,
c'est-à-dire, le total des sciences qui considèrent l'homme comme
être vivant, conscient et sociable.

Ici, permettez-moi, à moi, qui, dans la mesure où je dépasse
les cercles étroits de ma science, ne prétends être qu'historien ou
anthropologue, et, de temps à autre, psychologue, de dire plus
précisément ce qu'il faut entendre par ceci : que la sociologie est
exclusivement anthropologique. Tandis que la psychologie, pas
plus que la physiologie, ne se borne à l'étude de l'homme ;
tandis que, par exemple, nos collègues Rabaud et Piéron choisissent les sujets de leurs expériences dans toute l'échelle animale, nous autres sociologues, nous ne constatons et n'enregis-
trons que des faits humains.

Marquons bien ce point. Je sais que je touche ici la difficile
question des sociétés animales. Celles-ci attireront un jour, j'espère, l'attention de jeunes savants qui lui feront sans doute faire

de nouveaux progrès. Mais en attendant, il faut procéder avec vigueur et un certain arbitraire dans toutes ces délimitations préliminaires. Les sociétés humaines sont, par nature, des sociétés animales, et tous les traits de celles-ci se retrouvent en elles. Mais, il est d'autres traits qui les distinguent jusqu'à nouvel ordre. Nous n'apercevons, dans le comportement des groupes d'anthropoïdes les mieux formés, dans les troupes de mammifères les plus solides et permanentes, dans les sociétés d'insectes les plus hautement évoluées, nous n'apercevons dis-je, ni ces volontés générales, ni cette pression de la conscience des uns sur la conscience des autres, ces communications d'idées, ce langage, ces arts pratiques et esthétiques, ces groupements et ces religions, — en un mot, ces institutions qui sont le trait de notre vie en commun. Or, ce sont celles-ci qui, nous le sentons — c'est pour nous un fait premier, une évidence, un *cogito ergo sum* —, nous font non seulement homme social, mais même homme tout court. Lorsqu'on me montrera même des équivalents lointains d'institutions dans les sociétés animales, je m'inclinerai et dirai que la sociologie doit considérer les sociétés animales. Mais on ne m'a rien montré encore de ce genre. Et d'ici là, je puis toujours me cantonner dans la sociologie humaine. Ainsi, première différence : la psychologie n'est pas seulement celle de l'homme, tandis que la sociologie est rigoureusement humaine.

Mais il est d'autres différences qui proviennent d'autres caractères de la société. Même en tant que sciences anthropologiques, la psychologie humaine et la sociologie ont un terrain différent. Il y a, en effet, une différence capitale entre les deux. La psychologie humaine n'étudie que des faits observés dans le comportement de l'individu. C'est ici que nous pouvons prendre position dans le débat toujours ouvert, et que nous ne prétendons pas conclure sur cette discipline contentieuse : la *psychologie collective*. En particulier, nous pouvons préciser ce que nous entendons par ce terme. Faisons-le par opposition avec M. Mac Dougall. Pour celui-ci, la sociologie est, au fond, une psychologie collective, et, quoiqu'il veuille bien, de temps à autre, nous réserver quelques bribes, et quoiqu'il croie, d'autre part, que cette partie de la psychologie soit une partie fort spéciale, au fond, il n'admet guère qu'elle, et la réduit à l'étude des interactions individuelles. N'exposons pas plus longuement ces idées bien connues. (Voir les comptes rendus que M. Davy a faits, dans le *Journal de Psychologie*, des livres de M. Mac Dougall : *Social Psychology* et *Group Mind*.)

Au fond, si les sociétés ne contenaient que des individus, et si, dans ceux-ci, les sociologues ne considéraient que des phénomènes de conscience, même de cette espèce de représentation qui porte la marque du collectif, nous serions d'accord peut-être avec M. Mac Dougall et nous dirions : « La sociologie ou psychologie collective n'est qu'un chapitre de la psychologie » ; car même les signes divers auxquels on reconnaît qu'on se trouve en présence de la collectivité, ceux auxquels on sent que c'est elle qui inspire la représentation : l'arbitraire, le symbolique, la suggestion extérieure, la pré-liaison, et surtout la contrainte (celle-ci n'étant que l'un des effets conscients des autres), même ces signes peuvent être interprétés en somme par une interpsychologie. Par conséquent, il ne serait pas très utile de construire une science spéciale si elle n'avait d'autre objet que les représentations collectives et même que la multiplication des faits de conscience par la pression des consciences les unes sur les autres. S'il n'y avait que cela dans la société, la psychologie collective suffirait et nous en resterions là. Mais quelque excellente que soit la description que M. Mac Dougall donne du *Group Mind*, de l'esprit du groupe, elle est insuffisante. Elle procède d'une abstraction abusive. Elle sépare la conscience du groupe de tout son substrat matériel et concret. Dans la société, il y a autre chose que des représentations collectives, si importantes ou si dominantes qu'elles soient ; tout comme dans la France, il y a autre chose que l'idée de patrie : il y a son sol, son capital, son adaptation ; il y a surtout les Français, leur répartition, et leur histoire. Derrière l'esprit du groupe, en un mot, il y a le groupe qui mérite étude et par trois points ; et, par ces trois points, la sociologie échappe à votre juridiction. Les voici :

1º Il y a des choses et des hommes, donc du physique, du matériel d'abord, du nombre ensuite. En effet ces choses et ces hommes se recensent, se dénombrent, se classent, se répartissent suivant les lieux, les temps, etc. Les hommes et les femmes et les enfants et les vieillards forment des générations dont les rapports numériques varient. C'est pourquoi la sociologie et les sociologues vont et viennent constamment du « group mind » ou « group » et du « group » à son territoire clos de frontières, à son sentiment grégaire, à sa limitation volontaire par filiation ou adoption, à ses rapports entre sexes, âges, natalité, mortalité. Il y a les phénomènes morphologiques en un mot.

2º Mais il n'y a pas que les phénomènes morphologiques qui soient nombrés. Il y a d'autres phénomènes statistiques qui relèvent de la physiologie, c'est-à-dire du fonctionnement de la société. Même les notions pures, les représentations collectives prennent de ce biais un aspect numérique extraordinaire. Par exemple, celle de la valeur, celle de la monnaie qui sert à mesurer les prix, la mesure économique, la seule précise, et dont Aristote disait déjà qu'elle servait à compter : tout Français sent en ce moment durement et le pouvoir, et l'indépendance fatale, et le caractère numérique de cette représentation collective. Mais il y a bien d'autres faits qui comportent l'emploi de méthodes de ce genre. On mesure statistiquement l'attachement à la vie, les erreurs commises à la poste, la criminalité, l'intensité du sentiment religieux, etc. A ce point de vue, le sociologue, soit dit en passant, dispose de tests et de mesures dont le psychologue est dépourvu et qu'il pourrait nous envier, si le sociologue n'apportait, en bon serviteur, ces faits déjà digérés, à votre jugement critique.

3º Enfin, derrière tout fait social, il y a de l'histoire, de la tradition, du langage et des habitudes. On discute fort en ce moment toutes les questions concernant l'emploi de la méthode historique et de la méthode sociologique. Pour de fort bons esprits, et parmi eux, notre regretté ami commun Rivers et M. Elliot Smith, ethnographie et sociologie n'ont d'intérêt que dans la mesure où l'histoire naturelle des sociétés peut servir à en faire l'histoire tout court. Le débat est de taille et cependant surtout verbal. Car les mêmes faits sociaux peuvent être présentés dans des ordres divers, et celui des comparaisons n'est pas exclusif de celui des filiations historiques. Mais il faut en retenir que le sociologue doit sentir toujours qu'un fait social quelconque, même quand il paraît neuf et révolutionnaire, par exemple une invention, est au contraire tout chargé du passé. Il est le fruit des circonstances les plus lointaines dans le temps et des connexions les plus multiples dans l'histoire et la géographie. Il ne doit donc jamais être détaché complètement, même par la plus haute abstraction, ni de sa couleur locale, ni de sa gangue historique.

A ce triple point de vue : morphologique, statistique, historique, notre science n'a donc rien à vous demander. Elle ne vous demande un appui que pour cette part importante de son travail qui a pour objet les représentations collectives : c'est-à-dire les idées, les mobiles qu'elles constituent, et les pratiques ou comportements sociaux qui y correspondent. Appelons ce chapitre psychologie collective, si vous voulez, mieux vaudrait dire sociologie tout court.

Cette partie de notre science est peut-être l'essentielle ; car c'est autour d'idées communes : religion, patrie, monnaie, autant que sur le sol que se groupent les hommes, avec leur matériel, leurs nombres et leurs histoires. Même les phénomènes de divers ordres, même les plus physiques, comme la guerre par exemple, sont beaucoup plus fonction des idées que des choses. Seulement, cette question de l'indépendance relative des faits de divers ordres biologiques et psychologiques des faits sociaux, n'est pas encore soumise à la mesure, et le rapport des faits psychiques et des faits matériels dans la société reste à trouver. Aussi, quoique nous disions que cette partie essentielle de la sociologie qui est de la psychologie collective, est une partie essentielle, nous nions qu'elle puisse être séparée des autres, et nous ne dirons pas qu'elle n'est que de la psychologie. Car, cette psychologie collective ou « sociologie psychologique » est plus que cela. Et vous-mêmes avez à craindre ses empiétements et ses conclusions.

Ici, ce n'est plus la sociologie qui est en question. C'est, par un curieux retour, la psychologie elle-même. Les psychologues, tout en acceptant notre collaboration, feraient peut-être bien de se défendre. En effet, la part des représentations collectives : idées, concepts, catégories, mobiles d'actes et de pratiques traditionnels, sentiments collectifs et expressions figées des émotions et des sentiments, est si considérable, même dans la conscience individuelle — et nous en revendiquons l'étude avec tant d'énergie — que, par instants, nous semblons vouloir nous réserver, à nous, toutes recherches dans ces couches supérieures de la conscience individuelle. Sentiments supérieurs, pour la plupart sociaux : raison, personnalité, volonté de choix ou liberté, habitude pratique, habitude mentale et caractère, variation de ces habitudes ; tout cela nous disons que c'est de notre ressort avec bien d'autres choses encore. Ainsi le rythme et le chant, ces faits étonnants qui furent peut-être parmi les faits décisifs dans la formation de la religion et de l'humanité : l'unissons dans le ton et le temps, et même l'unisson du geste et de la voix, et encore plus l'unisson dans l'émission simultanée du cri musical et des mouvements de la danse, tout cela nous regarde.

Nous allons même plus loin. Et je sais que je suis ici d'accord avec nos amis Dumas et Blondel, comme je l'étais avec mon pauvre ami Rivers. Nous rejoignons à de tels points la physiologie, les phénomènes de la vie du corps, qu'entre le social et celle-ci, il semble que la couche de la conscience individuelle soit très mince : rires, larmes, lamentations funéraires,

éjaculations rituelles, sont autant des réactions physiologiques
que des gestes et des signes obligatoires, des sentiments obligatoires ou nécessaires, ou suggestionnés ou employés par les
collectivités dans un but précis, en vue d'une sorte de décharge
physique et morale de ses attentes, physiques et morales elles
aussi.

Mais n'ayez crainte. Nous sommes les premiers, ayant le
sens du droit, à vouloir respecter vos bornes, et il suffit qu'il y
ait, petit ou grand, un élément de conscience individuelle
pour légitimer l'existence d'une discipline qui lui soit consacrée
individuelle. D'ailleurs, nous ne songeons pas à la nier. Même
lorsque l'esprit de l'individu est entièrement envahi par une
représentation ou une émotion collective, même lorsque son
activité est entièrement vouée à une œuvre collective : haler
un bateau, lutter, avancer, fuir dans une bataille, même alors
nous en convenons, l'individu est source d'action et d'impression particulières. Sa conscience peut et doit être, même alors
l'objet de vos considérations, et nous-mêmes sommes tenus
d'en tenir compte. Car quel que soit le pouvoir de suggestion
de la collectivité, elle laisse toujours à l'individu un sanctuaire
sa conscience, qui est à vous.

Au surplus, ne raffinons pas davantage. Je n'aurais pas
même parlé de ces questions de limites des sciences si cette
description de nos frontières réciproques ne servait à mes
buts pratiques. Car, c'est aux confins des sciences, à leurs
bords extérieurs, aussi souvent qu'à leurs principes, qu'à leur
noyau et à leur centre que se font leurs progrès. Et comme je
ne pose pas la question de méthode, celle des points de vue où
nous pouvons et devons nous opposer, mais comme je pose la
question des faits communs à l'étude desquels nous devons
collaborer à divers points de vue, marquer ces confins, c'est
déjà dire où on peut désirer voir se diriger nos recherches.
C'est dans cet esprit que je vais énumérer quelques-uns des
actes déjà accomplis de collaboration des sociologues et des
psychologues et quels autres actes de collaboration seraient
désirables.

Chapitre II

SERVICES RÉCENTS
RENDUS PAR LA PSYCHOLOGIE
A LA SOCIOLOGIE

Naturellement, c'est de l'instruction que vous nous avez donnée et de celle que je vais recevoir de vous que je dois d'abord vous parler.

Toute la théorie des représentations collectives et des pratiques collectives, toute cette partie psychologique de nos études dépendent exclusivement de trois sciences en plus de la nôtre : de la statistique et de l'histoire qui, je vous l'ai dit, nous font connaître les faits et leurs circonstances, et, enfin, troisième science, de la psychologie, qui nous permet de les comprendre, c'est-à-dire de les traduire, quels qu'ils soient, en termes précis, intelligents et scientifiques. Je n'ai à vous parler que de cette troisième.

Mais déjà, puisque j'ai parlé de représentations et de pratiques collectives, c'est-à-dire d'actes et d'idées habituels, j'ai parlé nécessairement un langage psychologique. Notre analyse des faits de conscience collective ne peut en effet parler d'autre langage que le vôtre. Peut-être sur quelques points rares, pour quelques grands faits exclusivement sociaux : valeur, sacré, temps rythmé, espaces limites et centraux, techniques, etc., devons-nous nous en tenir à notre propre système d'expressions. Mais même quand il s'agit de traduire ces termes généraux et, en général, en toute question de psychologie collective, aucun des progrès que vous réalisez dans l'analyse des éléments de la conscience, ou dans l'analyse du groupement de ces éléments ne nous est indifférent. C'est pourquoi Durkheim, élève de Wundt et de Ribot, Espinas, l'ami de Ribot, et nous autres, qui avons suivi ces maîtres, nous n'avons jamais cessé d'être prêts à accepter les progrès de la psychologie. Car elle seule, à coté de nos propres élaborations, nous fournit les concepts nécessaires, les mots utiles qui dénotent les faits les plus nombreux et connotent les idées les plus claires et les plus essentielles.

Voici donc le bilan que je crois pouvoir dresser de quelques-uns des services récents que vous nous avez rendus dans ces dernières vingt années. Même, permettez-moi de ne choisir que quelques-unes des idées que les psychologues ont émises pour vous montrer combien elles nous ont été et doivent nous être utiles. Permettez-moi aussi de vous faire remarquer dès maintenant que ces idées proviennent presque toutes de l'étude non pas fragmentaire de tel ou tel ordre de faits de conscience, mais bien de l'étude totale, de la conscience en bloc, et dans ses relations avec le corps. Vous verrez plus tard pourquoi. Je choisis quatre de ces idées : notion de la vigueur et de la faiblesse mentale ou nerveuse ; notion de psychose ; notion de symbole ; notion d'instinct.

1º *Notion de vigueur mentale.* — Les idées que l'école de psychiatrie et de neurologie française, après M. Babinski et Janet, a répandues sur la vigueur et la faiblesse, sur l'asthénie et la sthénie nerveuse et mentale — nerveuse, si vous voulez — ont trouvé un écho chez nous. Cette année même, j'espère vous apporter une preuve nouvelle de leur véracité et peut-être même une contribution nouvelle à leur étude. Je vous parlerai de ce fait normal en Polynésie et en Australie que je propose d'appeler la « thanatomanie ». Dans ces civilisations, les individus qui se croient en état de péché ou d'ensorcellement se laissent mourir et, en effet, meurent, sans lésion apparente ; quelquefois à heure dite, et souvent très vite. Cette étude me permettra de pousser également plus loin l'étude si fine et si profonde que Durkheim donna du rapport de l'individuel et du social dans le cas du *Suicide*. Dans le livre qui porte ce titre, œuvre type et modèle de la démonstration sociologique et statistique, Durkheim insiste sur la rareté du suicide en période de grande crise social : guerre, révolution. Il employait déjà au fond, ces notions de sthénie et d'asthénie, de courage et de faiblesse devant la vie. Mais combien plus précise serait sa description maintenant. Durkheim a d'ailleurs fait large usage de ces idées dans ses *Formes élémentaires de la vie religieuse*. Elles nous aident en effet. Sûrement, le phénomène social reste toujours spécifique. Mais la description de la façon dont il se manifeste dans la conscience individuelle se précise et se nuance. J'ai pu faire des observations sur moi-même pendant la guerre. Je sais, par violente expérience, ce que c'est que la force physique et mentale que vous donnent des nerfs bien placés. Mais je sais aussi celle que vous donne la sensation physique de la force mentale et physique de ceux qui combattent avec vous. J'ai aussi éprouvé la peur, et comment elle est renforcée par la panique, au point que, non seulement le groupe, mais encore la volonté individuelle elle-même, l'instinct brut de la vie même se dissolvent en même temps.

2° *Notion de psychose.* — Un deuxième progrès a été réalisé quand vous — et les neurologistes français — et les psychiatres allemands — avez substitué à la notion de l'idée fixe la notion de psychose. Celle-ci est fertile pour nous, et nous suivons de près vos travaux. Cette hypothèse d'un état de toute la conscience, d'un état qui a par lui-même une force de développement, de prolifération, de déviation, de multiplication et de ramification, d'un état qui prend tout l'être psychologique, cette hypothèse doit nous devenir commune. Certes, nous ne versons pas dans les excès de la psychanalyse. Et *Totem et Tabou* sont bien autre chose que des psychoses, pour ne mentionner que le dernier livre de Freud ; ce dernier des livres à système, à clef, dont il n'y a pas de raison pour qu'ils ne se multiplient pas sans fin. Mais, si nous redoutons cette exagération, nous croyons que ces idées ont une immense capacité de développement et de persistance, et nous comprenons mieux par la façon dont elles hantent la conscience individuelle, la façon dont elles sont crues, quand, pratiquées par le groupe tout ensemble, elles sont vérifiées par la hantise commune du groupe. La mythomanie, la folie judiciaire, le fanatisme et la vendetta en groupe, les hallucinations du culte funéraire ; par exemple ces attitudes de veuves australiennes qui se consacrent à des vies de silence ; les hallucinations et les rêves collectifs : tout cela est éclairé par l'emploi de vos observations. Ainsi, rien des nouvelles théories du rêve ne devrait nous être étranger. A ce propos, laissez-moi rendre hommage à cette jolie découverte de l'un de vous, le Dr Leroy, qui nous explique, par la conservation dans le rêve des impressions d'enfance, le caractère des rêves que vous appelez si bien « lilliputiens ». J'ajouterai ici que voilà trouvée, sur un terrain précis, la clef de mythes très nombreux qu'on trouve dans toutes les mythologies. Étant du même genre, cette découverte est tout aussi jolie que l'explication que Wundt a proposée de la nature

comique et, j'ajoute, petite, des farfadets, des elfes et des lutins.
Elle doit aller de pair avec ce que Wundt a dit du « Fratzentraum », du rêve à farce ; et elle complète cette physionomie de tant de nos mythes, contes, fables, d'une part, et de tant de nos rêves de l'autre.

3º *Notion de symbole et d'activité essentiellement symbolique de l'esprit.* — Ici, les travaux de Head ont trouvé chez nous un accueil naturel, et c'est avec enthousiasme que nous en avons pris connaissance, après la guerre. J'ai même eu le bonheur d'un accord parfait avec Head et notre cher Rivers lors d'une de ces conversations scientifiques qui sont les plus pures joies de nos vies de savants. C'était dans les admirables jardins de New College à Oxford, en 1920. Les belles recherches de Head sur l'aphasie, coïncidant avec les observations indépendantes du Dr Mourgue sur les mêmes faits, concordaient trop avec nos vues les plus anciennes pour qu'elles ne nous séduisissent pas. Que la plupart des états mentaux ne soient pas des éléments isolés — M. Bergson avait, depuis longtemps, fait justice de l'atomisme psychologique et justement à propos de l'aphasie elle-même — c'était déjà entendu. Mais que la plupart soient quelque chose de plus que ce que signifie le mot « état mental », qu'ils soient des signes, des symboles de l'état général, et d'une foule d'activités et d'images, et surtout qu'ils soient utilisés comme tels par les mécanismes les plus profonds de la conscience, cela était nouveau, cela était capital pour nous. D'ailleurs, cela ne nous étonnait pas ; au contraire, cela faisait entrer nos théories dans des cadres plus généraux. Car, la notion de symbole — n'est-ce pas ? — elle est tout entière nôtre, issue de la religion et du droit. Voilà longtemps que Durkheim et nous, enseignons qu'on ne peut communier et communiquer entre hommes que par symboles, par signes communs, permanents, extérieurs aux états mentaux individuels qui sont tout simplement successifs, par signes de groupes d'états pris ensuite pour des réalités. Nous étions allés jusqu'à supposer pourquoi ils s'imposent : parce que, en retour, par la vue et par l'audition, par le fait qu'on entend le cri, que l'on sent et que l'on voit le geste des autres, en même temps que le sien, on les prend pour des vérités. Voilà longtemps que nous pensons que l'un des caractères du fait social c'est précisément son aspect symbolique. Dans la plupart des représentations collectives, il ne s'agit pas d'une représentation unique d'une chose unique, mais d'une représentation choisie arbitrairement, ou plus ou moins arbitrairement, pour en signifier d'autres et pour commander des pratiques.

Maintenant nous sommes assurés de notre théorie par le fait même de notre accord avec vous. Si ce que vous nous dites est vrai de la conscience individuelle, il l'est encore plus de la conscience collective. Un exemple vous fera saisir tout de suite l'importance qu'il faut attacher à cette concordance de nos recherches. Dans un rite Aranda ou Arunta (Australie Centrale) pour procurer de l'eau, pendant que les acteurs se livrent à de pénibles saignées — qui symbolisent la pluie — des choristes chantent « Ngaï, ngaï, ngaï... » (Strehlow, *Aranda Slämme*, III, p. 132). Nous ne saurions pas ce que veut dire ce cri, ni même qu'il est une onomatopée, si Strehlow ne nous disait de la part de ses auteurs indigènes que ce mot imite le son des gouttes d'eau tombant sur le rocher. Et non seulement il reproduit tout de même assez bien celui des gouttes actuelles, mais celui que firent les gouttes de l'orage mythique que déchaînèrent autrefois les ancêtres dieux du clan totémique de l'eau. Ce cri rituel du clan, onomatopée, allusion au mythe, symbole, il y a tout cela dans cette syllabe. Le mot, le vers, le chant le plus primitif ne valent que par le commentaire dont on peut entourer leur mystique. L'activité de l'esprit collectif est encore plus symbolique que celle de l'esprit individuel, mais elle l'est exactement dans le même sens. A ce point de vue, il n'y a que différence d'intensité, d'espèce, il n'y a pas différence de genre.

Cette idée de symbole peut être employée concurremment avec les précédentes. Et toutes mises ensemble (— après l'analyse, vient la synthèse —) peuvent expliquer des éléments importants des mythes, des rites, des croyances, de la foi en leur efficace, de l'illusion, de l'hallucination religieuse, esthétique, du mensonge et du délire collectif et de ses corrections.

4o *Notion d'instinct*. — La quatrième notion que vous nous enseignez et que toute la psychologie comparée et toute la psychopathologie ont remise en honneur, c'est celle de l'instinct.

Babinski, Monakow et Rivers nous ont appris la part considérable que vous faites à cette part de la vie mentale — si négligée autrefois — dans votre interprétation des hystéries.

Là encore, il y a une veine féconde pour nous : nul sociologue ne s'est encore suffisamment engagé dans cette galerie, mais elle mène à coup sûr à des gisements de faits tout à fait riches. Pour vous l'idée, la représentation et l'acte, qu'il soit une fuite ou une prise, ne traduisent pas seulement telle fonction ou état de l'esprit dans son rapport avec les choses, mais ils manifestent en même temps, de façon toujours symbolique et partielle, le rapport qui existe entre les choses et le corps et surtout l'instinct, « Trieb » de tout l'être, de ses mécanismes psychophysiologiques tout montés. Mais si telle est la part de l'instinct en matière de psychologie individuelle, elle est encore bien plus grande en matière de psychologie collective. Car ce qui est commun aux hommes, c'est non seulement les images identiques qui produisent dans leur conscience les mêmes choses, c'est encore, surtout, l'identité des instincts affectés par ces choses. Les hommes communiquent par symboles, avons-nous dit ; mais, plus précisément, ils ne peuvent avoir ces symboles et communiquer par eux que parce qu'ils ont les mêmes instincts. Les exaltations, les extases, créatrices de symboles, sont des proliférations de l'instinct. Notre ami Rivers l'a bien démontré. Les besoins, les besoins-limites, dont toute une école d'économistes substitue l'étude à celle de l'intérêt, notion vague, ne sont, au fond, que des expressions directes ou indirectes de l'instinct. Nous n'en finirons pas de montrer l'importance de l'instinct en matière de psychologie collective. Par un côté, — et vous l'avez toujours su —, la vie sociale n'est que l'instinct grégaire hypertrophié, altéré, transformé et corrigé. Ici encore, mes expériences d'homme normal, à la guerre, m'ont fait violemment sentir cette force physique et morale, en même temps à la fois ségrégative et agrégative de l'instinct, à la fois expansive et inhibitive, qui anime tout l'être ou décourage tout l'être, suivant que notre personnalité est ou non menacée. J'ai aussi senti que l'homme fort est avant tout celui qui résiste à l'instinct ou plus exactement celui qui le corrige grâce à d'autres instincts.

Les termes de psychologie normale dans lesquels nous pouvons traduire tous ces faits pour les faire directement et universellement comprendre sont donc réellement clarifiés grâce à vous.

Mais ici, il faut noter une coïncidence remarquable et non fortuite : Tous ces progrès que vous nous avez fait faire proviennent de ceux que vous faites faire à la psychologie, non pas seulement, comme telle, mais comme acheminée vers une sorte de biologie mentale, une sorte de vraie psycho-physiologie ;

et, d'autre part, tous proviennent de la considération que vous faites, non pas de telle ou telle fonction mentale, mais bien de la mentalité de l'individu dans son entier. Vous verrez que ceux des faits que nous pouvons, en échange, soumettre à vos réflexions appartiennent au même ordre. Ceci non plus n'est pas fortuit, et s'explique par de bonnes raisons que je vous donnerai dans ma conclusion.

CHAPITRE III

SERVICES A RENDRE
PAR LA SOCIOLOGIE
A LA PSYCHOLOGIE

Notre dette est donc grande, et je ne crois pas que nous la paierons jamais. Peut-être même ne vous récompenserons-nous que par de nouvelles usurpations. Mais je veux faire devant vous un effort loyal et vous indiquer quelques faits utiles que nous pouvons vous fournir en quantités très grandes, et j'espère que leur énumération pourra soulever chez vous et des observations et des réflexions de critique et de théorie. Car, à notre avis — l'idée n'est pas de nous, mais d'un des communs fondateurs de nos sciences, de Waitz — l'un des répertoires principaux de faits de consciences observables autrement que par introspec-tion, c'est celui des faits de la conscience collective. Leur répé-tition, leur caractère moyen, normal ou, pour mieux dire, leur nature statistique, comme nous avons toujours dit, et comme l'a encore fait remarquer ici même un éminent chimiste, M. Urbain, leur nombre, en un mot, sont caractéristiques. Ceci fait d'eux des documents typiques sur le comportement humain et les rend d'une particulière sécurité. Comme d'autre part ils sont communs à beaucoup d'individus et souvent exprimés dans des symboles parfaitement coordonnés, éprouvés par des pratiques constantes, consciemment transmis et enseignés oralement comme tels, on peut être sûr que, dans leur cas, le comporte-ment correspond à l'état de conscience claire, au moins en partie.

Les confusions mentales et les interprétations, les contrastes et les inhibitions, les délires et les hallucinations que vous n'observez que difficilement et dans des cas pathologiques, nous en avons pour vous des millions d'exemplaires et, — ce qui est plus important —, des cas *normaux*. Par exemple cette « thanatomanie » dont je vous parlerai, cette négation violente de l'instinct de vivre par l'instinct social, elle n'est pas anormale, mais normale chez les Australiens et chez les Maoris. De même, tous les Maoris, une grande partie des Malais, un grand nombre de Polynésiens, connaissent la rage hallucinatoire de la vendetta, l'« amok », si souvent décrit. Nous avons donc le plus riche registre de faits psychologiques. Ouvrons-le devant vous.

Je ne parle pas du langage, bien que son étude vienne tout de suite à l'idée. Parmi les sociologues, les linguistes ont le bonheur d'avoir été les premiers qui aient su que les phénomènes qu'ils étudient étaient, comme tous les phénomènes sociaux, d'abord sociaux, mais étaient aussi, en même temps et à la fois, physiologiques et psychologiques. Ils ont toujours su que les langues supposaient en plus des groupes, leur histoire. La sociologie serait, certes, bien plus avancée si elle avait procédé partout à l'imitation des linguistes et si elle n'avait pas versé dans ces deux défauts : la philosophie de l'histoire et la philosophie de la société.

Mais je ne veux que vous signaler deux ordres de faits où nous pouvons vous apporter des observations vraiment instructives dès maintenant : étude du symbole, étude du rythme.

1º *Symboles mythiques et moraux comme faits psychologiques.* — Il peut paraître, au premier abord, que le sociologue ne peut guère apporter de faits nouveaux de symbolisations psychologiques et aussi psycho-physiologiques, puisque les mécanismes mentaux de la vie collective de l'individu ne sont pas, comme tels, différents des mécanismes de la vie individuelle consciente. Mais tandis que vous ne saisissez ces cas de symbolisme qu'assez rarement et souvent dans des séries de faits anormaux, nous, nous en saisissons d'une façon constante de très nombreux et dans des séries immenses de faits normaux. Je viens déjà de vous citer un fait suffisamment instructif : ce choix de l'onomatopée ; j'ajoute le choix arbitraire du geste rituel, mimétique et contagieux. Mais dépassons les limites de la linguistique, de la magie et du rituel où nous nous mouvons trop à l'aise quand nous parlons de symboles. Dans toutes les régions de la sociologie, nous pouvons moissonner une large quantité de symboles et jeter la gerbe à vos pieds.

Wundt a déjà développé dans sa *Völkerpsychologie* ce côté expressif de la vie religieuse et esthétique. J'ai apprécié, autrefois, dans des articles de la *Revue Philosophique*, les excès de cette interprétation ; par contre, j'ai signalé aussi que sur certains autres points, on la pouvait poursuivre. On peut, en effet, développer cette idée du symbolisme à bien d'autres points de vue.

Sont des signes et des symboles, les cris et les mots, les gestes et les rites, par exemple, de l'étiquette et de la morale. Au fond, celles-ci sont des traductions. En effet, elles traduisent d'abord la présence du groupe ; mais aussi elles expriment encore les actions et les réactions des instincts de ses membres, les besoins directs de chacun et de tous, de leur personnalité, de leurs rapports réciproques. Choisissons un exemple. L'un des tabous que l'on rencontre fréquemment, en particulier en Polynésie (Maoris, Hawaï, etc.) — et aussi en Afrique du Nord, — consiste à défendre de passer — ou même de faire passer — son ombre sur autrui. Qu'exprime ce rituel pourtant négatif ? Il manifeste l'instinct d'une forte personnalité qui défend autour d'elle comme une sphère, et en même temps le respect que les autres ont pour elle. C'est-à-dire, en somme, que ce rite négatif n'est que le symbole des rapports des instincts des uns et des instincts des autres. Il vous sera facile de comprendre, à partir de cela encore, nos usages de préséance. Mais ceci peut s'étendre à presque toutes les morales. Les mots, les saluts, les présents solennellement échangés et reçus, et rendus obligatoirement sous peine de guerre, que sont-ils sinon des symboles ? Et que sont, sinon des symboles, les croyances qui entraînent la foi, qui inspirent et les confusions de certaines choses entre elles et les interdits qui séparent les choses les unes des autres ?

Venons maintenant à ce foisonnement gigantesque de la vie sociale elle-même, de ce monde de rapports symboliques que nous avons avec nos voisins. Ne peuvent-ils pas être comparés directement à l'image mythique et, comme elle, ne se réverbèrent-ils pas à l'infini ?

Car, nous avons à notre disposition, surtout en mythologie, de ces cas que j'appelle de « réverbération mentale », où l'image se multiplie pour ainsi dire sans fin. Ainsi les bras des Vishnou, porteurs chacun d'un attribut. Ainsi, les coiffures de plumes du prêtre-dieu des Aztecs, dont chacune est une parcelle différente de l'âme du Dieu. Car c'est là qu'est un des points fondamentaux à la fois de la vie sociale et de la vie de la conscience individuelle : le symbole — génie évoqué — a sa vie propre ; il agit et se reproduit indéfiniment.

2° Passons au *rythme*. C'est un fait capital dont je vous ai déjà parlé. Wundt en avait déjà senti l'importance, et sa nature à la fois physiologique, psychologique et sociologique lorsqu'au début de sa *Sprache*, il rattachait à la psychologie collective, et non à la psychologie tout court, l'étude du rythme, suivant d'ailleurs en cela et Grosse et Bücher et Ribot. Mais surtout, je crois que l'étude du rythme, précisément dans ce qu'elle a de contagieux, permet d'avancer plus dans son analyse que toute étude qui ne porterait que sur ce qui se passe dans un seul individu. Laissons un instant de côté la nature sociale du rythme. Mais n'est-il pas évident, par exemple, si l'on étudie, même superficiellement mais d'un point de vue sociologique, la danse, qu'elle correspond d'une part à des mouvements respiratoires, cardiaques et musculaires identiques chez tous les individus, souvent partagés même par les auditeurs, et qu'en même temps elle suppose et suit une succession d'images ; cette série étant elle-même celle que le symbole de la danse éveille à la fois chez les uns et chez les autres. Ici encore, c'est l'union directe du sociologique et du physiologique que nous saisissons et non pas simplement du social et du psychologique.

Et si nous considérons dans le rythme — et aussi dans le chant — l'un de ses effets : sa hantise, la façon, dont il poursuit ceux qui en ont été impressionnés, n'arrivons-nous pas à de mêmes résultats ? Et alors, sur ce point, il y a des faits nombreux à vous citer, des stéréotypies rituelles formidables : comme lorsque dans des danses, souvent accompagnées d'un simple cri indéfiniment hululé, ou de quelques vers à peine d'un chant très simple, pendant des jours et des nuits, des groupes souvent considérables recherchent à la fois : et l'activité, et la fatigue, et l'excitation, et l'extase, — causes et effets en même temps et tour à tour. On trouve de ces faits en abondance en Australie et en Amérique du Sud.

Je vous rappelle que je vous ai parlé de l'unisson. Là encore le social, le psychologique et le physiologique lui-même, coïncident ; ceci, non seulement au point de vue du rythme, mais encore au point de vue du ton.

Voilà deux groupes précis de faits que je vous signale avec quelque détail. Mais, au fond, il n'est pas de fait social de nature psychique qui ne puisse vous instruire.

Partout, dans tous ces ordres de choses, le fait psychologique général apparaît dans toute sa netteté parce qu'il est social ; il est commun à tous ceux qui y participent, et parce

qu'il est commun, il se dépouille des variantes individuelles.
Vous avez dans les faits sociaux une sorte de naturelle expérience de laboratoire faisant disparaître les harmoniques, pou.
ne laisser, pour ainsi dire, que le ton pur.

Voici encore quelques exemples, sommairement indiqués cett
fois.

M. Mourgue, dans un récent travail, dédié à M. Monakow
rapproche les faits qu'il constate chez ses malades, des fait
que nous étudions. Il voit une parenté entre les « participations » que M. Lévy-Bruhl a cru caractéristiques des menta
lités appelées primitives et ce qu'il appelle, lui, du nom asse.
ambitieux de « loi du tout ou rien ». Déjà, j'aime mieux cett
expression psychologique qui rappelle le fait essentiel, celui d
la « totalité » avec sa forme positive et négative. Car, « parti
cipations » de M. Lévy-Bruhl, d'une part, contrastes et tabou
de mélange, « oppositions », dirions-nous, d'autre part —, tou
aussi importants que les participations et confusions, — son
des manifestations de « totalité ». Les uns et les autres expri
ment ces agglomérations positives et négatives d'instincts e
de volitions et d'images, d'idées d'individus, agglomération
formées et renforcées précisément par la présence du groupe
Les uns et les autres traduisent l'effort qu'il fait : d'assimilatior
et de réputation, d'identité et d'opposition, d'amour et de
haine. Au fond, ils traduisent le groupe, c'est-à-dire un tout
un composé d'individus ; ... mais ceux-ci sont eux-mêmes des
« touts », et qui pensent et agissent comme tels. L'étude de
ces actions et réactions et celle de leurs rapports avec l'idéation sont singulièrement faciles dans le cas du phénomène
social.

Autre exemple, emprunté non plus à la seule vie religieuse.
mais à la morale : cette thanatomanie dont je vous ai déjà
parlé et dont je vous entretiendrai à fond. Elle nous permettra
en effet de voir en détail ce qu'il faut penser de l'instinct vital
chez l'homme : à quel degré il est suspendu à la société et
peut être nié par l'individu lui-même, pour raison extra-indi-
viduelle. Au fond, ce sera une étude du « moral » de l'homme
(les Anglais disent *morale*) que je vous présenterai ; vous y
verrez comment le social, le psychologique et le physiologique
se mêlent. Inversement, voici longtemps que l'absence de l'instinct social, l'immoralité, l'amoralité sont, pour vous comme
pour les juges, un symptôme certain d'une certaine espèce de
folie.

Je n'en finirais pas. Par exemple, l'instinct du travail, le sens de la causation, où peut-on mieux l'étudier qu'en matière de fabrication, dans le sens technique, quand l'homme, esprit et membres, est absorbé par son travail ?

Autre problème psychologique et physiologique, — *spécifiquement anthropologique cette fois* — et spécifiquement social aussi, par conséquent, sur lequel notre regretté Hertz avait jeté une si vive lumière : la distinction du droit et du gauche ; elle est religieuse et technique à la fois ; dans la nature physique et héréditaire de l'homme elle vient peut-être de la société. Mais en tout cas, elle suppose l'étude combinée de ces trois éléments : le corps, l'esprit et la société. Par exemple, en ce qui concerne la notion d'un espace divisé en droit et gauche, elle les suppose tous trois encore bien plus.

Enfin je vais vous parler tout à l'heure de l'attente, phénomène triple comme les autres. Mais auparavant il faut faire la remarque que je vous avais promise et qui concerne tous ces faits.

Tous ceux que je vous signale et tous ceux que j'ai trouvé intéressants dans les nouvelles découvertes de la psychologie, appartiennent non pas seulement à l'ordre de la conscience pure, mais à celui qui les implique dans leur rapport avec le corps. En réalité, dans notre science, en sociologie, nous ne trouvons guère ou presque jamais même, sauf en matière de littérature pure, de science pure, l'homme divisé en facultés. Nous avons affaire toujours à son corps, à sa mentalité tout entiers, donnés à la fois et tout d'un coup. Au fond, corps, âme, société, tout ici se mêle. Ce ne sont plus des faits spéciaux de telle ou telle partie de la mentalité, ce sont les faits d'un ordre très complexe, le plus complexe imaginable, qui nous intéressent. C'est ce que je suppose d'appeler des phénomènes de *totalité* où prend part non seulement le groupe, mais encore, par lui, toutes les personnalités, tous les individus dans leur intégrité morale, sociale, mentale, et, surtout, corporelle ou matérielle. Mais l'étude de ces phénomènes complexes requiert de votre part précisément un certain nombre de progrès. Ceci m'amène donc comme sociologue à vous poser quelques questions et à vous demander de les élucider.

CHAPITRE IV

QUESTIONS POSÉES A LA PSYCHOLOGIE

Ces confins de nos sciences où nous nous sommes complu aujourd'hui sont tous du même ordre. La psychologie collective, la sociologie des représentations et des pratiques, la statistique se meuvent, exactement comme vos ultimes recherches, dans la même sphère, dans la considération non pas de telle ou telle falculté de l'homme, mais dans celle de l'homme complet, concret.

L'étude de cet homme complet est parmi les plus urgentes, de celles que nous vous demandons de vouloir bien faire. Sans reproche, hors de la psychopathologie, vos travaux ont été surtout fructueux dans les divers départements très essentiels, mais très spéciaux et au fond ingérieurs de la psychologie : théorie de la sensation, théorie de l'émotion. Certes ! je serais le dernier à méconnaître qu'une science procède avant tout comme elle peut, et par conséquent au hasard ! Cependant nous sera-t-il permis, à nous, sociologues, de vous prier pour notre bien propre, et pour notre bien commun à tous, de vouloir bien travailler encore davantage cette fois et dans votre champ normal, dans votre domaine bien ouvert par les psychopathologistes de l'étude de l'homme complet et non compartimenté ? C'est cet homme, cet être indivisible, pondérable mais inséacble, que nous rencontrons dans nos statistiques morales, économiques, démographiques. C'est lui que nous trouvons dans l'histoire des masses et des peuples, et leurs pratiques, de la même façon que l'histoire le rencontre dans l'histoire des individus. C'est du comportement et des représentations d'hommes moyens et doués moyennement d'une vie complète moyenne que nous traitons le plus souvent. Exceptionnellement nous pouvons arriver à des individualités exceptionnelles. Mais le héros est encore un homme comme les autres.

1º *L'homme total.* — Que nous étudiions des faits spéciaux ou des faits généraux, c'est toujours, au fond, à l'homme

complet que nous avons affaire, je vous l'ai déjà dit. Par exemple
rythmes et symboles mettent en jeu, non pas simplement les
facultés esthétiques ou imaginatives de l'homme, mais tout son
corps et toute son âme à la fois. Dans la société même, quand
nous étudions un fait spécial, c'est au complexus psycho-phy-
siologique total que nous avons affaire. Nous ne pouvons décrire
l'état d'un individu « obligé », c'est-à-dire moralement tenu,
halluciné par ses obligations, par exemple un point d'honneur,
que si nous savons quel est l'effet physiologique et non seulement psychologique du sens de cette obligation. Nous ne
pouvons comprendre que l'homme puisse croire, par exemple
quand il prie, qu'il est une cause efficace, si nous ne comprenons pas comment quand il parle, il s'entend et croit, il s'exhale
par toutes les fibres de son être.

Donnez-nous donc une théorie des rapports qui existent
entre les divers compartiments de la mentalité et de ceux qui
existent entre ces compartiments et l'organisme.

Même, cette question capitale pour le sociologue, de l'homme
moyen — et aussi celle de l'homme normal — n'est soluble
que par votre intermédiaire et si vous voulez bien étudier quel
est le mélange moyen normal des différents compartiments de
l'esprit. Vous notez en particulier l'importance considérable de
l'instinct chez l'homme moyen, même de nos sociétés modernes.
Mais il faudrait développer ceci. Voyez la quantité considérable
des moments de la vie courante qui ne sont que des « réponses ».
La mère qui se lève au cri de l'enfant, le travailleur qui répond à
l'outil autant qu'il le manie, ou qui suit l'animal qu'il croit
diriger et qui, lui, le dirige. Ce sont des séries immenses d'actes
instinctifs que celles dont se compose non seulement notre vie
matérielle, mais notre vie sociale et familiale elle-même. Dosez
cette quantité d'instincts, et alors nous pourrons pousser cette
théorie. Peut-être alors pourrons-nous comprendre ces mouvements des masses et des groupes que sont les phénomènes sociaux,
si, comme nous le croyons, ce sont des instincts et des réflexes illu-
minés rarement par un petit nombre d'idées-signes attachés à
eux, par lesquels les hommes communient et communiquent.

L'intérêt de cette recherche est considérable à deux points
de vue pour nous : pour l'étude des formes les moins évoluées
de la vie sociale et pour l'étude des faits statistiques. D'abord,
plus nous reculons vers les formes moins évoluées de la vie
sociale, — il n'en est pas de vraiment primitives à nous connues — plus nous avons affaire à des hommes instinctifs, ou,
si vous voulez me permettre l'expression, j'aimerais mieux dire

totaux. De même, ce sont ces hommes « totaux » que nous rencontrons dans les couches les plus considérables de nos populations et surtout dans les plus arriérées. Ce sont donc eux qui forment la majorité dans les éléments statistiques dont nous disposons, en particulier en statistique morale, les classes vraiment civilisées étant, même dans les plus riches nations, encore assez faibles numériquement.

C'est, en effet, seul l'homme civilisé des hautes castes de nos civilisations et d'un petit nombre d'autres, des précédentes, des orientales ou arriérées, qui sait contrôler les différentes sphères de sa conscience. Il diffère des autres hommes. Il est spécialisé, souvent différencié héréditairement par la division du travail social, elle aussi héréditaire souvent. Mais, surtout, il est encore divisé dans sa propre conscience, il est un conscient. Il sait alors résister à l'instinct ; il sait exercer, grâce à son éducation, à ses concepts, à ses choix délibérés, un contrôle sur chacun de ses actes. L'homme de l'élite n'est pas simplement un homo *duplex*, il est plus que dédoublé en lui-même ; il est, si vous voulez me permettre aussi cette expression, « divisé » : son intelligence, la volonté qui lui fait suite, le retard qu'il met à l'expression de ses émotions, la façon dont il domine celles-ci, sa critique — souvent excessive — l'empêchent d'abandonner jamais toute sa conscience aux impulsions violentes du moment. Ce que Cicéron disait déjà au *Pro Cluentio* (I, 5) du droit qui suppose le divorce de la haine et du jugement, est vrai non pas simplement de la vie sociale, mais de son effet suprême dans la vie individuelle.

Mais ce ne sont pas ces hommes que nous, sociologues, avons généralement à étudier. L'homme ordinaire est déjà dédoublé et se sent une âme ; mais il n'est pas maître de lui-même. L'homme moyen de nos jours — et ceci est surtout vrai des femmes — et presque tous les hommes des sociétés archaïques ou arriérées, est un « total » : il est affecté dans tout son être par le moindre de ses perceptions ou par le moindre choc mental. L'étude de cette « totalité » est capitale, par conséquent, pour tout ce qui ne concerne pas l'élite de nos sociétés modernes. L'une des erreurs communes de la sociologie est de croire à l'uniformité d'une mentalité qu'on se figure, en somme, à partir d'une mentalité — je dirai académique — du genre de la nôtre. Aidez-nous donc à nous corriger de cette mauvaise méthode.

2º *L'attente*. — Et à ce propos, permettez-moi de vous signaler l'un des phénomènes sur lesquels nous avons besoin de vos lumières, dont l'étude est la plus urgente pour nous, et qui précisément suppose cette considération de la totalité de l'homme : son corps, ses instincts, ses émotions, ses volontés et ses perceptions et son intellection : l'attente, que nous autres sociologues ou zélateurs de la psychologie collective ne confondons pas avec l'attention.

Vous dirai-je que j'espérais beaucoup du distingué mémoire de Mlle Morand sur l'Attente, publié dans un récent volume de l'*Année psychologique*. Non que j'attendisse plus que ce qu'il faut attendre d'un travail de laboratoire où évidemment il s'agit avant tout de psychophysiologie, des conditions et syndromes et symptômes plutôt que des effets de l'attente. Cependant il m'a légèrement déçu. Je crois en effet que vous pourriez pousser plus loin, au laboratoire. et à la clinique, l'étude des effets de l'attente. Je rappelle le beau livre du regretté psychologue Lehmann, de Copenhague, intitulé : *Aberglaube und Zauberei*. Ce livre est un des meilleurs travaux que je connaisse, et sur la magie et sur la psychologie de l'Attente. Lehmann y démontre que les tours de magie et de prestidigitation, la duperie si fréquente en quoi ils consistent, supposent tous l'attente des spectateurs, l'illusion qu'elle cause et la distraction qu'elle produit. Il en déduit la cause de la croyance en l'efficacité d'au moins une partie des actes magiques.

Les recherches de Lehmann devraient inspirer des imitateurs. Ceux-ci ne nous trouveraient pas indifférents. Car nous trouvons partout dans la société, et non pas seulement en magie et en religion, cette « attente » indéterminée ou déterminée qui, disons-le, « justifie », ou dont on détruit » — comme disait Kant — par avance, tous les miracles et tous les droits.

L'attente est l'un des phénomènes de la sociologie les plus proches à la fois du psychique et du physiologique, et c'est en même temps l'un des plus fréquents.

Attente, toute une partie du droit. Emmanuel Lévy l'a bien démontré : le droit de responsabilité civile est une attente ; mais la violation des lois, le crime, n'est qu'une infraction à l'attente, car les gens s'attendent toujours à ce que ni les lois ni les choses ne changent. Et l'idée d'ordre n'est que le symbole de leurs attentes. Toute une partie de l'art n'est qu'un système d'attentes suscitées, déchargées, de jeux alternés d'attentes déçues et satisfaites. M. Bergson a développé l'idée en ce qui concerne le comique. Elle est déjà dans Aristote ; celui-ci proposait la théorie si simple et si juste de la purification, au fond de la purgation de l'attente, qui justifie de nombreux

rites et l'emploi — autrefois rituel — du comique et du tragique. Toute une immense part des effets de l'art, du roman,
de la musique, des jeux, tout l'exercice des passions fictives,
remplacent ainsi chez nous les sombres drames de la passion
réelle, barbare, antique ou sauvage. — Même les faits économiques sont par tout un côté des phénomènes d'attente : la
loterie, la spéculation, le crédit, l'escompte, la monnaie (dont
on croit quelle courra) correspondent à des attentes. — Au
point de vue de la sociologie générale, on pourrait citer les
états de tension populaire ; ce qu'on appelle la tension diplo-
matique ; le « garde à vous » du soldat dans les rangs ou au
créneau. En technologie, voyez l'anxiété qui accompagne la
plupart des travaux techniques.

En particulier l'étude de l'attente et de l'illusion morale,
les démentis infligés à l'attente des individus et des collectivités,
celle de leurs réactions sont féconds. On trouvera dans une partie
du livre du Robert Hertz sur le *Péché et l'Expiation*, livre que
j'ai pu récrire et qui sera bientôt publié, des notations importantes que Hertz avait préparées sur ce point.

Une bonne description psychologique et surtout physiologique nous permettra de mieux décrire ces « anxiétés vagues »
— on les croit folles —, ces images précises qui les remplacent,
et ces mouvements violents et ces inhibitions absolues que
l'attente cause en nous. Ces faits sont rares dans cette vie heureuse, laïque et civile qui fut la nôtre. Mais la guerre nous a
fait sentir et vivre durement des expériences de ce genre. Elles
devaient être et elles sont encore infiniment plus fréquentes
dans les vies des hommes qui nous entourent et dans celles de
ceux qui nous ont précédés.

Enfin, l'attente est un de ces faits où l'émotion, la perception,
et plus précisément le mouvement et l'état du corps conditionnent directement l'état social et sont conditionnés par lui.
Comme dans tous les faits que je viens de vous citer, la triple
considération du corps, de l'esprit et du milieu social doit
aller de pair.

Si l'un de vous, messieurs, voulait bien nous éclairer sur des
faits de ce genre, je ne croirais pas avoir ce soir abusé de votre...
attente et vous auriez comblé la mienne.

Cependant, excusez-moi de n'avoir fait miroiter devant vous
que des indications générales. Mais ces énumérations d'idées
peuvent avoir leur intérêt et je ne formule qu'un souhait :
laisser de mon passage parmi vous une fugitive et modeste
trace.

APPENDICE

EXTRAIT
DE LA CONCLUSION DU DÉBAT
par Marcel Mauss

On a soulevé le problème très grave des catégories de l'esprit.
On en avait le droit, puisque leur étude est l'un des points où nos
travaux se joignent. Nous voulons en effet, comme vous, que ces
catégories soient analysées d'une façon concrète et non plus dialectique. Mais je veux vous dire pourquoi je ne me suis pas aventuré
de ce côté. C'est qu'il y faut encore de nombreux travaux d'approche.
Sans aucun doute, il est prématuré de donner autre chose que des
indications. D'autre part, précisément, parmi ces longues études
qui seraient nécessaires, les plus nécessaires ne nous sont pas
communes, ce sont les études historiques, et je n'avais pas à vous
en parler, à vous.

Les catégories aristotéliciennes ne sont en effet pas les seules qui
existent dans notre esprit, ou qui ont existé dans l'esprit et dont il
faille traiter. Il faut avant tout dresser le catalogue le plus grand possible de catégories ; il faut partir de toutes celles dont on peut savoir
que les hommes se sont servis. On verra alors qu'il y a eu et qu'il y a
encore bien des lunes mortes, ou pâles, ou obscures, au firmament
de la raison. Le petit et le grand, l'animé et l'inanimé, le droit et le
gauche ont été des catégories. Parmi celles que nous connaissons,
prenons par exemple celle de substance à laquelle j'ai accordé une
attention fort technique : combien de vicissitudes n'a-t-elle pas eues ?
Par exemple, elle a eu parmi ses prototypes une autre notion, en particulier en Inde, en Grèce : la notion de nourriture.

Toutes les catégories ne sont que des symboles généraux qui, comme
les autres, n'ont été acquis que très lentement par l'humanité. Il faut
décrire ce travail de construction. Ceci est précisément l'un des principaux chapitres de la sociologie entendue du point de vue historique.
Car ce travail lui-même fut complexe, hasardeux, chanceux. L'humanité
a édifié son esprit par tous les moyens : techniques et non techniques ;
mystiques et non mystiques ; en se servant de son esprit (sens, sentiment, raison), en se servant de son corps ; au hasard des choix, des

choses et des temps ; au hasard des nations et de leurs œuvres ou de leurs ruines.

Nos concepts généraux sont encore instables et imparfaits. Je crois sincèrement que c'est par des efforts conjugués, mais venant de directions opposées que nos sciences : psychologiques, sociologiques, et historiques, pourront un jour tenter une description de cette pénible histoire. Et je crois que c'est cette science, ce sentiment de la relativité actuelle de notre raison, qui inspirera peut-être la meilleure philosophie. Permettez-moi de conclure ainsi.

QUATRIÈME PARTIE

EFFET PHYSIQUE CHEZ L'INDIVIDU DE L'IDÉE DE MORT SUGGÉRÉE PAR LA COLLECTIVITÉ[1]
(AUSTRALIE, NOUVELLE-ZÉLANDE)

(1) Extrait du *Journal de Psychologie Normale et Pathologique*, 1926.
Communication présentée à la Société de Psychologie.

L'étude sur les rapports de la psychologie et de la sociologie (1) était toute de méthode. Mais une méthode ne se justifie que si elle ouvre une voie, μάθοδος, si elle est un moyen de classer des faits jusqu'alors rebelles au classement. Elle n'a d'intérêt que si elle a une valeur heuristique. Passons donc au travail positif et montrons que, derrière les quelques assertions que je me suis permises, il y avait des faits, en particulier de ceux qui montrent la liaison directe, chez l'homme, du physique, du psychologique, et du moral, c'est-à-dire du social.

Je vous avais indiqué que, dans un très grand nombre de sociétés, une hantise de la mort, d'origine purement sociale, sans aucun mélange de facteurs individuels, était capable de tels ravages mentaux et physiques, dans la conscience et le corps de l'individu, qu'elle entraînait sa mort à bref délai, sans lésion apparente ou connue. Et je vous ai promis de vous apporter des documents, une démonstration, et, sinon une analyse, du moins une proposition d'analyse. Les voici, versés au débat et soumis à votre critique. Mais auparavant définissons le problème.

(1) *Journal de Psychologie*, 1924, p. 892. Cf. ci-dessus étude III.

Chapitre Premier

DÉFINITION
DE LA SUGGESTION COLLECTIVE
DE L'IDÉE DE MORT

Nous ne confondrons pas ces faits avec des faits cependant voisins autrefois confondus avec eux sous les noms de *Thanatomanie*. Le suicide est souvent, dans les sociétés que nous allons étudier, le résultat d'une hantise de même genre ; la façon dont l'individu, dans certains états de péché ou de magie, multiplie ses attentats à sa vie, en particulier au pays Maori, manifeste cette suggestion persistante. Celle-ci peut donc avoir exactement les mêmes formes, elle a seulement des conséquences différentes dans le système de faits que nous allons décrire (1). Car dans ce cas, la volonté et l'acte brutal de se faire mourir interviennent. L'influence du social sur le physique a un médial psychique évident ; c'est la personne qui se détruit elle-même, et l'acte est inconscient.

L'ordre des faits dont je veux vous entretenir est, de notre point de vue, et pour notre démonstration, autrement frappant. Ce sont ces *cas de mort causés brutalement*, élémentairement chez de nombreux individus, mais tout simplement *parce qu'ils savent ou croient* (ce qui est la même chose) *qu'ils vont mourir*.

Cependant, entre ces derniers faits, il y a lieu de séparer ceux où cette croyance et ce savoir sont — ou peuvent être — d'origine individuelle. On verra tout à l'heure que, dans les civilisations considérées, ils se confondent souvent avec ceux que nous envisageons plus précisément. Cependant il est clair que, si l'individu est malade et croit qu'il va mourir, même si la maladie

---

(1) On en trouvera quelques cas de ce genre dans le bon catalogue de renseignements africains de M. Steinmetz, Der Selbstmord bei den Afrikanischen Naturvölkern, *Zeitschr. f. Sozialwiss.*, 1907. Voir en particulier les suicides pour perte de prestige, fréquents encore chez nous et en Chine et qui furent si nombreux dans l'antiquité.

est causée, selon lui, par sorcellerie d'un autre ou par péché de soi (de commission ou d'omission), on peut soutenir que c'est l'idée de la maladie qui est le « moyen-cause » du raisonnement conscient et subconscient).

Nous considérerons donc seulement les cas où *le sujet qui meurt* ne se croit pas ou ne se sait pas malade, *et se croit seulement pour des causes collectives précises en état proche de la mort*. Cet état coïncide généralement avec une rupture de communion, soit par magie, soit par péché, avec les puissances et choses sacrées dont la présence, normalement, le soutient. La conscience est alors tout entière envahie par des idées et des sentiments qui sont entièrement d'origine collective, qui ne trahissent aucun trouble physique. L'analyse n'arrive à saisir aucun élément de volonté, de choix, ou même d'idéation volontaire de la part du patient, ou même de trouble mental individuel, hors de la suggestion collective elle-même. Cet individu se croit enchanté ou se croit en faute et meurt pour cette raison. Voilà le genre d'événements auxquels nous restreignons donc notre genre d'examen. D'autres faits, de suicide occasionné ou de maladie motivée par ces mêmes états de péché ou d'envoûtement, sont évidemment moins typiques. En compliquant ainsi notre étude par une circonscription aussi détaillée, nous la rendons plus simple, plus saisissante et plus démonstrative.

Ces faits sont bien connus pour de nombreuses civilisations, dites inférieures. Mais ils semblent rares ou inexistants dans les nôtres. Ce qui achève de leur donner un caractère social très marqué ; car ils dépendent évidemment de la présence ou de l'absence d'un certain nombre d'institutions et de croyances précises disparues du rang des nôtres : la magie, les interdictions ou tabous, etc. Mais si nombreux et si connus qu'ils soient dans ces peuples, ils n'ont pas — je crois — encore été soumis à une étude psychologique et sociologique un peu profonde. Bartels (1) et Stoll (2) en citent un bon nombre, mais les confondent avec les autres et ne poussent pas au delà de la collection des faits empruntés à toutes sortes de peuples. Toutefois ces bons vieux livres suffisent pour donner une idée de la diffusion de ce genre de faits dans l'humanité. Procédons, nous, plus méthodiquement ; concentrons notre étude sur deux groupes de faits de deux groupes de civilisations : l'une, la plus inférieure possible ou plutôt la plus inférieure connue : l'Australienne ; l'autre, déjà très évoluée, et qui a sans doute eu des vicissitudes, celle des

(1) *Medizin der Naturvölker*, p. 10-13.
(2) *Suggestion und Hypnotismus in der Völkerpsychologie.*

Maoris, Malayo-Polynésiens de Nouvelle-Zélande. Je me bornerai à un choix de faits dans les recueils que nous avons constitués, le regretté Hertz et moi (1). Il eût été facile de multiplier ces comparaisons ; en particulier en Amérique du Nord, en Afrique (2), des faits de même genre sont fréquents, et même ont été bien décrits par de vieux auteurs. Mais il vaut mieux concentrer notre attention sur deux espèces de faits voisines, mais cependant assez éloignées l'une de l'autre pour que la comparaison soit possible, et dont nous connaissons bien les natures et le fonctionnement en soi et par rapport au milieu social et à l'individu.

Une courte description de ces conditions mentales, physiques et sociales où s'élaborent des cas de cette sorte n'est pas inutile. M. Fauconnet (3) a bien décrit, par exemple, à propos de la responsabilité et de sociétés diverses, et Durkheim a bien décrit, à propos de nombreux faits religieux australiens : rituel funéraire et autres (4), les poussées violentes qui animent les groupes, les peurs et les réactions violentes auxquelles ils peuvent être en proie. Mais ces emprises totales des consciences individuelles, engendrées dans le groupe et par le groupe, ne sont pas les seules. Les idées élaborées alors se maintiennent et se reproduisent dans l'individu sous cette pression permanente du groupe, de l'éducation, etc. A la moindre occasion elles déchaînent des ravages ou surexcitent des forces.

Même l'intensité de ces actions du moral sur le physique est d'autant plus notable que celui-ci, dans ces peuples, est plus fort, plus fruste, plus animal que chez nous. C'est un fait d'observation courante, et de l'ethnographie australienne et de bien d'autres ethnographies, que le corps de l'indigène possède une étonnante résistance physique. Soit à cause de l'action du soleil et de la vie à l'état de nudité complète ou presque complète,

---

(1) Hertz avait admirablement dépouillé la plus grande partie des documents publiés sur la Nouvelle-Zélande avant la guerre. Il préparait un grand travail sur le *Péché et l'expiation dans les sociétés inférieures*, dont l'introduction a été publiée (*Revue de l'Hist. des Religions*, 1921) et dont le reste pourra être, je l'espère, récrit par moi, grâce aux admirables notes et à d'importants fragments qui restent d'une grande œuvre. Il rencontrait cette question à propos de la notion du péché mortel. Je me suis permis de puiser dans cette documentation. J'ai eu à me préoccuper de ces faits à propos de recherches sur l'origine de la croyance à l'efficacité des mots en Australie, et sur ce point, mon dépouillement de la publication ethnographique sur les indigènes australiens est également assez complet. Je n'indiquerai cependant en détail qu'un petit nombre de descriptions, difficiles à trouver, laissant de côté les auteurs connus.

(2) Ex. Casalis, *Basulos*, p. 269.
(3) *La Responsabilité.*
(4) *Formes élémentaires de la vie religieuse.*

soit à cause de la très petite septicité du milieu et des instruments avant les Européens, soit à cause de certaines particularités de ces races sélectionnées précisément par ce genre de vie (en particulier il peut y avoir dans leurs organismes des éléments physiologiques, sérums et autres, différents de ceux des races plus faibles, de ces éléments dont M. Eugène Fischer a commencé avec faible succès la recherche), quelle que soit la cause, toujours est-il que, même par rapport aux noirs africains, l'organisme de l'Australien se distingue par d'étonnantes facultés de récupération. L'accouchée retourne immédiatement à ses occupations, se met en marche après quelques heures ; des entailles formidables dans les chairs se cicatrisent avec rapidité ; dans un certain nombre de tribus, une punition usuelle consiste à envoyer une lame dans la cuisse de la femme ou du jeune homme ; des fractures de bras se guérissent très vite avec de faibles attelles. Tous ces cas contrastent singulièrement avec d'autres événements. Un individu est blessé, même légèrement ; il n'a aucune chance de se rétablir s'il croit la lance enchantée ; il se casse quelque membre, il ne se rétablira rapidement que du jour où il aura fait sa paix avec les règles qu'il a violées, et ainsi de suite. Le maximum de ces actions du moral sur un physique de ce genre est évidemment encore plus sensible dans les cas où il n'y a aucune blessure et qui rentrent exclusivement dans notre sujet.

Le champ d'observation néo-zélandais est également fertile en faits typiques, quoique les Néo-Zélandais aient des organismes déjà plus fins et moins résistants aux agents physiques que les Australiens. C'est un lieu commun de leur ethnographie, surtout ancienne, avant l'arrivée de la petite vérole, etc., des Européens qui les décimèrent, que de noter leur force, leur santé, la rapidité des cicatrisations, des guérisons, tant que le moral n'est pas atteint. Mais ils nous intéressent à d'autres points de vue. Les Néo-Zélandais, comme tous les Malayo-Polynésiens, sont, parmi les hommes, de ceux qui sont le plus en proie à ces états « paniques ». Tout le monde connaît l'*amok* malais : des hommes (ce sont toujours des hommes), même encore de nos jours, et même dans de très grandes villes, pour venger une mort d'un des leurs ou pour une insulte, partent, « courent l'*amok* » et tuent autant de gens qu'ils peuvent sur le chemin jusqu'à ce qu'ils soient eux-mêmes abattus. L'humanité néo-zélandaise et malayo-polynésienne en général est le pays d'élection d'émotivités de ce genre. C'est chez elle que Hertz avait, par un heureux choix, trouvé à analyser ces effets étonnants des mécanismes de la conscience morale. Les Maoris, en particulier, présentent ces maxima de puissance mentale et physique à cause morale et mystique, et aussi ces minima de dépression pour les mêmes raisons. On trouvera dans le livre de Hertz tout le détail de cette démonstration que nous n'allons pas déflorer davantage.

CHAPITRE II

TYPES DE FAITS AUSTRALIENS

Les Australiens ne considèrent comme naturelles que les morts que nous appelons violentes. Une blessure, un meurtre, une fracture sont des causes naturelles. La vendetta se déchaîne moins forte contre le meurtrier que contre le sorcier. Toutes les autres morts ont pour cause une origine magique ou bien religieuse (1). Seulement, en Nouvelle-Zélande, ce sont les événements d'origine morale et religieuse qui suggèrent à l'individu cette idée dominante qu'il va mourir, et même ces enchantements sont d'ordinaire connus comme surtout destinés à faire commettre un péché. Au contraire, les faits australiens se présentent en proportion inverse. Le nombre des cas où la mort est causée par l'idée qu'elle est l'issue fatale d'un péché est — à notre connaissance — assez rare, et nous n'en avons trouvé qu'un petit nombre, pour la plupart concernant les crimes touchant le totem, en particulier sa consommation (2), ou bien les nourritures interdites par classes d'âge. Voici deux cas assez typiques de ces dernières, que Durkheim n'avait pas à considérer (3). « Si un jeune Wakelbure (fille ou garçon) mange du gibier défendu, etc., il tombe malade, et probablement se consume et meurt poussant les cris de la créature en question. » C'est son esprit qui est entré en lui et le tue (4). L'autre est un de

---

(1) M. Lévy-Bruhl a étudié ces faits à plusieurs reprises du point de vue de la notion de cause *(Fonctions mentales dans les sociétés inférieures et Mentalité primitive)*.

(2) Nous avions soigneusement collectionné ces faits, Durkheim et moi. On en trouvera une énumération, *Formes élémentaires de la vie religieuse*, p. 84, nos 1-4 ; cf. p. 184, n. 2. On les trouve surtout dans les tribus du Centre et du Sud, Narrinyerri, Encounter Bay Tribe, etc. Précisons que, dans le cas du tabou du Yunbeai (Mrs. Langloh PARKER, *Euahlayi Tribe*, p. 20), celui-ci est le totem individuel et non le totem du clan.

(3) HOWITT, *Native Tribes of South East Australia*, p. 769.

(4) Ce cas de hantise et de possession est typique à notre point de vue (cf. *Samoa*) et aussi au point de vue des relations entre l'individu et les puissances qui peuvent devenir mauvaises et substituer leur esprit au sien.

ces cas d'espèce (1) qui nous touchent davantage. M. Mc Alpine
employait un jeune Kurnai en 1856-1857. Ce nègre était fort
et sain. Un jour il le trouva malade. Il explique qu'il avait
fait ce qu'il ne devait pas. Il avait volé une femelle d' « opossum » avant d'avoir la permission d'en manger. Les vieux
l'avaient découvert. Il savait qu'il ne grandirait plus. Il se cou-
cha, pour ainsi dire sous l'effet de cette croyance ; il ne se releva
plus jamais et mourut en trois semaines.

Ainsi les causes morales et religieuses peuvent causer la mort
aussi chez les Australiens, par suggestion. Ce dernier fait sert
aussi de transition avec les cas de mort d'origine purement
magique. Il y a eu menace des vieux. D'ailleurs, comme bon
nombre de morts infligées par magie le sont au cours de vendetta
ou de punitions (2) décrétées en conseil et sont au fond des sanctions, l'individu qui se croit enchanté par ces sorcelleries juridiques est aussi atteint moralement, au sens strict du mot, et
l'ensemble des faits australiens n'est pas si éloigné de l'ensemble
des faits maoris qu'on pourrait croire. Cependant il s'agit normalement de magie. Un homme qui se croit enchanté meurt,
voilà le fait brutal, et innombrable. Citons quelques cas d'observation, de préférence anciens, et bien observés, de préférence
au cours d'événements précis, ou même par des naturalistes et
médecins. Backouse (3), avant 1840, raconte comment, à Bourne
Island, un homme se croit enchanté, dit qu'il mourra le lendemain et meurt. Dans le district de Kennedy, en 1865, chez les
Eden (4), une vieille servante irlandaise reproche à une servante noire son égoïsme et dit : « Tu mourras bientôt d'être si
cruelle. » « La femme regarda une minute, ses mains tombèrent,
elle pâlit... et, désespérant, sous l'effet des mots, elle se consuma
et, en moins d'un mois, elle mourut. »

D'anciens auteurs racontent le fait de façon plus générale.
Austin, l'explorateur du district de Kimberley (5), en 1843, note
l'étonnante vitalité des noirs et leur étonnante et mortelle faiblesse à l'idée qu'ils sont enchantés. Selon Froggitt (6), un natu-

(1) *Ibid.*
(2) Ex. description du Kurdaitcha Arunta et Loritja, dans Strehlow,
Aranda und Loritja Stamme, IV, 11, p. 20, etc. ; magie pour cause de deuil,
p. 34. Les cas de suicide australiens sont rares. M. Strehlow à deux reprises
nous dit qu'ils sont inconnus chez les Arunta et chez les Loritja. « Ils tiennent trop à la vie. »
(3) *Narrative of a Visit to the South Australian Colonies*, 1843, p. 105.
(4) C. H. Eden, *My wife and I in Queensland*, 1872, p. 110-111.
(5) Publié par Roth, in *Royal Geographical Society of Queensland*, 1902,
p. 47, 49.
(6) *Notes of a Naturalist in the district of W. Kimberley Proc. Limm. Soc.*
of N. S. Wales, 1888, p. 654.

raliste, quand « un noir sait que cela (l'ensorcellement) a été fait contre lui, il « waste away with fright », « il se consume de frayeur » ». Un auteur qui avait observé vers 1870 vit un homme qui avait déclaré qu'il mourrait certain jour et qui à ce moment mourut « par pur pouvoir imaginaire (1) ». L'évangélisateur du nord de Victoria, le Révérend Bulmer est très affirmatif en général à propos de certaines tribus (2) où il a vu de ces cas. Dans une des tribus du Queensland les moins touchées, l'évangéliste précise (est-ce une phrase de « sabir » anglo-australienne ? est-ce un fait ?) que, si on ne trouve pas de contre-charme, « le sang *go bad* (devient mauvais) et l'ensorcelé meurt (3) ».

On a remarqué ces cas où l'individu meurt même en un temps déterminé. Dans d'autres assez rares qui échappent à la magie, mais relèvent tout de même du social et du religieux, quand il y a hantise par un mort, on en signale aussi. Le même Back-house raconte comment mourut en deux jours un noir de Molon-bah : il avait vu un « pâle » mort qui lui dit qu'il mourrait en ce temps (4). Le meurtrier du botaniste Stevens, en 1864, mourut en un mois, de faim, dans sa prison. Le mort le regardait par-dessus l'épaule (5). Une légende Diéri — un document de ce genre vaut à nos yeux toute observation — parfaitement trans-crite (6), raconte comment un ancêtre divin, le Mura Wanmon-dina, abandonné par son camp, désira mourir et mourut. Il s'en-chanta lui-même par le rite de l'os au feu. Plus il souffrait, plus il se réjouissait. Il finit comme il avait voulu.

L'étude de la guérison de ces hantises et de ces maladies est aussi démonstrative que l'étude de leurs conséquences mor-telles. L'individu guérit si la cérémonie magique d'exorcisme, si le contre-charme agit, aussi immanquablement qu'il meurt dans le cas contraire (7). Deux observateurs récents, dont un médecin, racontent comment on meurt de « l'os de mort » chez les Won-kanguru : on est très effrayé. Si cet os se retrouve, l'ensorcelé va mieux ; sinon, il va plus mal. « La médecine européenne n'ins-pire pas confiance. Elle ne peut rien, elle n'est pas de même caté-

(1) H.-P., *Australian Blacks* (Lachlan River), *Australian Anthropolo-gical Journal*. Science of M. I. (1ʳᵉ série, 1), p. 100, col. 1.
(2) The aborigines of the tower Murray, *Royal Geographical Society of South Australia*, V, p. 13.
(3) A. WARD, *The Miracle of Mapoon*, Londres, 1908 (observations faites avec Hey, collaborateur de Roth).
(4) *Loc. cit.*, p. 105 (vers 1850).
(5) *Letters of Victorian Pioncers*.
(6) SIEBERT, *Dieri, Globus*, XCVII, 1910, p. 47, col. 2.
(7) NEWLAND, Parkingi, *Roy. Geog. of S. Australian*, II, p. 126.

gorie que le charme (1) ». Il faut tout au long lire l'histoire, racontée à Sir Baldwin Spencer, le grand physiologiste et anthropologue, par un des vieillards Kakadu, un certain Mukalakki. Jeune, il avait mangé par mégarde d'un certain serpent interdit à son âge. Un vieux aperçoit le fait. « Pourquoi en as-tu mangé ? tu es un petit homme... tu seras très malade », lui dit-il (2). Il répondit, très effrayé : « Quoi, mourrai-je ? » A quoi le vieillard s'écria : « Oui, petit à petit, mourir (3). » Quinze ans plus tard Mukalakki se trouva mal. Un vieil homme-médecine lui demanda : « Qu'as-tu mangé ? » Il se souvient et raconte l'ancienne aventure. « C'est bien, aujourd'hui mourir (4) », répond le docteur indigène. Il fut de plus en plus mal toute la journée. Il fallait trois hommes pour le tenir. L'esprit du serpent s'était enroulé dans son corps et de temps en temps lui sortait du front, sifflait dans sa bouche, etc. C'était terrifiant. On alla assez loin pour chercher une illustre réincarnation d'un célèbre homme-médecine. Le nommé Morpun arriva à temps, car les convulsions du serpent et de Mukalakki étaient de plus en plus horribles. Il renvoya les gens, regarda en silence Mukalakki, vit le serpent mystique, le prit, le mit dans un sac-médecine, et le remporta dans sa contrée, où il le mit dans un trou d'eau et lui dit d'y rester. Mukalakki « se sentit immensément soulagé. Il transpira abondamment, dormit et se trouva rétabli au matin... Si Morpun n'avait pas été là pour extraire le serpent, il serait mort. Seul Morpun avait pouvoir de faire cela, etc. »

Whitnell (5) relate, pour des tribus également du Nord (Ouest cette fois), que les « larlow » (sanctuaires et cérémonies des totems) ont des vertus curatives de ce genre... efficaces même sur l'esprit des jeunes enfants. Au fond, il s'agit de manifester et de rétablir la communion avec la chose sacrée essentielle. Ainsi le Diéri qui se croit enchanté se sauve en chantant le chant sacré de son clan, de son ancêtre, la *mura-wima* (6), et même le chant d'un certain ancêtre rendu invincible (7). Un chant d'origine chrétienne métissée, rapporté par Bulmer (8) et composé à un enterrement d'un noir converti, disait qu'il était à l'abri de la

(1) Aiston et Horne, *Savage Central Australia*, 1923, p. 150, 152.
(2) *Natives Tribes of the Northern Territory of Australia*, p. 349-350.
(3) On voit ici l'imprécation doubler la sanction physico-morale du tabou.
(4) Répétition de l'imprécation.
(5) *Customs and Traditions of Aboriginals of Western Australia*, Roebourne, 1904, p. 6.
(6) Siebert, *loc. cit.*, *Globus*, XCVII, 1910, p. 46, col. 2.
(7) Chant du Wodampa, *ibid.*, p. 48, col. 1.
(8) *Loc. cit.*, *Roy. Geog. Soc. of South Australia*, V, p. 43.

mort étant « cheered by your helping spirit ». Un des meilleurs ethnographes du Centre Australien (1) appuie l'interprétation de Guyon et de Howitt à propos des cérémonies du Mindari (d'initiation et de propitiation) et des rituels de contre-magie et d'*intichiuma*. Leur sens était de montrer aux hommes qu'ils étaient en paix avec le monde entier.

Ces mentalités sont tout imprégnées de cette croyance à l'efficacité des mots, au danger des actes sinistres. Elles sont aussi infiniment préoccupées d'une sorte de mystique de la paix de l'âme. Et c'est ainsi que chavirent définitivement les pauvres confiances en la vie, ou qu'elles reprennent leur équilibre par un adjuvant, magicien ou esprit protecteur, de nature collective lui-même, comme la rupture d'équilibre elle-même.

(1) WORSNOP (qui a malheureusement peu écrit), Prehistoric Arts, *Journal of the Royal Geographical Society of South Australia*, 1886, 11.

Chapitre IV

TYPES DE FAITS NÉO-ZÉLANDAIS
ET POLYNÉSIENS

Ces descriptions sont également une sorte de lien commun de l'ethnographie des Maoris et de toute la Polynésie. Un des meilleurs connaisseurs, Tregear (1), est revenu souvent à ce sujet. L'endurance physique des Maoris est extraordinaire et renommée. Elle n'excède peut-être pas celle de nos ancêtres d'il y a deux mille ans. Cependant les cicatrisations étaient extraordinaires. Tregear cite des cas remarquables : par exemple, un homme qui vécut fort vieux sans aucune mâchoire ; elle avait été emportée par un obus en 1843. Avec cette résistance contraste fortement la faiblesse en cas de maladie causée par péché, ou par magie, ou même par la simplicité de l'un ou de l'autre. Le vieil et excellent auteur Jarvis Hawaii décrit l'état ainsi provoqué en excellents termes : les suites de l'enchantement, c'est la mort « par manque d'appétit de vivre », par esprit de « fatal despondency », par « pure apathie (2) ». Un proverbe des îles Marquises disait, avant l'arrivée des Européens : « Nous sommes des pêcheurs, nous mourrons. » Une alternative domine toute la conscience, sans milieu. D'un côté, la force physique, la gaieté, la solidité, la brutalité et la simplicité mentale ; de l'autre, c'est, sans transition, l'excitation, sans borne et sans arrêt (3), du deuil, de l'insulte, ou bien c'est la dépression, également sans borne et sans arrêt, et sans transition, la lamentation sur l'abandon, le désespoir, et enfin la suggestion de la mort (4). New-

---

(1) *Journal of the Polynesian Society* (dorénavant *J.P.S.*), II, p. 71, 73 ; *Maori Race*, p. 20 sq.
(2) Hawaii, p. 20, 191 : « want exertion to live ».
(3) Jusqu'au meurtre ou au suicide, dit Colenso, v. plus loin.
(4) Résumé de la description de cette mentalité par Colenso (document recueilli vers 1840), in *Transactions of the New-Zealand Institute*, I, p. 380.

man (1) considère que celle-ci affecte même le taux de la mortalité. « Sans aucun doute, de nombreux Maoris meurent de petites indispositions, simplement parce que, attaqués, ils ne luttent pas contre la maladie, ni ne tentent de résister à ses ravages, mais se roulent dans leurs couvertures et se couchent précisément pour mourir. Ils semblent n'avoir plus de force d'âme, et leurs amis les regardent sans les écouter, sans rien faire, acceptant leur sort sans besoin ». En tout cas, les Maoris eux-mêmes classent ainsi les causes et leurs morts (2) : *a)* mort par les esprits (violation de tabou, magie, etc.) ; *b)* mort à la guerre ; *c)* mort par décadence naturelle ; *d)* mort par accident ou suicide (3). Et ils attribuent à la première de ces causes la plus large importance.

Le système de ces croyances est donc le même qu'en Australie. Seulement les résultats, et par conséquent l'intensité des croyances, se répartissent autrement. Ce sont les notions purement morales et religieuses qui dominent. L'enchantement, l'ensorcellement jouent aussi le même rôle qu'en Australie, mais la moralité du Polynésien, riche, tortueuse, et cependant brutale et simple dans ses révolutions ou par ses effets, est la cause de la plupart des morts. En tout cas, voici quelques faits qui prouvent la continuité de ces deux types.

D'abord, quoique le totémisme Polynésien soit assez effacé, surtout en Nouvelle-Zélande, il a laissé justement des traces comme moyen de figurer certaines causes de mort. En particulier à Tonga (4), Mariner raconte comment un homme qui avait mangé de la tortue interdite en eut le foie grossi et en mourut. Mais c'est surtout aux Samoa que les tabous (totémiques) violés se vengent. L'animal absorbé parle, agit à l'intérieur, détruit l'homme, le mange, et il meurt (5). Les morts par magie sont aussi très nombreuses. Mariner raconte (6) comment une femme (esprit) hante un esprit de jeune chef. Le tohunga lui dit

(1) Causes leading to the extinction of the Maori, *Trans. N.-Zeal. Inst.*, XIV, p. 371.

(2) Elsdon Best, *in* Goldie, Maori Medical Lore, *Trans. N.-Z. Inst.*, XXXVII, p. 3 ; cf. XXXVIII, p. 221.

(3) On voit qu'ils ne font pas la faute de confondre suicide et dépression mortelle. Mais il ne faut pas non plus chercher dans ces divisions, — prises chez les théologiens de la tribu de Tuhoe —, une précision qui n'y est pas. Ainsi des blessures reçues à la guerre sont aussi les suites d'une magie ou d'un péché.

(4) Mariner-Martin, *Account of the Tonga Islands*, II, p. 133.

(5) (Surtout croyances de Salevao.) Turner, *Samoa*, p. 50, 51. En Nouvelle-Zélande, l'idée semble ne s'appliquer qu'aux sanctions du culte du lézard. Goldie, *loc. cit.*, p. 17.

(6) I, p. 109, 111.

qu'il mourrait en deux jours. Il mourut. Ailleurs, c'est un dieu monstre qui meurt enchanté (1). Les morts à la suite d'un présage sont également fréquentes (2).

Mais c'est essentiellement la mort par « péché mortel » qui est fréquente, surtout en pays Maori. L'expression est d'ailleurs d'eux. Les descriptions innombrables sont d'ordinaire fort circonstanciées et à nombreuses alternatives mythologiques : l'âme est rendue pesante ; elle est liée, nouée dans des cordes, des filets et des nœuds ; elle est absente ; elle est prise ; elle n'est pas le seul esprit qui habite le corps ; elle a un voisin qui la hante ; ou elle est heurtée par un animal ou une chose qui envahit le corps ou l'envahit elle-même. Toutes ces expressions sont familières certes au neurologiste et au psychologue, mais trouvent ici un large emploi, traditionnel et individuel, sûr.

Mais il ne faut pas trop abstraire l'effet de sa cause. Les Maoris sont des raffinés de morale et de scrupule. Nous réservons la belle analyse de Hertz de ces mécanismes compliqués et typiques, et n'en extrayons que deux indications : la mort par magie est très souvent conçue, n'est souvent possible que par suite d'un péché préalable. Inversement, la mort par péché n'est souvent que le résultat d'une magie qui a fait pécher (3). De la divination, du présage, des esprits (« aitu », « atua »), peuvent encore se mêler à l'aventure (4). Ce sont de véritables maux de conscience qui entraînent les états de dépression fatale (5) et qui sont eux-mêmes causés par cette magie de péché qui fait que l'individu sent être dans son tort, être mis dans son tort (6). Nous avons, par chance, un long travail de médecin sur cet ensemble de faits. Le Dr Goldie, aidé d'un des meilleurs ethnographes, M. Elsdon Best, a fait la théorie de ces faits, même comparative (7). Le chapitre est intitulé : « Mélancolie fatale

---

(1) (Mythe Ngai Tahu). H.-T. (DE CROISILLES), *in J.P.S.*, X, 73.
(2) Elsdon BEST (*Omens*), *in J.P.S.*, VII, p. 13. Sur ces morts, ces hantises, etc., v. WHITE, *Maori Customs*, etc., 1864 ; GOLDIE, *Medical Lore*, p. 7.
(3) Sur le *makulu*, magie, et le *pahunu*, péché provoqué, v. TREGEAR, *Maori Race*, p. 201.
(4) Tribus de Tuhoe. E. BEST, Omens and Superstitious Beliefs, *J.P.S.*, VII, p. 119 sq. Si l'atua, l'esprit auxiliaire n'est pas plus fort, il « waste away ».
(5) Sur le *whakapahunu*, faire pécher, voir BEST (Tuhoe), *Maori Magic*, *Transact. N.-Zeal. Inst.*, XXXIV, p. 81 ; Arts of War, *J.P.S.*, XI, 52, faire que « la conscience pince » l'enchanté.
(6) Sur le « faire pécher » (« *whakahehe* »), v. SHORTLAND, *Traditions*, p. 20.
(7) *Maori Medical Lore*, p. 78, 79. Comparaisons empruntées à Andrew LANG, *Myth. Ritual and Religion* (Atkinson, neveu d'Andrew Lang sur un cas canaque ; Fison et un informateur de Howitt sur des cas à Fiji et en Australie ; Godrington sur Mélanésie). Goldie se sert, p. 80, du terme

à issue rapide », les gens se « veulent » eux-mêmes « à la mort »
(« will to death ») (1). Voici quelques faits qu'il cite. Le docteur (puis Sir) Barry Tuke connut un individu en bonne santé,
de constitution herculéenne. Il mourut en moins de trois jours
de cette « mélancolie ». Un autre, en excellente apparence, et
« sûrement sans aucune lésion des viscères thoraciques », se
« chagrina de la vie » ; il dit qu'il allait mourir et mourut en
dix jours. Dans la plupart des cas étudiés par ce médecin, la
période fut de deux ou trois jours.

D'autres faits sont historiques, empruntés à Shortland, à
Taylor, à d'autres. Ils arrivèrent en public. A bord du bateau
du gouverneur, quand le vieux chef Kukutai vit le Cap Nord
et la falaise, porte du Pays des Morts, il propitia les âmes,
en jetant du linge, d'abord celui des gens du bord, y compris
celui des ministres, puis ses vêtements à lui ; « sa prostration
fut telle qu'on craignit pour ses jours ».

Mais, permettez-moi d'apporter, encore davantage que ces
faits concrets, des documents littéraires maoris. Un chant
illustre, celui de la fille de Kikokko consigne bien les sentiments du malade (2).

> Soleil brillant, tu restes encore au ciel,
> Rougeoyant de tes rayons le sommet de Pukihinau.
> Reste-là encore, Soleil, que nous restions ensemble !
> ... Hélas tu ne peux rien dire, amie (mère).
> Whir (Dieu de la guerre et des sanctions) en a ainsi décidé,
> Il a planté sa hache dans mes os et les a disjoints,
> Je suis en morceaux comme une branche arrachée
> A son tronc par le coup, et qui, tombant
> En un craquement, est mise en pièces... etc.
> ...Je l'ai fait. J'ai amené cette mort
> Sur moi qui vient de Dieu (Hertz).
> Et maintenant ici, comme désertée, je
> Suis privée de tout secours

de thanatomanie et dit que le nombre de cas est infini. A Hawaii, un magicien, à qui un Européen avait dit que lui aussi était sorcier, mourut de faiblesse. Aux Sandwich (Hawaii), en 1847, lors d'une épidémie, de grandes
multitudes succombèrent, non seulement de maladie, mais de la terreur et
de cette fatale mélancolie. On appela cette épidémie *Okuu*, parce que les
gens y renvoyèrent *(okuu)* leurs âmes et moururent. De même à Fiji, en
cas d'épidémie, les gens deviennent incapables de se sauver et de sauver
les autres ; on dit qu'ils sont « taqaya », écrasés, désespérés, effrayés, et ont
abandonné tout espoir de vivre.

(1) P. 77, 81.
(2) La copie par Goldie (p. 79) ne vaut ni le texte complet ni la traduction de C. O. DAVIS, *Maori Mementoes*, p. 192 (texte), p. 191 (version), ni
surtout celle que Hertz avait préparée. Goldie a omis l'appel — tout à fait
euripidien — au soleil.

Emaciée, abandonnée   (Hertz, bien mieux :)
Epuisée par la peine   (Sans âme),
De mon corps   (Oppressée, épuisée)
     (Hertz, bien mieux :)
Je me couche pour mourir   (C'est pourquoi le corps)
     (Se tourne pour mourir) (1).

Voici la conclusion du Dr Goldie :

Cette tendance fatalistique qui a été si souvent observée... et qui mène à la mort après un intervalle de dépression plus ou moins long, de profonde dépression et de manque de désir de vivre, est due aux effets d'une crainte superstitieuse agissant sur un système nerveux particulièrement susceptible (p. 77)...

Personne, je pense, n'a essayé d'expliquer la raison de la mort due à cette curieuse forme de mélancolie. La victime est supposée par le populaire « se donner à la mort », mais nous ne pouvons pas sérieusement attribuer cette issue fatale à la force de volonté du sauvage. La caractéristique principale de l'esprit maori est son instabilité. Son équilibre mental est à la merci d'un millier d'incidents quotidiens ; il est le jouet des circonstances extérieures. Son cerveau n'ayant pas été le sujet d'une culture morale et intellectuelle prolongée et méthodique, il manque de cette balance mentale qui est la caractéristique des peuples hautement civilisés. Il est incapable de se gouverner. Il criera et rira pour les plus futiles raisons ; des explosions de joie ou de tristesse peuvent disparaître en lui en un instant... (Goldie cite ici de nombreux exemples).

Dans ce curieux état mental appelé l' « hystérie du Pacifique », le patient, après une période préliminaire de dépression, devient soudainement excité, saisit un couteau ou quelque arme, se précipite à travers le village, tailladant tous les gens qu'il rencontre, faisant des dommages sans fin, jusqu'à ce qu'il tombe épuisé. S'il ne peut pas trouver un couteau, il se peut qu'il aille jusqu'à la falaise, se jette dans l'eau de l'Océan et nage pendant des milles jusqu'à ce qu'il soit sauvé ou noyé. Cette excitation hystérique violente est commune à toutes les îles, tout comme l'est l'état opposé de dépression soudaine et profonde... Suit la description des résultats lamentables d'une séance spirite à la suite de funérailles. Une des jeunes sœurs entend l'esprit du mort, s'excite, se prostre, se décide à le suivre et se tue en quelques heures.

Etant donné, donc, un peuple qui est hautement émotionnel, dont le cerveau est dans un état d'équilibre instable, sujet à une excitation excessive ou à une profonde mélancolie ; un peuple qui n'a pas peur de la mort et dans lequel l'instinct de conservation de la vie est étonnamment faible, qui est profondément superstitieux, attribue

---

(1) Un autre chant décrit la hantise de l'animal planté dans la chair, cette fois par magie.

des pouvoirs mauvais illimités aux dieux mauvais et aux sorciers noirs, lorsque quelqu'un possédant ces caractéristiques mentales à un degré marqué, se convainc qu'il est la victime d'un dieu puissant ou d'un *tohunga* (sorcier), le choc nerveux excessif rend tout le système nerveux « paretic » ; il n'offre pas de résistance à la condition de stupeur qui intervient alors ; l'individu s'absorbe en soi et se fixe sur l'idée de l'énormité de son péché et du caractère désespéré de son cas ; il est la victime sans espoir d'une mélancolie à illusion. Il est submergé par une illusion toute-puissante ; il a offensé les dieux ; il mourra. Il oublie l'intérêt des choses extérieures ; l'état morbide est centralisé d'une façon tout à fait aiguë ; la dépression nerveuse est grande ; il y a perte d'énergie physique, et cette dépression secondaire s'étend graduellement à tous les organes ; les fonctions vitales sont déprimées, le cœur se déprime, les muscles involontaires s'endorment, et finalement se produit une complète « anergia » ou la mort. L'esprit sans équilibre succombe sans combat à la violence du choc d'une peur superstitieuse envahissante » (p. 79-81).

Je soumets cette conclusion tout simplement à vos réflexions. En son langage vieilli au point de vue médical, elle a son importance, et sa valeur sera sans doute permanente.

La grandeur de ces faits serait d'ailleurs difficilement exagérée. Nous n'en avons cité qu'un tout petit nombre parmi ceux que nous connaissons. Finissons. Un des faits les plus considérables et les plus tragiques est celui des Morioris des Iles Chatham, conquis par les Maoris en 1835, réduits à 25 de 2 000 qu'ils étaient. Shand, un des leurs, et leur interprète, raconte comment ils furent transportés à l'Ile du Sud, et ce que dirent leurs vainqueurs (1) :

Les Maoris disaient : « Ce n'est pas le nombre que nous en avons tué qui les réduisit ainsi. Mais, après les avoir pris comme esclaves, nous les trouvions très souvent morts le matin dans leurs maisons. C'était l'infraction à leur propre tapu qui les tuait (l'obligation de faire des actes qui dessécraient leur tapu). Ils étaient un peuple très tapu. »

Et on connaît le fameux texte de Job (2) qui correspond encore si profondément à tant de mentalités que nous disons anormales, mais qui ne l'étaient pas dans ces civilisations :

Alors le Dieu fort ouvre l'oreille des hommes et en leur châtiment ils sont scellés.

(1) SHAND, Morioris, *J.P.S.*, III, p. 79.
(2) XXXII, 19, 21 (cf. *ibid.*, 17).

Qu'il sauve son âme de la fosse et sa vie qu'il la fasse passer loin de l'épée.

Car le danger est qu'il soit détruit dans sa chair, sur son lit, et la force de ses os en même temps.

Alors sa vie lui est en horreur et son âme ne mange plus le pain qu'avec dégoût. Il est mangé dans sa chair (tant qu'on ne le voit plus) ; et il est déprimé dans ses os tant qu'on ne le voit plus. Et son âme s'approche de la fosse et sa vie des choses qui donnent la mort.

∗
∗

Voilà les faits. Je vous fais grâce de toute discussion psycho-pathologique et neuro-pathologique. Les témoins disent tous, même médecins, qu'il n'y a aucune lésion apparente dans ces cas, ou de mal sensible à l'auscultation, etc. Je ne sais. Des observations seraient urgentes. Peut-être pourriez-vous les susciter.

Mais il me suffit en tant que sociologue de vous indiquer une direction où j'ai trouvé de nombreux exemples et — de normaux — en tout cas de fréquents dans leur anormalité. Ce que je vous avais promis.

Ensuite, ils sont de ce genre que je crois qu'il faudrait étudier bien vite : de ceux où la nature sociale rejoint très directement la nature biologique de l'homme. Cette peur panique qui désorganise tout dans la conscience, jusqu'à ce qu'on appelle l'instinct de conservation, désorganise surtout la vie elle-même. Le chaînon psychologique est visible, solide : la conscience. Mais il n'est pas gros ; l'individu enchanté, ou en état de péché mortel, perd tout contrôle de sa vie, tout choix, toute indépendance, toute sa personnalité.

De plus, ces faits sont aussi de ces faits « totaux » que je crois qu'il faut étudier. La considération du psychique ou mieux du psycho-organique ne suffit pas ici, même pour décrire le complexus entier. Il y faut la considération du social. Inversement, la seule étude de ce fragment de notre vie qui est notre vie en société ne suffit pas. On voit ici comment l' « homo duplex » de Durkheim se situe avec plus de précision, et comment on peut envisager sa double nature.

Enfin, de ce double point de vue, de l'étude de la totalité de la conscience et de la totalité de la conduite, ces faits sont, je crois intéressants. Ils opposent cette « totalité » de ceux qu'on appelle improprement des primitifs, à cette « dissociation » de ceux des hommes que nous sommes, sentant nos personnes, et résistant à la collectivité. L'instabilité de tout le caractère et la vie d'un Australien ou d'un Maori est visible. Ces « hystéries » collectives ou individuelles, comme les appelait encore Goldie, ne sont plus chez nous que des affaires d'hôpitaux ou de rustres. Elles ont été la gangue dont, lentement, notre solidité morale s'est dégagée.

Vous me permettrez, pour terminer, de mentionner encore que ces faits confirment et étendent la théorie du suicide anomique que Durkheim a exposée dans un livre modèle de démonstration sociologique (1).

(1) *Le Suicide*, Alcan, 1897.

CINQUIÈME PARTIE

UNE CATÉGORIE
DE L'ESPRIT HUMAIN :
LA NOTION DE PERSONNE
CELLE DE « MOI »[1]

(1) Extrait du *Journal of the Royal Anthropological Institute*, vol. LXVIII,
1938, Londres (Huxley Memorial Lecture, 1938).

Chapitre Premier

LE SUJET[1] : LA PERSONNE

L'indulgence de mes auditeurs et de mes lecteurs doit être grande, car le sujet est vraiment immense, et je ne pourrai, dans ces cinquante-cinq minutes, que vous donner un idée de la façon de le traiter. Il ne s'agit de rien de moins que de vous expliquer comment une des catégories de l'esprit humain, — une de ces idées que nous croyons innées, — est bien lentement née et grandie au cours de long siècles et à travers de nombreuses vicissitudes, tellement qu'elle est encore, aujourd'hui même, flottante, délicate, précieuse, et à élaborer davantage. C'est l'idée de « personne », l'idée du « moi ». Tout le monde la trouve naturelle, précise au fond de sa conscience, tout équipée au fond de la morale qui s'en déduit. Il s'agit de substituer à cette naïve vue de son histoire, et de son actuelle valeur une vue plus précise.

UN MOT SUR LE PRINCIPE
DE CES GENRES DE RECHERCHES

Ce faisant, vous verrez un échantillon — peut-être inférieur à ce que vous attendez — des travaux de l'école française de Sociologie. Nous nous sommes attachés tout spécialement à l'histoire sociale des catégories de l'esprit humain. Nous essayons de les expliquer une à une en partant tout simplement et provisoirement de la liste des catégories (2) Aristotéliciennes. Nous en décrivons certaines formes dans certaines civilisations et, par cette comparaison, nous nous efforçons d'en trouver la

---

(1) Deux thèses de l'École des Hautes Études ont touché déjà à des problèmes de cet ordre : Charles Le Cœur, *Le Culte de la Génération en Guinée* (t. XLV de la Bibliothèque de l'École des Hautes Études, Sciences Religieuses) et V. Larock, *Essai sur la Valeur sacrée et la Valeur sociale des noms de personnes dans les Sociétés inférieures*, Leroux, 1932.
(2) Hubert et Mauss, *Mélanges d'Histoire des Religions*, préface (1909).

nature mouvante, et leurs raisons d'être ainsi. C'est de cette façon qu'en développant la notion de *mana*, Hubert et moi nous crûmes trouver, non seulement le fondement archaïque de la magie, mais aussi la forme très générale et probablement très primitive de la notion de cause ; c'est ainsi qu'Hubert a décrit certaines caractéristiques de la notion de Temps ; que notre regretté collègue, ami, et élève Czarnowki a bien commencé — et non terminé hélas ! — sa théorie du « morcellement de l'étendue », autrement dit d'un des traits, de certains aspects de la notion d'espace ; c'est ainsi que mon oncle et maître Durkheim a traité de la notion de *tout*, après avoir traité avec moi de la notion de genre. Je prépare depuis de longues années des études sur la notion de substance, dont je n'ai publié qu'un extrait fort abscons et, sous sa forme actuelle, bien inutile à lire. Je vous mentionnerai aussi les multiples fois où M. Lucien Lévy-Bruhl a touché à ces questions dans l'ensemble de ses œuvres concernant la Mentalité primitive, — en particulier en ce qui concerne notre sujet, ce qu'il a appelé « l'Ame primitive. » Mais lui s'attache, non pas à l'étude de chaque catégorie en particulier, même de celle que nous allons étudier, mais plutôt, à propos de toutes, y compris, celle du « moi », il veut surtout dégager ce que contient de « prélogique » cette mentalité des populations relevant de l'anthropologie et de l'ethnologie, plutôt que de l'histoire.

Si vous le voulez bien, procédons plus méthodiquement, et cantonnons-nous dans l'étude de cette seule de ces catégories, celle du « moi ». Ce sera bien assez. Dans ce court espace de temps, avec quelque intrépidité, je vais vous promener, à une vitesse excessive, à travers le monde et à travers les temps, vous menant de l'Australie à nos Sociétés Européennes, et de très vieilles histoires à celle de nos jours. Des recherches plus vastes pourraient être entreprises, chacune pourrait être grandement approfondie, mais je ne prétends que vous montrer comment on pourrait les organiser. Car, ce à quoi je vise, c'est à vous donner, brusquement, un catalogue des formes que la notion a prises dans divers points, et à montrer comment elle a fini par prendre corps, matière, forme, arêtes, et ceci jusque de nos temps, quand elle est enfin devenue claire, nette, dans nos civilisations (dans les nôtres, presque de nos jours), et encore pas dans toutes. Je ne ferai qu'ébaucher, commencer l'esquisse, l'ébauche de glaise. Je suis encore loin d'avoir exploité tout le bloc, d'avoir sculpté le portrait fini.

Ainsi, je ne vous parlerai pas de la question linguistique

qu'il faudrait bien traiter, pour être complet. Je ne soutiens nullement qu'il y ait eu une tribu, une langue, où le mot « je — moi » (voyez que nous le déclinons encore avec deux mots) n'ait pas existé et n'ait pas exprimé quelque chose de nettement représenté. Bien au contraire, outre le pronom qu'elles ont, un très grand nombre de langues se marquent par l'usage d'abondants suffixes de position, lesquels ont trait en grande partie aux rapports qui existent dans le temps et dans l'espace entre le sujet parlant et l'objet dont il parle. Ici, le « moi » est omniprésent, et cependant ne s'exprime pas par « moi », ni par « je ». Mais sur ce vaste terrain des langues, je suis médiocre savant. Ma recherche sera entièrement une recherche de droit et de morale.

Pas plus que de linguistique, je ne vous parlerai de psychologie. Je laisserai de côté tout ce qui concerne le « moi », la personnalité consciente comme telle. Je dirai seulement : il est évident, surtout pour nous, qu'il n'y a jamais eu d'être humain qui n'ait eu le sens, non seulement de son corps, mais aussi de son individualité spirituelle et corporelle à la fois. La psychologie de ce sens a fait d'immenses progrès dans le dernier siècle, depuis presque une centaine d'années. Tous les neurologistes français, anglais, allemands, dont mon maître Ribot, notre cher collègue Head, entre autres, ont accumulé sur ce point de nombreuses connaissances : sur la façon dont se forme, fonctionne, déchoit, dévie et se décompose ce sens, et sur le rôle considérable qu'il joue.

Mon sujet est tout autre, et est indépendant. C'est un sujet d'histoire sociale. Comment, au cours des siècles, à travers de nombreuses sociétés, s'est lentement élaboré, non pas le sens du « moi », mais la notion, le concept que les hommes des divers temps s'en sont créés ? Ce que je veux vous montrer, c'est la série des formes que ce concept a revêtues dans la vie des hommes des sociétés, d'après leurs droits, leurs religions, leurs coutumes, leurs structures sociales et leurs mentalités.

Une chose peut vous avertir de la tendance de ma démonstration, c'est que je vous montrerai combien est récent le mot philosophique le « moi », combien récents la « catégorie du moi », le culte du moi » (son aberrance), et récent le respect du moi — en particulier, de celui des autres (sa normale).

Classons donc. Sans prétention aucune à reconstituer une histoire générale de la préhistoire à nos jours, étudions d'abord quelques-unes de ces formes de la notion de « moi », puis nous entrerons dans l'histoire avec les Grecs et nous constaterons

à partir de là quelques enchaînements certains. Avant, sans
autre souci que de logique, nous nous promènerons dans cette
sorte de musée de faits (je n'aime pas le mot de *survivals*, survivances, pour des institutions encore vivantes et proliférantes)
que nous présente l'ethnographie.

CHAPITRE II

LE « PERSONNAGE »
ET LA PLACE DE LA « PERSONNE »

LES PUEBLOS

Commençons par le fait dont toutes ces recherches sont parties. Je l'emprunte aux Indiens Pueblos, aux Zuñi, plus précisément ceux du Pueblo de Zuñi, si admirablement étudiés par Frank Hamilton Cushing (pleinement initié au Pueblo) et par Mathilda Cox Stevenson et son mari pendant de nombreuses années. Leur œuvre a été critiquée. Mais je la crois sûre, et, en tout cas, unique. Rien de « très primitif », il est vrai. Les « Cités de Cibola » ont été converties autrefois au Christianisme, elles ont conservé leurs registres baptismaux ; mais en même temps elles ont pratiqué leurs anciens droits et religions — presque à « l'état natif », si l'on peut dire ; à peu près celui de leurs prédécesseurs, les *cliff dwellers* et les habitants de la *mesa* jusqu'au Mexique. Ils étaient et sont restés fort comparables en civilisation matérielle et en constitution sociale aux Mexicains et aux plus civilisés des Indiens des deux Amériques. « Mexico, ce Pueblo », écrit admirablement le grand et si injustement traité L. H. Morgan, fondateur de nos sciences (1).

Le document qui suit est de Frank Hamilton Cushing, auteur très critiqué, même par ses collègues du *Bureau of American Ethnology*, mais que, connaissant son œuvre publiée, et ayant pris bonne note de ce qui a été publié sur les Zuñi et sur les

---

(1) Sur les dates respectives des différentes civilisations qui ont occupé cette aire des *basket people*, des *cliff dwellers*, des gens des ruines de la *mesa*, et enfin des *pueblo* (carrés et circulaires), on trouvera un bon exposé des hypothèses vraisemblables récentes dans F. H. H. ROBERTS, The Village of the great Kivas on the Zuñi Reservation, *Bulletin of American Ethnology*, nº 111, 1932, Washington, p. 23 et suiv. DU MÊME, *Early Pueblo Ruins*, *B. A. E.*, nº 90, p. 9.

Pueblo en général, fort aussi de ce que je crois savoir d'un grand nombre de Sociétés Américaines, je persiste à considérer comme un des meilleurs descripteurs de sociétés de tous les temps.

Je passe si vous voulez sur tout ce qui concerne l'orientation et la division des personnages du rituel, quoique ceci ait une très grande importance, déjà signalée par nous ailleurs ; mais je ne passe pas sur deux points :

Existence d'un nombre déterminé de prénoms par clan, définition du rôle exact que chacun joue dans la figuration du clan, et exprimé par ce nom.

In each clan is to be found a set of names called the names of childhood. These names are more of titles than of cognomens. They are determined upon by sociologic and divinistic modes, and are bestowed in childhood as the " verity names " or titles of the children to whom given. But this body of names relating to any one totem—for instance, to one of the beast totems—will not be the name of the totem beast itself, but will be names both of the totem in its various conditions and of various parts of the totem, or of its functions, or of its attributes, actual or mythical. Now these parts or functions, or attributes of the parts or functions, are subdivided also in a six-fold manner, so that the name relating to one member of the totem—for example, like the right arm or leg of the animal thereof—would correspond to the north, and would be the first in honor in a clan (not itself of the northern group) ; then the name relating to another member—say to the left leg or arm and its powers, etc.—would pertain to the west and would be second in honor ; and another member—say the right foot—to the south and would be third in honor ; and of another member—say the left foot—to the east and would be fourth in honor ; to another—say the head—to the upper regions and would be fifth in honor ; and another—say the tail—to the lower region and would be sixth in honor ; while the heart or the navel and center of the being would be first as well as last in honor. The studies of Major Powell among the Maskoki and other tribes have made it very clear that kinship terms, so called, among other Indian tribes (and the rule will apply no less or perhaps even more strictly to the Zuñis) are rather devices for determining relative rank or authority as signified by relative age, as elder or younger, of the person addressed or spoken of by the term of relationship. So that it is quite impossible for a Zuñi speaking to another to say simply brother ; it is always necessary to say elder brother or younger brother, by which the speaker himself affirms his relative age or rank ; also it is customary for one clansman to address another clansman by the same kinship name of brother-elder or brotheryounger, uncle or nephew, etc. ; but according as the clan of the one addressed ranks higher or lower than the clan of the one using the term of address, the word-symbol for elder or younger relationship must be used.

With such a system of arrangement as all this may be seen to be, with such a facile device for symbolizing the arrangement (not only according to number of the regions and their subdivisions in their relative succession and the succession of their elements and seasons, but also in colours attributed to them, etc.) and, finally, with such an arrangement of names correspondingly classified and of terms of relationship significant of rank rather than of consanguinal connection, mistake in the order of a ceremonial, a procession or a council is simply impossible, and the people employing such devices may be said to have written and to be writing their statutes and laws in all their daily relationships and utterances.

Ainsi, d'une part, le clan est conçu comme constitué par un *certain nombre de personnes*, en vérité de personnages ; et, d'autre part, le rôle de tous ces personnages est réellement de figurer, chacun pour sa partie, la totalité préfigurée du clan.

Voilà pour les personnes et le clan. Les « fraternités » sont encore plus compliquées. Chez les Pueblo de Zuñi, et évidemment chez les autres, ceux de Sia, de Tusayan, chez les Hopi, de Walpi et Mishongnovi, les noms correspondent non pas simplement à l'organisation du clan, à son défilé, à ses pompes, et privées et publiques, mais surtout aux rangs dans les confréries, dans ce que l'ancienne nomenclature de Powell et du *Bureau of American Ethnology* appelait les « *Fraternities* », les « *Secret Societies* », et que nous pourrions très exactement comparer aux Collèges de la Religion Romaine. Secret des préparations, et de nombreux rites solennels réservés à la Société des Hommes (Kaka ou Koko, Koyemshi, etc.), mais aussi démonstrations publiques, — presque théâtrales — et, surtout à Zuñi, surtout chez les Hopis : les danses de masques, — en particulier celles des Katcina, visite des esprits représentés par leurs ayants droit sur terre, — les porteurs de leurs titres. Tout ceci, devenu maintenant spectacle pour touristes, était encore en pleine vie il y a moins de cinquante ans, y est encore maintenant.

Miss B. Freire Marecco (maintenant Mrs. Aitken), Mrs. E. Clews Parsons, continuent à ajouter à nos connaissances et les corroborent.

Et, d'autre part, si l'on ajoute que ces vies des individus, motrices des clans et des sociétés superposées aux clans, assurent non seulement la vie des choses et des dieux, mais la « propriété » des choses ; et que, non seulement elles assurent la vie des hommes, ici et dans l'au-delà, mais encore la renaissance des individus (hommes), seuls héritiers des porteurs de leurs prénoms (la réincarnation des femmes est une tout autre affaire), vous comprendrez que nous voyons déjà, chez les Pueblo, en somme une notion de la personne, de l'individu, confondu dans son clan, mais détaché déjà de lui dans le cérémonial, par le masque, par son titre, son rang, son rôle, sa propriété, sa survivance et sa réapparition sur terre dans un de ses descendants doté des mêmes placés, prénoms, titres, droits, et fonctions.

NORD-OUEST AMÉRICAIN

Un autre groupe de tribus Américaines serait digne, dans cette étude, si j'en avais le temps, d'une analyse approfondie des mêmes faits. C'est celui des tribus du Nord-Ouest Américain, dont ce sera l'honneur de votre *Royal Anthropological Institute* et de la *British Association* d'avoir suscité l'analyse complète des institutions : commencée par Dawson, le grand géologue, si bien continuée, sinon achevée par les grands travaux de Boas et de ses aides Indiens Hunt et Tate, par ceux de Sapir, de Swanton, de Barbeau, etc.

Là aussi se pose, en termes différents, mais en nature et en fonction identiques, le même problème, celui du nom, de la position sociale, de la « nativité » juridique et religieuse de chaque homme libre, et, à plus forte raison, de chaque noble et prince.

Je prendrai pour point de départ la mieux connue de ces importantes sociétés, les Kwakiutl, et me bornerai à quelques indications.

Une mise en garde : pas plus qu'à propos des Pueblos, à propos des Indiens du Nord-Ouest, il ne faut penser à quoi que ce soit de primitif. D'abord, une partie de ces Indiens, justement ceux du Nord, Tlingit et Haida, parlent des langues qui, à l'avis de M. Sapir, sont des langues à ton et apparentées aux langues dérivées de la souche qu'on est convenu d'appeler proto-sino-thibéto-birmane. Et même, si je puis vous dire une de mes impressions d'ethnographe, sinon en chambre, du moins « de musée », c'est le très fort souvenir que je garde d'une présentation de Kwakiutl due au respecté Putnam, l'un des fondateurs de la section ethnologique de l'*American Museum of Natural History* : tout un grand bateau de cérémonie, avec des mannequins grandeur nature, avec tout leur attirail de religion et de droit, figurait des Hamatsé, des princes cannibales, arrivant de mer pour un rituel, — sans doute de mariage. Avec leurs robes très riches, leurs couronnes d'écorce de cèdre rouge, leurs équipages moins richement vêtus mais glorieux, ils me donnèrent précisément une impression de ce qu'a pu être par exemple une Chine Septentrionale très, très ancienne. Je pense que ce bateau, cette figuration un peu romancée a disparu ; elle n'est plus de mode dans nos musées d'ethnographie. N'importe, celle-ci a eu au moins sur moi son effet. Même les faces Indiennes m'ont rappelé vivement les faces des « Paléoasiatiques » (ainsi nommés parce qu'on ne sait pas où ranger leurs langues). Et, à partir de ce point de civilisation et de peuplement, il faut encore compter de longues et multiples évolutions, révolutions, nouvelles formations, que notre cher collègue Franz Boas s'efforce de retracer, un peu vite peut-être.

Toujours est-il que tous ces Indiens, les Kwakiutl en particulier, ont installé (1) chez eux tout un système social et religieux, où, dans un immense échange de droits, de prestations, de biens, de danses, de cérémonies, de privilèges, de rangs, se satisfont les personnes en même temps que les groupes sociaux. On y voit très nettement comment, à partir des classes et des clans, s'agencent les « personnes humaines », et à partir de ceux-ci comme s'agencent les gestes des acteurs dans un drame. Ici, *tous* les acteurs sont théoriquement *tous* les hommes libres. Mais cette fois, le drame est plus qu'esthétique. Il est religieux et il est en même temps cosmique, mythologique, social et personnel.

D'abord, — comme chez les Zuñi — tout individu dans chaque clan a un nom, — voire deux noms — pour chaque saison, profane (été) *(WiXsa)*, et sacré (hiver) *(LaXsa)*. Ces noms sont répartis entre les familles séparées, les « Sociétés Secrètes » et les clans collaborant aux rites, les temps où les chefs et les familles s'affrontent dans les innombrables et interminables

---

(1) Cf. DAVY, *Foi jurée*, Paris, 1922 ; MAUSS, Essai sur le Don, *Année Sociologique*, 1923, où je n'ai pu insister — c'était hors de mon sujet — sur le fait de la « personne » et de ses droits et devoirs et pouvoirs religieux, sur la succession des noms, etc. Ni Davy ni moi n'avons non plus insisté sur le fait que le potlatch comporte outre les *échanges* d'hommes, de femmes, d'héritages, de contrats, de biens, de prestations rituelles, d'abord en particulier des danses, des initiations, mais plus encore : des extases et possessions par les esprits éternels et réincarnés. *Tout, même la guerre, les luttes, ne se font qu'entre porteurs de ces titres héréditaires, incarnant ces âmes.*

pollatch dont j'ai essayé ailleurs de donner une idée. Chaque clan a deux séries complètes de ses noms propres, ou plutôt de ses prénoms, l'une courante, l'autre secrète, mais qui, elle-même, n'est pas simple. Car le prénom de l'individu, en l'espèce du noble, change avec son âge et les fonctions qu'il remplit par suite de cet âge (1). Comme le dit un discours, du clan des Aigles il est vrai, c'est-à-dire d'une espèce de groupe privilégié de clans privilégiés :

For that they do not change their names starts from (the time) when long ago / / Öɛmaxt! ālaLēɛ, the ancestor of the numaym G. ɪg.îlgām of the / Qlōmoyâɛyē, made the seats of the Eagles ; and those went down to the / numayms. And the name-keeper Wïltsɛɛstala says / " Now, our chiefs have been given everything, and I will go right down (according to the order of rank) ". / Thus he says, when he gives out the property : for I will just name the names / / of one of the head chiefs of the numayms of the / Kwakiutl tribes. They never change their names from the beginning, / when the first human beings existed in the world ; for names can not go out / the family of the head chiefs of the numayms, only to the eldest one / of the children of the head chief. / /

Ce qui est en jeu dans tout ceci, c'est donc plus que le prestige et l'autorité du chef et du clan, c'est l'existence même à la fois de ceux-ci et des ancêtres qui se réincarnent dans leurs ayants droit, qui revivent dans le corps de ceux qui portent leurs noms, dont la perpétuité s'assure par le rituel dans toutes ses phases. La perpétuité des choses et des âmes n'est assurée que par la perpétuité des noms des individus, des personnes. Celles-ci n'agissent qu'ès qualités, et, inversement, elles sont responsables de tout leur clan, de leurs familles, de leurs tribus. Par exemple, un rang, un pouvoir, une fonction religieuse et esthétique, danse et possession, *paraphernalia* et cuivres en forme de boucliers — véritables « écus » de cuivre —, monnaies insignes des *pollatch* présents et futurs, se conquièrent par la guerre : il suffit de tuer leur possesseur — ou de s'emparer d'un des appareils du rituel, robes, masques — pour hériter de ses noms, de ses biens, de ses charges, de ses ancêtres, de sa personne — au sens plein du mot (2). Ainsi s'acquièrent les rangs, biens, droits personnels, choses, et en même temps leur esprit individuel.

(1) Boas, Ethnology of the Kwakiutl, *35th Ann. Rep. of the Bureau of American Ethnology, 1913-1914*, Washington, 1921, p. 431.
(2) Le meilleur exposé général de M. Boas se trouve : The Social organization and the secret societies of the Kwakiutl Indians, *Report of the U. S. National Mus.*, 1895, p. 396 et suiv.

Toute cette immense mascarade, tout ce drame et ce ballet compliqué d'extases, concerne autant le passé que l'avenir, est une épreuve de l'officiant, et une preuve de la présence en lui du *naualaku* (*ibid.*, p. 396), élément de force impersonnelle, ou de l'ancêtre, ou du dieu personnel, en tout cas du pouvoir surhumain, spirituel, définitif. Le *pollatch* victorieux, le cuivre conquis, correspondent à la danse sans faute (cf. *ibid.*, p. 565) et à la possession réussie (voir *ibid.*, p. 658, p. 505, p. 465, etc.).

Il ne nous reste pas le temps de développer tous ces sujets. D'un point de vue presque anecdotique, je vous signale une institution, un objet commun depuis les Nootka jusqu'aux Tlingit du Nord de l'Alaska : c'est l'usage de ces remarquables masques à volets, doubles, et même triples, qui s'ouvrent pour révéler les deux et trois êtres (totems superposés) que personnifie le porteur du masque (1). Vous en pouvez voir de très beaux au *British Museum*. Et tous les fameux *totem poles*, ces pipes de stéatite, etc., tous ces objets devenus maintenant pacotille à l'usage des touristes amenés par les chemins de fer ou les croisières, — peuvent être ainsi analysés. Une pipe que je crois Haida, et à laquelle je n'ai guère donné de soins, figure précisément un jeune initié avec son chapeau pointu, présenté par son père esprit à chapeau, portant l'orque, — et au-dessous de l'initié auquel ils sont subordonnés en descendant : une grenouille, sa mère sans doute, et le corbeau, son grand-père (maternel) sans doute.

Le cas très important des changements de nom au cours de la vie — surtout noble — ne nous occupera pas ; il faudrait exposer toute une série de faits curieux de lieutenance : le fils — mineur — est représenté temporairement par son père, qui recueille provisoirement l'esprit du grand-père défunt ; et il nous faudrait placer ici toute une démonstration de la présence chez les Kwakiutl de la double descendance utérine et masculine, et du système des générations alternées et décalées.

Au surplus, il est très remarquable que chez les Kwakiutl (et leurs parents les plus proches, Heiltsuk, Bellacoola, etc.), chaque moment de la vie soit nommé, personnifié, par un nouveau nom, un nouveau titre, de l'enfant, de l'adolescent, de l'adulte (mâle et féminin) ; puis il possède un nom comme guerrier (naturellement pas pour les femmes), comme prince et princesse, comme chef et cheffesse, un nom pour la fête qu'ils donnent (hommes et femmes) et pour le cérémonial particulier

(1) Le dernier volet s'ouvrant sinon sur toute sa face, en tout cas au moins sur sa bouche, et le plus souvent sur ses yeux et sa bouche (cf. *ibid.*, p. 628, fig. 195).

qui leur appartient, pour leur âge de retraite, leur nom de la
société des phoques (des retraités : sans extases, ni possessions,
sans responsabilités, sans profits, sauf ceux des souvenirs du
passé) ; enfin, sont nommés : leur « société secrète » où ils sont
protagonistes (ours — fréquent chez les femmes, qui y sont
représentées par leurs hommes ou leurs fils —, loups, Hamatsé
(cannibales), etc.). Sont aussi *nommés* : la maison du chef (avec
ses toits, poteaux, portes, décors, poutres, ouvertures, serpent à
double tête et face), le canot d'apparat, les chiens. Il faut ajouter aux listes exposées « Ethnology of the Kwakiutl (1) » que les
plats, les fourchettes, les cuivres, tout est blasonné, animé, fait
partie de la *persona* du propriétaire et de la *familia*, des *res* de
son clan.

Nous avons choisi les Kwakiutl, et généralement les gens du
Nord-Ouest, parce qu'ils représentent vraiment des maxima,
des excès, qui permettent mieux de voir les faits que là où, non
moins essentiels, ils restent encore petits et involués. Mais il
faut savoir qu'une grande partie des Américains de la Prairie,
Sioux en particulier, ont des institutions de ce genre. Ainsi les
Winnebago, étudiés par notre collègue Radin, ont justement
ces séries de prénoms déterminées par clans et familles, qui les
répartissent suivant un certain ordre, mais toujours suivant
précisément une sorte de répartition logique d'attributs ou de
puissances et de natures (2), fondée sur le mythe d'origine
du clan, et fondant la capacité de tel ou tel à en revêtir le
personnage.

Voici un exemple de cette origine des noms d'individus que
Radin donne en détail dans son autobiographie modèle de
Crashing Thunder :

Now in our clan whenever a child was to be named it was my father
who did it.   That right he now transmitted to my brother.

Earthmaker, in the beginning, sent four men from above and
when they came to this earth everything that happened to them
was utilized in making proper names. This is what our father told
us. As they had come from above so from that fact has originated
a name Comes-from-above ; and since they came like spirits we
have a name Spirit-man. When they came, there was a drizzling
rain and hence the names Walking-in-mist, Comes-in-mist, Drizz-

---

(1) P. 792-801.
(2) Radin, The Winnebago Tribe, *37th Ann. Report Bureau of American
Ethnology*, V, p. 246, noms du clan du Buffle, et suivantes, pour les autres
clans ; voir surtout la répartition des quatre à six premiers prénoms pour
les hommes et d'autant pour les femmes. Voir d'autres listes, datant de
Dorsey (p. 221).

ling-rain. It is said that when they came to Within-lake they alighted upon a small shrub and hence the name Bends-the-shrub ; and since they alighted on an oak tree, the name Oak-tree. Since our ancestors came with the thunderbirds we have a name Thunderbird and since these are the animals who cause thunder, we have the name He-who-thunders. Similarly we have Walks-with-a-mighty-tread, Shakes-the-earth-down-whit-his-force, Comes-with-wind-and-hail, Flashes-in-every-direction, Only-a-flash-of-lightning, Streak-of-lightning, Walks-in-the-clouds, He-who-has-long-wings, Strikes-the-tree.

Now the thunderbirds come with terrible thunder-crashes. Everything on the earth, animals, plants, everything, is deluged with rain. Terrible thunder-crashes resound everywhere. From all this a name is derived and that is my name—Crashing-Thunder (1).

Chacun des noms d'oiseaux tonnerres qui se divisent les différents moments du totem tonnerre, sont ceux des ancêtres qui se sont perpétuellement *réincarnés*. (Nous avons même (2) l'histoire de deux réincarnations). Les hommes qui les réincarnent sont des Intermédiaires entre l'animal totémique et l'esprit gardien, et les choses blasonnées et les rites du clan ou des grandes « médecines ». Et tous ces noms et héritages de personnalités sont déterminées par des révélations, dont le bénéficiaire sait d'avance, indiquées par sa grand-mère ou par les anciens, les limites. Nous retrouvons, sinon les mêmes faits, du moins le même genre de faits, un peu partout en Amérique. Nous pourrions poursuivre cette démonstration dans le monde Iroquois, Algonquin, etc.

AUSTRALIE

Il vaut mieux revenir un instant à des faits plus sommaires, plus primitifs. Deux ou trois indications concernent l'Australie.

Ici aussi, le clan n'est nullement figuré comme tout à fait réduit à un être impersonnel, collectif, le totem, représenté par l'espèce animale, et non pas par les individus — hommes d'une part, et animaux d'autre part (3). Sous son aspect homme, il est le fruit des réincarnations des esprits essaimés et perpétuellement renaissants dans le clan (ceci est vrai des Arunta,

(1) Voir même fait, différemment arrangé, *The Winnebago Tribe*, p. 194.
(2) P. RADIN, *Crashing Thunder* (The Autobiography of an American Indian), New York, 1927, p. 41.
(3) Des formes de totémisme de ce genre se trouvent en A. O. F. et en Nigeria, le nombre de lamantins et de crocodiles de tel et tel marigot correspondant au nombre des vivants. Et probablement ailleurs, les individus animaux sont nombrés comme les individus hommes.

Loritja, Kakadu, etc.). Même chez les Arunta et les Loritja, ces esprits se réincarnent avec une grande précision à la troisième génération (grand-père-petit-fils), à la cinquième où aïeul et arrière-arrière-petit-fils sont homonymes. Encore ici, c'est un fruit de la descendance utérine croisée avec la masculine. — Et, par exemple, on peut étudier dans la répartition des noms par individus, par clan et *classe* matrimoniale exacte (huit classes Arunta), la relation de ces noms avec les ancêtres éternels, avec les *ratapa*, sous leur forme au moment de la conception, les fœtus et enfants qu'ils poussent vers la lumière de ce jour, et entre les noms de ces *ratapa*, et les noms d'adultes (qui sont en particulier ceux des fonctions remplies aux cérémonies de clan et tribales) (1). L'art de toutes ces répartitions est non seulement d'aboutir à la religion, mais aussi de définir la position de l'individu dans ses droits, à sa place dans la tribu comme dans ses rites.

Au surplus, si, pour des raisons qui vont apparaître tout de suite, j'ai surtout parlé des sociétés à masques permanents (Zuñi, Kwakiutl), il ne faut pas oublier que les mascarades temporaires sont en Australie et ailleurs simplement des cérémonies de masques non permanents. L'homme s'y fabrique une personnalité superposée, vraie dans le cas du rituel, feinte dans le cas du jeu. Mais, entre une peinture de tête, et souvent de corps, et une robe et un masque, il n'y a qu'une différence de degré, et aucune différence de fonction. Tout a abouti ici et là à une représentation extatique de l'ancêtre.

D'ailleurs, la présence ou l'absence du masque sont plutôt des traits de l'arbitraire social, historique, culturel comme on dit, que des traits fondamentaux. Ainsi, les Kiwai, Papous de l'île de Kiwai ont d'admirables masques, rivalisant jusqu'avec ceux des Tlingit, de l'Amérique du Nord — tandis que leurs voisins peu éloignés, les Marind-Anim, n'ont guère qu'*un* seul masque tout à fait simple, mais d'admirables fêtes de confréries et de clans, de gens décorés des pieds à la tête, et méconnaissables à force de décorations.

Concluons cette première partie de notre démonstration. Il en ressort évidemment que tout un immense ensemble de sociétés est arrivé à la notion de personnage, de rôle rempli

---

(1) Sur ces trois séries de noms, voir le bas des cinq tableaux généalogiques (Arunta), STREHLOW, *Aranda Stämme*, Cahier de planches, partie V. On pourra suivre avec intérêt les cas des Jerramba (Fourmi à miel) et des Malbanka (porteurs du nom du héros civilisateur et fondateur du clan du Chat sauvage) qui reparaissent plusieurs fois dans des généalogies tout à fait sûres.

par l'individu dans des drames sacrés comme il joue un rôle dans la vie familiale. La fonction a déjà créé la formule depuis des sociétés très primitives, jusqu'à nos sociétés à nous. — Des institutions comme celles des « retraités », des phoques Kwakiutl, un usage comme celui des Arunta — qui relèguent parmi les gens sans conséquence celui qui ne peut plus danser, « qui a perdu son Kabara » — sont tout à fait typiques.

Un autre point de vue dont je continue à faire un peu abstraction, c'est celui de la notion de réincarnation d'un nombre d'esprits nommés dans un nombre déterminé, dans les corps d'un nombre déterminé d'individus. — Et cependant ! B. et C. G. Seligman ont avec raison bien publié les documents de Deacon, qui avait vu la chose en Mélanésie. Rattray l'avait vue à propos du *ntoro* shantin (1). Je vous annonce que M. Maupoil a trouvé là un des éléments les plus importants du culte du Fa (Dahomey et Nigeria). — Je néglige tout cela.

Passons de la notion de personnage à la notion de personne et de « moi ».

(1) Voir l'article de Herskovits, The Ashanti Ntoro, *J.R.A.I.*, LXVII, p. 287-296. Un bon exemple de la réapparition de noms en pays bantou a été signalé par E. W. Smith et A. Dale, *The Ila-Speaking Peoples of Northren Rhodesia*, London, Macmillan, 1920 ; C. G. et B. Seligman n'ont jamais perdu cette question de vue.

Chapitre III

LA « PERSONA » LATINE

Vous savez tous combien est normale, classique la notion de *persona* latine : masque, masque tragique, masque rituel et masque d'ancêtre. Elle est donnée au début de la civilisation Latine.

Il me faut vous montrer comment elle est bien devenue la nôtre. L'espace, les temps, les différences qui séparent cette origine de cette fin sont considérables. Des évolutions et des révolutions s'étagent, historiquement cette fois, selon des dates précisées, pour des causes visibles que nous allons décrire. Cette catégorie de l'esprit a vacillé ici, a pris profonde racine là.

Même parmi les très grandes et très vieilles sociétés qui en prirent conscience les premières, deux d'entre elles l'inventèrent pour ainsi dire, mais pour la dissoudre presque définitivement, tout cela dès les derniers siècles qui précédèrent notre ère. Leur exemple est instructif : c'est celui de l'Inde brahmanique et bouddhique, et c'est celui de la Chine antique.

L'INDE

L'Inde me semble même avoir été la plus ancienne des civilisations qui ait eu la notion de l'individu, de sa conscience, que dis-je, du « moi » ; l'*ahamkāra*, la « fabrication de je », est le nom de la conscience individuelle, *aham* = je (c'est le même mot ind. eur. que *ego*). Le mot *ahamkāra* est évidemment un mot technique, fabriqué par quelque école de sages voyants, supérieurs à toutes les illusions psychologiques. Le *sāmkhya*, l'école qui justement a dû précéder le bouddhisme soutient le caractère composé des choses et des esprits (*sāmkhya* veut précisément dire composition), considère que le « moi » est la chose illusoire ; le bouddhisme, lui, dans une première partie de son histoire, décrétait que ce n'était qu'un composé, divisible, sécable de *skandha*, et en poursuivait l'anéantissement chez le moine.

Les grandes écoles du brahmanisme des Upanishad — antérieures sûrement au *sāmkhya* lui-même comme aux deux formes orthodoxes du Vedânta qui les suivent — partent toutes de l'adage des « voyants », jusqu'au dialogue de Visnu montrant la vérité à Arjuna dans la Bhagavad Gītā : « tat tvam asi », ce qui revient presque à dire verbalement en anglais : « that thou art » — tu es cela (l'univers). Déjà, même le rituel védique postérieur et ses commentaires étaient imprégnés de cette métaphysique.

LA CHINE

De la Chine, je ne sais que ce que mon collègue et ami Marcel Granet veut bien m'enseigner. Nulle part, encore aujourd'hui, compte n'est plus tenu de l'individu, de son être social en particulier, nulle part il ne se classe plus fortement. Ce que nous décèlent les admirables ouvrages de M. Granet, c'est, dans la Chine ancienne, la force et la grandeur d'institutions comparables à celles du Nord-Ouest Américain. L'ordre des naissances, le rang et le jeu des classes sociales fixent les noms, la forme de vie de l'individu, sa « face », dit-on encore (on commence à parler ainsi chez nous). Son individualité, c'est son *ming*, son nom. La Chine a conservé les notions archaïques. Mais en même temps elle a enlevé à l'individualité tout caractère d'être perpétuel et indécomposable. Le nom, le *ming*, est un collectif, c'est une chose venue d'ailleurs : l'ancêtre correspondant l'avait porté, comme il reviendra au descendant du porteur. Et quand on a philosophé, quand dans certaines métaphysiques on a essayé d'exprimer ce que c'est, on a dit de l'individu qu'il est un composé, de *shen* et de *kwei* (encore deux collectifs), pendant cette vie. Taoïsme et bouddhisme passèrent encore par là-dessus, et la notion de personne ne se développa plus.

D'autres nations ont connu ou adopté les idées du même genre. Celles qui ont fait de la personne humaine une entité complète, indépendante de toute autre, sauf de Dieu, sont rares.

La plus importante est la Romaine. C'est là, à Rome, selon nous, qu'elle s'est formée.

CHAPITRE IV

LA « PERSONA »

Au contraire des Indous et des Chinois, les Romains, les Latins pour mieux dire, semblent être ceux qui ont partiellemens établi la notion de *personne*, dont le nom est resté exactement le mot latin. Tout au début, nous sommes transportés dant les mêmes systèmes de faits que ceux qui précèdent, mais déjà avec une forme nouvelle : la « personne » est plus qu'un fait d'organisation, plus qu'un nom ou un droit à un personnage et un masque rituel, elle est un fait fondamental du droit. En droit, disent les juristes : il n'y a que les *personae*, les *res*, et les *actiones* : ce principe gouverne encore les divisions de nos codes. Mais cet aboutissement est le fait d'une évolution spéciale au droit Romain.

Voici comment, avec quelque hardiesse, je puis me figurer cette histoire (1). Il semble bien que le sens originel du mot soit exclusivement « masque ». Naturellement, l'explication des étymologistes latins, *persona* venant de *per/sonare*, le masque à travers *(per)* lequel résonne la voix (de l'acteur) est inventée après coup. (Bien qu'on distingue entre *persona* et *persona muta*, le personnage muet du drame et de la pantomine). En réalité, le mot ne semble même pas de bonne souche latine ; on le croit d'origine étrusque, comme d'autres noms en *na* (Porsenna, Caecina, etc.). MM. Meillet et Ernout *(Dictionnaire Etymologique)* le comparent à un mot mal transmis *farsu* et

---

(1) Le sociologue et l'historien du Droit romain sont toujours empêtrés par le fait que nous n'avons presque pas de sources authentiques du très ancien droit : quelques fragments de l'époque des Rois (Numa) et quelques morceaux de la *Loi des XII Tables*, et ensuite que de faits enregistrés très postérieurement. Du droit romain complet, nous ne commençons à avoir une idée certaine par des textes de droit dûment rapportés ou retrouvés qu'aux IIIᵉ et IIᵉ siècles avant notre ère, plus tard même. Cependant, il nous faut nous figurer un passé du Droit et de la Ville. Sur celle-ci et sa première histoire, on peut se servir des livres de M. Piganiol et de M. Carcopino.

M. Benveniste me dit qu'il se peut qu'il vienne d'un emprunt fait par les Étrusques au grec πρόσωπον *(perso)*. Toujours est-il que matériellement même l'institution des masques, et en particulier des masques d'ancêtres semble avoir eu pour foyer principal l'Étrurie. Les Étrusques avaient une civilisation à masques. Il n'y a pas de comparaison entre les masses de masques de bois, de terre cuite, — les cires ont disparu, — les masses d'effigies des ancêtres dormants et assis qu'on a trouvées dans les fouilles du vaste royaume tyrrhénéen et celles qu'on a trouvées à Rome, au Latium, ou en Grande Grèce, — d'ailleurs à mon avis de facture étrusque le plus souvent.

Mais si ce ne sont pas les Latins qui ont inventé le mot et les institutions, ce sont du moins eux qui lui ont donné le sens primitif qui est devenu le nôtre. Voici le processus.

D'abord, on trouve chez eux des traces définies d'institutions du genre des cérémonies des clans, des masques, des peintures dont les acteurs s'ornent suivant les noms qu'ils portent. Au moins l'un des grands rituels de la Rome très ancienne correspond exactement au type commun dont nous avons décrit les formes accusées. C'est celui des *Hirpi Sorani*, des loups du Soracte (*Hirpi* = nom du loup en Samnite). *Irpini apellati nomine lupi, quem irpum dicunt Samnites ; eum enim ducem seculi agros occupavere*, enseigne Festus, 93, 25 (1).

Les gens des familles qui portaient ce titre marchaient sur des charbons ardents au sanctuaire de la déesse Feronia, et jouissaient de privilèges et d'exemption d'impôts. Sir James G. Frazer a déjà supposé que c'est le reste d'un ancien clan, devenu confrérie, portant noms, peaux, masques. Mais il y a plus ; il semble bien que nous sommes ici en présence du mythe même de Rome. *Acca Larentia*, la vieille, la mère des Lares, fêtée aux Larentalia (décembre), n'est autre que l'*indigitamentum*, le nom secret de la Louve Romaine, mère de Romulus et de Remus (Ov., *Fastes*, I. 55 sq.) (2). Un clan, des danses, des masques, un nom, des noms, un rituel. Le fait est, je le veux bien, un peu brisé en deux éléments : une confrérie qui survit, un mythe qui relate ce qui précéda Rome elle-même. Mais les deux forment un tout complet. L'étude d'autres collèges romains permettrait d'autres hypothèses. Au fond, Samnites, Étrusques,

---

(1) Allusion claire à une forme totem-loup du dieu des blés *Roggenwolf* (germ.). Le mot *hirpex* a donné *herse* (cf. *Lupatum*). V. Meillet et Ernout.

(2) V. les commentaires de Frazer, *ad. loc.*, cf. *ibid.*, v. 453. Acca se lamentant sur la dépouille de Remus tué par Romulus — Fondation des Lemuria (fête sinistre des Lemures, des âmes des morts sanglants) — jeu de mots sur *Remuria Lemuria*.

Latins, ont encore vécu dans l'atmosphère que nous venons
de quitter : des *personae*, masques et noms, des droits individuels
à des rites, des privilèges.

De là à la notion de personne, il n'y a qu'un pas. Il ne fut
peut-être pas franchi tout de suite. Je conçois que les légendes
comme celle du consul Brutus et de ses fils, de la fin du droit
du *pater* de tuer ses fils, ses *sui*, traduisent l'acquisition de la
persona par les fils, du vivant même de leur père. Je crois que
la révolte de la plèbe, le plein droit de cité qu'acquérirent
— après les fils des familles sénatoriales — tous les membres
plébéiens des *gentes*, fut décisive. Furent citoyens Romains tous
les hommes libres de Rome, tous eurent la *persona* civile ;
quelques-uns devinrent *personae* religieuses ; quelques masques,
noms et rituels, restèrent attachés à quelques familles privi-
légiées des collèges religieux.

Un autre usage arriva aux mêmes fins, celui des noms et
prénoms et surnoms. Le citoyen Romain a droit au *nomen*,
au *praenomen*, et au *cognomen*, que sa *gens* lui attribue. Prénom
qui traduit par exemple l'ordre de naissance de l'ancêtre qui le
porta, Primus, Secundus. Nom *(nomen — numen)* sacré de
la *gens*. *Cognomen*, surnom (nom pas *surname*) ; ex. : Naso,
Cicero, etc. (1). Un senatus-consulte détermina (évidemment,
il y avait dû y avoir des abus) qu'on n'avait pas le droit d'emprunter, de se parer d'aucun prénom d'aucune autre *gens* que
de la sienne. Le *cognomen* a une autre histoire, on finit par
confondre *cognomen*, le surnom que l'on peut porter, avec
l'*imago*, le masque de cire moulé sur la face, le πρόσωπον de
l'ancêtre mort et gardé dans les ailes du hall de la maison de

_____

(1) Nous devrions développer davantage cette question des rapports à
Rome de la *persona* et de l'*imago*, et de celle-ci au nom ; *nomen*, *praenomen*
et surtout *cognomen*. Nous n'en avons pas le temps matériel. La personne :
c'est *conditio*, *status*, *munus*. *Conditio*, c'est le rang (par ex. *secunda persona
Epaminondae*, le deuxième personnage après Epaminondas). *Status*, c'est
l'état de la vie civile. *Munus*, c'est les charges et honneurs dans la vie
civile et militaire ; tout cela déterminé par le nom, lui-même déterminé
par la place familiale, la classe, la naissance. Il faut lire dans *Fastes* la traduction et l'admirable commentaire de Sir J. G. FRAZER, le passage où
est traitée l'origine du nom d'Auguste (II, v. 476 ; cf. I, v. 589), pourquoi
Octave Auguste ne voulut pas prendre le nom de Romulus, ni celui de Quirinus
(qui tenet hoc numen, Romulus ante fuit), et en prit un qui résume le caractère sacré de tous les autres (cf. FRAZER, *ad* v. 40). On y trouve toute
la théorie romaine du nom. De même dans Virgile : Marcellus, le fils
d'Auguste, est déjà nommé dans les limbes, où son « Père » Énée le voit.
Ici devrait s'inscrire également la considération du *titulus* dont il est
question dans ces vers. M. Ernout me dit qu'il considère que le mot lui-même
a plutôt une origine étrusque.
De même, la notion grammaticale de « personne » que nous employons
encore, *persona* (grec πρόσωπον grammairiens), devrait être considérée.

famille. L'usage de ces masques et statues a dû être très longtemps réservé aux familles patriciennes, et en fait — encore
plus qu'en droit — il ne semble jamais s'être étendu bien loin
dans la plèbe. Ce sont plutôt des usurpateurs, des étrangers
qui adoptent des *cognomina* qui ne leur appartenaient pas. Le
mot même de *cognomen* et celui d'*imago* sont pour ainsi dire
indissolublement liés dans des formules presque courantes.
Voici un des faits — à mon avis typique — dont je suis parti
pour toutes ces recherches, et que j'ai trouvé sans le chercher.
Il s'agit d'un individu douteux, Staienus, contre lequel plaide
Cicéron pour Cluentius. Voici la scène. *Tum appelat hilari
vultu hominem Bulbus, ut placidissime potest. « Quid tu, inquit,
Paete ? » Hoc enim sibi Staienus cognomen ex imaginibus Aelio-
rum delegerat ne sese Ligurem fecisset, nationis magis quam
generis uti cognomine videretur* (1). Paetus est un *cognomen* des
Aelii, auquel Staienus, Ligure, n'avait aucun droit, et qu'il
usurpait pour cacher sa nationalité et faire croire à une autre
descendance que la sienne. Usurpation de personne, fiction de
personne, de titre, de filiation.

Un des plus beaux documents, des plus authentiques, signé
dans le bronze par Claude, empereur (tout comme nous sont
parvenues les *Tables d'Ancyre* d'Auguste), la *Table de Lyon*
(*anno* 48), contenant le discours impérial sur le senatus-consulte
de Jure honorum Gallis dando, concède aux jeunes sénateurs
gaulois nouvellement admis à la curie le droit aux images et
aux *cognomina* de leurs ancêtres. Maintenant ils n'auront plus
rien à regretter. Comme Persicus, mon ami cher [qui avait été
obligé de choisir ce surnom étranger... faute de ce senatus-
consulte], et qui maintenant peut *inter imagines majorum suorum
Allobrogici nomen legere* (« choisir son nom d'Allobrogicus parmi
les images de ses ancêtres »).

Jusqu'au bout, le Sénat romain s'est conçu comme composé
d'un nombre déterminé de *patres* représentant les personnes,
les images de leurs ancêtres.

La propriété des *simulacra* et des *imagines* (Lucret., 4, 296)
est l'attribut de la *persona* (cf. Pline, 35, 43, et au *Dig.*, 19. 1. 17,
fin).

A côté, le mot de *persona*, personnage artificiel, masque et
rôle de comédie et de tragédie, de la fourberie, de l'hypocrisie,
— d'étranger au « moi » — continuait son chemin. Mais le
caractère personnel du droit était fondé (2), et *persona* était

---

(1) *Pro Cluentio*, 72.
(2) Autres exemples d'usurpation de *praenomina*, Suétone, *Nero.*, 1.

aussi devenu synonyme de la vraie nature de l'individu (1).

D'autre part le droit à la *persona* est fondé. Seul en est exclu l'esclave. *Servus non habet personam.* Il n'a pas de personnalité. Il n'a pas son corps, il n'a pas d'ancêtres, de nom, de *cognomen*, de biens propres. Le vieux droit germanique le distingue encore de l'homme libre, *Leibeigen*, propriétaire de son corps. Mais au moment où les droits des Saxons et des Souabes sont rédigés, si les serfs n'avaient pas leur corps, ils avaient déjà une âme, que leur a donnée le christianisme.

Mais avant d'en venir à celui-ci, il faut retracer un autre enrichissement où n'ont pas pris part seulement les Latins, mais aussi leurs collaborateurs grecs, leurs maîtres et interprètes. Entre philosophes grecs, nobles et légistes romains, c'est tout un autre édifice qui s'est élevé.

_____

(1) Ainsi Cicéron, *ad Atticum*, dit *naturam et personam meam*, et *personam sceleris* ailleurs.

CHAPITRE V

LA PERSONNE : FAIT MORAL

Je précise : je pense que ce travail, ce progrès, s'est surtout fait avec l'aide des Stoïciens, dont la morale volontariste, personnelle, pouvait enrichir la notion romaine de personne et même s'est enrichie elle-même, en même temps qu'elle enrichissait le droit (1). Je crois, mais ne puis malheureusement que commencer à prouver, qu'on ne saurait exagérer l'influence des écoles d'Athènes et de celles de Rhodes sur le développement de la pensée morale latine — et inversement, l'influence des faits romains et des nécessités de l'éducation des jeunes Romains sur les penseurs grecs. Polybe et Cicéron déjà témoignent, comme Sénèque, Marc-Aurèle, Épictète et d'autres plus tard.

Le mot πρόσωπον avait bien le même sens que *persona*, masque ; mais voilà qu'il peut aussi signifier le personnage que chacun est et veut être, son caractère (les deux mots sont liés souvent), la véritable face. Il prend très vite, à partir du IIe siècle avant notre ère, le sens de *persona*. Traduisant exactement *persona*, personne, droit, il garde encore un sens d'image superposée : ex. : la figure de proue du bateau (chez les Celtes, etc.). Mais il signifie aussi personnalité humaine, voire divine. Tout dépend du contexte. On étend le mot πρόσωπον à l'individu dans sa nature nue, tout masque arraché, et, en face, on garde le sens de l'artifice : le sens de ce qui est l'intimité de cette personne et le sens de ce qui est personnage.

Tout sonne autrement chez les Classiques latins et grecs de la Morale (IIe siècle avant à IVe siècle après J.-C.) : πρόσωπον n'est plus que *persona*, et, chose capitale, on ajoute de plus un sens moral au sens juridique, un sens d'être conscient, indépendant, autonome, libre, responsable. La conscience morale introduit la conscience dans la conception juridique du droit. Aux fonc-

(1) Sur la morale stoïcienne, autant que je suis informé, le meilleur livre est encore BONHOFER, *Ethik der Stoa* (1894).

tions, aux honneurs, aux charges, aux droits, s'ajoute la personne morale consciente. Je suis ici peut-être plus osé mais plus net que M. Brunschvicg qui, dans son grand ouvrage, le *Progrès de la Conscience*, a souvent touché ces sujets (en particulier, I, p. 69 et suiv.). Quant à moi, les mots qui désignent la conscience d'abord, la conscience psychologique ensuite, la συνείδησις — τὸ συνειδός sont vraiment stoïciens, semblent techniques, et traduisent nettement *conscius, conscientia* du droit romain. On peut même apercevoir, entre l'ancien stoïcisme et celui de l'époque gréco-latine, le progrès, le changement, qui est définitivement accompli à l'époque d'Épictète et de Marc-Aurèle. D'un sens primitif de complice, « qui a vu avec » — σύνοιδε — de témoin, on est passé au sens de la « conscience du bien et du mal ». D'usage courant en latin, le mot prend enfin ce sens chez les Grecs, chez Diodore de Sicile, chez Lucien, chez Denys d'Halycarnasse, et la conscience de soi est devenue l'apanage de la personne morale. Épictète garde encore le sens des deux images sur lesquelles a travaillé cette civilisation lorsqu'il écrit ce que Marc-Aurèle cite, « sculpte ton masque », pose ton « personnage », ton « type », et ton « caractère » ; lorsqu'il lui proposait ce qui est devenu notre examen de conscience. Renan a vu l'importance de ce moment de la vie de l'Esprit.

Mais la notion de personne manquait encore de base métaphysique sûre. Ce fondement, c'est au christianisme qu'elle le doit.

Chapitre VI

LA PERSONNE CHRÉTIENNE

Ce sont les chrétiens qui ont fait de la personne morale une entité métaphysique après en avoir senti la force religieuse. Notre notion à nous de personne humaine est encore fondamentalement la notion chrétienne. Ici, je n'ai qu'à suivre le très excellent livre de Schlossmann (1). Celui-ci a bien vu — après d'autres, mais mieux que d'autres — le passage de la notion de *persona*, *homme revêtu d'un état*, à la notion d'homme tout court, de personne humaine.

La notion de « personne morale » était d'ailleurs devenue tellement claire que, dès les premiers jours de notre ère, et avant à Rome, dans tout l'Empire, elle s'imposait à toutes les personnalités fictives, que nous appelons encore de ce nom : *personnes morales* : corporations, fondations pieuses, etc., devenues des « personnes ». Le mot πρόσωπον les désigna jusque dans les Nouvelles et Constitutions les plus récentes. Une *universitas* est une personne de personnes — mais, comme une ville, comme Rome, c'est une *chose*, une entité. *Magistratus gerit personam civitatis*, dit bien Cicéron, *De Off.*, I, 34. Et M. von Carolsfeld rapproche et commente fort bien l'Épître aux Galates, 3, 28 : « Vous n'êtes vis-à-vis de l'un ni Juif, ni Grec, ni esclave, ni libre, ni mâle, ni femme, tous vous êtes *un*, εἷς dans le Christ Jésus. »

La question était posée de l'unité de la personne, de l'unité de l'Église, par rapport à l'unité de Dieu εἷς. Elle fut tranchée après de nombreux débats. C'est toute l'histoire de l'Église qu'il faudrait retracer ici (v. Suidas — *s. v.* et les passages du fameux *Discours de l'Épiphanie* de saint Grégoire de Nazianze, 39,

---

(1) *Persona und* πρόσωπον, *im Recht und im Christlichen Dogma*, Leipzig, 1906. M. Henri Lévy-Bruhl me l'a fait connaître voici assez longtemps et, ce faisant, a facilité toute cette démonstration. V. aussi la première partie du 1er volume de M. L. I. von Carolsfeld, *Geschichte der Juristischen Person*.

630, A). C'est la querelle Trinitaire, c'est la querelle Monophy-
site, qui continueront longtemps d'agiter les esprits, que l'Église
trancha en se réfugiant dans le mystère divin, mais aussi avec
une fermeté et une clarté décisives : *Unitas in tres personas,
una persona in duas naturas* — dit définitivement le Concile
de Nicée. Unité des trois personnes — de la Trinité — unité
des deux natures du Christ. C'est à partir de la notion d'*un*
que la notion de *personne* est créée — je le crois pour longtemps —
à propos des personnes divines, mais du même coup à propos
de la personne humaine, substance et mode, corps et âme,
conscience et acte (1).

Je ne commenterai pas davantage, ni ne prolongerai cette
étude théologique. Cassiodore finit par dire avec précision :
persona — substantia rationalis individua (au Ps. VII). La personne est une substance rationnelle indivisible, individuelle (2).

Il manquait de faire de cette substance rationnelle individuelle ce qu'elle est maintenant, une conscience, et une catégorie.

Ce fut l'œuvre d'un long travail des philosophes que je n'ai
plus que quelques minutes pour décrire (3).

(1) V. les notes de SCHLOSSMANN, *loc. cit.*, p. 65, etc.
(2) V. le *Concursus* de RUSTICUS.
(3) Sur cette histoire, cette révolution de la notion d'unité, il y aurait
encore ici bien à dire. V. en particulier le 2ᵉ volume du *Progrès de la Conscience* de M. BRUNSCHVICG.

Chapitre VII

LA PERSONNE, ÊTRE PSYCHOLOGIQUE

Ici, on m'excusera si, résumant un certain nombre de recherches personnelles, et d'innombrables opinions dont on peut faire l'histoire, j'avance plus d'idées que de preuves.

Cependant, la notion de personne devait encore subir une autre transformation pour devenir ce qu'elle est devenue voici moins d'un siècle et demi, *la catégorie du moi*. Loin d'être l'idée primordiale, innée, clairement inscrite depuis Adam au plus profond de notre être, voici qu'elle continue, presque de notre temps, lentement à s'édifier, à se clarifier, à se spécifier, à s'identifier avec la connaissance de soi, avec la conscience psychologique.

Tout le long travail de l'Église, des Églises, des théologiens, des philosophes scolastiques, des philosophes de la Renaissance — secoués par la Réforme — mit même quelque retard, des obstacles à créer l'idée que cette fois nous croyons claire. La mentalité de nos aïeux jusqu'au xviie, et même jusqu'à la fin du xviiie siècle, est hantée par la question de savoir si l'âme individuelle est une substance, ou supportée par une substance — si elle est la nature de l'homme, ou si elle n'est qu'une des deux natures de l'homme ; si elle est une et insécable ou divisible et séparable ; si elle est libre, source absolue d'actions — ou si elle est déterminée et enchaînée par d'autres destins, par une prédestination. On se demande avec anxiété d'où elle vient, qui l'a créée et qui la dirige. Et, dans le débat des sectes, des chapelles et des grandes Institutions de l'Église et des Écoles philosophiques, des Universités en particulier, on ne dépasse guère le résultat acquis dès le ive siècle de notre ère. — Le concile de Trente met heureusement fin à des polémiques inutiles sur la création personnelle de chaque âme.

Au surplus, quand on parle des fonctions précises de l'âme, c'est à la pensée, à la pensée discursive, claire, déductive, que la Renaissance et Descartes s'adressent pour en comprendre la nature. C'est celle-ci que contient le révolutionnaire *Cogito ergo sum* ; c'est celle-ci qui constitue l'opposition spinoziste de « l'étendue » et de la « pensée ». Ce n'est qu'une partie de la conscience qui est considérée.

Même Spinoza (1) a encore gardé sur l'immortalité de l'âme l'idée antique pure. On sait qu'il ne croit pas à la subsistance après la mort d'une autre partie de l'âme que celle qui est animée de « l'amour intellectuel de Dieu ». Il répète au fond Maïmonide, qui répétait Aristote (*De an.*, 408, 6, cf. 430 *a. Gen. an.*, II, 3, 736 *b*). Il n'est que l'âme poétique qui puisse être éternelle puisque les deux autres âmes, la végétative et la sensitive, sont nécessairement liées au corps, et que l'énergie du corps ne pénètre pas dans le νοῦς. — Et, en même temps, par une opposition naturelle que M. Brunschvicg (2) a bien mise en lumière, c'est Spinoza qui, mieux que Descartes, et mieux que Leibnitz lui-même, parce qu'il posa avant tout le problème éthique, a la plus saine vue des rapports de la conscience individuelle avec les choses de Dieu.

C'est ailleurs que chez les Cartésiens, c'est dans d'autres milieux, que le problème de la personne qui n'est que conscience a eu sa solution. On ne saurait exagérer l'importance des mouvements sectaires pendant tout les XVIIᵉ et XVIIIᵉ siècles sur la formation de la pensée politique et philosophique. C'est là que se posèrent les questions de la liberté individuelle, de la conscience individuelle, du droit de communiquer directement avec Dieu, d'être son prêtre à soi, d'avoir un Dieu intérieur. Les notions des Frères Moraves, des Puritains, des Wesleyens, des piétistes, sont celles qui forment la base sur laquelle s'établit la notion : la personne = le moi ; le moi = la conscience — et en est la catégorie primordiale.

Tout ceci n'est pas bien vieux. Il fallut Hume révolutionnant tout (après Berkeley qui avait commencé) pour dire que, dans l'âme, il n'y avait que des *états* de *conscience*, « des perceptions » ; mais il finissait par hésiter devant la notion de « moi » (3) comme catégorie fondamentale de la conscience. Les Écossais acclimatèrent mieux ses idées.

---

(1) *Éthique*, Vᵉ partie, proposition XL. Corollaire, proposition XXIII et scolie, en relation avec : pr. XXXIX et scolie, pr. XXXVIII et scolie, pr. XXIX, pr. XXI. La notion d'amour intellectuel vient de Léon l'Hébreu, Florentin et Platonicien.

(2) *Progrès de la Conscience*, I, p. 182 et suiv.

(3) M. Blondel me rappelle l'intérêt des notes de Hume, où celui-ci pose la question du rapport : conscience-moi. *Essai sur l'Entendement humain : Identité personnelle.*

Ce n'est que chez Kant qu'elle prend forme précise. Kant était piétiste, Swedenborgien, élève de Tetens, pâle philosophe mais psychologue et théologien averti ; le « moi » insécable, il le trouvait autour de lui. Kant posa, mais sans la trancher, la question de savoir si le « moi », *das Ich*, est une catégorie.

Celui qui répondit enfin que tout fait de conscience est un fait du « moi », celui qui fonda toute la science et toute l'action sur le « moi », c'est Fichte. Kant avait déjà fait de la conscience individuelle, du caractère sacré de la personne humaine, la condition de la Raison Pratique. C'est Fichte (1) qui en fit de plus la catégorie du « moi », condition de la conscience et de la science, de la Raison Pure.

Depuis ce temps, la révolution des mentalités est faite, nous avons chacun notre « moi », écho des Déclarations des Droits, qui avaient précédé Kant et Fichte.

---

(1) *Die Thatsachen des Bewusstseins* (cours de l'hiver 1810-1811). On en trouvera un très beau et très bref résumé dans Xavier Léon, *Fichte et son temps*, vol. III, p. 161-169.

CHAPITRE VIII

CONCLUSION

D'une simple mascarade au masque, d'un personnage à une personne, à un nom, à un individu, de celui-ci à un être d'une valeur métaphysique et morale, d'une conscience morale à un être sacré, de celui-ci à une forme fondamentale de la pensée et de l'action, le parcours est accompli.

Qui sait ce que seront encore les progrès de l'Entendement sur ce point ? Quelles lumières projetteront sur ces récents problèmes la psychologie et la sociologie, déjà avancées, mais qu'il faut promouvoir encore mieux.

Qui sait même si cette « catégorie » que tous ici nous croyons fondée sera toujours reconnue comme telle ? Elle n'est formée que pour nous, chez nous. Même sa force morale — le caractère sacré de la personne humaine — est mise en question, non seulement partout dans un Orient qui n'est pas parvenu à nos sciences, mais même dans des pays où ce principe a été trouvé. Nous avons de grands biens à défendre, avec nous peut disparaître l'Idée. Ne moralisons pas.

Mais aussi ne spéculons pas trop. Disons que l'anthropologie sociale, la sociologie, l'histoire, nous apprennent à voir comment la pensée humaine « chemine » (Meyerson) ; elle arrive lentement, à travers les temps, les sociétés, leurs contacts, leurs changements, par les voies en apparence les plus hasardeuses, à s'articuler. Et travaillons à montrer comment il faut prendre conscience de nous-mêmes, pour la perfectionner, pour l'articuler encore mieux.

SIXIÈME PARTIE

LES TECHNIQUES DU CORPS [1]

(1) Extrait du *Journal de Psychologie*, XXXII, nos 3-4, 15 mars-15 avril 1936. Communication présentée à la Société de Psychologie le 17 mai 1934.

CHAPITRE PREMIER

NOTION DE TECHNIQUE DU CORPS

Je dis bien *les* techniques du corps parce qu'on peut faire la théorie de *la* technique du corps à partir d'une étude, d'une exposition, d'une description pure et simple *des* techniques du corps. J'entends par ce mot les façons dont les hommes, société par société, d'une façon traditionnelle, savent se servir de leur corps. En tout cas, il faut procéder du concret à l'abstrait, et non pas inversement.

Je veux vous faire part de ce que je crois être une des parties de mon enseignement qui ne se retrouve pas ailleurs, que je répète dans un cours d'Ethnologie descriptive (les livres qui contiendront les *Instructions sommaires* et les *Instructions à l'usage des ethnographes* sont à publier), et dont j'ai déjà fait l'expérience plusieurs fois dans mon enseignement de l'Institut d'Ethnologie de l'Université de Paris.

Quand une science naturelle fait des progrès, elle ne les fait jamais que dans le sens du concret, et toujours dans le sens de l'inconnu. Or, l'inconnu se trouve aux frontières des sciences, là où les professeurs « se mangent entre eux », comme dit Gœthe (je dis mange, mais Gœthe n'est pas si poli). C'est généralement dans ces domaines mal partagés que gisent les problèmes urgents. Ces terres en friche portent d'ailleurs une marque. Dans les sciences naturelles telles qu'elles existent, on trouve toujours une vilaine rubrique. Il y a toujours un moment où la science de certains faits n'étant pas encore réduite en concepts, ces faits n'étant pas même groupés organiquement, on plante sur ces masses de faits le jalon d'ignorance : « Divers ». C'est là qu'il faut pénétrer. On est sûr que c'est là qu'il y a des vérités à trouver : d'abord parce qu'on sait qu'on ne sait pas, et parce qu'on a le sens vif de la quantité de faits. Pendant de nombreuses années, dans mon cours d'Ethnologie descriptive, j'ai eu à enseigner en portant sur moi cette disgrâce et cet opprobre de « divers » sur un point où cette rubrique « Divers », en ethnographie, était vraiment hétéroclite. Je savais bien que la marche, la nage, par exemple, toutes sortes de choses de ce type sont spécifiques à des sociétés déterminées ; que les Polynésiens ne nagent pas comme nous, que ma génération n'a pas nagé comme la génération actuelle nage. Mais quels phénomènes sociaux étaient-ce ? C'étaient des phénomènes sociaux « divers », et, comme cette rubrique est une horreur, j'ai souvent pensé à ce « divers », au moins chaque fois que j'ai été obligé d'en parler, et souvent entre temps.

Excusez-moi si, pour former devant vous cette notion de techniques du corps, je vous raconte à quelles occasions j'ai poursuivi et comment j'ai pu poser clairement le problème général. Ce fut une série de démarches consciemment et inconsciemment faites.

D'abord, en 1898, j'ai été lié à quelqu'un dont je connais bien encore les initiales, mais dont je ne me souviens plus du nom. J'ai eu la paresse de le rechercher. C'était lui qui rédigeait un excellent article sur la « Nage » dans l'édition de la *British Encyclopaedia* de 1902, alors en cours. (Les articles « Nage » des deux éditions qui ont suivi sont devenus moins bons.) Il m'a montré l'intérêt historique et ethnographique de la question. Ce fut un point de départ, un cadre d'observation. Dans la suite — je m'en apercevais moi-même —, j'ai assisté au changement des techniques de la nage, du vivant de notre génération. Un exemple va nous mettre immédiatement au milieu des choses : nous, les psychologues, comme les biologistes et comme les sociologues. Autrefois on nous apprenait à plonger après avoir nagé. Et quand on nous apprenait à plonger, on nous apprenait à fermer les yeux, puis à les ouvrir dans l'eau. Aujourd'hui la technique est inverse. On commence tout l'apprentissage en habituant l'enfant à se tenir dans l'eau les yeux ouverts. Ainsi, avant même qu'ils nagent, on exerce les enfants surtout à dompter des réflexes dangereux mais instinctifs des yeux, on les familiarise avant tout avec l'eau, on inhibe des peurs, on crée une certaine assurance, on sélectionne des arrêts et des mouvements. Il y a donc une technique de la plongée et une technique de l'éducation de la plongée qui ont été trouvées de mon temps. Et vous voyez qu'il s'agit bien d'un enseignement technique et qu'il y a, comme pour toute technique, un apprentissage de la nage. D'autre part, notre génération, ici, a assisté à un changement complet de technique : nous avons vu remplacer par les différentes sortes de *crawl* la nage à brasse et à tête hors de l'eau.

De plus, on a perdu l'usage d'avaler de l'eau et de la cracher. Car les nageurs se considéraient, de mon temps, comme des espèces de bateaux à vapeur. C'était stupide, mais enfin je fais encore ce geste : je ne peux pas me débarrasser de ma technique. Voilà donc une technique du corps spécifique, un art gymnique perfectionné de notre temps.

Mais cette spécificité est le caractère de toutes les techniques. Un exemple : pendant la guerre j'ai pu faire des observations nombreuses sur cette spécificité des techniques. Ainsi celle de *bêcher*. Les troupes anglaises avec lesquelles j'étais ne savaient pas se servir de bêches françaises, ce qui obligeait à changer 8 000 bêches par division quand nous relevions une division française, et inversement. Voilà à l'évidence comment un tour de main ne s'apprend que lentement. Toute technique proprement dite a sa forme.

Mais il en est de même de toute attitude du corps. Chaque société a ses habitudes bien à elle. Dans le même temps j'ai eu bien des occasions de m'apercevoir des différences d'une armée à l'autre. Une anecdote à propos de la *marche*. Vous savez tous que l'infanterie britannique marche à un pas différent du nôtre : différent de fréquence, d'une autre longueur. Je ne parle pas, pour le moment, du balancement anglais, ni de l'action du genou, etc. Or le régiment de Worcester, ayant fait des prouesses considérables pendant la bataille de l'Aisne, à côté de l'infanterie française, demanda l'autorisation royale d'avoir des sonneries et batteries françaises, une clique de clairons et de tambours français. Le résultat fut peu encourageant. Pendant près de six mois, dans les rues de Bailleul, longtemps après la bataille de l'Aisne, je vis souvent le spectacle suivant : le régiment avait conservé sa marche anglaise et il la rythmait à la française. Il avait même en tête de sa clique un petit adjudant de chasseurs à pied français qui savait faire tourner le clairon et qui sonnait les marches mieux que ses hommes. Le malheureux régiment de grands Anglais ne pouvait pas défiler. Tout était discordant de sa marche. Quand il essayait de marcher au pas, c'était la musique qui ne marquait pas le pas. Si bien que le régiment de Worcester fut obligé de supprimer ses sonneries françaises. En fait les sonneries qui ont été adoptées d'armée à armée, autrefois, pendant la guerre de Crimée, furent des sonneries « au repos », la « retraite », etc. Ainsi j'ai vu d'une façon très précise et fréquente, non seulement pour ce qui était de la marche, mais de la course et de ce qui s'ensuit, la différence des techniques élémentaires aussi bien que sportives entre les Anglais et les Fran-

çais. M. le Pʳ Curt Sachs, qui vit en ce moment parmi nous,
a fait la même observation. Il en a parlé dans plusieurs de ses
conférences. Il reconnaît à longue distance la marche d'un
Anglais et d'un Français.

Mais ce n'étaient là que des approches vers le sujet.

Une sorte de révélation me vint à l'hôpital. J'étais malade à
New York. Je me demandais où j'avais déjà vu des demoiselles
marchant comme mes infirmières. J'avais le temps d'y réfléchir. Je trouvai enfin que c'était au cinéma. Revenu en France,
je remarquai, surtout à Paris, la fréquence de cette démarche ;
les jeunes filles étaient Françaises et elles marchaient aussi de
cette façon. En fait, les modes de marche américaine, grâce au
cinéma, commençaient à arriver chez nous. C'était une idée que
je pouvais généraliser. La position des bras, celle des mains pendant qu'on marche forment une idiosyncrasie sociale, et non
simplement un produit de je ne sais quels agencements et mécanismes purement individuels, presque entièrement psychiques.
Exemple : je crois pouvoir reconnaître aussi une jeune fille qui
a été élevée au couvent. Elle marche, généralement, les poings
fermés. Et je me souviens encore de mon professeur de troisième
m'interpellant : « Espèce d'animal, tu vas tout le temps tes
grandes mains ouvertes ! » Donc il existe également une éducation de la marche.

Autre exemple : il y a des *positions de la main*, au repos,
convenables ou inconvenantes. Ainsi vous pouvez deviner avec
sûreté, si un enfant se tient à table les coudes au corps et, quand
il ne mange pas, les mains aux genoux, que c'est un Anglais.
Un jeune Français ne sait plus se tenir : il a les coudes en éventail :
il les abat sur la table, et ainsi de suite.

Enfin, sur la *course*, j'ai vu aussi, vous avez tous vu, le changement de la technique. Songez que mon professeur de gymnastique, sorti un des meilleurs de Joinville, vers 1860, m'a appris à
courir les poings au corps : mouvement complètement contradictoire à tous les mouvements de la course ; il a fallu que je voie
les coureurs professionnels de 1890 pour comprendre qu'il fallait
courir autrement.

J'ai donc eu pendant de nombreuses années cette notion de la
nature sociale de l' « habitus ». Je vous prie de remarquer que je
dis en bon latin, compris en France, « habitus ». Le mot traduit,
infiniment mieux qu' « habitude », l' « exis », l' « acquis » et la
« faculté » d'Aristote (qui était un psychologue). Il ne désigne
pas ces habitudes métaphysiques, cette « mémoire » mystérieuse, sujets de volumes ou de courtes et fameuses thèses. Ces

« habitudes » varient non pas simplement avec les individus et leurs imitations, elles varient surtout avec les sociétés, les éducations, les convenances et les modes, les prestiges. Il faut y voir des techniques et l'ouvrage de la raison pratique collective et individuelle, là où on ne voit d'ordinaire que l'âme et ses facultés de répétition.

Ainsi tout me ramenait un peu à la position que nous sommes ici, dans notre Société, un certain nombre à avoir prise, à l'exemple de Comte : celle de Dumas, par exemple, qui, dans les rapports constants entre le biologique et le sociologique, ne laisse pas très grande place à l'intermédiaire psychologique. Et je conclus que l'on ne pouvait avoir une vue claire de tous ces faits, de la course, de la nage, etc., si on ne faisait pas intervenir une triple considération au lieu d'une unique considération, qu'elle soit mécanique et physique, comme une théorie anatomique et physiologique de la marche, ou qu'elle soit au contraire psychologique ou sociologique. C'est le triple point de vue, celui de « l'homme total », qui est nécessaire.

Enfin une autre série de faits s'imposait. Dans tous ces éléments de l'art d'utiliser le corps humain les faits *d'éducation* dominaient. La notion d'éducation pouvait se superposer à la notion d'imitation. Car il y a des enfants en particulier qui ont des facultés très grandes d'imitation, d'autres de très faibles, mais tous passent par la même éducation, de sorte que nous pouvons comprendre la suite des enchaînements. Ce qui se passe, c'est une imitation prestigieuse. L'enfant, l'adulte, imite des actes qui ont réussi et qu'il a vu réussir par des personnes en qui il a confiance et qui ont autorité sur lui. L'acte s'impose du dehors, d'en haut, fût-il un acte exclusivement biologique, concernant son corps. L'individu emprunte la série des mouvements dont il est composé à l'acte exécuté devant lui ou avec lui par les autres.

C'est précisément dans cette notion de prestige de la personne qui fait l'acte ordonné, autorisé, prouvé, par rapport à l'individu imitateur, que se trouve tout l'élément social. Dans l'acte imitateur qui suit se trouvent tout l'élément psychologique et l'élément biologique.

Mais le tout, l'ensemble est conditionné par les trois éléments indissolublement mêlés.

Tout ceci se rattache facilement à un certain nombre d'autres faits. Dans un livre d'Elsdon Best, parvenu ici en 1925, se trouve un document remarquable sur la façon de marcher de la femme

Maori (Nouvelle-Zélande). (Ne dites pas que ce sont des primitifs, je les crois sur certains points supérieurs aux Celtes et aux
Germains.) « Les femmes indigènes adoptent un certain « gait »
(le mot anglais est délicieux) : à savoir un balancement détaché
et cependant articulé des hanches qui nous semble disgracieux
mais qui est extrêmement admiré par les Maori. Les mères
dressaient (l'auteur dit « drill ») leurs filles dans cette façon de
faire qui s'appelle l' « onioi ». J'ai entendu des mères dire à leurs
filles [je traduis] : « toi tu ne fais pas l'onioi », lorsqu'une petite
fille négligeait de prendre ce balancement (*The Maori*, I, p. 408-9
cf. p. 135). C'était une façon acquise, et non pas une façon naturelle de marcher. En somme, il n'existe peut-être pas de « façon
naturelle » chez l'adulte. A plus forte raison lorsque d'autres
faits techniques interviennent : pour ce qui est de nous, le fait
que nous marchons avec des souliers transforme la position de
nos pieds ; quand nous marchons sans souliers, nous le sentons
bien.

D'autre part, cette même question fondamentale se posait à
moi, d'un autre côté, à propos de toutes les notions concernant
la force magique, la croyance à l'efficacité non seulement physique, mais orale, magique, rituelle de certains actes. Ici je suis
peut-être encore plus sur mon terrain que sur le terrain aventureux de la psycho-physiologie des modes de la marche, où je me
risque devant vous.

Voici un fait plus « primitif », australien cette fois : une formule de rituel de chasse et rituel de course en même temps.
On sait que l'Australien arrive à forcer à la course les kangourous, les émous, les chiens sauvages. Il arrive à saisir l'opossum
en haut de son arbre bien que l'animal offre une résistance
particulière. Un de ces rituels de course, observé voici cent ans,
est celui de la course au chien sauvage, le dingo, dans les tribus des environs d'Adélaïde. Le chasseur ne cesse pas de chanter
la formule suivante :

> frappe-le avec la houppe de plumes d'aigle (d'initiation, etc.),
> frappe-le avec la ceinture,
> frappe-le avec le bandeau de tête,
> frappe-le avec le sang de la circoncision,
> frappe-le avec le sang du bras,
> frappe-le avec les menstrues de la femme,
> fais-le dormir, etc. (1).

---

(1) TEICHELMANN et SCHURMANN, Outlines of a Grammar, *Vocabulary*, etc.
Sth.-Australia, Adélaïde, 1840. Répété par EYRE, *Journal*, etc., II, p. 241.

Dans une autre cérémonie, celle de la chasse à l'opossum, l'individu porte dans sa bouche un morceau de cristal de roche *(kawemukka)*, pierre magique entre toutes, et chante une formule de même genre, et c'est ainsi soutenu qu'il peut dénicher l'opossum, qu'il grimpe et peut rester suspendu à sa ceinture dans l'arbre, qu'il force et qu'il peut prendre et tuer ce gibier difficile.

Les rapports entre les procédés magiques et les techniques de la chasse sont évidents, trop universels pour insister.

Le phénomène psychologique que nous constatons en ce moment est évidemment, du point de vue habituel du sociologue, trop facile à savoir et à comprendre. Mais ce que nous voulons saisir maintenant, c'est la confiance, le *momentum* psychologique qui peut s'attacher à un acte qui est avant tout un fait de résistance biologique, obtenue grâce à des mots et à un objet magique.

Acte technique, acte physique, acte magico-religieux sont confondus pour l'agent. Voilà les éléments dont je disposais.

*
* *

Tout ceci ne me satisfaisait pas. Je voyais comment tout pouvait se décrire, mais non s'organiser ; je ne savais quel nom, quel titre donner à tout cela.

C'était très simple, je n'avais qu'à m'en référer à la division des actes traditionnels en techniques et en rites, que je crois fondée. Tous ces modes d'agir étaient des techniques, ce sont les techniques du corps.

Nous avons fait, et j'ai fait pendant plusieurs années l'erreur fondamentale de ne considérer qu'il y a technique que quand il y a instrument. Il fallait revenir à des notions anciennes, aux données platoniciennes sur la technique, comme Platon parlait d'une technique de la musique et en particulier de la danse, et étendre cette notion.

J'appelle technique un acte *traditionnel efficace* (et vous voyez qu'en ceci il n'est pas différent de l'acte magique, religieux, symbolique). Il faut qu'il soit *traditionnel et efficace*. Il n'y a pas de technique et pas de transmission, s'il n'y a pas de tradition. C'est en quoi l'homme se distingue avant tout des animaux : par la transmission de ses techniques et très probablement par leur transmission orale.

Donnez-moi donc la permission de considérer que vous adoptez mes définitions. Mais quelle est la différence entre l'acte traditionnel efficace de la religion, l'acte traditionnel, efficace, symbolique, juridique, les actes de la vie en commun, les actes moraux d'une part, et l'acte traditionnel des techniques d'autre part ? C'est que celui-ci est senti par l'auteur *comme un acte d'ordre mécanique, physique ou physico-chimique* et qu'il est poursuivi dans ce but.

Dans ces conditions, il faut dire tout simplement : nous avons affaire à des *techniques du corps*. Le corps est le premier et le plus naturel instrument de l'homme. Ou plus exactement, sans parler d'instrument, le premier et le plus naturel objet technique, et en même temps moyen technique, de l'homme, c'est son corps. Immédiatement, toute cette grande catégorie de ce que, en sociologie descriptive, je classais comme « divers » disparaît de cette rubrique et prend forme et corps : nous savons où la ranger.

Avant les techniques à instruments, il y a l'ensemble des techniques du corps. Je n'exagère pas l'importance de ce genre de travail, travail de taxinomie psycho-sociologique. Mais c'est quelque chose : l'ordre mis dans des idées, là où il n'y en avait aucun. Même à l'intérieur de ce groupement de faits, le principe permettait un classement précis. Cette adaptation constante à un but physique, mécanique, chimique (par exemple quand nous buvons) est poursuivie dans une série d'actes montés, et montés chez l'individu non pas simplement par lui-même, mais par toute son éducation, par toute la société dont il fait partie, à la place qu'il y occupe.

Et de plus, toutes ces techniques se rangeaient très facilement dans un système qui nous est commun : la notion fondamentale des psychologues, surtout Rivers et Head, de la vie symbolique de l'esprit ; cette notion que nous avons de l'activité de la conscience comme étant avant tout un système de montages symboliques.

Je n'en finirais plus si je voulais vous montrer tous les faits que nous pourrions énumérer pour faire voir ce concours du corps et des symboles moraux ou intellectuels. Regardons-nous en ce moment nous-mêmes. Tout en nous tous se commande. Je suis en conférencier avec vous ; vous le voyez à ma posture assise et à ma voix, et vous m'écoutez assis et en silence. Nous avons un ensemble d'attitudes permises ou non, naturelles ou non. Ainsi nous attribuerons des valeurs différentes au fait de regarder fixement : symbole de politesse à l'armée, et d'impolitesse dans la vie courante.

Chapitre II

PRINCIPES DE CLASSIFICATION
DES TECHNIQUES DU CORPS

Deux choses étaient immédiatement apparentes à partir de cette notion de techniques du corps : elles se divisent et varient par sexes *et* par âges.

1. **Division des techniques du corps entre les sexes** (et non pas simplement division du travail entre les sexes). — La chose est assez considérable. Les observations de Yerkes et de Köhler sur la position des objets par rapport au corps et spécialement au giron, chez le singe, peuvent inspirer des remarques générales sur la différence d'attitudes des corps en mouvement par rapport à des objets en mouvement dans les deux sexes. Il y a d'ailleurs, sur ce point, des observations classiques chez l'homme. Il faudrait les compléter. Je me permets d'indiquer à mes amis psychologues cette série de recherches. J'y ai peu de compétence et, d'autre part, n'en aurais pas le temps. Prenons la façon de fermer le poing. L'homme serre normalement le poing le pouce en dehors, la femme le serre le pouce en dedans ; peut-être parce qu'elle n'y a pas été éduquée, mais je suis certain que, si on l'éduquait, ce serait difficile. Le coup de poing, le lancer du coup sont mous. Et tout le monde sait que le lancer de la femme, le jet de pierre est, non seulement mou, mais toujours différent de celui de l'homme : plan vertical au lieu d'horizontal.

Peut-être y a-t-il là le cas de deux instructions. Car il y a une société des hommes et une société des femmes. Je crois cependant qu'il y a peut-être aussi des choses biologiques et d'autres psychologiques, à trouver. Mais là, encore une fois, le psychologue tout seul ne pourra donner que des explications douteuses, et il lui faut la collaboration de deux sciences voisines : physiologie, sociologie.

2. Variation des techniques du corps avec les âges. — L'enfan
s'accroupit normalement. Nous ne savons plus nous accroupir
Je considère que c'est une absurdité et une infériorité de no
races, civilisations, sociétés. Un exemple. J'ai vécu au fron
avec les Australiens (blancs). Ils avaient sur moi une supério
rité considérable. Quand nous faisions halte dans les boues ou
dans l'eau, ils pouvaient s'asseoir sur leurs talons, se repose
et la « flotte », comme on disait, restait au-dessous de leur
talons. J'étais obligé de rester debout dans mes bottes, tou
le pied dans l'eau. La position accroupie est, à mon avis, un
position intéressante que l'on peut conserver à un enfant. L
plus grosse erreur est de la lui enlever. Toute l'humanité
excepté nos sociétés, l'a conservée.

Il semble d'ailleurs que, dans la suite des âges de la rac
humaine, cette posture ait également changé d'importance. Vou
vous rappelez qu'autrefois on considérait comme un signe d
dégénérescence l'arcature des membres inférieurs. On a donn
de ce trait de race une explication physiologique. Celui qu
Virchow encore considérait comme un malheureux dégénér
et qui n'est rien moins que l'homme dit de Néanderthal avai
les jambes arquées. C'est qu'il vivait normalement accroupi
Il y a donc des choses que nous croyons de l'ordre de l'hérédit
qui sont en réalité d'ordre physiologique, d'ordre psycholo
gique et d'ordre social. Une certaine forme des tendons e
même des os n'est que la suite d'une certaine forme de s
porter et de se poser. C'est assez clair. Par ce procédé, il es
possible non seulement de classer les techniques, mais de clas
ser leurs variations par âge et par sexe.

Cette classification par rapport à laquelle toutes les classe
de la société se divisent étant posée, on peut en entrevoir un
troisième.

**3. Classement des techniques du corps par rapport au rende
ment.** — Les techniques du corps peuvent se classer par rap
port à leur rendement, par rapport aux résultats de dressage
Le dressage, comme le montage d'une machine, est la recherche
l'acquisition d'un rendement. Ici c'est un rendement humain
Ces techniques sont donc les normes humaines du dressag
humain. Ces procédés que nous appliquons aux animaux, le
hommes se les sont volontairement appliqués à eux-mêmes e
à leurs enfants. Ceux-ci sont probablement les premiers être
qui aient été ainsi dressés, avant tous les animaux, qu'il fallu
d'abord apprivoiser. Je pourrais par conséquent les compare

dans une certaine mesure, elles-mêmes et leur transmission, à des dressages, les ranger par ordre d'efficacité.

Ici se place la notion, très importante en psychologie comme en sociologie, d'adresse. Mais en français nous n'avons qu'un mauvais terme, « habile », qui traduit mal le mot latin « habilis », bien meilleur pour désigner les gens qui ont le sens de l'adaptation de tous leurs mouvements bien coordonnés aux buts, qui ont des habitudes, qui « savent y faire ». C'est la notion anglaise de « craft », de « clever » (adresse et présence d'esprit et habitude), c'est l'habileté à quelque chose. Encore une fois nous sommes bien dans le domaine technique.

4. Transmission de la forme des techniques. — Dernier point de vue : l'enseignement des techniques étant essentiel, nous pouvons les classer par rapport à la nature de cette éducation et de ce dressage. Et voilà un nouveau champ d'études : des foules de détails inobservés et dont il faut faire l'observation, composent l'éducation physique de tous les âges et des deux sexes. L'éducation de l'enfant est pleine de ce qu'on appelle des détails, mais qui sont essentiels. Soit le problème de l'ambidextrie, par exemple : nous observons mal les mouvements de la main droite et ceux de la main gauche et savons mal combien tous sont appris. On reconnaît de prime abord un pieux musulman : même lorsqu'il a une fourchette et un couteau (ce qui est rare), il fera tout l'impossible pour ne se servir que de sa main droite. Il ne doit jamais toucher à la nourriture avec sa gauche, à certaines parties de son corps avec sa droite. Pour savoir pourquoi il ne fait pas tel geste et fait tel autre, il ne suffit ni de physiologie ni de psychologie de la dissymétrie motrice chez l'homme, il faut connaître les traditions qui l'imposent. Robert Hertz a bien posé ce problème (1). Mais des réflexions de ce genre et d'autres peuvent s'appliquer à tout ce qui est choix social des principes des mouvements.

Il y a lieu d'étudier tous les modes de dressage, d'imitation et tout particulièrement ces façons fondamentales que l'on peut appeler le mode de vie, le *modus*, le *tonus*, la « matière », les « manières », la « façon ».

Voilà une première classification, ou plutôt quatre points de vue.

(1) *La Prééminence de la main droite.* Réimprimé dans *Mélanges de Sociologie religieuse et de folklore*, Alcan.

Chapitre III

ÉNUMÉRATION BIOGRAPHIQUE
DES TECHNIQUES DU CORPS

Une tout autre classification est, je ne dirai pas plus logique, mais plus facile pour l'observateur. C'est une énumération simple. J'avais projeté de vous présenter une série de petits tableaux, comme en préparent les professeurs américains. Nous allons tout simplement suivre à peu près les âges de l'homme, la biographie normale d'un individu, pour ranger les techniques du corps qui le concernent ou qu'on lui apprend.

1. Techniques de la naissance et de l'obstétrique. — Les faits sont relativement mal connus, et beaucoup de renseignements classiques sont discutables (1). Parmi les bons sont ceux de Walther Roth, à propos des tribus australiennes du Queensland et de la Guyane Britannique.

Les formes de l'obstétrique sont très variables. L'enfant Bouddha est né, sa mère, Mâya, se tenant droite accrochée à une branche d'arbre. Elle a accouché debout. Une bonne partie des femmes de l'Inde accouchent encore ainsi. Des choses que nous croyons normales, à savoir l'accouchement dans la position couchée sur le dos, ne sont pas plus normales que les autres, par exemple les positions à quatre pattes. Il y a des techniques de l'accouchement, soit du côté de la mère, soit du côté de ses aides, de la saisie de l'enfant ; ligature et section du cordon ; soins de la mère ; soins de l'enfant. Voilà une certaine quantité de questions qui sont assez considérables. En voici d'autres : le choix de l'enfant, l'exposition des infirmes, la mise à mort des jumeaux sont des moments décisifs dans l'histoire d'une race. Dans l'histoire ancienne comme dans les autres civilisations, la reconnaissance de l'enfant est un événement capital.

(1) Même les dernières éditions du PLOSS, *Das Weib* (éditions de Bartels, etc.), laissent à désirer sur ce point.

2. **Techniques de l'enfance.** — *Élevage et nourriture de l'enfant.* — Attitudes des deux êtres en rapport : la mère et l'enfant. Considérons l'enfant : la succion, etc., le portage, etc. L'histoire du portage est très importante. L'enfant porté à même la peau de sa mère pendant deux ou trois ans a une tout autre attitude vis-à-vis de sa mère qu'un enfant non porté (1) ; il a un contact avec sa mère tout autre que l'enfant de chez nous. Il s'accroche au cou, à l'épaule, il est à califourchon sur la hanche. C'est une gymnastique remarquable, essentielle pour toute sa vie. Et c'est une autre gymnastique pour la mère que de le porter. Même il semble qu'il y ait ici naissance d'états psychiques disparus de nos enfances. Il y a des contacts de sexes et de peaux, etc.

Sevrage. — Très long à se faire, généralement deux et trois ans. Obligation de nourrir, quelquefois même obligation de nourrir des animaux. La femme est très longue à se sevrer de son lait. Il y a, de plus, des relations entre le sevrage et la reproduction, des arrêts de la reproduction pendant le sevrage (2).

L'humanité peut assez bien se diviser en gens à berceaux et gens sans berceaux. Car il y a des techniques du corps qui supposent un instrument. Dans les pays à berceaux se rangent presque tous les peuples des deux hémisphères nord, ceux de la région andine, ainsi qu'un certain nombre de populations de l'Afrique centrale. Dans ces deux derniers groupes, l'usage du berceau coïncide avec la déformation cranienne (qui a peut-être de graves conséquences physiologiques).

L'enfant après sevrage. — Il sait manger et boire ; il est éduqué à la marche ; on exerce sa vision, son oreille, ses sens du rythme et de la forme et du mouvement, souvent pour la danse et la musique.

Il reçoit les notions et les usages d'assouplissement, de respiration. Il prend certaines postures, qui lui sont souvent infligées.

3. **Techniques de l'adolescence.** — A observer surtout chez l'homme. Moins importantes chez les filles dans les sociétés à l'étude desquelles un cours d'Ethnologie est destiné. Le grand moment de l'éducation du corps est, en effet, celui de l'initiation. Nous nous imaginons, en vertu de la façon dont nos fils et filles sont élevés, que les uns et les autres acquièrent les mêmes manières et postures et reçoivent le même entraînement partout. Cette idée est déjà erronée chez nous — elle est totalement

(1) Des observations commencent à être publiées sur ce point.
(2) La grande collection de faits rassemblés par Ploss, refaite par Bartels, est satisfaisante sur ce point.

fausse en pays dits primitifs. De plus, nous décrivons les faits comme s'il avait toujours et partout existé quelque chose du genre de l'école de chez nous qui débute tout de suite et doit garder et dresser l'enfant à la vie. C'est le contraire qui est la règle. Par exemple : dans toutes les sociétés noires, l'éducation du garçon s'intensifie à son âge pubère, celle des femmes restant pour ainsi dire traditionnelle. Il n'y a pas d'école pour les femmes. Elles sont à l'école de leurs mères et s'y forment constamment, pour passer, sauf exceptions, directement à l'état d'épouses. L'enfant mâle entre dans la société des hommes où il apprend son métier et surtout son métier militaire. Cependant, pour les hommes comme pour les femmes, le moment décisif est celui de l'adolescence. C'est à ce moment qu'ils apprennent définitivement les techniques du corps qu'ils garderont pendant tout leur âge adulte.

4. **Techniques de l'âge adulte.** — Pour inventorier celles-ci, on peut suivre les divers moments de la journée où se répartissent les mouvements coordonnés et arrêts.

Nous pouvons distinguer le sommeil et la veille et, dans la veille, le repos et l'activité.

1º *Techniques du sommeil.* — La notion que le coucher est quelque chose de naturel est complètement inexacte. Je peux vous dire que la guerre m'a appris à dormir partout, sur des tas de cailloux par exemple, mais que je n'ai jamais pu changer de lit sans avoir un moment d'insomnie : ce n'est qu'au deuxième jour que je peux m'endormir vite.

Ce qui est très simple, c'est que l'on peut distinguer les sociétés qui n'ont rien pour dormir, sauf « la dure », et les autres qui s'aident d'instrument. La « civilisation par 15º de latitude » dont parle Graebner (1) se caractérise entre autres par l'usage pour dormir d'un banc pour la nuque. L'accoudoir est souvent un totem, quelquefois sculpté de figures accroupies d'hommes, d'animaux totémiques. — Il y a les gens à natte et les gens sans natte (Asie, Océanie, une partie de l'Amérique). — Il y a les gens à oreillers et les gens sans oreillers. — Il y a les populations qui se mettent très serrées en rond pour dormir, autour d'un feu, ou même sans feu. Il y a des façons primitives de se réchauffer et de chauffer les pieds. Les Fuégiens, qui vivent dans un endroit très froid, ne savent que se chauffer les pieds au moment où ils dorment, n'ayant qu'une seule couverture de

(1) GRAEBNER, *Ethnologie*, Leipzig, 1923.

peau (guanaco). — Il y a enfin le sommeil debout. Les Masaï peuvent dormir debout. J'ai dormi debout en montagne. J'ai dormi souvent à cheval, même en marche quelquefois : le cheval était plus intelligent que moi. Les vieux historiens des invasions nous représentent Huns et Mongols dormant à cheval. C'est encore vrai, et leurs cavaliers dormant n'arrêtant pas la marche des chevaux.

Il y a l'usage de la couverture. Gens qui dorment couverts et non couverts. Il y a le hamac et la façon de dormir suspendu.

Voilà une grande quantité de pratiques qui sont à la fois des techniques du corps et qui sont profondes en retentissements et effets biologiques. Tout ceci peut et doit être observé sur le terrain, des centaines de ces choses sont encore à connaître.

2º *Veille : Techniques du repos.* — Le repos peut être repos parfait ou simple arrêt : couché, assis, accroupi, etc. Essayez de vous accroupir. Vous verrez la torture que vous donne, par exemple, un repas marocain pris suivant tous les rites. La façon de s'asseoir est fondamentale. Vous pouvez distinguer l'humanité accroupie et l'humanité assise. Et, dans celle-ci, distinguer les gens à bancs et les gens sans bancs et estrades ; les gens à sièges et les gens sans sièges. Le siège de bois porté par des figures accroupies est répandu, chose très remarquable, dans toutes les régions du quinzième degré de latitude nord et de l'Équateur des deux continents (1). Il y a les gens qui ont des tables et les gens qui n'en ont pas. La table, la « trapeza » grecque, est loin d'être universelle. Normalement, c'est encore un tapis, une natte, dans tout l'Orient. Tout ceci est assez compliqué, car ces repos comportent le repas, la conversation, etc. Certaines sociétés prennent leurs repos dans des positions singulières. Ainsi toute l'Afrique Nilotique et une partie de la région du Tchad, jusqu'au Tanganyka, est peuplée par des hommes qui, aux champs, se mettent en échassiers pour se reposer. Un certain nombre réussit à rester sur un seul pied sans perche, d'autres s'appuient sur un bâton. Ce sont là de véritables traits de civilisations, communs à un grand nombre, à des familles entières de peuples, que forment ces techniques du repos. Rien ne semble plus naturel à des psychologues ; je ne sais pas s'ils sont tout à fait de mon avis, mais je crois que ces postures dans la savane sont dues à la hauteur des herbes, à la fonction de berger, de sentinelles, etc. ; elles sont difficilement acquises par éducation et conservées.

---

(1) Ceci est une des bonnes observations de GRAEBNER, *ibid.*

Vous avez le repos actif, généralement esthétique ; ainsi est fréquente même la danse au repos, etc. Nous reviendrons là-dessus.

3º *Techniques de l'activité, du mouvement.* — Par définition, le repos, c'est l'absence de mouvements, le mouvement, l'absence de repos. Voici une énumération pure et simple :

Mouvements du corps entier : ramper ; fouler ; marcher. *La marche* : habitus du corps debout en marchant, respiration, rythme de la marche, balancement des poings, des coudes, progression le tronc en avant du corps ou par avancement des deux côtés du corps alternativement (nous avons été habitués à avancer tout le corps d'un coup). Pieds en dehors, pieds en dedans. Extension de la jambe. On se moque du « pas de l'oie ». C'est le moyen pour l'armée allemande d'obtenir le maximum d'extension de la jambe, étant donné surtout que l'ensemble des hommes du Nord, hauts sur jambes, ont le goût de faire le pas le plus long possible. Faute de ces exercices, un grand nombre d'entre nous, en France, restons à quelques degrés cagneux du genou. Voilà une de ces idiosyncrasies qui sont à la fois de race, de mentalité individuelle et de mentalité collective. Les techniques comme celles du demi-tour sont des plus curieuses. Le demi-tour « par principe » à l'anglaise est si différent du nôtre que c'est toute une étude de l'apprendre.

Course. — Position du pied, position des bras, respiration, magie de la course, endurance. J'ai vu à Washington le chef de la Confrérie du feu des Indiens Hopi qui venait, avec quatre de ses hommes, protester contre la défense de se servir de certains alcools pour leurs cérémonies. C'était certainement le meilleur coureur du monde. Il avait fait 250 milles sans arrêt. Tous ces Pueblos sont coutumiers de hauts faits physiques de toutes sortes. Hubert, qui les avait vus, les comparait physiquement aux athlètes japonais. Ce même Indien était un danseur incomparable.

Enfin nous arrivons à des techniques de repos actif qui ne relèvent pas simplement de l'esthétique, mais aussi des jeux du corps.

Danse. — Vous avez peut-être assisté aux leçons de M. von Hornbostel et de M. Curt Sachs. Je vous recommande la très belle histoire de la danse de ce dernier (1). J'admets leur division en danses au repos et danses en action. J'admets peut-être moins l'hypothèse qu'ils font sur la répartition de ces danses. Ils

---

(1) Curt SACHS, *Weltgeschichte des Tanzes*, Berlin, 1933.

sont victimes de l'erreur fondamentale sur laquelle vit une partie de la sociologie. Il y aurait des sociétés à descendance exclusivement masculine et d'autres à descendance utérine. Les unes, féminisées, danseraient plutôt sur place ; les autres, à descendance par les mâles, mettraient leur plaisir dans le déplacement.

M. Curt Sachs a mieux classé ces danses en danses extraverties et danses intraverties. Nous sommes en pleine psychanalyse, probablement assez fondée ici. En vérité le sociologue doit voir les choses d'une façon plus complexe. Ainsi, les Polynésiens, et les Maori en particulier, se trémoussent très fort, même sur place, ou se déplacent très fort lorsqu'ils ont la place pour ce faire.

Il y a à distinguer la danse des hommes et celle des femmes, souvent opposées.

Enfin il faut savoir que la danse enlacée est un produit de la civilisation moderne d'Europe. Ce qui vous démontre que des choses tout à fait naturelles pour nous sont historiques. Elles sont d'ailleurs sujet d'horreur pour le monde entier, sauf pour nous.

Je passe aux techniques du corps qui font même fonction de métiers et partie de métiers ou de techniques plus complexes.

Saut. — Nous avons assisté à la transformation de la technique du saut. Nous avons tous sauté à partir d'un tremplin et, encore une fois, de face. Ceci a heureusement cessé. Actuellement on saute, heureusement, de côté. Saut en longueur, largeur, profondeur. Saut de position, saut à la perche. Ici, nous retrouvons les sujets de réflexion de nos amis Köhler, Guillaume et Meyerson : la psychologie comparée de l'homme et des animaux. Je cesse d'en parler. Ces techniques varient infiniment.

Grimper. — Je peux vous dire que je suis très mauvais grimpeur à l'arbre, — passable en montagne et sur le rocher. Différence d'éducation, par conséquent de méthode.

Une méthode d'ascension à l'arbre avec la ceinture ceignant l'arbre et le corps est capitale, chez tous les soi-disant primitifs. Or, nous n'avons chez nous même pas l'emploi de cette ceinture. Nous voyons l'ouvrier des télégraphes grimper avec ses crampons seuls et sans ceinture. On devrait leur apprendre ce procédé (1).

L'histoire des méthodes d'alpinisme est tout à fait remarquable. Elle a fait des progrès fabuleux pendant mon existence.

Descente. — Rien n'est plus vertigineux que de voir un Kabyle descendre avec des babouches. Comment peut-il tenir et ne pas

(1) Je viens de le voir enfin utilisé (printemps 1935).

perdre ses babouches ? J'ai essayé de voir, de faire, je ne comprends pas.

Je ne comprends pas non plus d'ailleurs comment les dames peuvent marcher avec leurs hauts talons. Ainsi il y a tout à observer, et non pas seulement à comparer.

Nage. — Je vous ai dit ce que j'en pensais. Plonger, nager ; utilisations de moyens supplémentaires : outres, planches, etc. Nous sommes sur la voie de l'invention de la navigation. J'ai été un de ceux qui ont critiqué le livre des de Rougé sur l'Australie, montré leurs plagiats, cru à leurs graves inexactitudes. Avec tant d'autres je réputais fable leur récit : ils avaient vu caval-cader de grandes tortues de mer par les Niol-Niol (W. Austra-lia N.). Or nous avons maintenant d'excellentes photographies où l'on voit ces gens chevauchant des tortues. De la même façon, l'histoire du morceau de bois sur lequel on nage a été notée par Rattray pour les *Ashanti* (vol. I). De plus, elle est certaine pour les indigènes de presque toutes les lagunes de Guinée, de Porto-Novo, de nos propres colonies.

Mouvements de force. — Pousser, tirer, lever. Tout le monde sait ce que c'est qu'un coup de rein. C'est une technique apprise et non pas une simple série de mouvements.

Lancer, jeter en l'air, en surface, etc. ; la façon de tenir l'objet à lancer dans ses doigts est remarquable et comporte de grandes variations.

Tenir. Tenir avec les dents. Usage des doigts de pied, de l'ais-selle, etc.

Toute cette étude des mouvements mécaniques est bien enta-mée. C'est la formation de couples mécaniques avec le corps. Vous vous rappelez bien la grande théorie de Reulaux sur la for-mation de ces couples. Et on se souvient ici du grand nom de Farabeuf. Dès que je me sers de mon poing, à plus forte raison lorsque l'homme a eu « le coup de poing chelléen » en mains, des « couples » sont formés.

Ici se placent tous les tours de main, les passe-passe, l'athlé-tisme, l'acrobatie, etc. Je dois vous dire que j'ai eu la plus grande admiration pour les prestidigitateurs, les gymnastes, et je ne cesse pas de l'avoir.

4º *Techniques des soins du corps. Frottage, lavage, savon-nage.* — Ce dossier est presque d'hier. Les inventeurs du savon ne sont pas les Anciens, ils ne se savonnaient pas. Ce sont les Gaulois. Et d'autre part, indépendamment, toute l'Amérique Centrale et celle du Sud (Nord-Est) se savonnait avec le bois de Panama, le « brazil », d'où le nom de cet empire.

Soins de la bouche. — Technique du tousser et du cracher. Voici une observation personnelle. Une petite fille ne savait pas cracher et chacun de ses rhumes en était aggravé. Je me suis informé. Dans le village de son père et dans la famille de son père particulièrement, au Berry, on ne sait pas cracher. Je lui ai appris à cracher. Je lui donnai quatre sous par crachat. Comme elle était désireuse d'avoir une bicyclette, elle a appris à cracher. Elle est la première de la famille à savoir cracher.

Hygiène des besoins naturels. — Ici je pourrais vous énumérer des faits sans nombre.

5º *Technique de la consommation. Manger.* — Vous vous rappelez l'anecdote du shah de Perse, répétée par Höffding. Le shah, invité de Napoléon III, mangeait avec ses doigts ; l'empereur insiste pour qu'il se serve d'une fourchette d'or. « Vous ne savez pas de quel plaisir vous vous privez », lui répond le Shah.

Absence et usage du couteau. Une énorme erreur de fait est celle de Mac Gee qui crut avoir observé que les Seri (presqu'île de la Madeleine, Californie), étant dénués du sens du couteau, étaient les plus primitifs des hommes. Ils n'ont pas de couteau pour manger, voilà tout.

Boisson. — Il est très utile d'apprendre aux enfants à boire à même la source, le jet, etc., ou dans des traces d'eau, etc., à boire à la régalade, etc.

6º *Techniques de la reproduction.* — Rien n'est plus technique que les positions sexuelles. Très peu d'auteurs ont eu le courage de parler de cette question. Il faut être reconnaissant à M. Krauss d'avoir publié sa grande collection d'*Anthropophyteia*. Considérons par exemple la technique de la position sexuelle qui consiste en ceci : la femme a les jambes suspendues par les genoux aux coudes de l'homme. C'est une technique *spécifique* de tout le Pacifique, depuis l'Australie jusqu'au fond du Pérou, en passant par le détroit de Behring — pour ainsi dire très rare ailleurs.

Il y a toutes les techniques des actes sexuels normaux et anormaux. Attouchements par sexe, mélange des souffles, baisers, etc. Ici les techniques et la morale sexuelles sont en étroits rapports.

7º Il y a enfin les *techniques des soins, de l'anormal* : massages, etc. Mais passons.

CHAPITRE IV

CONSIDÉRATIONS GÉNÉRALES

Des questions générales vous intéresseront peut-être plus que ces énumérations de techniques que j'ai trop longuement traitées devant vous.

Ce qui ressort très nettement de celles-ci, c'est que nous nous trouvons partout en présence de montages physio-psycho-sociologiques de séries d'actes. Ces actes sont plus ou moins habituels et plus ou moins anciens dans la vie de l'individu et dans l'histoire de la société.

Allons plus loin : l'une des raisons pour lesquelles ces séries peuvent être montées plus facilement chez l'individu, c'est précisément parce qu'elles sont montées par et pour l'autorité sociale. Caporal, voici comment j'enseignais la raison de l'exercice en rang serré, la marche par quatre et au pas. Je défendais de marcher au pas et de se mettre en rang et en deux files par quatre, et j'obligeais l'escouade à passer entre deux des arbres de la cour. Ils se marchaient les uns sur les autres. Ils se sont rendu compte que ce qu'on leur faisait faire n'était pas si bête. Il y a dans tout l'ensemble de la vie en groupe une espèce d'éducation des mouvements en rang serré.

Dans toute société, tout le monde sait et doit savoir et apprendre ce qu'il doit dans toutes conditions. Naturellement la vie sociale n'est pas exempte de stupidité et d'anormalités. L'erreur peut être un principe. La marine française n'apprend que depuis peu à nager à ses matelots. Mais exemple et ordre, voilà le principe. Il y a donc une forte cause sociologique à tous ces faits. Vous m'en rendrez, j'espère, raison.

D'autre part, puisque ce sont des mouvements du corps, tout suppose un énorme appareil biologique, physiologique. Quelle est l'épaisseur de la roue d'engrenage psychologique ? Je dis exprès roue d'engrenage. Un comtiste dirait qu'il n'y a pas d'intervalle entre le social et le biologique. Ce que je peux vous dire, c'est que je vois ici les faits psychologiques comme engrenage et que je ne les vois pas comme causes, sauf dans les moments de création ou de réforme. Les cas d'invention, de positions de principes sont rares. Les cas d'adaptation sont une chose psychologique individuelle. Mais généralement ils sont commandés par l'éducation, et au moins par les circonstances de la vie en commun, du contact.

D'autre part, il y a deux grosses questions à l'ordre du jour de la psychologie : celle de la capacité individuelle, de l'orientation technique et celle de la caractéristique, de la biotypologie, qui peuvent concourir avec cette brève recherche que nous venons de faire. Les grands progrès de la psychologie dans les derniers temps n'ont pas été faits, à mon avis, à propos de chacune des soi-disant facultés de la psychologie, mais en psychotechnique, et en analyse des « touts » psychiques.

Ici l'ethnologue rencontre les grosses questions des possibilités psychiques de telle et telle race et de telle et telle biologie de tel et tel peuple. Ce sont des questions fondamentales. Je crois qu'ici encore, quoi qu'il semble, nous sommes en présence de phénomènes biologico-sociologiques. Je crois que l'éducation fondamentale de toutes ces techniques consiste à faire adapter le corps à son usage. Par exemple, les grandes épreuves de stoïcisme, etc., qui constituent l'initiation dans la plus grande partie de l'humanité, ont pour but d'apprendre le sang-froid, la résistance, le sérieux, la présence d'esprit, la dignité, etc. La principale utilité que je vois à mon alpinisme d'autrefois fut cette éducation de mon sang-froid qui me permit de dormir debout sur le moindre replat au bord de l'abîme.

Je crois que toute cette notion de l'éducation des races qui se sélectionnent en vue d'un rendement déterminé est un des moments fondamentaux de l'histoire elle-même : éducation de la vue, éducation de la marche — monter, descendre, courir. — C'est en particulier dans l'éducation du sang-froid qu'elle consiste. Et celui-ci est avant tout un mécanisme de retardement, d'inhibition de mouvements désordonnés ; ce retardement permet une réponse ensuite coordonnée de mouvements coordonnés partant alors dans la direction du but alors choisi. Cette résistance à l'émoi envahissant est quelque chose de fondamental dans la vie sociale et mentale. Elle sépare entre elles, elle classe même les sociétés dites primitives : suivant que les réactions y sont plus ou moins brutales, irréfléchies, inconscientes, ou au contraire isolées, précises, commandées par une conscience claire.

C'est grâce à la société qu'il y a une intervention de la conscience. Ce n'est pas grâce à l'inconscience qu'il y a une intervention de la société. C'est grâce à la société qu'il y a sûreté des mouvements prêts, domination du conscient sur l'émotion et l'inconscience. C'est par raison que la marine française obligera ses matelots à apprendre à nager.

De là nous viendrions aisément à des problèmes beaucoup plus philosophiques.

Je ne sais pas si vous avez fait attention à ce que notre ami Granet a déjà indiqué de ses grandes recherches sur les techniques du Taoïsme, les techniques du corps, de la respiration en particulier. J'ai assez fait d'études dans les textes sanskrits du Yoga pour savoir que les mêmes faits se rencontrent dans l'Inde. Je crois que précisément il y a, même au fond de tous nos états mystiques, des techniques du corps qui n'ont pas été étudiées, et qui furent parfaitement étudiées par la Chine et par l'Inde, dès des époques très anciennes. Cette étude socio-psycho-biologique de la mystique doit être faite. Je pense qu'il y a nécessairement des moyens biologiques d'entrer en « communication avec le Dieu ». Quoique enfin la technique des souffles, etc., ne soit le point de vue fondamental que dans l'Inde et la Chine, je la crois beaucoup plus généralement répandue. En tout cas, nous avons sur ce point des moyens de comprendre un grand nombre de faits, que nous n'avons pas jusqu'ici compris. Je crois même que toutes les découvertes récentes en réfléxothérapie méritent notre attention, à nous, sociologues, après celle des biologistes et celle des psychologues... beaucoup plus compétents que nous.

SEPTIÈME PARTIE

MORPHOLOGIE SOCIALE

ESSAI
SUR LES VARIATIONS SAISONNIÈRES
DES SOCIÉTÉS ESKIMOS

ÉTUDE DE MORPHOLOGIE SOCIALE[1]

Nous nous proposons d'étudier ici la morphologie sociale des sociétés Eskimos. On sait que nous désignons [2] par ce mot la science qui étudie, non seulement pour le décrire, mais aussi pour l'expliquer, le substrat matériel des sociétés, c'est-à-dire la forme qu'elles affectent en s'établissant sur le sol, le volume et la densité de la population, la manière dont elle est distribués ainsi que l'ensemble des choses qui servent de siège à la vie collective.

Mais parce que notre travail porte sur une population géographique déterminée, il faut se garder d'y voir une étude de pure ethnographie. Notre intention n'est nullement de rassembler, en une monographie descriptive, les particularités diverses que peut présenter la morphologie des peuples Eskimos. Nous entendons, au contraire, à propos des Eskimos, établir des apports d'une certaine généralité. Et si nous prenons pour objet spécial de notre étude cette remarquable population [3]

---

(1) Extrait de l'*Année Sociologique* (t. IX, 1904-1905), avec la collaboration de H. BEUCHAT.

(2) Voy. *Année Sociologique*, note de M. DURKHEIM, II, p. 520 sq., et les années suivantes (VIe section).

(3) Nous disons « population » faute d'un meilleur mot. Il serait en effet parfaitement inexact de parler d'une nation, dont les tribus eskimos, elles-mêmes mal délimitées, n'ont jamais même eu l'embryon. Mais il serait aussi parfaitement inexact de s'imaginer entre les tribus de ce groupe, peu nombreux (on évalue leur nombre à à peine 60 000 individus, v. H. RINK, The Eskimo Tribes, Their distribution and Characteristics in *Meddelelser om Grönland*, XI, I, p. 31 sq., et les chiffres donnés n'ont pas été controuvés par les recherches ultérieures), des différences du genre de celles qui séparent entre elles les tribus des autres populations dites primitives. La civi-

c'est que les relations sur lesquelles nous voulons appeler l'attention y sont comme grossies et amplifiées, elles y présentent des caractères plus accusés qui permettent d'en bien comprendre la nature et la portée. On est ainsi mieux préparé à les apercevoir même dans les sociétés où elles sont moins immédiatement apparentes, où la trame formée par les autres faits sociaux les dissimule davantage à l'observateur. Ce qui fait que les Eskimos offrent, sous ce rapport, un champ d'étude privilégié, c'est que leur morphologie n'est pas la même aux différents moments de l'année : suivant les saisons, la manière dont les hommes se groupent, l'étendue, la forme de leurs maisons, la nature de leurs établissements changent du tout au tout. Ces variations, dont on verra plus loin l'amplitude exceptionnellement considérable, permettent d'étudier dans des conditions particulièrement favorables, la manière dont la forme matérielle des groupements humains, c'est-à-dire la nature et la composition de leur substrat, affectent les différents modes de l'activité collective.

On trouvera peut-être qu'une seule et unique population constitue une base bien étroite pour une étude où l'on vise à établir des propositions qui ne s'appliquent pas uniquement

lisation tout entière ainsi que la race y sont d'une remarquable uniformité. Sur l'unité de la race voir RINK, *ibid.*, p. 8 sq. et BAHNSON, *Ethnografien*, Copenhague, 1894, I, p. 223. Sur l'unité de la langue, voir RINK, *ibid.*, et *ibid.* vol. II, p. 6 sq. (nous n'admettons pas, naturellement, toutes les hypothèses de Rink) et surtout l'excellent livre de M. W. THALBITZER, A Phonetical Study of the Eskimo Language, etc. *Meddelelser om Grönland*, vol. XXXI, Copenhague, 1904, p. 225 et suiv. Cette unité était un fait bien connu des plus anciens explorateurs, et a servi de base aux instructions de Franklin et des successeurs de Franklin. Cf. FRANKLIN, *Narrative of an Expedition to the shores of the Polar Sea*, London, Murray, 1823, p. 43 ; MIERTSCHING, *Reisetagebuch*, p. 37, p. 42 ; MARKHAM, in *Arctic Papers*, p. 151. Sur l'unité de la situation matérielle et morale le livre de M. MURDOCH, The Point Barrow Eskimo, *XIth Annual Report of the Bureau of American Ethnology*, abonde en renseignements. Celui de M. H. P. STEENSBY, *Om Eskimo Kulturens Oprindelse, en etnografisk og antropogeografisk studie*, Copenhague, 1905, est plus spécialement consacré à la civilisation matérielle et constitue une excellente démonstration du fait que nous avançons en ce moment. Un certain nombre de travaux ethnographiques spéciaux sont tout aussi probants ; ce sont ceux : de M. O. MASON, v. plus bas, p. 395, n. 3, de M. MURDOCH, *The forms of the Eskimo Bows, Naturalist*, VIII, surtout p. 869, *A Study of the Eskimo Bows, Rep. U.S.N.M.*, 1884, II, p. 307-316 ; de MM. RINK et BOAS, sur les légendes, *Journal of American Folk-Lore*, II, p. 122, sq. The Folklore of the Eskimos, *ibid.*, vol. XVII, p. 1-14 ; Cf. The Eskimos of Baffin Land, *Bull. of the Amer. Mus. of Nat. Hist.*, XV, 1, 1901, p. 355 et suiv. Les différents groupes Eskimos ont une seule mythologie, une seule technologie, une seule organisation sociale, une seule langue ; il n'y a que des différences dialectales en ce qui concerne la langue, et des variations pratiques en ce qui concerne le reste de leurs traits collectifs. Le présent travail servira aussi à démontrer qu'ils n'ont qu'une morphologie. La comparaison et la généralisation seront de plus, par là, infiniment facilitées et garanties.

à un cas particulier. Mais tout d'abord il ne faut pas perdre de vue que les Eskimos occupent une aire immense de côtes, sinon de territoires (1). Il y a, non pas une, mais des sociétés Eskimos (2) dont la civilisation est assez homogène pour qu'elles puissent être utilement comparées, et assez diversifiée pour que ces comparaisons soient fécondes. De plus, c'est une erreur de croire que le crédit auquel a droit une proposition scientifique dépende étroitement du nombre des cas où l'on croit pouvoir la vérifier. Quand un rapport a été établi dans un cas, même unique, mais méthodiquement et minutieusement étudié, la réalité en est autrement certaine que quand, pour le démontrer, on l'illustre de faits nombreux, mais disparates, d'exemples curieux, mais confusément empruntés aux sociétés, aux races, aux civilisations les plus hétérogènes. Stuart Mill dit quelque part qu'une expérience bien faite suffit à démontrer une loi : elle est surtout infiniment plus démonstrative que beaucoup d'expériences mal faites. Or, cette règle de méthode s'applique à la sociologie tout comme aux autres sciences de la nature. D'ailleurs, nous indiquerons en terminant ce travail quelques faits qui témoigneront que les relations que nous allons constater chez les Eskimos ne sont pas sans généralité.

En traitant ces questions, nous sommes amenés à spécifier notre position à l'égard des méthodes que pratique la discipline spéciale qui a pris le nom d'anthropogéographie (3). Les

(1) Voy. plus bas p. 396.

(2) Nous ne pouvons donner ici une énumération des sociétés Eskimos avec leurs noms. Nous nous contentons d'indiquer les principaux travaux qui se sont occupés de cette question de nomenclature géographique. Ce sont, en commençant par l'Alaska : DALL, *Alaska and its Resources*, 1872, I, p. 180 sq. et in *Contributions to North American Ethnology*, I, p. 1-8 ; ceux de PORTER et de WELLS et KELLEY cités plus bas, p. 397, n. 5 ; celui du P. PETITOT, *Monographie des Esquimaux Tchiglit*, Paris, 1872, p. XIII sq. ; BOAS, The Central Eskimos, *Sixth Annual Report of the Bureau of American Ethnology*, p. 414 sq. Comme on le verra, les divers groupes du Labrador et du Grœnland ne semblent pas porter de noms tribaux (cf. plus bas, pp. 400 et 401). La carte la meilleure et la plus explicative que toute énumération est celle de M. THALBITZER, A Phonet. Stud., in *Medd. Gr.* XXXI.

(3) On sait que le fondateur de cette discipline a été M. RATZEL, dont les principaux ouvrages : *Anthropogeographie*, Iʳᵉ partie, 2ᵉ éd., 1899, IIᵉ partie, 1ʳᵉ éd., 1891, *Politische Geographie*, 1897, ont été recensés ici, ainsi que d'autres ouvrages du même esprit, voy. *Année Sociologique*, II, p. 522 ; III, p. 550 ; IV, p. 565, etc. ; VI, p. 539 sq., VIII, p. 612, 620. (Cf. un résumé, par RATZEL, *Année*, III p. 9. On trouvera : *Anthropogeographie*, I², p. 579 sq. une bibliographie exhaustive de ces travaux jusqu'en 1899 ; bibliographie continuée à la rubrique Géographie humaine dans la *Bibliogr. des Annales de Géographie*. Les plus importants des travaux récents de cette école sont ceux de l'Ecole française de MM. Vidal de La Blache, de Martonne, Brunhes, Demangeon. (Cf. VIDAL DE LA BLACHE, La géographie humaine, ses rapports avec la géographie de la vie, *Rev. de Synth. Histor.*, III, 1903, p. 219-240.)

faits dont elle traite sont bien, en un sens, du même genre que ceux dont nous allons nous occuper. Elle aussi se propose d'étudier le mode de répartition des hommes à la surface du sol et la forme matérielle des sociétés, et l'on ne saurait contester sans injustice que les recherches qu'elle a entreprises dans cette direction ne sont pas restées sans résultats importants. Rien donc n'est plus éloigné de notre pensée que de déprécier soit les découvertes positives, soit les suggestions fécondes que l'on doit à cette brillante pléiade de travailleurs. Ne concevant les sociétés que comme des groupes d'hommes organisés sur des points déterminés du globe, nous ne commettons pas la faute de les considérer comme si elles étaient indépendantes de leur base territoriale ; il est clair que la configuration du sol, sa richesse minérale, sa faune et sa flore affectent leur organisation. Mais parce que les savants de cette école sont des spécialistes de la géographie, ils ont été tout naturellement induits à voir les choses dont ils s'occupent sous un angle très particulier ; en raison même des études auxquelles ils se consacrent, ils ont attribué au facteur tellurique une prépondérance presque exclusive (1). Au lieu d'étudier le substrat matériel des sociétés dans tous ses éléments et sous tous ses aspects, c'est surtout, c'est avant tout sur le sol que se concentre leur attention ; c'est lui qui est au premier plan de leurs recherches et toute la différence qu'il y a entre eux et des géographes ordinaires c'est qu'ils considèrent le sol plus spécialement dans ses rapports avec la société.

D'un autre côté, ils ont attribué à ce facteur nous ne savons quelle parfaite efficacité, comme s'il était susceptible de produire les effets qu'il implique par ses seules forces (2), sans

---

(1) Nous ne pouvons naturellement tenir compte, dans un exposé aussi court, de travaux d'un genre encore mal classé, et qui se rapprochent plus de la sociologie que de la géographie parce qu'ils sont plutôt des travaux de géographie historique, et consistent plutôt en considérations de philosophie géographique de l'histoire sociale : tels ceux de M. Ramsay, The geographical Conditions determining History and Religion, etc., Geogr. Jour., 1902. p. 257 sq., de M. Mackinder, The geographical Pivot of History, Geogr, Jour., 1904 p. 421, sq., et surtout le Tableau de la géographie de la France, par M. Vidal de La Blache, cf. C. R. de M. Vacher, Année, VIII, p. 613. Nous ne tenons également pas compte de certaines ébauches, dues surtout à des ethnographes américains, et qui se rapprochent encore plus de ce que nous allons tenter ici. Il s'y agit surtout de montrer l'action immédiate du milieu physique sur la vie sociale, surtout technique et religieuse ; voy. particulièrement les leçons de MM. Mac Gee, Mason et autres, in Report of the United States National Museum, 1895, p. 741 et sq.

(2) Le dernier des géographes de cette école, et aussi le seul qui fasse vraiment exception à cette coutume, M. Demangeon croit en effet (La Plaine Picarde, Paris, 1905, p. 455-456) que c'est par l'intermédiaire de la société que

qu'il ait, pour ainsi dire, à concourir avec d'autres qui ou le renforcent, ou le neutralisent soit en totalité, soit en partie. On n'a pour ainsi dire qu'à ouvrir les ouvrages des anthropogéographes les plus réputés pour voir cette conception se traduire dans l'intitulé même des chapitres : il y est successivement traité du sol dans ses rapports avec l'habitation, du sol dans ses rapports avec la famille, du sol dans ses rapports avec l'État, etc. (1). Or, en fait, le sol n'agit qu'en mêlant son action à celle de mille autres facteurs dont il est inséparable. Pour que telle richesse minérale détermine les hommes à se grouper sur tel point du territoire, il ne suffit pas qu'elle existe ; il faut encore que l'état de la technique industrielle en permette l'exploitation. Pour qu'ils s'agglomèrent, au lieu de vivre dispersés, il ne suffit pas que le climat ou la configuration du sol les y invitent, il faut encore que leur organisation morale juridique et religieuse leur permette la vie agglomérée (2). Bien loin que la situation proprement géographique soit le fait essentiel sur lequel il faille avoir les yeux presque exclusivement fixés, elle ne constitue qu'une des conditions dont dépend la forme matérielle des groupements humains ; et le plus souvent même elle ne produit ses effets que par l'intermédiaire de multiples états sociaux qu'elle commence par affecter et qui seuls expliquent la résultante finale. En un mot, le facteur tellurique doit être mis en rapport avec le milieu social dans sa totalité et sa complexité. Il n'en peut être isolé. Et, de même, quand on étudie les effets, c'est dans toutes les catégories de la vie collective qu'il en faut suivre les répercussions (3). Toutes ces questions ne sont donc

le sol agit sur l'homme. Il arrive ainsi à notre théorie, ou, si l'on veut, nous n'avons qu'à nous rattacher à la sienne quoiqu'il ne l'applique pas toujours. Une comparaison nous fera mieux comprendre. M. DAVIS, dans un curieux article, A scheme of Geography (*Geographical Journal*, XXII, 1903, p. 413 sq.), propose à la géographie d'être explicative de la vie humaine que la terre supporte. Il tente de figurer par un schéma intéressant les lignes de corrélations que la géographie a pour but de tracer, et les plans que ces lignes traversent. A notre avis un de ces plans est, précisément et toujours, la société, et c'est en traversant la société que les conditions telluriques viennent affecter, par la masse sociale, l'individu.

(1) Ceci est le plan du 1er volume de l'*Anthropogeographie* de RATZEL, le plus proprement sociologique des deux. Cf. *Année Soc.*, III, le résumé de Ratzel lui-même.

(2) Ainsi l'augmentation de population en Meurthe-et-Moselle est due non seulement à l'existence de mines, de canaux, etc., mais encore à la découverte du traitement des pyrites de fer et au protectionnisme.

(3) Pour bien faire comprendre notre point de vue, toute une critique des travaux récents nous serait naturellement nécessaire. Non seulement, selon nous, les effets des phénomènes morphologiques ne se bornent pas à certains phénomènes juridiques du genre, par exemple, de ceux que M. Brunhes

pas des questions géographiques, mais proprement sociologiques ; et c'est dans un esprit sociologique que nous allons aborder celles qui font l'objet de ce travail. Si au mot d'anthropogéographie nous préférons celui de morphologie sociale pour désigner la discipline à laquelle ressortit cette étude, ce n'est pas par un vain goût de néologisme ; c'est que cette différence d'étiquettes traduit une différence d'orientation.

D'ailleurs, bien que la question de l'anthropogéographie des Eskimos ait assez fréquemment attiré les géographes, toujours curieux des problèmes posés par les régions polaires, le sujet qui va nous occuper n'est guère traité dans leurs travaux que d'une manière incidente et fragmentaire. Les deux ouvrages les plus récents sont ceux de M. Steensby, *Om Eskimo Kulturens oprindelse* (1) et de M. Riedel, *Die Polarvölker. Eine durch naturbedingte Züge characterisierte Völkergruppe* (2). Le premier, qui est aussi le meilleur, est plutôt une étude d'ethnographie ; il a pour principal objet de marquer l'unité de la civilisation Eskimo et d'en chercher l'origine que l'auteur croit trouver ailleurs que chez les Eskimos eux-mêmes, sans que, d'ailleurs, cette thèse s'appuie sur des preuves bien démonstratives. L'autre livre est plus exclusivement géographique ; il contient une bonne description qui nous ait été donnée jusqu'ici des tribus eskimos et de leur habitat. Mais on y trouve, sous une forme exagérée qui n'est pas surprenante dans une dissertation d'élève, la théorie de l'action exclusive du facteur tellurique. Quant aux autres travaux qui ont été publiés, ils portent presque uniquement sur le problème des migrations. Ce sont ceux de MM. Hassert (3), Boas (4), Wachter (5),

a indiqués à propos du régime des eaux et des droits d'irrigation, mais ils s'étendent aux sphères les plus élevées de la physiologie sociale (cf. Durkheim, *Division du travail*, 2ᵉ éd, p. 252 sq., cf. Durkheim et Mauss, Essai sur quelques formes primitives de classification, *Année sociol.*,VI, p. 75 sq.). Et de plus c'est par l'intermédiaire de phénomènes physiologiques ou grâce à l'absence de ces phénomènes que les facteurs telluriques produisent leur effet. Ainsi quand on rattache, comme M. de Martonne, le nomadisme à la steppe (Peuples du haut Nil, *Annales de Géographie*, 1896), on oublie que la steppe Nilotique est, en partie, cultivable et que c'est l'absence de toute technique agricole qui maintient certains peuples en état de nomadisme.

(1) Copenhague, Salmonsen, 1905.
(2) Inaugur. Diss., Halle, 1902.
(3) Die Völkerwanderung der Eskimos, *Geogr., Zeitschr.*, I, 1895, p. 302-332. Ce travail porte surtout sur l'origine asiatique et les questions d'adaptation au sol. Du même auteur, *Die Polarforschung*, etc., Leipzig, 1902, remet ce premier travail au point.
(4) Ueber die ehemalige Verbreitung der Eskimos in Arktischen Amerikanischen Archipel, *Zeitschr. d. Gesell. f. Erdkunde Berl.*, 1893.
(5) *Grönlandische Eskimos, Natur*, 1898.

Issachsen (1), Faustini (2). La troisième partie du travail de M. Mason (3) sur les moyens de transport concerne plus spécialement les Eskimos, mais c'est une étude surtout technologique, principalement consacrée aux moyens de transport et de voyage.

En définitive, M. Steensby est à peu près le seul qui ait accordé quelque attention à la question spéciale des variations saisonnières de la morphologie eskimo ; pour la traiter, nous n'aurons donc guère recours qu'aux données immédiates des observateurs (4).

(1) *Die Wanderungen der Eskimos. Petermanns Mittheilungen*, 1903, p. 75-79. Le capitaine Issachsen a eu le mérite d'émettre et de démontrer par son exploration du North-Devon, l'hypothèse la plus vraisemblable sur le peuplement du Grönland occidental. Cf. Sverdrup, *Nyt Land*, 1904, II, p. 275, de *New Land*, II, p. 212.

(2) L'Esodo Eskimese. Un capitolo di anthropogeografia artica, *Riv. d. Fis. Mat. Sc. Nat. Pavia*, IV, 1903, p. 28. Cf. C. R., in *Geogr. Jour.*, 1904, XXIII, p. 392. M. Faustini divise avec assez de raisons les Eskimos en deux branches, l'une du S.-W., l'autre du N. qui se seraient séparées aux environs du cap Nome, Alaska.

(3) O. Mason, Primitive Travel and Transport, in *Report of the United States National Museum* (Smiths. Inst.), 1896.

(4) Il est utile de donner ici une bibliographie sommaire des principaux ouvrages dont nous sommes servis, ne fût-ce que pour permettre de les citer dorénavant en abrégé. On trouvera des bibliographies plus complètes et presque exhaustives dans Pilling, *Bibliography of Eskimauan Languages*, Smiths.-Inst., 1893, et dans Steensby, *op. cit.*, p. 207 sq.

Les plus anciens ouvrages sur le Grönland sont parmi les meilleurs ; ce sont entre autres : H. Egede, *Det Gamle Grönlands Nye Perlustration*, etc., Kjöbenhavn, 1741 (nous avons aussi consulté les éditions antérieures, mais celle-ci est celle que nous désignerons sous l'abréviation de *Perlus.*), on en trouvera une bonne traduction française, publiée par M.D. R. P. (Des Roches de Parthenay) en 1763 à Genève, sous le titre de : Egede, *Description et Histoire Naturelle du Grœnland* ; D. Cranz, *Historie von Grönland*, Leipzig-Barby, 1745 (seule bonne édition, éd. angl., moins rare, *Description of Greenland*, Londres, 1757) porte sur les tribus plus méridionales et constitue une source relativement indépendante ; nous citerons la première simplement sous le nom de l'auteur. Viennent ensuite les livres de Rink qui sont, outre ceux déjà cités, *Grönland, geografisk og statistisk beskrevet*, Copenhague, 1852-1857 ; *Grönlandsk Eskimoiske Eventyr og Sagn.*, Kbhvn, 1856, 1871, trad. angl., *Tales and Traditions of the Eskimo*, Edinburgh, 1875 (= *T.T.*). Tous ces ouvrages ont trait aux Eskimos du Grönland Occidental. Le principal travail consacré aux Eskimos Orientaux est celui de Holm, Ethnologisk Skizze af Angmagsalikerne, in *Meddelelser om Grönland*, 1888, vol. X (= Holm). L'ensemble des publications de la « Commission for Ledelsen af de Geologiske og Geografiske Undersögelser i Grönland est des plus précieux ; cette commission a bien voulu nous en octroyer un exemplaire, nous la remercions ici de sa générosité (cité *Meddel. Grl.*).

Sur les Eskimos du Labrador nous n'avons que des sources éparses qui ne valent pas d'être citées ici ; la seule monographie porte sur ceux du S. du détroit d'Hudson. L. M. Turner, The Hudson Bay Eskimo, in *XIth Ann. Rep. of Bur. of Amer. Ethn.* (1889-1890) (= Turner).

Sur les Eskimos centraux les meilleurs documents sont, par rang de date : W. E. Parry, *Journal of a Second voyage of discovery of a North West Passage*, 1821, 1822, 1823, Lond., 1824 (= Parry) et G. F. Lyon, *The private Journal of Capt. Lyon, during the recent Voyage of discovery with Capt. Parry*, Lond., 1824 (= Lyon), les deux relations portent toutes deux surtout sur

I

MORPHOLOGIE GÉNÉRALE

Mais avant de rechercher quelles formes spéciales la morphologie de ces sociétés présente aux différents moments de l'année, il nous faut tout d'abord déterminer quelles en sont les caractères constants. Par quelques changements qu'elle passe, il y a pourtant certains traits fondamentaux qui restent toujours les mêmes et dont dépendent les particularités variables qui nous occuperont ensuite. La manière dont les sociétés eskimos sont fixées au sol, le nombre, la nature, la grandeur des groupes élémentaires dont elles sont composées, constituent des facteurs immuables et c'est sur ce fond permanent que se produisent les variations périodiques que nous aurons, plus tard, à décrire et à expliquer. C'est donc ce fond qu'il nous faut, avant tout, chercher à connaître. En d'autres fermes, avant de faire leur morphologie saisonnière, il nous taut constituer, dans ce qu'elle a d'essentiel, leur morphologie générale (1).

Les Eskimos sont actuellement (2) situés entre le 78° 8′ de latitude nord (établissement d'Itah. Détroit de Smith sur la

la tribu qui stationna à Igloulik deux hivers de suite. Viennent ensuite les documents de Hall, malheureusement sujets à caution, et, pour partie, très mal publiés ; ceux de l'expédition de Schwatka, surtout la relation de KLUTSCHAK, *Als Eskimo unter den Eskimos*, Wien, 1881 (= Klutschak), et enfin les deux monographies de F. BOAS, The Central Eskimo, in *VIth Ann. Rep. Amer. Bur. Ethn.*, 1884-1885 (= *C.E.*), et The Eskimo of Baffin Land and Hudson Bay, in *Bull. Amer. Mus. Nat. Hist.*, XV, 1, New York, 1901 (= *E. B. L.*).

Sur les Eskimos du Mackenzie nous n'avons que des informations éparses et deux ouvrages peu sûrs du P. PETITOT ; l'un, *Monographie des Esquimaux Tchiglit*, Paris, 1872 (= *Mon.*).

Les publications redeviennent abondantes quand nous arrivons à l'Alaska. Mais les meilleures et les seules dont nous aurons constamment à nous servir sont : J. MURDOCH, Ethnological Results of the Point Barrow expedition, in *IXth Ann. Rep. of the Bur. of Amer. Ethn.*, 1887-1888 (= Murdoch) ; et, E. W. NELSON, The Eskimo about Bering Strait, *XVIIIth Ann. Rep. Bur. Amer. Ethn.*, pt. I, 1899 (= Nelson).

Les autres publications seront citées au fur et à mesure. En tout cas s'il n'est pas possible de dire, comme on l'a dit, que les Eskimos sont la famille de peuples la mieux connue ; il faut cependant convenir que nous disposons, en ce qui la concerne, d'un corps de monographies relativement satisfaisantes.

(1) On trouvera dans STEENSBY, *Om Eskimo Kulturens*, etc., p. 50 sq., un grand nombre de données de morphologie générale sur chaque groupe de tribus pris à part.

(2) Sur l'extension ancienne de la civilisation Eskimo voir STEENSBY, *ibid.*, p. 23 sq., p. 50 sq. Le point le plus extrême N. qui ait été trouvé avoir été habité est par 83°, près du lac Hazeu (T. de Grinnel), voy. GREELY, *Three*

côte nord-ouest du Grönland) (1) et le 53° 4′ au sud, sur la baie
d'Hudson (côte ouest), limite extrême qu'ils atteignent régu-
lièrcment, mais où ils ne séjournent pas (2). Sur la côte du
Labrador, ils vont environ jusqu'au 54ᵉ degré, et, sur le Pacifique, jusqu'au 56° 44 (3) de latitude nord. Ils couvrent ainsi un
espace immense de 22 degrés de latitude et de près de 60 degrés
de longitude, qui s'étend jusqu'en Asie, où ils ont un établissement (celui d'East Cape) (4).

Mais de cette vaste région, aussi bien en Asie qu'en Amérique, ils n'occupent que les côtes. Les Eskimos sont essentiellement un peuple côtier. Seules, quelques tribus de l'Alaska
habitent dans l'intérieur des terres (5) : ce sont celles qui sont

years of Arclic Service, I, p. 379-383. Tout l'archipel septentrional a été peuplé.
On trouvera dans MARKHAM, *Arctic Papers*, p. 140 et sq., une liste des ruines
constatées par les voyages antérieurs à 1875. Au sud, le point extrême atteint
sur le Pacifique a été Terre-Neuve et le Nouveau Brunswick. A Terre-Neuve,
au XVIIIᵉ siècle, les Eskimos passaient régulièrement l'été. Cf. CARTWRIGHT,
A Journal of Transactions and Events, etc., Newark, 1792, III, p. 11 ; PAC-
KARD, *The Labrador Coast*, p. 245 ; CRANZ, *Fortsetzung*, Barby, 1770, p. 301-
313. D'autre part toute la partie méridionale de la baie d'Hudson semble
avoir été également peuplée d'Esquimaux. Cf. A. DOBBS, *An Account of the
countries adjoining to Hudsons Bay*, etc., Lond., 1754, p. 49) d'après La
France). Sur le Pacifique ils ont probablement occupé la côte américaine
jusqu'à la rivière Stikine, v. DALL, *Tribes of the Extreme North West, Contrib.
to N. Amer. Ethno.*, I, 1877, p. 21. Il est précisément remarquable que
même cette immense extension ancienne ait, elle aussi, été exclusivement
côtière.

(1) Sur la tribu d'Itah, voy. KANE, *Arctic Explorations*, 1853, etc., Philad.,
1856 ; HAYES, *An Arctic Boat Journey*, Lond., 1860 ; *The open Polar Sea*,
New York, 1867 (2ᵉ voy.) ; BESSELS, *Die Amerikanische Nordpol Expedition*,
Leipz., 1875 (l'édition par Davis des notes du journal de HALL est sans valeur) ;
PEARY, surtout *Northward over the Great Ice* (New York et Lond., 1898, 2 vol.) ;
KROEBER, The Eskimo of Smithsound, *Bull. of Amer. Mus. Nat. Hist.*, 1896,
XII, p. 246 sq ; le livre arrivé récemment de M. Knud RASMUSSEN, *Nye Men-
nesker*, Kjbhvn, 1905, nous apporte un ensemble de faits tout nouveaux.

(2) TURNER, p. 176.

(3) Ile de Kadiak. Nous considérons les Aléoutes comme formant un rameau
très éloigné de la civilisation Eskimo, et par suite ne le faisons pas entrer
en ligne de compte ; de même nous considérons comme mélangés les Kaniag-
miutes, habitants de l'Ile de Kadiak, cf. PINART, Esquimaux et Koloches,
etc., *Rev. d'Anthrop.*, 1873, p. 12 sq.

(4) Sur les Yuit ou Yuin, d'East Cape, souvent à tort confondus avec les
Chukchis de la Péninsule, voy. NORDENSKIÖLD, *Voyage de la Véga*, trad. fr.,
II, p. 22 sq. ; KRAUSE (Frères) in *Geographische Blätter* (Geogr. Ges. Ham-
burg, 1884, III).

(5) Il n'en est nulle part donné une bonne énumération ; mais on peut en
composer une à l'aide des descriptions de Porter et de ses recenseurs, Schultze
et Woolfe ; voy. PORTER, *Report on the Populations and Resources of Alaska*,
U. S. Eleventh Census, 1890, Wash., 1893, p. 99-152, 166 sq. La tribu des
Kopagmiutes que Petroff, *Report on the Population, etc., of Alaska, U. S. Tenth
Census*, 1880, Wash., 1884. p. 121 décrit comme habitant l'intérieur des terres
entre le Kotzebue Sound et la Colville est une pure invention, cf. MUR-
DOCH, p. 47, n. 7 ; cf. STEENSBY, *Esk. Kult.*, p. 120 ; la confusion s'explique
par le fait qu'on a dû confondre les Kowagmiutes, avec les Nunatagmiutes,
tribu mélangée qui, en effet, a récemment réussi à étendre ses voyages de

établies soit dans le delta du Youkon et celui de la Kuskokwim ; encore peut-on les considérer comme situées sur la partie
maritime des rivières.

Mais nous pouvons préciser davantage. Les Eskimos ne sont
pas seulement des peuples côtiers ; ce sont des peuples de
falaise, si du moins nous employons ce mot pour désigner
toute terminaison relativement abrupte de la côte sur la mer.
C'est qu'en effet — et c'est là ce qui explique la différence
profonde qui sépare les Eskimos de tous les autres peuples
hyperboréens (1) — les côtes qu'ils occupent, sauf les deltas et
les rivages toujours mal connus de la Terre du roi Guillaume,
ont toutes un même caractère : une marge plus ou moins
étroite de terre, borde les limites d'un plateau qui s'affaisse
plus ou moins brusquement vers la mer. Au Grönland, la montagne vient surplomber la mer, et, de plus, l'immense glacier
auquel on donne le nom d'*Inlandsis* (glace de l'intérieur) ne
laisse même qu'une ceinture montagneuse dont la partie la
plus large (large à cause des fiords et non pas par elle-même)
mesure à peine 140 milles. De plus, cette ceinture est coupée
par les décharges, sur la mer, des glaciers intérieurs. Les fiords
et les îles des fiords sont seuls à être protégés contre les grands
vents, et, par suite, à jouir d'une température supportable ;
seuls, ils offrent des champs de pâture au gibier ainsi que des
fonds poissonneux, facilement accessibles, où viennent pêcher
et se faire prendre les animaux marins (2). Comme le Grönland, la presqu'ile de Melville, la terre de Baffin, les côtes
septentrionales de la baie d'Hudson présentent aussi des côtes
très découpées et escarpées. Le plateau intérieur, s'il n'est
pas occupé par des glaciers, est balayé par le vent et toujours
couvert de neige ; il ne laisse guère d'habitables qu'une bor-
dure de grèves, de profondes vallées aboutissant à des lacs
glaciaires (3). Le Labrador a le même caractère, avec un climat intérieur encore plus continental (4). Les terrains Lau-

---

la rive N. du Kotzebue Sound aux bords de l'océan Arctique, cf. WELLS
et KELLY, *English Eskimo and Eskimo English Vocabularies* (Bur. of Educ.
Cir., n° 2, 1890, n° 165), Wash, 1890, sur les Nooatakamutes (gens du pays
boisé), p. 14, cf. Carte.

(1) Les habitants de la côte asiatique de l'océan glacial sont en effet des
habitants de Toundras.

(2) L'une des meilleures descriptions du Grönland est encore celle du vieil
EGEDE, *Perlus*, p. 1 sq. ; de DALAGER, *Grönlandske Relationer*, Kbhvn, 1752 ;
voy. surtout, KORNERUP, Bermærkninger om Grönlands almindelige Natur-
forhold, in *Meddel. Gr.*, III, 1880, p. 87.

(3) BOAS, *C.E.*, p. 414, sq.

(4) STEARNS, *The Labrador*, p. 22, sq.

rentiens du nord du Canada et de la Boothia Felix se terminent plus doucement sur une certaine étendue, surtout au Bathurst Inlet ; mais, comme dans les autres régions, le plateau inté-rieur réduit à des espaces relativement minimes l'étendue qui, à ne considérer que la carte, semblerait devoir être habi-table (1). La côte à l'est du Mackenzie offre le même aspect à la terminaison des montagnes rocheuses jusqu'au cap glacé sur le détroit de Behring. A partir de ce point, jusqu'à l'île de Kadiak, limite méridionale de la zone Eskimo, celle-ci est alternativement constituée par la tundra des deltas et par la chute des montagnes ou du plateau (2).

Mais si les Eskimos sont des peuples côtiers, la côte n'est pas pour eux ce qu'elle est d'ordinaire. Ratzel (3) a défini les côtes d'une manière générale « des points de communication entre la mer et la terre, ou bien entre celle-ci et d'autres terres plus distantes ». Cette définition ne s'applique pas aux côtes qu'occupent les Eskimos (4). Entre elles et les terres situées en arrière il n'y a, en général, que très peu de communica-tions. Ni les peuples de l'intérieur ne viennent faire sur la côte des séjours durables (5), ni les Eskimos ne pénètrent dans l'intérieur des terres (6). La côte est ici, exclusivement, un habitat : ce n'est pas un passage, un point de transition.

Après avoir ainsi décrit l'habitat des Eskimos, il nous faut chercher comment ces peuples sont distribués sur la surface

(1) La meilleure description est la plus récente, HANBURY, *Sport and Tra-vel in Northern Canada*, Lond., 1904, p. 64 sq., cf. *Geological Survey of Ca-nada*, 1898. Les expéditions antérieures de Richardson, de Rae, de Dease et Simpson ont toutes été des expéditions en canot où la côte n'a été vue que de loin et aux atterrissages.

(2) Pour une bonne description de la côte de l'Alaska, voir encore mainte-nant, BEECHEY, *Narrative of a voyage to the Pacific*, Lond., 1821 et *United States Coast land geodetic Survey*, *Bulletin* 40, *Alaska*, 1901.

(3) Entre autres, *Anthropogeogr.*, I, p. 286.

(4) Il est vrai que RATZEL définit ailleurs les Eskimos comme étant des *Randvölker*, des peuples du bord de l' « Œkoumène », *ibid.*, I, p. 35, p. 75 sq. Mais cette notion, sur laquelle il s'étend d'ailleurs, est purement descriptive. En tout cas elle n'explique nullement ce qu'elle prétend expliquer, à savoir l'énorme extension et la petite densité de la population Eskimo.

(5) Naturellement il ne peut s'agir ici du Grönland, couvert en son cen-tre par un immense glacier, ni de tout l'archipel arctique, peuplé des seuls Eskimos.

(6) Les seuls endroits où un contact régulier ait été établi entre Indiens et Eskimos sont : 1º l'embouchure du Mackenzie, voy. ANDERSON, *The Ru-pert Land*, 1831 ; voy. FRANKLIN, *Narrative of a Voyage*, etc., 1821, p. 48 etc. ; voy. PETITOT, *Les grands Esquimaux*, Paris, 1884, p. 35, 37 sq., et encore faut-il remarquer que les échanges et rassemblements sont surtout causés par la présence du commerce avec les Blancs ; 2º le haut Yukon, cf. PORTER, *Rep. Alaska. U. S. A. Tenth Census*, 1880, p. 123, et encore faut-il remarquer que les tribus du Haut Yukon sont sous l'influence blanche et sont forte-ment mélangées d'Indiens dits Ingalik.

qu'ils occupent, c'est-à-dire de quels groupements particuliers ils sont composés, quel en est le nombre, la grandeur et la disposition.

Tout d'abord, il nous faudrait savoir quels sont les groupements politiques dont la réunion forme la population Eskimo. Les Eskimos sont-ils des agrégats de tribus distinctes, ou une nation (confédération de tribus) ? Malheureusement, outre que cette terminologie usuelle manque encore de précision, elle est, en l'espèce, d'une application difficile. La composition de la société Eskimo a, par elle-même, quelque chose d'imprécis et de flottant et il n'est pas aisé de distinguer de quelles unités définies elle est formée.

Un des signes les plus certains auxquels on reconnaît une individualité collective, tribu ou nation, c'est un langage distinctif. Mais les Eskimos se trouvent avoir une remarquable unité linguistique sur des espaces considérables. Quand nous sommes informés sur les frontières des divers dialectes (1) — et nous ne le sommes qu'exceptionnellement — il est impossible d'établir un rapport défini entre l'aire d'un dialecte et celle d'un groupement déterminé. Ainsi, dans le nord de l'Alaska, deux ou trois dialectes s'étendent sur les dix ou douze groupements que certains observateurs ont cru y distinguer et auxquels ils donnent le nom de tribus (2).

Un autre critère, distinctif de la tribu, c'est le nom collectif que portent tous ses membres. Mais la nomenclature est manifestement, sur ce point, d'une extrême indétermination.

---

(1) Sur l'unité linguistique, voy. les ouvrages cités plus haut. Il est néanmoins très remarquable que, pour la région dont la langue est la mieux connue, le Grönland occidental, on ne distingue en somme que deux dialectes, l'un méridional, l'autre septentrional, séparés par d'assez grandes différences, THALBITZER, A phonetical Study, etc., *Meddel. Gr.*, XXXI, 1904, p. 396, sq. et que Schultz LORENTZEN, Eskimoernes Indvandringi Grönland, *ibid.*, XXVI, 1904, p. 302 sq., nous parle précisément d'une ancienne différence sentie par les deux populations, différence effacée maintenant. Quant aux renseignements divergents, peu nombreux, où il est question de l'impossibilité de se comprendre entre Eskimos éloignés, ils sont entièrement fondés sur des remarques fortuites d'observateurs mal informés, et incapables d'attendre le temps nécessaire pour voir s'opérer la soudure entre les dialectes.

(2) Nous parlons surtout du district, dit Arctique, de l'Alaska, Vᵉ de Petroff, VIIᵉ de Porter. Or, non seulement la nomenclature des tribus donnée par DALL, *Tr. Extr. N.-W. Cont. N. Amer. Ethn.*, I, p. 37 sq., n'est pas identique à celle de PETROFF, *Rep. Alaska. Xth Cens.*, 1880, p. 15 sq. et p. 125, qui a pourtant contribué à son établissement ; mais encore celle de PORTER (Woolfe) en diffère complètement, *Rep. Alaska. XIth Cens.* ; et même, entre Porter et son correspondant, il y a des divergences (cf. p. 62 et p. 142). Enfin on trouvera dans WELLS et KELLY, *op. cit.*, un tableau encore divergent des dialectes et de leurs relations avec les tribus, p. 14, 26 et 27, avec une excellente carte évidemment très approximative.

Dans le Grönland, il ne nous est donné aucun nom qui s'applique à une tribu proprement dite, c'est-à-dire à une agglomération d'établissements locaux ou de clans (1). Pour le Labrador, outre que les missionnaires moraves ne nous ont pas conservé un seul nom propre, les seuls que nous possédions pour le district d'Ungava (détroit d'Hudson), sont des expressions dont le sens est extrêmement vague, non de vrais noms propres (gens de loin, gens des îles, etc.) (2). Il est vrai que, dans d'autres endroits, nous trouvons des nomenclatures plus nettement arrêtées (3). Mais sauf à la terre de Baffin et sur la côte ouest de la baie d'Hudson où les dénominations employées paraissent être restées constantes et nous sont rapportées identiquement par tous les auteurs (4), partout ailleurs il y a entre les observateurs les divergences les plus graves (5).

Même indécision en ce qui concerne les frontières. C'est par là pourtant que s'accuse le plus nettement l'unité d'un groupe politique qui a conscience de soi. Or, il n'en est ques-

---

(1) Les seuls noms propres que nous trouvions sont les noms de lieu, même il ne nous est pas dit qu'ils comportent l'addition du suffixe *miut*, qui désigne les habitants d'un lieu, soit employé (absent de la liste d'affixes donnés par RINK, *Esk*, *Tr.*, I, p. 65, mais se retrouve *T.T.*, p. 20, sans que son usage soit spécifié aux habitants du lieu). Tout lien entre les différentes « wintering places » nous est d'ailleurs dit inexistant, *ibid.*, p. 23.

(2) TURNER, p. 179 sq. : Itiwynmiut (peuples du Nord), Koksoagmiut (gens de la Koksoak, rivière), etc.

(3) Voy. les nomenclatures de RICHARDSON, *Arctic Searching Expedition*, II, p. 87, *Polar Regions*, p. 299.

(4) Les cartes données par les Eskimos à Parry, et reproduites par lui, p. 370 sq., où il y a sinon des frontières indiquées, du moins des aires définies au nomadisme d'hiver ; enfin et surtout, BOAS, *C.E.*, p. 419-460 et la carte dont nous construisons une partie plus loin, p. 436. Les nomenclatures de Parry et de Richardson, celles de Boas, sont identiques à celles de HALL, *Life with the Esquimaux*, pour la baie de Frobisher et le Cumberland Sound, à celle du même Hall pour l'ouest de la terre de Baffin et de la baie d'Hudson.

Sur les frontières, à la terre de Baffin, voy. BOAS, *C.E.* p. 421, p. 463 (Nugumiut considérés comme *étrangers* dans le Cumberland Sound), p. 444. (Padlirmiut ne s'approchent pas des terrains de chasse [d'été] des Talirpingmiut et des Kingnamiut. Les cartes de ces frontières données par Boas, n'ont cependant qu'une valeur tout à fait conventionnelle, surtout en ce qu'elles indiquent les aires de circulation à l'intérieur comme si c'étaient de véritables aires de peuplement. Sur les frontières à la péninsule Melville, à la baie d'Hudson, et à la Back. River, nous avons même un ensemble d'affirmations de Richardson, voy. n. 4, de Schwatka, in GILDER, *Schwatka's Search*, 1880, p. 38 sq., Klutschak, p. 66, 68, 227 et *Deut. Rund. f. Geogr. u. Stat.*, III, p. 418 sq., mais *contra* voy. BOAS, *C.E.*, p. 466.

(5) Ainsi en ce qui concerne l'Alaska même un groupe unique d'observateurs, ceux qui ont passé au détroit de Behring entre 1880 et 1890 n'est pas d'avis unanime. Cf. nomenclature de PETROFF., *Rep. Al.*, 1880, p. 15, avec celle résumée de PORTER, p. 164 ; avec celle de NELSON, p. 13 sq. et carte, et celle de Nelson avec celle de WOOLFE, de SCHANZ, puis de PORTER, *Rep. Al.* p. 108, et avec celle de Jacobsen, in WOLDT, *Jacobsens, Reise* (éd. allem.) Ber. 1886, p. 166, sq.

tion qu'une seule fois et à propos de portions de la population Eskimo qui sont le plus mal connues (1). Les guerres tribales sont une autre manière, pour une tribu, d'affirmer son existence et le sentiment qu'elle a d'elle-même : or nous n'en connaissons pas de cas, sauf dans les tribus alaskanes et centrales, qui ont, d'ailleurs, une histoire (2).

De tous ces faits, on n'est assurément pas fondé à conclure que l'organisation tribale est complètement étrangère aux Eskimos (3). Nous venons, au contraire, de rencontrer un certain nombre d'agrégats sociaux qui semblent bien avoir certains des traits qui passent, d'ordinaire, pour appartenir à la tribu. Mais en même temps on a vu que la plupart du temps ces agrégats ont des formes très incertaines, très inconsistantes ; on sait mal où ils commencent et où ils finissent ; ils semblent bien se mêler aisément les uns aux autres et former entre eux des combinaisons protéiformes ; on les voit rarement se concerter pour une action commune. Si donc la tribu n'est point inexistante, elle n'est certainement pas l'unité sociale, solide et stable, sur laquelle reposent les groupements Eskimos. Elle ne constitue pas, à parler exactement, une unité territoriale. Ce qui la caractérise surtout, c'est la constance de certaines relations entre groupes agglomérés et entre lesquels les communications sont faciles, beaucoup plutôt que la main-mise d'un groupe unique sur un territoire avec lequel il s'identifie et que des frontières définies distinguent nettement de groupes différents et voisins. Ce qui sépare les tribus eskimos les unes des autres, ce sont des étendues désertes, dénuées de tout, difficilement habitables, des caps impossibles à doubler en tout temps, et la rareté des voyages qui en résultent (4). Il est même remarquable que le seul groupe qui donne l'impression d'une tribu proprement dite, soit celui des Eskimos du détroit de Smith que des circonstances géographiques

(1) RICHARDSON, *Arctic Searching Expedition*, II, p. 128, cite le texte de SIMPSON sur les territoires de chasse qui porte sur les terrains réservés aux familles, à la Pointe Barrow, The Western Eskimos, in *Arctic Papers*, p. 238, et MURDOCH, p. 27, dit ne pas avoir pu constater ce fait.

(2) Sur ces guerres, à la terre de Baffin et à l'ouest de la baie d'Hudson, voy. KUMLIEN, Contributions to Nat. Hist. of Arctic Amer., in *Bull. U. S. Nat. Mus.*, n° 15, p. 28, presque contre BOAS, *C.E.* p. 464, 465, qui cependant donne des faits contraires *E.B.L.*, p. 18, 27 ; à l'Alaska, voy. surtout WELLS et KELLY, *Engl. Esk. Dict.*, p. 13, 14, histoire des Nunatagmiut, cf. p. 25 ; cf. PETROFF, *op. cit.*, p. 128, etc., cf. NELSON, p. 127, 3.

(3) Un groupe de la terre de Baffin, celui des Ôqomiut, semble même se composer d'un ensemble d'agrégats tribaux, cf. BOAS, *C.E.*, p. 424.

(4) RINK, *Dansk Grönlahd*, II, p. 250, *T.T.*, p. 17, 21. Voy. TURNER, p. 177 (à propos des Tahagmiut) ; BOAS, *C.E.*, p. 424.

isolent complètement de toutes les autres, et dont les membres, quoique occupant un immense espace, ne forment pour ainsi dire qu'une seule famille (1).

La véritable unité territoriale, c'est beaucoup plutôt l'*établissement (settlement)* (2). Nous désignons ainsi un groupe de familles agglomérées qu'unissent des liens spéciaux et qui occupent un habitat sur lequel **elles** sont inégalement distribuées aux différents moments de l'année, comme nous le verrons, mais qui constitue leur domaine. L'établissement, c'est le massif des maisons, l'ensemble des places de tentes et des places de chasse, marine et terrestre, qui appartiennent à un nombre déterminé d'individus, en même temps que le système des chemins et sentiers, des chenaux et ports dont usent ces individus et où ils se rencontrent constamment (3). Tout cela forme un tout qui a son unité et qui a tous les caractères distinctifs auxquels se reconnaît un groupe social limité.

1° L'établissement a un nom constant (4). Tandis que les autres noms, tribaux ou ethniques, sont flottants et différemment rapportés par les auteurs, ceux-ci sont nettement localisés et toujours attribués de façon identique. On pourra s'en convaincre en rapprochant le tableau que nous donnons plus bas des établissements de l'Alaska avec celui donné par Petroff. Ces tableaux n'offrent pas (sauf pour le district dit Arctique) de variations sensibles, alors que la nomenclature tribale de Porter est très différente de celle de Petroff (5).

2° Ce nom est un nom propre ; porté par *tous* les membres de l'établissement, il n'est porté que par eux. C'est d'ordinaire un nom de lieu descriptif suivi du suffixe *miut* (originaire de ...) (6).

(1) Voy. KANE, *Artc. res.*, II, p. 103.
(2) Sur la définition de l'établissement au Grönland voy. EGEDE, p. 60.
(3) Il semble même qu'il y ait une espèce de retour régulier du vieillard à sa place de naissance, au moins dans quelques cas, v. BOAS, *C.E.*, p. 466. Cf. un conte du Grönland, *T.T.*, n° 36 (Nivnitak), p. 247. V. un rite dans Klutschak, p. 153.
(4) Parmi les listes de noms de lieux et d'établissements nous citerons la meilleure et la plus scientifiquement établie, elle a trait au Grönland occidental ; voy. THALBITZER, *A phonetical Study*, p. 333. Il est remarquable que presque tous les noms désignent des particularités naturelles. Ainsi le nom par lequel l'Eskimo se désigne n'est pas autre chose que géographique.
(5) Cf. les tableaux. PETROFF, *Rep. Alaska*, *XIth Cens.* p. 12 et suiv. avec PORTER, *Rep. on Alaska. U. S. A. XIth Census*, p. 18 sq. ; sur les nomenclatures voy. les textes cités plus haut, p. 51, n° 1.
(6) Il y a une difficulté insoluble, dans l'état actuel de nos connaissances, à savoir si l'individu se désigne par le nom du lieu de sa naissance ou par le lieu actuel de son habitation. Il nous est bien dit que dans des circonstances très solennelles (les fêtes dont nous parlerons plus loin, p. 460) l'individu décline son nom et lieu de naissance, voy. BOAS, *C.E.*, p. 605, *E.B.L.*, p. 142 sq. ; NELSON, p. 373, l'usage revient au même.

3º Le district de l'établissement a des frontières nettement arrêtées. Chacun a son espace de chasse, de pêche à terre et en mer (1). Les contes eux-mêmes en mentionnent l'existence (2). Au Grönland, à la terre de Baffin, au nord du Labrador, les établissements localisés étroitement, comprennent un fiord avec ses pâturages alpestres ; ailleurs, ils embrassent tantôt une île avec la côte d'en face, tantôt un cap avec son *hinterland* (3), tantôt un coude de fleuve dans un delta avec un coin de côte, etc. Partout et toujours, sauf à la suite des grandes catastrophes qui bouleversent l'établissement, ce sont les mêmes gens qu'on trouve au même endroit ou leurs descendants ; les héritiers des victimes de Frobisher au XVIe siècle gardaient encore au XIXe le souvenir de cette expédition (4).

4º L'établissement n'a pas seulement un nom et un sol, il a encore une unité linguistique et une unité morale et religieuse. Si nous rapprochons ainsi ces deux groupes de faits, au premier abord disparates, c'est que l'unité linguistique sur laquelle nous voulons appeler l'attention, tient à des causes religieuses, aux notions concernant les morts et leurs réincarnations. Il y a, en effet, un remarquable système de tabou du nom des morts chez les Eskimos, et ce tabou s'observe par établissement ; il en résulte la suppression radicale de tous les noms communs contenus dans les noms propres des individus (5). Il y a ensuite un usage régulier de donner le nom du dernier mort au premier né de l'établissement ; l'enfant est réputé le mort réincarné et, ainsi chaque localité se trouve posséder un nombre déterminé de noms propres, qui constituent, par conséquent, un élément de sa physionomie (6).

En résumé, sous la seule réserve que les établissements sont, dans une certaine mesure, perméables les uns aux autres,

---

(1) Voy. RINK, *T.T.*, p. 23, à propos du Grönland, un texte particulièrement démonstratif.

(2) RINK, *T.T.*, p. 256.

(3) Voy. une bonne description de ces droits éminents de deux villages sur leur hinterland in MURDOCH, p. 27 sq.

(4) HALL, *Life with the Esquimaux*, I, p. 320 ; II, p. 24, 34.

(5) Voir TURNER, p. 201 ; BOAS, *C.E.*, p. 613. Il semble que ce tabou ne doive durer que jusqu'au moment où un nouveau-né reprend le nom ; v. CRANZ, *Hist. Grönl.*, *Fortzelzung*, Barby, 1770, p. 110, n.

(6) BOAS, *C.E.*, p. 613, Nelson, p. 291 nous dit même plus précisément, p. 289 que ce nom est donné, chez les Malemiut, dans l'établissement d'hiver, l'enfant en ayant reçu un provisoire dans la toundra où ses parents chassent. Sur l'extension dans toutes les sociétés Eskimos et le sens de cet usage, nous pensons nécessaire un travail étendu, mais dès maintenant nous pouvons dire que ce système de réincarnation perpétuelle donne à l'établissement Eskimo un singulier air de clan américain.

nous pouvons dire que chacun d'eux constitue une unité sociale définie et constante qui contraste avec l'aspect protéique des tribus. Encore ne faut-il pas s'exagérer l'importance de notre réserve ; car, s'il est bien vrai qu'il y a des échanges de population d'un établissement à l'autre, cette perméabilité (1), cette mobilité relatives ont toujours pour causes des nécessités vitales urgentes, si bien que, toute variation étant aisément explicable, la règle ne semble pas être violée.

Après avoir ainsi montré dans l'établissement l'unité qui est à la base de la morphologie eskimo, il nous faut, si nous voulons avoir de cette dernière une représentation un peu précise, rechercher comment les établissements sont distribués sur la surface du territoire, quelle est leur grandeur, quelle est la proportion respective des divers éléments dont ils sont composés sous le rapport du sexe, de l'âge, de l'état civil.

Dans les tribus Grönlandaises, sur lesquelles nous sommes bien renseignés, les établissements sont peu nombreux. En 1821, Graah n'en rencontra que 17 du cap Farvel à l'île Graah ; et pourtant son expédition a été faite dans d'assez bonnes conditions pour qu'il n'y ait pas lieu de penser qu'il en ait laissé échapper un seul (2). Cependant le nombre en diminua encore. Lors de la visite de Holm, en 1884, presque tous avaient disparu. Aujourd'hui, le désert est à peu près complet (3). Cette raréfaction progressive est le produit de deux causes. D'abord, dès 1825, les établissements européens du Sud, par suite des ressources et de la sécurité plus grande qu'ils offraient, ont attiré les Eskimos de l'Est à Frederiksdal (4). Ensuite, les établissements plus au Nord se sont concentrés vers Angmagsalik (5). Il est raisonnable de supposer que le retrait des Eskimos

---

(1) Voy. des exemples de cette relative perméabilité, dans PARRY, p. 124 sq., à propos de la tribu d'Igloulik.

(2) GRAAH, *Undersœgelsesreise til Östkysten af Grönland*, 1824, p. 118 sq.

(3) Graah avait trouvé 600 habitants environ, divisés en un nombre inconnu d'établissements, 17 + x (le voyage a été fait en été). Sur une étendue presque double de côtes, Holm ne trouve plus que 182 Eskimos, voy. J. HANSEN, *Liste over Beboerne af Grönland Östkyst* in HOLM, p. 185 sq.

(4) On trouvera dans les *Periodical Accounts of the United Brethren* à partir du t. II, p. 414, l'histoire de la formation de Frederiksdal : 50 personnes reviennent de Lichtenau, et 200 païens du Sud et de l'Est s'y concentrent, et un grand nombre annoncent leur volonté d'y venir, cf. p. 423. En 1827, 1828, 1829, la population s'accroît régulièrement dans le district, et par un afflux du Sud-Est, voy. *Per. Acc.*, X, p. 41, p. 68, p. 103, p. 104. Cf. HOLM, d'après les archives de la mission, p. 201.

(5) HOLM, p. 201, nous parle d'un homme de Sermilik, qu'il a vu à Angmagssalik, et qui avait vu Graah, étant enfant.

depuis le Scoresby-Sund — retrait qui a précédé l'arrivée de Scoresby (1804), a dû s'opérer de la même façon, mais cette fois-ci par force, et non pas seulement par intérêt.

En même temps que peu nombreux les établissements sont très espacés et très petits. Au fiord d'Angmagsalik, sur un développement considérable de côtes, il n'y avait en 1883 que 14 établissements comprenant en tout 413 habitants. Le plus peuplé, Ikatek, en avait 58 ; le plus petit (celui de Nunakitit) n'en comptait que 14 (1). Il est d'ailleurs intéressant de suivre les mouvements de la population que reproduit le tableau suivant :

ANNÉES	TOTAL	CENSEURS	HOMMES	FEMMES	MORTS	NAISSANCES	TENTES	ÉTABLISSEMENTS (MAISONS)	ÉMIGRATION ET IMMIGRATIONS
1884[1]	413	(Holm).	193	220	13	5	37	14 (15)	
1892[2]	293	(Ryder).	132	161	107	92[7]	29	11	— 118[8]
1894[3]	235	(Pétersen-Ryberg).							
1895[4]	247	»	108	139	5	5		13	+ 12
1896[5]	372	»	166	216	7	14	26	14	+ 118[9]
1897[6]	372	»	161	211	19	19	27	13 (14)	+ 20-20[10]

1. HOLM, p. 193, sq.

2. RYDER, *Den östgrönlaudske Expedition*, 1891-1892, I, *Medd Gr.*, XVII ; 1895, p. 163 sq.

3. RYBERG, Fra Missions og Handelsstation ved Angmagssalik, *Geogr. Tidskrift*, 1897-1898, XIV, p. 129, col. 1. Le journal de Petersen (agent de la Cⁱᵉ Royale) ne donne que des indications sommaires pour cette année, date de la fondation de la station. La diminution considérable est due surtout à une forte épidémie de grippe, suite du séjour de l'expédition Ryder. Cf. HOLM, Oprettlsen af Missions, etc. Angmagssalik, *Geogr. Tidskr*, 1893-1894, XII, p. 247 sq., Is og Vejrforholdene, etc., *ibid*, XIII, p. 89.

4. RYBERG, *ibid*, col. 2, l'arrivée de 12 individus s'était produite avant le 31 décembre 1894, mais on avait négligé de les compter.

5. Petersen in RYBERG, *ibid*. ; l'année 1895-1896 fut particulièrement favorable, au contraire de l'année 1894-1895, de là le petit chiffre des morts relatif aux naissances, cf. p. 118, pour le chiffre des tentes.

6. RYBERG, Fra Missions, etc. (1896-1897), *Geogr. Tidskr*, XIV, p. 170.

7. RYDER, Östgrönl Exped., in *Medd. Gr.*, XVII, 1895, p. 144, attribue à de mauvais renseignements concernant les naissances, l'écart entre le recensement de Holm et les résultats du sien.

8. RYDER, *ibid*, dit que l'émigration s'est dirigée vers le Sud.

9. Les 118 émigrés de Ryder sont donc revenus au complet (morts et naissances s'étant équilibrées pendant les quatre années du départ), RYBERG, *loc. cit.*, p. 119, col. 2.

10. 3 Oumiaks sont partis, et un autre, avec 20 Eskimos, est revenu.

(1) Voy. HOLM, p. 193 sq.

On y peut voir combien est précaire et instable l'existence de cette population. En huit ans, de 1884 à 1892, elle perd soit par la mort, soit par l'émigration les deux tiers de son effectif. Inversement, en 1896, une seule année favorable et le confort dû à l'installation définitive des Européens relève, en un clin d'œil, la situation ; le nombre des habitants passe de 247 à 372 avec une augmentation de 50 %.

Nous avons sur la population des établissements de la côte occidentale des renseignements détaillés et fort précis (1). Mais, comme ils sont postérieurs à l'arrivée des Européens, nous n'en tiendrons pas grand compte, si ce n'est pour mettre en évidence les deux particularités suivantes que l'on observe également à Angmagssalik (2). C'est d'abord le chiffre élevé de la mortalité masculine et, par suite, la proportion considérable de femmes dans l'ensemble de la population. Au Grönland méridional, en 1861 et 1891, sur 100 morts 8,3 étaient dues à des accidents de kayak, donc étaient exclusivement des morts d'hommes chavirés sur ces dangereux esquifs ; 2,3 étaient dues à d'autres malheurs. On remarque le nombre énorme de morts violentes. Au Grönland septentrional, les chiffres étaient de 4,3 pour les morts en kayak, de 5,3 pour les autres morts violentes. Pour Angmagssalik, on peut, d'après les informations de Holm et de Ryder, évaluer à 25 ou 30 % la part des morts violentes d'hommes dans l'ensemble de la mortalité (3).

Le second fait sur lequel nous voulons appeler l'attention, c'est l'existence de mouvements migratoires qui limitent la population de chaque établissement. Les tableaux que M. Ryberg nous transmet et qui remontent à 1805, pour descendre jusqu'à 1890, démontrent ce fait pour les districts septentrionaux du Grönland méridional : ceux de Godthaab et de Holstenborg augmentent régulièrement au détriment de ceux du Sud. On peut même observer à ce propos combien

(1) EGEDE, *Perlus*, p. 101, pour Disco, Paul EGEDE, *Efterretninger*, etc., Kbhvn, 1788, p. 235 sq. ; CRANZ, I, p. 380 sq., pour Godhavn et les établissements méridionaux donnent les renseignements statistiques des missions danoises et méridionales ; DALAGER, *op. cit.*, en donne de concordants. Mais tous ne sont à aucun degré des documents sûrs, et ils ne portent que sur les populations flottantes attachées aux missionnaires. Les chiffres donnés dans RINK, *Dansk Gr.*, etc., II, p. 259 sq., ne nous intéressent pas grandement ; nous ne nous servons donc que des documents les plus récents.

(2) Voy. RYBERG, Om Ehrvervs og Befolknings Forholdne i Grönland, *Geogr. Tidskr*, XII, p. 114, 115, 121, table G ; même titre, *ibid.*, XVI, p. 172 ; pour la proportion d'hommes et de femmes à Angmagssalik, les textes cités plus haut.

(3) Voy. *in* HOLM, J. HANSEN, p. 204 sq., cf. RYDER, *loc. cit.*, p. 144.

a été lente et, finalement, minime l'influence de la civilisation
européenne (nous entendons parler de la civilisation matérielle). En effet, de 1861 à 1891, la moyenne du rapport entre
les naissances et les morts a été de $\frac{39}{40}$, passant de $\frac{33}{48}$ en 1860
à $\frac{44}{35}$ en 1891 (1).

A l'autre extrémité de l'aire Eskimo, dans l'Alaska, nous
pouvons faire des observations identiques. Les renseignements les plus anciens dont nous disposons et qui se rapportent aux tribus du Sud — renseignements qui nous viennent
des premiers colons russes — ne sont, il est vrai, ni très sûrs,
ni très précis et ne permettent guère que des appréciations
un peu vagues, mais dans le journal de route de Glasunov,
nous trouvons des informations plus circonstanciées ; elles
concernent les Eskimos du delta de la Kuskokwim. Le maximum des habitants par établissement était de 250 personnes (2).
D'après le recensement de Petroff (3) suivi du recensement
de Porter que l'on trouvera plus loin, et lequel est bien supérieur (4), la densité maxima est atteinte dans cette région
par les établissements de la rivière Togiak. D'autre part la
tribu des Kuskowigmiut (5) est la plus forte de toutes les tribus
eskimos connues, mais non la plus dense si l'on tient compte
de l'aire où elle vit. Il est intéressant de noter qu'elle est établie comme les Togiagmiut auprès de rivières exceptionnelle-

(1) Sur les diverses fluctuations et leurs causes, fort nettes, voy. Ryberg,
Geogr. Tidskr., XII, p. 120, 122. Une analyse des divers renseignements
numériques contenus dans les *Periodical Accounts* des frères Moraves, depuis 1774, montrerait que les mêmes faits se sont régulièrement reproduits
au Labrador.

On trouvera, dans Boas, *C.E.*, p. 425, 426 et suiv. une série de renseignements statistiques sur les Oqomiut, leurs 4 sections, et leurs 8 établissements, ainsi que sur les âges, sexes et états civils. Les faits coïncident remarquablement avec les faits grönlandais. Les tableaux transmis par le capt. Comer
et le Rév. Peck, concernant les Kinipetu et les Aivillirmiut, concordent de
même. Voy. Boas, *E.B.L.*, p. 7.

(2) Wrangell, *Statistische und Ethnographische Nachrichten*, etc., *in* Baer
u. Helmersen, *Beitr. z. Kenntn. d. Russ. Reiches*, K.A.K.d.W., vol. I, Saint-
Pétersb., 1819, p. 141 suiv. Le voyage de Glasunov a l'avantage d'avoir
été fait en hiver, et conserve même cet avantage sur les recensements ultérieurs. Petroff, *Report of the Resources. etc. of Alaska*, *U. S. Tenth census*,
p. 23 sq., donne un aperçu d'une discussion assez mal conduite des divers
recensements russes antérieurs à 1870.

(3) *Loc. cit.*, p. 4, p. 17 sq.

(4) Voy. plus bas, appendice I.

(5) Porter, p. 154 (tableau des tribus), cf. p. 170. On trouvera dans Porter
une description détaillée, p. 100-114, des divers établissements, décrits un
par un, avec un certain nombre de doubles indications sur l'établissement
d'hiver et sur ceux d'été (Greenfield).

ment poissonneuses et par suite échappe à certains dangers. Encore ne faut-il pas s'exagérer l'importance même de ces établissements relativement privilégiés. Des tableaux de Porter, il semble bien résulter qu'aucun d'eux n'atteint les chiffres considérables indiqués par Petroff. L'établissement de Kassiamiut marqué par ce dernier comme contenant 605 individus semble être non un établissement proprement dit, mais un agrégat de villages (1), et de plus comprend nombre d'éléments créoles et européens (2). — Une autre région où les établissements sont également plus considérables et plus serrés les uns sur les autres, ce sont les îles qui sont situées entre le détroit de Behring et la partie méridionale de l'Alaska (3) ; et cependant la densité, calculée sur l'ensemble des terres habitables (?) reste encore très faible (13 par kilomètre carré) (4).

De tous ces faits il résulte qu'il y a une sorte de limite naturelle à l'étendue des groupes Eskimos, limite qu'ils ne peuvent pas dépasser et qui est très étroite. La mort ou l'émigration, ou ces deux causes combinées, les empêchent d'excéder cette mesure. Il est dans la nature de l'établissement eskimo d'être de petites dimensions. On peut même dire que cette grandeur restreinte de l'unité morphologique est aussi caractéristique de la race Eskimo que les traits du visage ou les traits communs aux dialectes qui y sont parlés. Ainsi, dans les listes de recensement, on reconnaît à première vue les établissements qui ont subi l'influence européenne, ou qui ne sont pas proprement eskimos : ce sont ceux dont les dimensions dépassent trop sensiblement la moyenne (5). C'était le cas pour le soi-disant établissement de Kassiamiut dont nous parlions tout à l'heure ; c'est le cas aussi de Port-Clarence qui sert actuellement de station aux baleiniers européens (6).

La composition de l'établissement n'est pas moins caractéristique que ses dimensions. Il comprend peu de vieillards et aussi peu d'enfants ; pour différentes raisons, la femme Eskimo

---

(1) Cf. Petroff, p. 12 et Porter, p. 5. Kassiachamiut, 50 habitants, p. 164, *ibid*.

(2) Petroff, 96 Européens habitent ce même district.

(3) Sur les îles, voy. Porter, p. 110 sq., Nelson, pp. 6, 256 : King Island 400 habitants, Nunivak, 400 habitants.

(4) Porter, p. 162.

(5) Nous ne tenons pas compte, en parlant ainsi, des cas où la moyenne elle-même est loin d'être atteinte, comme dans les indications du genre de « Single house » ou « Summercamp ». Porter, p. 165, Petroff, p. 11, 12.

(6) Voy. Porter, p. 137.

n'en a généralement qu'un petit nombre (1). La pyramide des âges se pose donc sur une base étroite, et elle va en s'amincissant d'une manière marquée à partir de soixante-cinq ans. D'autre part, la population féminine est considérable, et dans la population féminine, la part des veuves est tout à fait exceptionnelle (2). (V. Appendice II.) Ce nombre élevé de veuves, d'autant plus remarquable que le célibat est presque inconnu et que les Eskimos épousent des veuves de préférence à des jeunes filles, est dû presque entièrement aux accidents de la vie marine. Il importait de bien établir ces particularités sur lesquelles nous aurons à revenir dans la suite.

Quant à leurs causes, il faut aller les chercher dans le régime de vie pratiqué par les Eskimos. Ce n'est pas qu'il soit inintelligemment entendu ; c'est, au contraire, une application remarquable des lois de la biophysique et du rapport nécessaire de symbiose entre les espèces animales. Les explorateurs européens ont maintes fois insisté sur ce fait que, même avec tout l'équipement européen, il n'y a pas, dans ces régions, de régime alimentaire et de procédés économiques meilleurs que ceux qu'emploient les Eskimos (3). Ils sont commandés par les circonstances ambiantes. N'ayant pas, comme d'autres hyper-

(1) C'est un des faits les plus anciennement remarqués : on le trouve déjà signalé dans VORMIUS, *Museum Naturale*, Kbhvn, 1618, p. 15 ; d'après des sources de dernier ordre dans Coats, *in* J. BARROW, *The Geography of Hudson's Bay*, Lond., Hakluyt, 1852, p. 35, dans EGEDE, *Perlus*, p. 60. Cf. *Nye Perlustration*, 1re éd., p. 27, et il est tellement évident qu'il n'est peut-être pas d'auteur qui ne l'ait attesté. Il est même dit que les femmes Eskimos se refusent complètement à croire que les femmes Européennes puissent avoir 10 et 12 enfants. Voy. Woolfe *in* PORTER, p. 137, le maximum semble être 4 à 5 enfants. Le seul cas contraire, statistiquement connu de nous, est celui (BOAS, *E.B.L.*, p. 6, 7) d'une famille Kinipetu, recensée en 1898 par le Capt. Comer, avec 8 enfants, mais il y a probablement une erreur d'observation. (Le même auteur parle de deux familles aussi nombreuses, mais une seule apparaît à son tableau.)
(2) Nous publions plus loin les tableaux empruntés à M. Porter. Pour le nombre des veuves, on trouvera des documents concordants dans le recensement des Aivilik (6 veuves (?) sur 34 femmes). Par contre on remarquera qu'il n'y a que deux veuves chez les Kinipetu, mais cela provient du plus grand nombre de cas de polygamies. BOAS, *E.B.L.*, p. 7 et 8.
(3) Voy. MARKHAM, *Arctic geography and Ethnology Papers*, 1875, p. 163 sq. ; cf. PEARY, *Northward over the Great Ice*, I, App. I, préface p. VII ; cf. SVERDRUP, *Nyt Land*, I, préf., *New Land*, 1904, I, *ibid*. Etant données les ressources animales, ces auteurs soutiennent avec raison que de *petites* expéditions même non approvisionnées ont plus de chance de survie que des expéditions mieux approvisionnées mais trop grandes. Les dernières explorations de l'Amérique du Nord, celles de Hanbury en particulier, comme celles plus anciennes de Boas, de Hall, et de Schwatka, ont été faites par des voyageurs s'adjoignant à des Eskimos. Le sort fameux de Franklin fut dû précisément au nombre excessif des hommes qu'il avait avec lui. Le premier qui ait vu cette loi est vraisemblablement HALL, *Life with the Esquimaux*, I, p. XII.

boréens, domestiqué le renne (1), les Eskimos vivent de chasse ou de pêche. Le gibier consiste en rennes sauvages (il s'en trouve partout), en bœufs musqués, en ours polaires, en renards, en lièvres, quelques animaux carnassiers à fourrure, assez rares d'ailleurs, diverses espèces d'oiseaux (ptarmigans, corbeaux, cygnes sauvages, pingouins, petites chouettes). Mais tout le gibier de terre est, en quelque sorte, accidentel et de fortune et, faute d'une technique appropriée, il ne peut être chassé en hiver. Sauf donc les passages d'oiseaux et de rennes et quelques heureuses rencontres, les Eskimos vivent surtout du gibier marin : les cétacés forment le principal de leur subsistance. Le phoque, dans ses principales variétés, est l'animal le plus utile ; aussi dit-on que là où il y a du phoque, il doit y avoir des Eskimos (2). Cependant les delphinidés (orque, baleine blanche ou baleine franche), sont activement chassés ainsi que les troupeaux de morses ; ceux-ci principalement au printemps ; à l'automne, on s'attaque même à la baleine (3). Les poissons de mer, ceux d'eau douce et les échinodermes forment un léger appoint. Le kayak en eau libre, une attente patiente sur la glace de terre permettent aux hommes d'aller lancer leurs remarquables harpons sur les animaux marins. On sait qu'ils en mangent la chair crue et cuite.

Trois choses sont donc nécessaires à un groupe Eskimo : en hiver et au printemps, de l'eau libre pour la chasse aux phoques, ou de la glace de terre ; en été, un territoire de chasse et de pêche en eau douce (4). Ces trois conditions ne se trouvent combinées qu'à des distances variables les unes des autres, et sur des points déterminés, en nombre limité ; c'est là, et là seulement, qu'ils peuvent s'établir. Aussi ne les trouve-t-on jamais sur les mers fermées (5) : ils se sont certainement

(1) Il est vraisemblable que l'introduction récente du renne domestique en Alaska va changer la morphologie même des sociétés Eskimos qui réussiront dans cet élevage, cf. SHELDON, *Report on the Introduction of the Reindeer in Alaska, Rep. U.S.N.M.*, 1894.

(2) Cf. HALL, *Life*, I, p. 138, cf. PEARY, *Northward over the Great Ice*, II. p. 15.

(3) A la pointe Barrow, au lieu de passage des baleines qui se rendent périodiquement de l'océan Glacial dans le Pacifique et *vice versa*, la chasse a lieu deux fois par an. Elle devient de moins en moins prospère, voy. MURDOCH, p. 272, Woolfe dans PORTER, p. 145. Les baleiniers européens ont d'ailleurs transporté leurs plus importantes pêcheries aux bouches du Mackenzie.

(4) On trouvera une excellente description des conditions générales de la vie eskimo dans BOAS, *C.E.*, p. 419, 420.

(5) Sur la fermeture des mers dans l'Archipel nord-américain, voy. MARKHAM, *Arctic Papers*, p. 62 sq., cf. *Arctic Pilot* (Amirauté anglaise) 1900-1902, Lond., 1904, I, p. 28 sq.

retirés de certaines côtes qui étaient autrefois ouvertes selon toute vraisemblance, mais qui se sont fermées depuis (1). C'est la nécessité de cette triple condition qui oblige les établissements Eskimos à se renfermer dans d'étroites limites ; l'étude de quelques cas particuliers va montrer pourquoi.

Prenons pour exemple les établissements d'Angmagssalik (2). Angmagssalik est situé sur le littoral oriental de Grönland à une latitude relativement basse. La côte est bloquée par les glaces jusqu'au 70º de latitude nord. Cet amas de glace est maintenu par le courant polaire qui, descendant du Spitzberg, vient passer dans le détroit de Danemark, jusqu'au cap Farvel, et au détroit de Davis. Par l'est, la côte est inabordable ; mais la latitude est assez basse, l'éclairage d'été assez beau pour que la mer se dégage toujours, à ce moment, sur une suffisante étendue, de telle sorte qu'on y peut chasser. Comme on voit, ces conditions sont instables et précaires. La mer peut ne pas se libérer ; le gibier s'épuise assez vite et, en hiver, sur la glace de terre, il est assez difficile de le prendre. D'autre part, l'étroitesse du bassin d'eau libre, le danger que constituent les icebergs continuellement détachés des glaces ne permettent pas aux groupes de se déplacer aisément en dehors du voisinage des fiords. Ils sont obligés de se maintenir très près du point où se trouvent réunies toutes les conditions nécessaires à leur existence ; si quelque accident vient à s'y produire, si l'une de leurs ressources ordinaires vient à y manquer, ils ne peuvent pas aisément chercher un peu plus loin de quoi y suppléer. Il leur faut tout de suite se transporter sur un autre point éloigné et également privilégié, et ces migrations lointaines ne vont pas sans grands risques, sans pertes d'hommes. On conçoit que, dans ces conditions, il soit impossible aux groupements humains d'atteindre des dimensions un peu considérables. Tout dépassement, toute modification imprudente à d'implacables lois physiques, toute malheureuse conjecture du climat ont pour conséquence fatale une réduction du nombre des habitants. Que la glace à la côte

---

(1) Sur les causes du dépeuplement de l'Archipel septentrional, voy. SVERDRUP, *Nyt Land*, I, p. 145.

(2) Sur les conditions de la vie, climatériques, maritimes et économiques, voy. HOLM, Den Östgrönlandske Expedition, etc. *Medd. Gr.*, IX, p. 287 sq. ; *Eln. Skizze*, p. 47, 48 ; RYDER, *loc. cit.*, p. 138 sq. ; RYBERG, *loc. cit.*, plus haut, p. 114 sq. Ajoutons qu'avant l'arrivée de Holm s'était produit le phénomène grave de la perte presque totale des chiens, *Östgr. Exped.*, p. 134. On peut, dans le tableau donné plus haut, apercevoir au simple mouvement de la population les années favorables.

tarde à se fondre, et la chasse printanière aux cétacés devient impossible. Qu'elle se fonde trop vite sous l'action d'un des grands Föhn, et il est impossible de sortir en kayak ou de chasser sur la glace de terre ; car les phoques et les morses ne viennent plus s'y reposer, dès que la fonte a commencé. Que l'on essaye, sans avoir réuni toutes les conditions de succès, de partir vers le Nord ou vers le Sud, et les *umiaks*, chargés de plusieurs familles, coulent lamentablement (1). Si, acculé aux nécessités extrêmes, on mange les chiens, on redouble ainsi la misère ; car même les déplacements en traîneaux sur la neige et sur la glace deviennent impossibles (2).

Transportons-nous maintenant au point le plus septentrional de la côte américaine, à la pointe Barrow (3) ; nous y observerons des faits du même genre. Si la mer y est rarement fermée, elle y est aussi rarement libre. Le gibier marin et terrestre, de l'avis de tous les Européens qui ont passé par là, y est *juste* ce qu'il faut pour la population. Or la chasse présente des aléas constants qu'on ne sait conjurer que par des moyens religieux ; de plus, elle offre en outre des dangers continus que l'emploi des armes à feu n'a pas encore fait disparaître. Le chiffre de la population se trouve ainsi limité par la nature des choses. Il est si exactement en rapports avec les ressources alimentaires que celles-ci ne peuvent pas diminuer, si peu que ce soit, sans qu'il en résulte une diminution importante dans le nombre des habitants. De 1851 à 1881 la population a baissé de moitié ; or cet abaissement considérable vient de ce que la chasse à la baleine est devenue moins fructueuse, depuis l'établissement des baleiniers européens (4).

En résumé on voit par ce qui précède que la limitation des établissements eskimos tient à la manière dont le milieu agit, non sur l'individu, mais sur le groupe dans son ensemble (5).

(1) V. NANSEN, *Eskimoleben*, Leipzig, 1904, p. 46 sq.

(2) Les conditions d'existence sont également précaires à la terre de Baffin, et dans des temps récents, des famines ont régulièrement décimé les gens. Voy. BOAS, *C.E.*, p. 426 sq., l'historique de certaines tribus.

(3) Le tableau que nous faisons de la vie à la pointe Barrow est composé d'après SIMPSON, *Western Eskimos*, in MARKHAM, *Arct. Papers*, p. 245 (repr. des Parliamentary Reports, 1852) ; et d'après MURDOCH, p. 45 sq.

(4) L'affirmation de Woolfe, *in* PORTER, p. 145 que la proportion des naissances serait réduite à 1 contre 5, ne mérite qu'une créance relative ; et les documents de Petroff, p. 14, sont parfaitement inexacts ; même le compte des villages n'y est pas.

(5) D'ailleurs le groupe intervient violemment, en tant que groupe, pour limiter le nombre des membres qui lui seraient à charge : 1° par l'infanticide surtout des enfants du sexe féminin qui nous est attesté pour plusieurs

II

MORPHOLOGIE SAISONNIÈRE

Nous venons de voir quelle est la morphologie générale
des Eskimos, c'est-à-dire les caractères constants qu'elle présente en tout temps. Mais nous savons qu'elle varie selon les
moments de l'année ; il nous faut chercher maintenant quelles
sont ces variations. C'est d'elles surtout que nous devons
nous occuper dans ce travail. Si, en tout temps, l'établissement est l'unité fondamentale des sociétés Eskimos, il présente suivant les saisons des formes très différentes. En été,
les membres qui le composent habitent dans des tentes et
ces tentes sont dispersées ; en hiver, ils habitent dans des
maisons resserrées les unes près des autres. Telle est l'observation générale qu'ont faite tous les auteurs depuis les plus
anciens (1), quand ils ont eu l'occasion d'observer le cycle de
la vie eskimo. Nous allons tout d'abord décrire chacun de ces
deux genres d'habitat et les deux modes de groupement corres-
dondants. Nous nous efforcerons ensuite d'en déterminer et
les causes et les effets.

1º *L'habitat d'été*

La tente. — Commençons par l'étude de la tente (2) puisqu'aussi bien c'est une construction plus simple que la maison
d'hiver.

tribus, voy. EGEDE, *Perlustr.*, p. 91, Cranz, III, 3,21, Rasmussen, (tribu du
C. York), *Nye Menneskier*, 1905, p. 29. BOAS, *C.E.* p. 580. (BESSELS, *Naturalist*, XVIII, p. 874, *Nordpol Exped.*, p. 185, parle d'infanticide d'enfants
des deux sexes à Itah), GILDER, *Schwatka's Search, etc.*, p. 246, 247, MURDOCH,
p. 417, cf. SIMPSON, *Western Eskimos*, p. 250, NELSON, p. 289 ; infanticide
qui a évidemment pour but de diminuer le nombre des non-chasseurs ;
2º par le meurtre, généralement attesté, des enfants malingres et chétifs ;
3º par l'abandon des vieillards, des malades, voy. plus loin, p. 18, n. 7 ;
4º dans quelques tribus par l'abandon, voire la mise à mort de la veuve ;
voy. en particulier, PARRY, p. 529, 400, 409 ; Lyon, p. 323, HALL, *Life with
the Esqui.*, I, p. 97.

(1) FROBISHER (1577), *Second voyage* (Beste), Hakluyt soc. ed, p. 283. Cf.
Hakluyts' Voyages, 1589, p. 628 ; James HALL, in Luke FOXE *Fox North
West Passage*, 1635, p. 56 ; COATS, in *The Geography of Hudsons Bay, Being
the remarks of Cpt...*, ed. Barrow, Hakluyt, ed. 1852, p. 35, 75, 89 et 90 ;
EGEDE, *Nye Perlustration*, 1ʳᵉ éd. 1721, p. 27 ; *Perlustration*, p. 60 ; CRANZ,
livre III, 1, 4 ; Lars DALAGER, *Grönlandske Relationer*. Nous ne citons pas
les autres auteurs anciens, tous ayant connu l'une des sources que nous venons
de citer : le livre de Cranz en particulier a été extrêmement populaire et utilisé
par tous les voyageurs et ethnographes.

(2) Sur la tente Eskimo en général, voy. MURDOCH, p. 84.

La tente porte partout le même nom, *tupik* (1), et, partout aussi, d'Angmagssalik jusqu'à l'île de Kadiak, elle affecte la même forme. Schématiquement, on peut dire qu'elle est composée de perches disposées en forme de cône (2) ; sur ces perches sont placées des peaux, le plus souvent de rennes, cousues ou non ensemble, et tenues à la base par de grosses pierres capables de contrebalancer l'effort souvent terrible du vent. A la différence des tentes indiennes, celles des Eskimos n'ont pas de vide au sommet, parce qu'il n'y a pas de fumée qu'il soit nécessaire de laisser échapper ; leur lampe n'en produit pas. Quant à l'entrée, elle peut être close hermétiquement. Les habitants sont alors plongés dans l'obscurité (3).

Ce type normal présente naturellement quelques variations suivant les localités, mais elles sont tout à fait secondaires. Là où le renne est rare (4), comme à Angmagssalik et dans tout le Grönland oriental, la tente est faite avec des peaux de phoques ; comme, en même temps, le bois n'y est pas abondant, la forme de la tente y est aussi un peu différente. Elle est placée à un endroit où la pente est brusque (5), de façon à ce qu'elle puisse s'appuyer au fond sur le terrain lui-même ; une perche-poutre horizontale supportée à l'avant par un bâtis angulaire, vient s'enfoncer dans le sol ; c'est sur elle que sont disposés les peaux et le maigre lattis de perche. Il est curieux de remarquer comment soit à Igloulik (6), dans la baie d'Hudson, soit à la partie méridionale de la terre de

---

(1) Voy. les dictionnaires *ad verb.*, P. EGEDE, *Dictionarium Grœnlandico Latinum*, p. 128 ; PARRY, p. 562 ; ERDMANN, *Eskimoisches Wörterbuch* ; WELLS et KELLY, *Engl. Esk. Dict.*, p. 36, 43 ; voy. RINK, *Meddel.*, XI, suppl. p. 72 sq.

(2) Cf. STEENSBY, *Esk. Kult. Opr.*, p. 143, qui arrive aux mêmes conclusions que nous. Le cône est, suivant les cas, sectionné en avant, ou forme un cône parfait. La forme du cône parfait est celle de la civilisation Eskimo occidentale. Les anciennes relations groenlandaises nous représentent la tente comme munie d'une espèce de porte, voy. les planches d'EGEDE, *Perlus.*, p. 61 ; de CRANZ, I, pl. III ; GRAAH, *Undersögelsesreise*, pl. VI, fac. p. 73. Il y a probablement aussi une exagération de dessin qui transforme en porte le rideau de peaux, perpendiculaire il est vrai, qui ferme la tente en avant.

(3) COATS remarque, *loc. cit.*, p. 35, la différence entre les modes d'habitat Eskimos et les tentes indiennes (Crees et Montagnais), cf. HEARNE, *Journey to the shores of the Arctic Sea*, p. 180.

(4) HOLM, *Ethn. Sk.*, p. 71 sq. Voy. pl. 10 et 11 ; GRAAH, *Undersögelsesreise*, p. 73.

(5) HOLM, *ibid.*, p. 72, 74.

(6) Voy. les bonnes descriptions de Parry et Lyon, *in* PARRY p. 270 sq., pl. VII, le bâtis était déjà alors souvent fait d'os de narwhal ; à son premier voyage, au nord de la terre de Baffin, Parry avait vu un autre type de tentes, où les côtes de baleines avaient un emploi, probablement faute de bois, *Journ. of a Voy. of Discov.*, 1819, p. 283.

Baffin (1) les mêmes causes produisent les mêmes effets. Par suite de la rareté du bois, remplacé souvent par des os de narevhal, la tente y a une forme singulièrement analogue à celle d'Angmagssalik.

Mais ce qui est plus important que tous ces détails de technologie, c'est de savoir quel est le groupe qui habite la tente. D'un bout à l'autre de l'aire eskimo, c'est la famille (2), au sens le plus étroit du mot, c'est-à-dire un homme avec sa femme ou, s'il y a lieu, ses femmes, leurs enfants non mariés (naturels ou adoptés) ; exceptionnellement on y trouve aussi un ascendant, ou une veuve qui n'est pas remariée, ses enfants, ou enfin un hôte, ou des hôtes. Le rapport est si étroit entre la famille et la tente que la structure de l'une se modèle sur la structure de l'autre. C'est une règle générale dans tout le monde eskimo qu'il y a une lampe par famille ; aussi y a-t-il d'ordinaire une lampe et une seule par tente (3). De même, il n'y a qu'un banc (ou un lit de feuilles et branchages surélevé au fond de la tente) recouvert de peaux sur lequel on couche ; et ce lit ne comporte pas de cloison pour isoler la famille de ses hôtes éventuels (4). Ainsi la famille vit parfaitement une

---

(1) Boas, *C.E.*, p. 552. Cf. Chappell, *Narra. of a Voy. to Hudsons' Bay*, Lond. 1817, p. 29. Pour les types de tente en Alaska, voy. Nelson, p. 258 sq. Les ruines les plus septentrionales trouvées par les expéditions de Hall, Bessels, *Nordpol Expedition*, p. 235, cf. Markham, *Whaling Cruize*, p. 285, par Greely, *loc. cit.*, p. 47, n. 2 ; par Markham et Nares, cf. Markham, *The Great Frozen Sea*, 1877, p. 79, cf. p. 391 ; celles trouvées par Sverdrup, *Nyt Land*, II, p. 171, p. 121 sont toutes les cercles de pierres circulaires qui font supposer des tentes du type régulier. Une seule ruine, vue par Lyon, autrefois, au C. Montague est inexplicable comme reste de tente, Parry, p. 62. Nous ne connaissons d'exception véritable à la règle technique que les maisons d'été des îles du détroit de Bering ; voy. Nelson, p. 255 et 256, mais les conditions de vie des Eskimos de ces îles presque complètement fixés, et habitant sur de véritables escarpements sont assez particulières et expliquent l'exception. Cependant l'existence de *maisons* d'été isolées semble fréquente en Alaska. Cf. Nelson, p. 260 sq. Jacobsen (trad. Woldt), *Reise*, p. 161, etc.

(2) Holm, p. 87 (Angmagssalik), Rink, *T.T.* p. 19. Egede, *Perlus.*, p. 60 (Grönland Occidental) ; Boas, *C.E.* p. 581 (Eskimos centraux) ; Klutschak et Schawtka d'une part, chez les Netchillik et Ukusiksalik ; Hall chez les Aiwillik (2ᵉ voyage) et chez les Nugumiut (1ᵉʳ voyage), Hanbury, entre la Back River et le Mackenzie, ont fait leurs explorations d'*été* avec des familles Eskimos vivant ainsi dans la tente ou, selon les temps, dans les iglous de neige. Petitot, *Monographie*, p. xx ; Murdoch, p. 80 sq. Nelson, *loc. cit.* ; on peut déduire des listes données plus haut, p. 57, que chaque famille a sa tente au Grönland oriental. Il nous semble impossible d'ailleurs que la tente comprenne plus qu'une ou deux familles, et nous croyons inexacte à quelque point de vue l'affirmation de Back, *Narrative of a Boat Journey*, p. 383, qui trouve 35 personnes en 3 tentes (Ukusiksalik).

(3) Voy. Lyon, *in* Parry, p. 270, cf. p. 360.

(4) Graah nous décrit pourtant une double tente à cloison, *loc. cit.*, p. 93.

dans cet intérieur hermétiquement clos et c'est elle qui construit et transporte cette habitation d'été, si exactement faite à sa mesure.

2º *L'habitat d'hiver*

La maison. — De l'hiver à l'été, l'aspect morphologique de la société, la technique de l'habitat, la structure du groupe abrité changent du tout au tout ; les habitations ne sont pas les mêmes, leur population est différente et elles sont disposées sur le sol d'une tout autre façon.

Les habitations d'hiver eskimos ne sont pas des tentes,

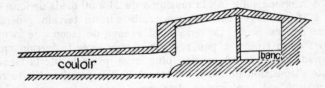

Fig. 1. — Coupe de la maison d'Angmagssalik (H. B.)

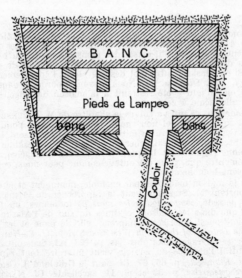

Fig. 2. — Plan de la maison d'Angmagssalik (H. B.)

mais des maisons (1), et même de longues maisons (2). Nous
allons commencer par en décrire la forme extérieure ; nous
dirons ensuite quel en est le contenu.

La longue maison eskimo est faite de trois éléments essentiels qui peuvent servir à la caractériser ; un couloir qui
commence au dehors et qui vient déboucher à l'intérieur par
une entrée à demi souterraine ; 2° un banc avec des places
pour les lampes ; 3° des cloisons qui déterminent sur ce banc
un certain nombre de cellules. Ces traits distinctifs sont propres à la maison eskimo ; ils ne se retrouvent réunis (3) dans
aucune autre maison connue. Mais, suivant les régions, ils
présentent des particularités variables qui donnent naissance
à un certain nombre de variétés secondaires.

A Angmagssalik (4), la maison a de 24 à 50 pieds de long sur
12 à 16 de large. Elle est construite sur un terrain généralement très en pente. Ce terrain est excavé de façon que le mur
d'arrière se trouve à peu près de niveau avec le terrain envi-
ronnant ; ce mur est un peu plus large que celui de la façade.
Cette disposition donne à l'observateur l'impression fausse que
la maison est souterraine. Les murs sont en pierre, en bois
recouvert de gazon, et souvent de peaux ; les parois en sont
presque toujours recouvertes. En avant, toujours à angle droit

---

(1) Le nom de la maison est *iglu* ; sur ce mot voir les dictionnaires cités
plus haut, p. 415, n. 1 et Rink, *Meddel*, suppl. XI, p. 72 sq. Les exceptions ne
sont nullement probantes. S'il existe des noms différents, ou bien si le mot
équivalent a des sens plus ou moins précis, cela provient de causes déterminées. Ainsi en Alaska l'autre mot désigne plutôt l'appartement, Wells et
Kelly, *Engl. Esk. Dict.*, p. 44. Nous verrons pourquoi, dans les régions
centrales, le mot d'iglu a été restreint à la maison de neige, la maison se
restreignant elle-même à ce type.

(2) Cf. pour tout ce qui va suivre le chapitre de M. Steensby, *Esk. Kult.
Opr.*, p. 182 sq. avec lequel nous nous accordons sur le point le plus important, à savoir le caractère primitif de la longue maison. Même l'effort
fait par M. Steensby pour rattacher la maison d'hiver eskimo à la longue
maison indienne (Mandan et Iroquois pris comme spécimens), si mal venu
qu'il soit, démontre que, pour cet auteur comme pour nous, ces deux types
de maisons sont homologues.

(3) Dans la maison mandane, par exemple, manquent et le couloir, et le
banc ; et pourtant M. Steensby veut la rapprocher de la maison eskimo ;
de plus elle possède, *comme toutes les maisons* indiennes, un foyer central
qui n'existe que dans les maisons eskimos du sud de l'Alaska. La maison
d'hiver du nord-ouest américain comprend, elle, le banc et les cloisons (cf.
Niblack, *The Indians of the North West Coast*, Rep. U. S. Nat. Mus., 1888,
p. 95 sq., cf. les ouvrages cités plus bas, p. 126, n.), mais outre la présence
du foyer central l'absence du couloir vient interdire tout rapprochement.

(4) Holm, *Ethn, Sk.*, p. 66, 67. Cf. pour le Grönland S. Oriental ancien,
Grah, *Undersögelsesreise*, p. 32 et pl. II, excellente. Cf. Nansen, *Eskimoleben*, p. 67, cf. *Hanseráks Dagbog*, éd. S. Rink, p. 43.

avec le mur, débouche le couloir, par une entrée tellement basse qu'on ne peut pénétrer dans la maison qu'à genoux. A l'intérieur, le sol est recouvert de pierres plates. Tout le fond est occupé par un banc profond et continu, de quatre à cinq pieds de large, et surélevé d'environ un pied et demi ; actuellement, à Angmagssalik, il est porté sur des pierres et du gazon, mais autrefois, dans le Grönland méridional et occidental (1), il reposait sur des pilots et c'est encore le cas au Mackenzie (2) et à l'Alaska (3). Ce banc est séparé en compartiments, par une courte cloison : chacun de ces compartiments, comme nous le verrons, correspond à une famille ; à la partie antérieure de chacun d'eux est placée la lampe familiale (4). En face du fond, tout le long, par conséquent, du mur d'avant s'étend un autre banc, moins large, qui est réservé aux individus pubères, non mariés, et aux hôtes quand ils ne sont pas admis à partager le lit de la famille (5). — En avant de la maison sont les caches à provisions (viande glacée), les supports à bateaux, quelquefois une maison pour les chiens.

(1) En effet, EGEDE mentionne expressément que c'est sous le banc, par conséquent sous un vide (cf. les coupes de maison, *Perlustration*, pl. IX. face, p. 61 ; CRANZ, pl. IV) que se mettent les couples lors des cas de licences sexuelles, *Det gamle Grönlands Nye Perlustration*, 1ʳᵉ éd., 1721, p. 36. Cf. P. EGEDE, *Dictionarium Groenlandico Latinum*, 1765, p. 100 (s. v. *Malliserpok*). Il est d'autre part très remarquable que la maison d'Angmagssalik corresponde si bien, surtout quant à la forme du toit avec la maison du Grönland occidental dont les vieux auteurs nous ont conservé la reproduction, et si mal avec celle que nous dépeignent les auteurs modernes et quelques auteurs anciens (DAVIS, in *Hakluyts'Voyages*, etc., 1589, p. 788) pour cette même région (voy. surtout les bois qui illustrent les collections de contes, S. RINK, *T.T.*, *passim*, surtout p. 105, 223, 191, consulter plutôt l'édition Danoise, *Æventyr og Sagn og Fortællingen*, I, II, Kbhvn., 1866-1875, l'édition eskimo, *Kaladlit Assilialiait*, fasc. I-IV, 1860, Godthaab, pl. n° 3, n° 4, est encore meilleure). La maison au mur droit, relativement dégagé de l'enveloppe de terre, et surtout au toit posé sur des pourtes placées elles-mêmes sur le mur fait une impression très nette de maison européenne et a peut-être été créée sous l'influence des anciens Norvégiens. Sur cette influence, cf. TYLOR, Old Scandinavian Culture among the Modern Eskimos, *Journ. Anthro. Insti. Gr. Brit.*, XIII, 1883, p. 275 sq. (tous les rapprochements de M. Tylor ne nous paraissent d'ailleurs pas fondés).

(2) Seulement, ici, le bord du banc se trouve planchéié, et ne laisse pas de vide, voy. fig. 3 et 4.

(3) Le banc est de nouveau posé à vide, cf. MURDOCH, fig. 11, NELSON, fig. 80 sq.

(4) Cf. EGEDE, p. 63 ; CRANZ, encore plus précis en ce qui concerne la place de la lampe, liv. III, chap. I, § 4. Le cloisonnement du banc disparaît normalement là où apparaît le compartiment proprement dit, et en somme, est probablement restreint au Grönland. Au Grönland Occidental la lampe Eskimo n'a disparu devant le poêle européen que chez les riches.

(5) Cf. textes cités à la note précédente, et GRAAH. *loc. cit.*, p. 35, *Hanserák's Dagbog*, éd. Signe Rink, p. 29, n° 1.

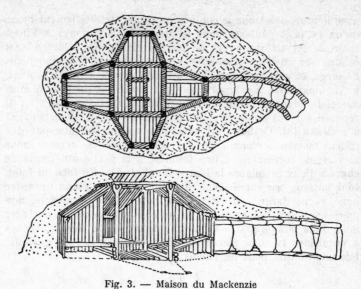

Fig. 3. — Maison du Mackenzie

Plan et élévation, dressés par M. Champion sur nos indications. Les plans généralement reproduits de Petitot étant manifestement inexacts, et ceux de l'ouvrage
de Franklin étant incomplets, nous nous sommes permis cette reconstitution.

Au Mackenzie (1), comme le bois flotté est très abondant, la
maison est tout entière bâtie en rondins : de grands bois posés
les uns sur les autres et en équerre par creux faits aux coins.
De plus, en section horizontale, elle affecte la forme, non plus
d'un rectangle comme la précédente, mais d'un polygone
étoilé. De là une troisième différence, elle comprend quatre
compartiments nettement distincts. Le banc, un peu plus
élevé qu'au Grönland, garnit le fond de chaque compartiment ; mais, au lieu d'un banc, le compartiment d'entrée en
a deux, gagnés sur l'excavation et qui servent comme le banc

(1) Sur la maison de la région du Mackenzie et de l'Anderson, voy. surtout
Petitot, *Mon.*, p. xxi et planche, *Grands Esquimaux*, p. 41, 49, 50 (ce couloir
serait fait chez les Kragmalivit (*sic*) de morceaux de glace, il y a une contradiction entre les dires et le dessin d'après croquis (?) de la p. 193). Franklin, *Narrative of a Second Expedition to the Shores*, etc., p. 41, p. 121, pl. ;
Richardson, *ibid.* (pointe Atkinson), p. 215, 216 (un plan et une section
à la section manquent les deux poutres de soutènement du rectangle central) ; cf. des indications de Miertsching, *Reiselagebuch.*, etc., p. 35,
p. 37 ; Hooper, *Tents of the Tuski*, p. 243 ; Richardson, *Arctic Search. Exped.*, I, p. 30 ; *Polar Regions*, p. 300 sq. ; la description donnée par
M. Schultz, in The Innuits of our Arctic Coast, in *Trans. Roy. Soc. Canada*,
1883, VII, p. 122 n'est nullement fondée sur une observation, ni sur les
dires de MM. Bompas et Sainville, et n'est qu'une copie d'Egede et de Cranz.

des hôtes au Grönland, aux hôtes et aux ustensiles (1). Enfin, le couloir, plus surbaissé encore qu'au Grönland, vient s'enter sur celui des compartiments qui est orienté vers la mer, de préférence au sud (2).

A l'Alaska, nous trouvons un type intermédiaire entre les précédents. La forme redevient rectangulaire (3), comme dans le Grönland, mais comprend souvent plusieurs rectangles greffés sur un seul couloir (4). Comme, surtout dans l'Alaska méridional, le bois est encore abondant, le sol du rectangle central est planchéié. Le seul caractère qui appartient en propre aux maisons de cette région, c'est la disposition du couloir qui, au lieu de déboucher dans le mur d'entrée, vient aboutir sous le sol même de la portion centrale (5).

On entrevoit aisément comment ces différentes sortes de maisons ne sont que des déviations d'un même type fondamental, dont celui du Mackenzie nous donne peut-être l'idée la plus exactement approchée. Un facteur qui contribue, pour une très large part, à déterminer ces variations, c'est la nature variable des matériaux dont l'Eskimo dispose suivant les régions. Ainsi, dans certains points du détroit de Behring (6), à la terre de Baffin (7) au nord-ouest de la baie d'Hudson (8), le bois

(1) Voy. PETITOT, *Grands Esquimaux*, p. 41.

(2) RICHARDSON, in FRANKLIN, p. 21 sq., le couloir d'après la planche 8 semble être assez court.

(3) Sur la maison à la pointe Barrow, MURDOCH, p. 72 sq. ; SIMPSON, *Western Eskimos*, p. 256, 258. Sur la maison au détroit de Bering, voy. NELSON, p. 253 sq., fig. 80 sq.

(4) Voy. plan de maison du Cap Nome, NELSON, p. 254.

(5) Voy. NELSON, fig. 74. ELLIOT, *Our Arctic Province*, p. 378, p. 379, au sud, dans le district de Nushagak un foyer de bois, souvent utilisé, et central affecte la construction même et fait tendre la maison Eskimo vers le type de la maison Chilcotin. JACOBSEN, *Reise* (éd. Woldt) p. 321 : sur les divers types de maison à l'Alaska, voy. PORTER, *Rep. Alaska*, p. 146 sq., et les figures, p. 96, 106 ; les anciennes expéditions de BEECHEY, *Voy. Pacif.* II, 568, 569 et des Russes, cf. WRANGELL, *loc. cit.*, p. 143 sq. s'accordent et nous montrent que la répartition des types est toujours à peu près la même.

(6) Sur les maisons en côtes de baleine au détroit de Behring, voy. NELSON, p. 257 sq. ; PETROFF, *Tenth Census*, p. 38 sq. Cf. pour les Eskimos sibériens, NELSON, p. 263.

(7) Sur ces maisons, voy. surtout BOAS, *C.E.* p. 548 sq. ; KUMLIEN, *Contributions to N. Amer. Nat. Hist.* p. 43 ; HALL, *Life with the Esquimaux*, I, p. 131, cf. ruines ,II, p. 289. Les figures 499 à 502 de Boas sont particulièrement intéressantes (fig. 500 d'après Kumlieu), en ce qu'elles expliquent les ruines trouvées par Parry, p. 105, et qui sont évidemment des traces de *qarmang*. Hall mentionne expressément que les Nugumiut n'ont renoncé à ce mode de constructions et fait des iglous de neige, que parce qu'ils ne possédaient plus de côtes de baleines. Voy. aussi MARKHAM, *Whaling Cruize in Baffins Bay*, p. 263, 264.

(8) Sur les maisons de cette région, voy. PARRY, p. 280, ruines sur le plateau d'Igloulik, p. 258, 358, 545, Lyon, *Private Journal*, p. 115. BOAS, *E.B.L.*, p. 96.

flotté est rare ou manque totalement (1). On emploie alors les côtes de baleine. Mais il en résulte un nouveau système d'habitation. La maison est petite, peu haute, à forme circulaire ou elliptique. Le mur est recouvert de peaux, recouvertes à leur tour de gazon ; et par-dessus les murs s'élève une sorte de dôme. C'est ce qu'on appelle le *qarmang*. Le *qarmang* a aussi son couloir.

Supposons maintenant que cette dernière ressource du constructeur eskimo, la côte de baleine, vienne, elle aussi, à

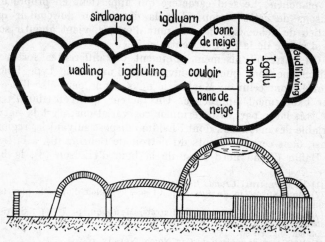

Fig. 4. — Plan et élévation d'un iglou de neige simple, du N.-O. de la baie d'Hudson (H. B.). *Igdluling* (couloir, et niche à chiens), *Uadling* (cuisine et dépotoir). Les petits segments tangents sont les caches à provision, etc.

manquer, et alors d'autres formes apparaîtront. Très souvent l'Eskimo recourra à une matière première qu'il sait merveilleusement utiliser et qu'il a toujours sous la main : c'est la neige (2). De là l'*iglou* ou maison de neige telle qu'on la trouve

(1) Parry parle formellement de l'absence du bois flotté et des difficultés de construction qui s'ensuivent, p. 390, 423. Boas mentionne aussi l'abandon de la hutte d'os pour l'iglou de neige. Cf. pour les ruines de l'île Bathurst, Boas, *Ehemalige Verbreitung,* etc., *Zeitschr. d. Ges. f. Erdk. Berl.,* XVIII, p. 128 ; John Ross, *Narra. of a Second Voy.* 1833, p. 389 (qui sont des maisons d'hiver). Des constructions en côtes de baleine sont mentionnées par la tradition au Grönland, voire constatées. Carstensen, *A Summer in the Arctic,* p. 124.

(2) Il peut sembler que l'iglou de neige est une chose parfaitement primitive chez les Eskimos, car nous savons que partout l'abri temporaire

à la terre de Baffin (1) et sur la côte septentrionale de l'Amérique (2). L'iglou présente d'ailleurs tous les caractères essentiels de la grande maison : il est, d'ordinaire, multiple, composite (3) ; c'est-à-dire que deux ou trois iglous s'agglomèrent ensemble et viennent déboucher sur un même couloir ; il est toujours excavé en terre ; il est toujours muni d'un couloir dont le débouché est à demi souterrain ; enfin, il contient, au minimum, deux bancs de neige avec deux places de lampes (4). Au reste, on peut établir historiquement que l'iglou est un succédané de la maison rectangulaire ou polygonale. En 1582, Frobisher, sur la *Meta incognita*, nous décrit des huttes de terre et de gazon (5). Un peu plus tard, Coats trouve plus loin le même genre de hutte (6). Or, à ce moment, le climat et les courants étaient différents de ceux qui se sont lentement éta-

---

sous la neige a été usité, et le couteau à neige nécessaire fait partie du matériel préhistorique eskimo. Mais il y a iglou et iglou, et selon nous, l'iglou permanent de neige, la maison d'hiver est d'origine récente. L'iglou à couloir est inconnu partout sauf là où nous le signalons. Cf. la planche d'EGEDE, *Perlustration*, p. 71. Cf. la figure *in* RINK, *T.T.*, p. 247. Il a été formellement dit à M. Rasmussen par les Eskimos du détroit de Smith que ce sont les immigrés de la terre de Baffin qui leur ont appris à confectionner l'iglou de neige proprement dit, *Nye Mennesker*, p. 31.

(1) BOAS, *C. E.*, p. 539 sq., *E.B.L.*, p. 95 sq., fig. 40, p. 97 ; HALL, *Life with the Esquimaux*, I, p. 21 ; KUMLIEN, *Contributions*, 26, p. 40.

(2) Voy. PARRY, p. 159, 160 et planche, p. 358, 499, 500, excellent plan d'un iglou composé. Le meilleur plan a été donné par Augustus, de la tribu de Fort Curchill à FRANKLIN, *Narrative of a Journey to the shores of the Polar Sea*, 1823, p. 287 ; v. aussi PECK, *The Life of Rev. Peck*, etc., p. 47, 56, 55 et 94 avec photographie (Little Whale R.) ; TYRRELL, *Across the Barren Grounds*, etc., p. 136, 137, cf. 179, avec plan, se rapporte au Labrador et à la région du fiord de Chesterfield ; HANBURY, *Sport and Travel*, p. 77 et 78, un plan (Bake lake) ; GILDER, *Schwatkasr Search*, *etc.*, p. 256 ; SCHWATKA, *Nimrod in the North*, p. 18 ; KLUTSCHAK, p. 23, etc. ; John Ross, *Narrative of a Second Voyage*, etc. 1833, p. 230 (Netchillirmiut) ; HALL, *Narrative of the Second Arctic Exped.*, éd. Nourse, p. 128. — L'iglou de neige serait, à en croire quelques auteurs peu sûrs la forme de la maison d'hiver au Labrador, MACLEAN, *Twenty five years service*, *etc.*, II, p. 145, 146. BALLANTYNE, *Ungava Bay...*, p. 28 sq. ; mais cf. TURNER, p. 224 sq. : outre que l'iglou d'Ungava est sans couloir (TURNER, fig. 48), le fait doit être restreint aux Eskimos, plutôt dégénérés du détroit d'Hudson et de la baie d'Ungava, et il est certain que la maison du type grönlandais a précédé même là l'iglou de neige, voy. MURDOCH, p. 228 ; pour une description de la vieille maison au Labrador, voy. *Moravians in Labrador*, p. 17.

(3) Voy. les plans, BOAS, *C.E.*, p. 546 sq., *E.B.L.*, p. 96.

(4) Voy. PARRY, p. 502.

(5) BESTE, *The voyages of Martin Frobisher* (récit), Hakluyt, éd. Collinson, 1er voyage, p. 82, 84 ; 2e voyage, cap Warwick, p. 137, 138, décrit un village de qarmang.

(6) COATS, *in* J. BARROW, *The Geogr. of Hudsons' Bay*, Lond. Hakluyt, 1852, p. 35, 76 ; Henri ELLIS, *A voyage to Hudsons Bay*, etc. 1746, 1747, Lond. 1758, p. 87. Cf. Ruines à la péninsule Melville, BELLOT, *Journal d'un voyage aux mers polaires*, p. 354.

blis entre le xvie et le xixe siècle (1) ; il est donc très possible
que le bois flotté déjà rare au xvie siècle, se soit fait rare au
point qu'on en réserve l'emploi aux outils, aux armes. Alors,
on a construit, et de plus en plus, des *qarmang*. En 1829,
Parry trouve encore des villages entiers composés de maisons en os de baleines (2). Mais ces villages eux-mêmes ont dû
devenir impossibles au fur et à mesure que les baleiniers
européens ont dévasté les détroits et les baies de l'archipel
arctique (3).

Dans d'autres conditions, où bois et os de baleines man-
quaient également, c'est à la pierre qu'on a recouru. C'est ce
qui s'est produit dans la tribu du détroit de Smith (4). A l'arrivée des premiers Européens, cette tribu était dans un état
lamentable (5). L'extension considérable de la glace de terre et
la persistance, pendant presque toute l'année, de la glace de
dérive non seulement supprimaient toute arrivée de bois flotté,
mais encore arrêtaient la baleine et rendaient impossible la
chasse en eau libre aux morses, aux phocidés et aux delphinidés (6). Faute de bois, l'arc disparut ainsi que le kayak,
l'oumiak et la plupart des traîneaux. Les malheureux Eskimos
se trouvaient ainsi réduits à ne garder que le souvenir de leur
ancienne technique (7). De là vint pour eux la nécessité de
construire des maisons exclusivement faites de pierre et de
gazon. Seulement avec la nature des matériaux, la forme de

---

(1) Il est certain que les mers actuellement fermées ne l'étaient pas, il y
a peu de siècles, et que ceci a dû provenir d'un déplacement des courants
polaires. Sur ceux-ci voy. *Arctic Pilot* (Amirauté anglaise), *Sailing Directions*, 1905, p. 11 sq. Cf. RICHARDSON, *Polar Regions*, p. 210 sq.

(2) Voy. textes cités plus haut p. 421, n. 8. Cf. LYON, *A Brief Narrative of
unsuccessful attempt*, etc., 1825, p. 67.

(3) Voy. HALL, *Life with the Esqui.*, I.

(4) Sur les changements morphologiques subis par cette tribu, voy. PREUSS,
Die Ethnographische Veränderung der Eskimos des Smithsundes, etc. *Ethno-
log. Notizblatt*, Kgl. Mus. Völkerk. Berl., II, I, 1899, p. 38-43.

(5) Voy. J. ROSS, *A voyage of Discovery... explor. Baffins Bay*, Lond.,
1819, I, p. 114 sq. ; KANE, *Arctic Researches*, 1853, etc., I, p. 206, 416 sq ;
HAYES, *Boat Expedition*, p. 224 ; le changement est déjà sensible en 1861,
lors de la seconde expédition de Hayes, *Open Polar Sea*, N. Y., 1867, p. 245.
D'ailleurs, Hans Hendrik, l'Eskimo Grönlandais s'était enfui chez eux, et
c'est vers cette époque qu'a dû se produire la grande immigration dont
M. Rasmussen nous transmet le récit, *Nye Mennesker*, p. 21 sq. et dont,
nous ne savons comment, M. Peary semble ignorer l'importance et Hayes,
comme Hall et Bessels, semblent la cacher. Sur la situation actuelle, voy. PEARY,
Northward over the Great Ice, app. à I et I, p. XLIX. ASTRUP, *With Peary
Toward the Pole*, p. 138 sq., et surtout le livre infiniment plus véridique de
M. Rasmussen.

(6) On ne pratiquait plus que les chasses aux ours, oiseaux et rennes,
et la chasse dangereuse au bord de la glace.

(7) Le mot d'oumiak avait parfaitement persisté, KANE, II, p. 124 sq.

la maison se modifia. Comme de grandes maisons de pierres étaient trop difficiles à construire pour cette misérable peuplade, il fallut se contenter d'en faire de petites (1). Mais le lien de parenté qui les unit au type de la grande maison reste encore évident malgré ces changements. Par ses traits essentiels, la petite maison ressemble encore à la grande maison grönlandaise dont elle n'est au fond qu'une miniature : on y retrouve l'entrée enterrée, la fenêtre à la même place, le banc surélevé à compartiments (2). Enfin et surtout, elle est souvent habitée par plusieurs familles, ce qui, comme nous le verrons tout à l'heure, est un trait distinctif de la longue maison.

Cette petite maison de pierre n'est donc, pour nous, qu'une transformation de la grande maison du Grönland ou du Mackenzie. Pourtant certains archéologues ont soutenu que c'était elle, au contraire, qui constituait le fait primitif. Mais le seul fait sur lequel s'appuie cette hypothèse est le suivant : dans le Grönland du nord-ouest d'une part, à la terre de François-Joseph, au Scoresby Sound (3), à l'archipel Parry (4) de l'autre, on a trouvé des ruines d'anciens établissements d'hiver qui semblent bien avoir été des petites maisons de pierre, analogues à celles du détroit de Smith. Mais ce fait unique n'est nullement probant. En effet on trouve ailleurs un grand nombre de ruines de grandes maisons et dont le caractère est relativement uniforme (5) ; ensuite, rien ne prouve que ces ruines soient vraiment les plus anciens vestiges de maisons d'hiver que nous possédions ; enfin, si la petite maison avait été le fait initial, on s'expliquerait bien difficilement la généralité et la permanence, sous des modalités diverses, du type de la grande

---

(1) Sur ces petites maisons, voy. surtout PEARY, *Northward.*, I, p. 113 sq., avec les plans et coupes d'Astrup, p. 108 (village de Keate, Northumberland Island), cf. sur la construction, I, p. 91, 87, figure, cf. Mrs. J. D. PEARY, *My arctic Journal*, etc., Lond., 1893 ; *Children of the Arctic*, Lond., 1903 (Etah, avec photographies), p. 67. Cf. RASMUSSEN, *Nye Menn.*, p. 9 sq. L'iglou de neige remplace d'ailleurs en fait maintenant la maison de pierres.

(2) Voy. surtout KANE, I, p. 124, II, face p. 113, hutte d'Itah ; le dessin est certainement fait de chic. Cf. Ross, *Voy.*, 1819, p. 130.

(3) Voy. RYDER, *Om den tidligere eskimoiske Bebyggelse af Scoresby Sund*, 1895, *Meddel. Grönl.*, XVII, p. 290 sq. L'affirmation que cette maison n'avait qu'une place de lampe (p. 299), donc ne contenait qu'une famille, ne nous paraît pas justifiée. Cf. von DRYGALSKI, *Deutsche Nordpol Expedition*, I, p. 585.

(4) Voy. BOAS, *Ehemalige Verbreitung*, etc., p. 128 et textes cités. Cf. GREELY, *Three Years of Arctic Service*, 1875, p. 379 sq.

(5) Voy. Catalogue des ruines *in* MARKHAM, *Arctic Geogr.*, *Papers*, p. 115 sq.

maison (1). Il faudrait admettre qu'à un moment donné, mais mal déterminé, et pour des causes tout aussi indéterminées et bien malaisées à apercevoir, les Eskimos seraient passés dans l'hiver de la famille isolée à la famille agglomérée. On ne voit aucune raison assignable à cette transformation ; au contraire nous avons montré, à propos de la tribu du détroit de Smith, comment la transformation en sens inverse est facilement explicable.

Le contenu de la maison. — Maintenant que nous connaissons l'aménagement de la maison, voyons quelle est la nature du groupe qui y habite.

Tandis que la tente ne comprend qu'une famille, l'habitat d'hiver, sous toutes ses formes, en contient normalement plusieurs (2) ; c'est ce dont on a pu déjà s'apercevoir au cours de la description précédente. Le nombre de familles qui cohabitent est, d'ailleurs, variable. Il s'élève jusqu'à six (3), sept, neuf même dans les tribus grönlandaises orientales (4) ; autrefois dix au Grönland occidental (5), il s'abaisse jusqu'à deux dans les plus petites maisons de neige et dans les petites maisons de pierre du détroit de Smith. L'existence d'un minimum de familles par maison est même tellement caractéristique de l'établissement d'hiver eskimo que partout où on voit ce trait régresser, on peut être assuré qu'il y a, en même temps, un

---

(1) Au surplus, toutes ces ruines ultra-septentrionales sont évidemment les restes de populations prêtes à émigrer ou tout près de leur extinction. Or, dans la relation de Neu-Herrnhut, 1757, CRANZ (*History of Greenland*, Lond., II, p. 258, n.) rapporte que lors d'une famine, à l'île de Kangek, 15 personnes, qui ne pouvaient plus allumer les lampes faute d'huile se réfugièrent dans une toute petite maison de pierres où ils se chauffaient plus aisément et par leur contact. Il est raisonnable de supposer que des causes de ce genre ont produit le même effet de rétraction, sinon de la famille d'hiver, du moins de son contenant.

(2) Presque tous les textes cités plus haut contiennent des renseignements sur cette question, évidente pour toutes les longues maisons, ou les maisons composites. Il nous suffit d'indiquer que dans la seule petite maison actuellement habitée, celle du détroit de Smith, habitent et habitaient normalement au moins deux familles, voy. HAYES, *Boat Expedition*, p. 64 ; KANE, *Arctic Explorations*, II, p. 114, 116 (contient des invraisemblances) ; HAYES, *Open Polar Sea*, p. 262, 270 (une famille va s'installer en plus de trois autres chez Kalutunah à Ittiblik (Itiblu de Peary). L'introduction de l'iglou de neige a d'ailleurs changé la morphologie elle-même.

(3) Maximum atteint en Alaska, cf. PORTER, *Eleventh Census*, p. 164 ; Jacobsen nous décrit une maison de riche Malemiut, voire de chef à Owirognak, où habitent environ sept groupes de parents (adoptifs et autres), WOLDT, *Jacobsens' Reise*, p. 241.

(4) Maximum atteint à Angmagssalik, où la maison se confond d'ailleurs avec l'établissement d'hiver, cf. HOLM, *Ethn. Sk.*, p. 87 sq. Cf. tableau plus haut.

(5) CRANZ, III, I, § 4.

effacement de la civilisation eskimo. Ainsi, dans les recensements relatifs à l'Alaska, on peut, d'après le rapport du nombre
des familles au nombre des maisons, dire si l'on se trouve en
présence d'un village eskimo ou d'un village indien (1).

A l'intérieur de la maison grönlandaise, chaque famille a
son emplacement déterminé. Dans l'iglou de neige, chaque
famille a son banc spécial (2) ; elle a son compartiment dans la
maison polygonale (3) ; sa part de banc cloisonné dans les maisons du Grönland (4), son côté dans la maison rectangulaire (5).
Il y a ainsi un rapport étroit entre l'aspect morphologique de
la maison et la structure du groupe complexe qu'elle abrite.
Toutefois, il est curieux de constater que l'espace occupé par
chaque famille peut n'être pas proportionnel au nombre de
ses membres. Elles sont considérées comme autant d'unités,
équivalentes les unes aux autres. Une famille restreinte à un
individu occupe une place aussi grande qu'une descendance
nombreuse avec ses ascendants (6).

Le kashim. — Mais en dehors des habitations privées, il
existe une autre construction d'hiver qui mérite d'attirer particulièrement notre attention, parce qu'il achève de mettre en
relief les caractères particuliers de la vie que mènent les Eskimos pendant cette saison ; c'est le Kashim, mot européen
abrégé d'un mot Eskimo qui signifient *mon lieu d'assemblée* (7).

Le kashim, il est vrai, n'existe plus aujourd'hui partout.
Cependant, on le rencontre encore dans tout l'Alaska (8) et dans

(1) Voy. app. I, les villages de l'Alaska où le nombre de familles et celui
des maisons coïncident sont indiens.
(2) V. les textes cités, p. 423, n. 2, la description donnée par Lyon d'une
maison d'Igloulik qui représente deux familles sur un même banc d'iglou
de neige doit être légèrement erronée.
(3) Voy. les textes de la p. 420, n., voy. PETITOT, *Monographie*, p. xxviii.
(4) Voy. les planches dans RINK, *T.T.*, p. 74, 86, etc. Cf. pour le Labrador, *Periodical Accounts*, 1790.
(5) Voy. MURDOCH, p. 83, à Nunivak Island la maison comprend normalement quatre familles, PORTER, *Report Alaska*, p. 126, de même dans le
district de Nushagak, voy. PORTER, p. 108. C'est probablement en partant
de ce fait que M. Boas a cru pouvoir rattacher définitivement la maison
d'hiver Eskimo à celle des Indiens du Nord-Ouest américain (*Rep. North-
Western Tribes of Canada*, British Association Advancement Sciences, Bris-
tol, 1887).
(6) Ceci peut être réduit de plusieurs des descriptions indiquées, mais
est formellement affirmé, et prouvé sur un plan, pour Angmagssalik, cf.
HOLM, *Ethn. Sk.*, pl. XXIII, cf. p. 66. Le n° 7 aïeul veuf, occupe une place
entière, mais n'a pas de lampe.
(7) Sur le kashim en général, voy. RICHARDSON, *Polar Regions*, p. 318,
319 ; *Arctic Searching Exped.*, I, p. 365.
(8) Sur le Kashim en Alaska, voy. surtout NELSON, p. 241 sq. ; les plus
anciens textes en font une expresse mention, voy. Glasunov, *in* WRANGELL,
Statistische Ergebnisse, etc., p. 149, 145, 151, 154 ; BEECHEY, *Voyage to the*

toutes les tribus de la côte occidentale américaine, jusqu'à la
pointe Atkinson (1). Lors des dernières explorations dont nous
avons le récit, il existait encore à la terre de Baffin et sur la
côte nord-ouest de la baie d'Hudson ainsi que sur la côte méridionale du détroit d'Hudson (2). D'autre part, les premières
missions moraves au Labrador en signalent l'existence (3). Au
Grönland, bien qu'on n'en trouve pas trace ni dans les ruines
(sauf un cas douteux) (4) ni dans les anciens auteurs danois,
le langage (5), quelques contes nous en ont conservé le souvenir.

Pacific, I, p. 267, etc., II, p. 569, cf. p. 542, 550 ; le lieut. Zagoskin, *in* PETROFF,
Report Alaska, p. 38 sq. ; SIMPSON, *Western Eskimos*, p. 259 (pointe Barrow).
Les recensements de DALL, *Alaska*, p. 406, etc. ; ceux de PETROFF, p. 35 sq.,
ceux de PORTER, *Rep. Al.*, p. 103 sq., abondent en renseignements, cf. ELLIOTT,
Our Arctic Province, p. 385, 386. Les villages prospères ont jusqu'à deux
et trois kashims, voy. NELSON, p. 242 sq., cf. p. 391. (Kushunuk, cap Vancouver,
où il est expressément établi que les deux kashims sont en même temps
usités). PORTER, p. 105, 107, 114, 115, etc. Il y a une légende d'une ville,
à l'entrée du Yukon, aux cent kashims, dit JACOBSEN, *Reise* (éd. Woldt),
p. 179, 207, cf. NELSON, p. 242. Voy. d'autres énumérations dans Jacobsen
de villages à plusieurs kashims, p. 225, 226, 228. Il est très difficile de savoir
à quelle structure sociale correspondent ces deux kashims, et quelle est leur
utilité. Peut-être sont-ils attachés à l'espèce d'organisation en clans que
M. Nelson a signalés ? Le village de pointe Barrow qui avait trois kashims
en 1851, n'en avait plus que deux en 1856, voy. MURDOCH, p. 79 sq., cf. Woolfe
in PORTER, p. 144 (nous ne comprenons pas que ces kashims aient été bâtis
de glace en 1889).

(1) Sur le kashim, à la pointe Warren, MIERTSCHING, *Reiselagebuch*, p. 121 ;
cf. ARMSTRONG, *A Personal Narrative of the discovery of the North West Passage*, p. 159 ; PETITOT, *Monographie*, p. xxx ; Richardson (pointe Atkinson),
in FRANKLIN, *Narra. Second Exped.*, p. 215, 216, description importante
(cf. textes cités plus haut, etc. et *Arctic Search. Exped.*, I, p. 254, 255).

(2) BOAS, *C.E.*, p. 601 sq. ; cf. HALL, *Narra. Second Exped.*, éd. Nourse,
p. 220. Les ruines de Parry, p. 362 sq., sont évidemment celles d'anciens
Kashims en côtes de baleines. Le souvenir des fêtes et pratiques s'était
conservé. Beechey qui a fait partie de la première expédition de Parry
rapproche *Voy. to the Pacific*, etc., II, p. 542, le kashim de pointe Hope et celui
des Eskimos orientaux. Cf. (Gore Bay) LYON, *Journal*, p. 61. Cf. conte n° 16,
in BOAS, *E.B.L.* (Kashim de pierre).

(3) Lettre d'Okkak, 1791, *in* *Periodical Accounts rel. t. t. Missions of the
church of the United Brethren*, Lond., 1792, I, p. 86. « The Kivalek people
built a snow house to game and dance in, and being reproved for it, their
answer was « that it was so difficult to catch whales, they would have a kat-
che-game to allure them. » Mais certaines femmes qui avaient dansé meurent
subitement et on renverse le *gaming house*. Il est remarquable que le dictionnaire d'Erdmann (si du moins nous l'avons bien feuilleté) ne contienne
pas de référence au mot *Kache* (?) *qagche* (?). Voir aussi TURNER, p. 178.
Cf. TURNER, *American Naturalist*, 1887 (Ungava Bay).

(4) RINK, in *Geogr. Tidskr.*, VIII, p. 141. (Disco), cf. plus précis, conte
dans THALBITZER, *A Phonetical Study*, etc., p. 275, cf. p. 297.

(5) Cf. RINK, *T.T.*, p. 8, contes, p. 273, 274, 276, cf. KLEINSCHMIDT, *Grönlandske Ordbog*, Copenhague, 1871, p. 124 col., et 125 col. *a*. RINK, *Esk.
Tribes*, p. 26, *ibid.*, *suppl.*, sect. 20, n° 16 ; cf. *ibid.*, sect. 29, n° 11. Probablement des indications de CRANZ, entre autres *History of Greenl.* (Ed. angl.),
II, p. 29, cf. p. 73 (Relat. de Neu Herrnhut, 1743, 1744), cf. p. 365, 367,
peuvent faire soupçonner l'existence de quelque chose du genre du kashim.

On a donc de bonnes raisons pour penser qu'il entrait normalement dans la composition de toute station primitive eskimo.

Le kashim est une maison d'hiver, mais agrandie. La parenté entre ces deux constructions est si étroite que les formes diverses que revêt le kashim suivant les régions sont parallèles à celle que revêt la maison. Les différences essentielles sont au nombre de deux. D'abord le kashim a un foyer central, alors que la maison n'en a pas (sauf dans l'extrême sud de l'Alaska où l'influence de la maison indienne se fait sentir). Ce foyer se retrouve non seulement là où il a une raison d'être pratique par suite de l'emploi du bois comme combustible (1), mais aussi dans les kashims provisoires en neige de la terre de Baffin (2). Ensuite, le kashim est presque toujours sans compartiment et souvent sans banc, souvent avec sièges (3). Même quand il est bâti en neige et que, par suite, il n'est pas possible de construire un grand dôme unique parce que cette matière première ne s'y prêterait pas, la façon dont les dômes sont accolés et les parois évasées donne finalement au kashim la forme d'une sorte de grande salle à piliers.

Ces différences dans l'aménagement intérieur correspondent à des différences fonctionnelles. S'il ne s'y trouve ni division, ni compartiment, s'il a un foyer central, c'est que c'est la maison commune de la station tout entière (4). Là, où nous sommes bien informés, il s'y tient des cérémonies qui réunissent toute la communauté (5). A l'Alaska c'est plus spécialement la maison des hommes (6) ; c'est là qu'adultes, mariés ou non mariés, couchent à part des femmes et des enfants. Dans les tribus du sud de l'Alaska, il sert de maison de sueur (7) ; mais cette destination est, croyons-nous, de date relativement récente et d'origine indienne, voire peut-être russe.

Or le kashim est exclusivement une construction d'hiver. Voilà ce qui met bien en évidence le trait distinctif de la vie hibernale. Ce qui la caractérise, c'est l'extrême concentration du groupe. Non seulement, à ce moment, on voit plusieurs familles

---

(1) Voy. ELLIOTT, *Our Arct. Prov.*, p. 385, 386 ; cf. JACOBSEN, *Reise*, p. 321.
(2) BOAS, *C.E.*, p. 601, 602. *E.B.L.* (Nugumiut) p. 141 ; HALL, *Life with the Esqui.*, II, p. 320.
(3) Cf. JACOBSEN, *Reise*, p. 323.
(4) Cf. plus bas, pp. 445 et 446.
(5) BOAS, *E.B.L.*, p. 141. (Nugumiut) ; MURDOCH, p. 83.
(6) Schanz, *in* PORTER, p. 102 (semble être copié sur Glasunov) ; NELSON, p. 285, etc.
(7) NELSON, p. 287 ; JACOBSEN, *Reise*, p. 212, etc., ELLIOTT, *loc. cit.*

se rapprocher dans une même maison et y cohabiter, mais encore toutes les familles d'une même station, ou tout au moins, toute la population masculine éprouve le besoin de se réunir dans un même local et d'y vivre une vie commune. Le kashim est né pour répondre à ce besoin (1).

3° La distribution des habitations sur le sol suivant les saisons

C'est ce que va montrer mieux encore la manière dont les habitations sont disposées sur le sol suivant la saison. Car non seulement elles sont différentes de forme et d'étendue, non seulement elles abritent des groupes sociaux de grandeur très inégale, comme nous venons de le voir, mais encore elles sont distribuées très différemment en hiver et en été. En passant de l'hiver à l'été nous allons les voir ou se rapprocher étroitement les unes des autres, ou au contraire se disséminer sur de larges surfaces. Les deux saisons offrent sous ce rapport deux spectacles entièrement opposés.

Distribution des habitations d'hiver. — En effet, si la densité intérieure de chaque maison, prise à part, est, comme nous l'avons montré, variable suivant les régions, en revanche on peut dire que la densité de la station, prise dans son ensemble est toujours la plus grande possible, eu égard, bien entendu aux facilités de subsistance (2). A ce moment, le volume social,

(1) En dehors du kashim, de la tente et de la longue maison, il existe quelques autres constructions, mais spéciales et temporaires, qui n'ont pas grand intérêt pour notre sujet et que nous nous bornons, par conséquent, à mentionner brièvement. Ce sont des maisons d'une forme intermédiaire entre la tente et l'iglou. Elles ne sont guère d'un emploi régulier que dans les régions centrales. A la terre de Baffin, au printemps, quand la voûte de la maison de neige se met à fondre, comme on ne peut encore vivre sous la tente, on construit des iglous dont les murs sont faits de neige, le dôme étant formé de peaux. (Cf. entre autres, PARRY, p. 358, de bonnes descriptions). Inversement, à l'entrée de l'hiver, on recouvre quelquefois la tente de gazon, de ronces, de mousses, on revêt ensuite de peaux cette première couche et on installe à l'entrée une voûte de neige. Cette installation devient quelquefois définitive. BOAS, *C.E.*, p. 551, 553. Un peu partout il arrive qu'on recourt à ces constructions mixtes, notamment quand, au cours d'un déplacement, même d'été, une série de mauvais jours obligent à construire un abri. Kane nous décrit de ces installations mixtes en 1851, à DISCO, *Grinnell Expedition*, p. 46. Nous nous contentons de signaler les petites maisons et tentes très généralement employées pour isoler la femme tabouée. Voy. surtout, MURDOCH, p. 86. Woolfe, *in* PORTER, p. 141 (pointe Barrow). C'est une réaction de la physiologie sociale sur la morphologie, et il y en a d'autres encore. Nous laissons de côté la question des maisons d'été en Alaska, un peu trop technique pour être discutée ici.

(2) Les chiffres donnés plus haut concernant l'établissement Eskimo se rapportent à la station d'hiver. La concentration de toute l' « unité sociale » en un point aboutit évidemment à un maximum de concentration. Discussion *in* RINK, *Dansk Grönland*, II, p. 253, et de très bonnes descriptions *in* CRANZ, XII, 1, § 4 et § 5 ; BOAS, *C.E.*, p. 561, cf. 482 sq. ; cf. PORTER (Woolfe), p. 148 (Schanz), p. 102 sq. (Porter), p. 164.

c'est-à-dire l'aire effectivement occupée et exploitée par le groupe est minimum. La chasse aux phocidés, qui oblige le chasseur à s'éloigner un peu, est exclusivement le fait des hommes ; encore ne dépassent-ils la plage ou les plages que pour des buts déterminés ou passagers ; et quelle que soit, d'ailleurs l'importance des déplacements en traîneaux surtout pratiqués par les hommes (1) ils n'affectent réellement la densité totale de la station que quand celle-ci souffre tout entière d'un excès de population (2).

Il y a même un cas où ce resserrement est aussi grand que possible ; c'est celui d'Angmagssalik ; là, la station tout entière tient dans une seule et unique maison qui comprend, par conséquent, tous les habitants de l'unité sociale. Alors que, ailleurs, une maison ne contient que de deux à huit familles, on atteint le maximum de onze familles à Angmagssalik et jusqu'à cinquante-huit habitants. Actuellement sur un développement de côtes de plus de 120 milles il y a treize stations, treize maisons que se partagent les 392 habitants de la région ; soit en moyenne trente par maison (3). Mais cette extrême concentration n'est pas un fait primitif ; c'est certainement le résultat d'une évolution.

D'autre part, dans tous les autres cas où l'on a observé des maisons d'hiver isolées, non groupées, elles étaient, suivant toutes les vraisemblances, habitées par des familles qui, pour des raisons diverses, avaient été amenées à se séparer de leur groupe originel (4). Les *single houses*, observées par Petroff à l'Alaska (5), semblent, d'ailleurs, presque disparaître du recensement de Porter et, en tout cas, le premier des grands recensements de cette région, celui de Glasunov en 1924, qui heureusement fut fait en hiver, ne mentionne que des villages de

---

(1) Les déplacements d'hiver ne sont fortement pratiqués qu'à la terre de Baffin, voy. Boas, p. 421. La carte donnée par Boas de ces déplacements (carte II), ne doit cependant pas faire illusion sur l'amplitude de ces mouvements.

(2) La seule tribu qui fasse relativement exception à la règle, est celle du détroit de Smith. Voy. Kroeber, *The Esk. of Sound*, p. 41 sq. ; Peary, *Northward*, etc., I, p. 502 sq., mais nous avons expliqué qu'il y a, pour cette tribu, des conditions toutes spéciales.

(3) Voy. plus haut, p. 406. Cf. Holm, p. 89 sq.

(4) Les contes gardent tout particulièrement le thème de gens qui vivent dans des maisons isolées : mais c'est précisément à cause du caractère romanesque de ce genre de vie. *T.T.*, p. 278, 568 ; Boas. *E.B.L.*, p. 202, etc. ; Hayes explique l'existence des isolés de Northumberland Island (détr. de Smith), *An Arctic Boat Journey*, 1860, p. 242-244 (la femme de l'un est une sorcière).

(5) *Rep. Alas.*, p. 125, 126 sq.

8 à 15 maisons, comprenant de 200 à 400 habitants (1). Quant aux ruines de l'archipel Parry, et du N. Devon, où nous trouvons souvent des stations d'hiver réduites à une seule maison, cette réduction, si considérable qu'elle paraisse par rapport à la moyenne ne doit pas étonner si l'on réfléchit que ces ruines datent évidemment d'une époque où les Eskimos appauvris cessaient d'habiter ces régions (2).

En résumé, élimination faite des faits en apparence contraires, on peut dire, d'une manière générale, qu'une station d'hiver se compose de plusieurs maisons, rapprochées les unes des autres (3). Quant à la manière dont elles sont disposées, on ne nous dit pas qu'elle ait rien de méthodique (4), sauf à notre connaissance, dans deux cas relatifs aux tribus méridionales de l'Alaska (5). Le fait a son importance.

Cette disposition des habitations suffit à montrer combien, à ce moment, la population est concentrée. Mais peut-être cette concentration a-t-elle été plus grande autrefois. La conjecture, sans doute, ne peut être, dans l'état actuel de nos informations, démontrée avec rigueur ; elle n'est pourtant pas sans quelque plausibilité. En effet, les vieux voyageurs anglais nous parlent de villages Eskimos enfoncés dans la terre, comme des taupinières, et dont toutes les huttes étaient groupées autour d'une hutte centrale, plus grande que les autres (6). Il est assez vraisemblable que c'était le kashim. D'un autre côté, pour les tribus de l'est du Mackenzie, il nous est expressément parlé de communications entre les maisons et même entre les maisons et le kashim (7). On en vient ainsi à se

(1) Voy. App. II. Et les textes cités plus haut, p. 408, n. 2 sq.
(2) Voy. plus haut, p. 425, n. 4 et 5. Cf. SVERDRUP, *Nyt Land*, I, p. 150 ; II, p. 179, cf. cartes, I, p. 320, II, p. 128 ; d'ailleurs il existe aussi dans ces régions des ruines de maisons groupées, cf. SVERDRUP, I, p. 211, II, p. 371.
(3) La plupart des textes cités plus haut, pp. 424-426, sont extraits de descriptions de stations d'hiver auxquelles nous renvoyons une fois pour toutes ; M. Steensby donne d'ailleurs, *Esk. Kult. Opr.*, p. 51-141, d'abondantes références que nous n'avons pas besoin de compléter.
(4) Les plans de Lichtenfels, de Neu Herrnhut donnés dans CRANZ, II, sont dus aux missionnaires européens.
(5) (Rasbinzsky) NELSON, p. 247 ; JACOBSEN, *Reise*, p. 314 ; cf. PORTER, p. 107. L'un d'eux a été certainement construit sous l'influence russe. Il comporte un village d'hiver aligné en face du village d'été.
(6) Voy. plus haut, p. 415, n. 3. Le texte de Coats qui parle d'une seule « case » est évidemment exagéré.
(7) RICHARDSON, texte cité plus haut, p. 428, n. 1. Cf. ruines se communiquant toutes au nord de la péninsule Melville, BELLOT, *Voyages aux mers polaires*, Paris, 1854, p. 207. Richardson dit, en parlant des iglous Netchillirmint : « social intercourse promoted by building houses contiguously, and cutting doors of communications between them, or by erecting covered

figurer le groupe d'hiver comme ayant pu jadis être constitué par une sorte de grande maison unique et multiple à la fois. On pourrait ainsi s'expliquer comment ont pu se former des stations réduites à une seule maison comme celles d'Angmagssalik.

Distribution des habitations pendant l'été. — En été la disposition du groupe est tout autre (1). La densité de l'hiver fait place au phénomène contraire. Non seulement chaque tente ne comprend qu'une seule famille, mais elles sont très éloignées les unes des autres. A l'agglomération des familles dans la maison et des maisons à l'intérieur de la station succède une dispersion des familles ; le groupe se dissémine. En même temps, à l'immobilité relative de l'hiver s'opposent des voyages et des migrations souvent considérables.

Suivant les circonstances locales, cette dispersion se fait de manières différentes. Le mode le plus normal est l'égaillement le long des côtes et dans l'intérieur. Au Grönland, dès que vient l'été, et il arrive vite (2), les familles concentrées dans les iglous de la station, chargent sur leurs oumiaks (bateaux des femmes) les tentes de deux ou trois familles associées. En très peu de temps, toutes les maisons sont vides et les tentes s'étalent le long des rives du fiord. Elles sont d'ordinaire plantées à des distances relativement considérables les unes des autres (3). A Angmagssalik, en face de treize maisons d'hiver (qui, comme nous avons dit, constituent chacune une station) vingt-sept tentes se répandent sur les îles du front de mer, puis se transportent vers les rares champs où pâture le renne, en près de cinquante endroits au moins. D'après les bons documents du vieux Granz (4), entre la station de Neu Herrnhut et celle de Lichtenfels, la côte était le théâtre d'une dispersion tout aussi grande, puisque, pour huit stations au plus,

---

passages », *Arct. Search. Exped.*, I, p. 350. Il est enfin très remarquable que dans le Cook Inlet, à la limite de fusion entre les sociétés indiennes et les sociétés Eskimos, un village où toutes les maisons d'hiver communiquent avec le kashim, nous soit signalé, JACOBSEN, *Reise*, p. 362.

(1) On trouvera d'abondants renseignements généraux sur un grand nombre de campements d'été dans STEENSBY, *Esk. kull. Opr.*, p. 50-130, et concl., p. 142 sq.

(2) Voy. détails météorologiques, *in* KORNERUP, *Bemœrkninger*, etc. *Meddel*, III, p. 28 sq. ; HOLM, tables, in *östgrönl. Exped.*, p. 227 sq. Cf. WARMING, *Om Naturen i det Nordligste Grönland*, *Geogr. Tidskr.*, IX, p. 139 sq.

(3) Voy. description NANSEN, *Eskimoleben*, p. 72 sq. ; EGEDE, *Nye Perlustration*, éd., 1725, p. 25 ; *Perlustra*, p. 90 ; CRANTZ, livre III, I, § 5 ; RINK, *T.T.*, p. 7, *Eventyr og Sagn*, Suppl., p. XIII. Les contes marquent très bien le passage de l'hiver à l'été, cf. *T.T.*, p. 189, 132, etc.

(4) CRANZ, *Fortsetzung*, Barby, 1770, p. 247.

nous ne comptons pas moins de vingt-deux places de tentes et de campements ; et certainement, Granz s'est trompé plutôt en moins qu'en plus. Outre cette dispersion le long des fiords (1), il y a aussi, au Grönland, des excursions aux pâturages de rennes et le long des rivières de saumon (2). Il en est de même au Labrador (3).

Nous sommes bien renseignés sur l'expansion de la tribu

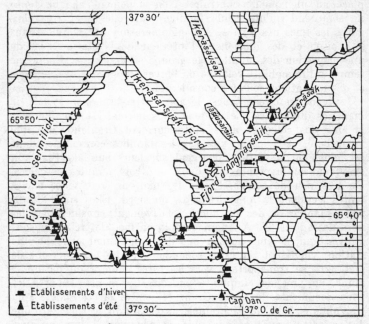

Fig. 5. — Établissements d'hiver et établissements d'été d'Angmagssalik (H. B.) (4)

(1) Dans les districts du Sud se forment de grands campements d'été pour la pêche au capelan, mais ils sont éminemment temporaires et instables.
(2) Cf. Rink, *Danskgrönland*, II, p. 250 sq.
(3) On peut extraire, pour le Labrador, des relations des frères Moraves, *Per. Accounts*, etc., pour le Grœnland, des relations de Cranz (livre V, et suiv., *Forts.* p. 4 sq.) et de Paul Egede, *Continuation af Relationerne*, etc., Kbhvn., 1741, *Efterretninger om Grönland*, Kbhvn., 1788, p. 245, l'histoire des dispersions et des passages périodiques aux différentes missions pendant les premières années de leur établissement. Nous n'avons pas la place de publier ici ce travail que nous avons fait.
(4) La carte donnée ici est construite d'après Holm, *Oprettelsen af Missions og Handelsstationen Angmagssalik*, *Geogr. Tidsk.*, 1893-1894, XII, p. 249. Le contour des côtes au fond des fiords n'est pas encore certain, cf. *Hanseråks Dagbog* (éd. Signe Rink), p. 22, 23, 43.

d'Igloulik, à l'époque de Parry, grâce aux excellentes cartes Eskimo qu'il nous a transmises (1) et où l'on voit comment la tribu se disperse en été. Non seulement cette petite tribu s'étend sur un espace côtier long de plus de soixante étapes, mais encore elle essaime le long des rivières et des lacs intérieurs ; nombre de familles passent, à la recherche du bois, sur l'autre face de la péninsule Melville et sur la terre de Baffin, arrivant même à traverser celle-ci. Quand on songe que ces migrations saisonnières sont faites en famille, qu'elles demandent de six à douze jours de marche, on se rend compte que ce mode de dispersion implique une extrême mobilité des groupes et des individus (2). Selon Boas (3), les Oqomiut, au nord de la terre de Baffin, arriveraient à traverser le détroit de Lancastre à la débâcle et à remonter sur la terre d'Ellesmere jusqu'au détroit de Smith. En tout cas, il est certain que les établissements ruinés du Devon septentrional ont eu des aires de dissémination tout aussi étendues puisque, pour huit stations d'hiver, on compte trente ruines de stations d'été sur un immense développement de côtes. On pourrait multiplier les exemples. Nous publions ci-joint la carte des aires de nomadisation de trois tribus de la terre de Baffin.

Tout le long de la côte américaine (4), les mêmes phénomènes se reproduisent avec des amplitudes différentes ; le maximum atteint est le double voyage commercial de la tribu de la pointe Barrow à Icy Cape d'une part, pour prendre les marchandises européennes qui y sont apportées, à Barter Island pour troquer ces marchandises avec les Kupungmiut (5) de Mackenzie.

---

(1) Cartes de Chesterfield Inlet à Repulse Bay (face p. 198, cf. p. 195).

(2) Cf. pp. 271, 278, et surtout LYON, *Private Journal*, p. 343.

(3) Sur les migrations des tribus de la terre de Baffin, et leurs aires de nomadisation en été, voy. BOAS, *C.E.*, p. 421 sq où la plupart des textes se trouvent résumés.

(4) On trouvera d'abondants renseignements dans presque tous les voyageurs, entre autres FRANKLIN, *Narr. Sec. Exped.*, p. 120, 121, etc., et surtout dans ceux envoyés à la recherche de Franklin, qui dans leurs explorations d'été (voy. cartes *in* MIERTSCHING, *Reisetagebuch*, p. 70-80), trouvent partout les villages d'hiver abandonnés, les tentes répandues, les campements dispersés. Nous ne pouvons, faute de place indiquer toutes nos références bien données d'ailleurs par M. Steensby, nous ajoutons simplement aux siennes et à celles de M. Boas : HANBURY, *Sport and Travel in Northern Canada*, 1904, p. 42, 124, 126, 127, 142, 144, 145, 176, 214, 216 ; TYRRELL, *Accross the Barren*, etc., p. 105, 110, etc., sur les régions les plus mal connues, entre le Chesterfield Inlet et le Mackenzie.

(5) Sur ces voyages, quelquefois étendus sur deux ans, voy. MURDOCH, p. 43, 45, cf. et les textes cités. Cf. SIMPSON, *Western Eskimos*, p. 243, PORTER (Woolfe), *Rep. Alaska*, p. 137 sq.

Les trois deltas, les trois estuaires sont les seules régions où l'on trouve des modes de dispersion qui dévient quelque peu du type normal ; mais chacune de ces déviations tient à des circonstances particulières et accidentelles qu'il est possible d'indiquer. En effet, sur le Mackenzie (1), le Youkon et la Kuskokwim on trouve des groupements d'été relativement considérables. On nous parle de 300 personnes de la tribu du Mackenzie réunies au cap Bathurst (2). Mais ce groupement, au

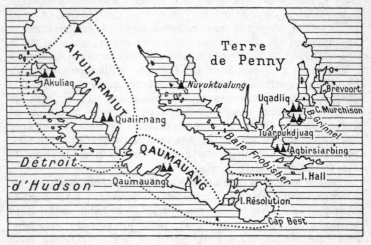

Fig. 6. — Aires de dispersement d'été des Akuliarmiut, des Qaumauang et des Nugumiut. Les établissements d'hiver sont seuls indiqués. Deux triangles seuls indiquent les endroits extrêmes des tentes d'été (H. B.).

moment où il fut observé, était tout temporaire (3) ; c'est une chasse exceptionnellement abondante de baleines, de baleines blanches en particulier, qui l'avait déterminé. A d'autres moments, cette même tribu a été trouvée dispersée pendant l'été. Pour certains villages de la Kuskokwim, il est dit que les iglous

(1) Petitot, *Grands Esquimaux*, p. 28 etc., mais la plupart sont des assemblées de commerce, avec Européens ou Indiens, et ailleurs, nous trouvons ces mêmes tribus tout à fait dispersées, ex. *ibid.*, p. 166, 179, 167. A l'île Herschel, un grand camp de deux cents tentes (juillet, 1850), *in* Hooper, *Tents of the Tuski*, p. 260 ; cf. Mac Clure, *North-Western Passage*, p. 92.

(2) Hooper, *ibid.*, p. 348, cf. image, face p. 350 ; cf. Richardson, *Arct. Search. Exp.* I, p. 248.

(3) Des phénomènes également temporaires expliquent les grands campements observés par Beechey, *Voy. Pac.*, I, p. 247, 256, qui sont tout proches d'autres petits campements.

d'hiver sont habités l'été ; mais il semble bien qu'ils ne sont occupés que momentanément, quand le groupe qui s'est rendu à la mer pour procéder à des échanges, revient en arrière, se disperse en amont pour la pêche au saumon, et ensuite dans la toundra pour la chasse aux rennes et aux oiseaux de passage (1). Ailleurs, surtout dans les villages des rivières maritimes, il arrive qu'en avant des maisons d'hiver abandonnées, le village range ses tentes ou ses maisons d'hiver en ordre et sans qu'elles soient très distantes les unes des autres (2). Mais (3), outre que la densité de la population ne laisse pas d'être moindre alors qu'en hiver, il y a à ce fait particulier une raison également particulière : c'est que le groupe, été comme hiver, pratique un régime relativement identique d'ichtyophagie ; il est même curieux de remarquer que, dans ce cas pourtant défavorable, la dualité morphologique se maintienne bien que le groupe reste en place et que les raisons de sa dispersion estivale aient disparu (4).

Cette dispersion de l'été demande à être mise en rapport avec un trait de la mentalité collective eskimo dont l'analyse nous permettra de mieux comprendre ce qu'est au juste cette organisation de l'été si différente de celle d'hiver. On sait ce que Ratzel a appelé le *volume géographique* et le *volume mental* des sociétés (5). Le volume géographique, c'est l'étendue spatiale réellement occupée par la société considérée ; le volume mental, c'est l'aire géographique qu'elle parvient à embrasser par la pensée. Or, il y a déjà un remarquable contraste entre les humbles dimensions d'une pauvre tribu Eskimo, et l'immense étendue de côtes sur laquelle elle se répand, ou bien les énormes distances où les tribus centrales pénètrent à l'intérieur des terres (6). Car le volume géographique des Eskimos, c'est

(1) Sur ces villages, voy. surtout, plutôt que NELSON, p. 285 sq., PORTER (Schanz et Weber), p. 180 sq.

(2) Le village observé, à Hotham Inlet (NELSON, p. 261), est un village temporaire de commerce.

(3) Sur ces villages, voy. NELSON, p. 242 sq., qui restreint l'existence des villages permanents d'été à la région de la Kuskokwim.

(4) Cf. PORTER, p. 123 ; ELLIOT, *Our. Arct. Prov.*, p. 402, 404. Pourtant les Togiagmiut, d'après JACOBSEN, *Reise*, p. 347 ; ELLIOT, p. 401, vivaient en tentes d'été quoiqu'ils soient sous le même régime que les Kuskokwgmiut, et les Kvikkpagmiut, Ikogmiut, etc. Nous soupçonnons donc que l'usage de la maison et du village d'été (de bois), sont d'origine russe en ces régions.

(5) RATZEL, *Politische Räume, Geogr. Zeitschr.*, I, p. 163 sq. ; cf. *Anthropogeogr.*, I, p. 217 sq. ; *Pol. Geogr.*, p. 263-267 ; cf. *An. Sociol.*, III, 565.

(6) Voy. BOAS, *C.E.*, p. 421 sq. ; cf. carte *supra* ; cf. carte *in* PARRY, p. 198. Les grandes expéditions de Hall et de Schwatka, à la Boothia Félix et à la Terre du roi Guillaume, de Hanbury sur toute la côte arctique ont été faites avec des familles eskimos.

l'aire de leurs groupements d'été. Mais combien est encore plus remarquable leur volume mental, c'est-à-dire l'étendue de leur connaissance géographique. Les cas de voyages au loin, entrepris par traîneau avant la fonte des neiges au printemps, en *oumiak* l'été par les familles ou par les individus en hiver, sont moins que rares (1). Il en résulte qu'il y a, chez les Eskimos, une connaissance traditionnelle de pays extrêmement éloignés, même chez ceux qui n'ont pas effectué ces voyages; aussi tous les explorateurs ont-ils utilisé le talent géographique dont les femmes eskimos elles-mêmes sont éminemment douées (2). Nous devons donc nous figurer la société d'été, non pas seulement comme étendue sur les longueurs immenses qu'elle occupe ou parcourt, mais encore comme lançant au-delà, très au loin, des familles ou des individus isolés, enfants perdus qui reviennent au groupe natal quand l'hiver est venu, ou un autre été après avoir hiverné au hasard ; on pourrait les comparer à d'immenses antennes qui s'étendraient en avant d'un organisme déjà, par lui-même, extraordinairement distendu.

III

LES CAUSES DE CES VARIATIONS SAISONNIÈRES

Il est assez difficile de retrouver toutes les causes qui ont abouti à fixer les différents traits de cette double organisation ; car elles ont produit leur action au cours d'un développement historique probablement très long et de migrations d'une extraordinaire amplitude. Mais nous voudrions tout au moins indiquer quelques-uns des facteurs dont dépend ce phénomène, ne serait-ce que pour montrer quelle est la part des causes purement physiques et restreintes, par rapport à celle qui revient aux causes sociales.

Les observateurs se sont, d'ordinaire, contentés d'explica-

(1) Le cas le plus remarquable est celui du voyage des gens de la terre de Baffin au détroit de Smith, et de leur tentative de retour ; voy. RASMUSSEN, *Nye Mennesker*, 1905, p. 21 sq. ; cf. BOAS, *C.E.*, p. 443, 459. Les traversées d'Eskimos du Grönland occidental au Grönland méridional ont été fréquentes. Voy. HOLM, *Ethn. Sk.*, p. 56.

(2) PARRY, p. XIII, p. 513, 514, 251, 253, 276, 195, 198, 185 ; cf. LYON, *Priv. Jour.*, p. 250, 160, 161, 177 ; FRANKLIN (Herschel Isl.), *Second Exped.*, p. 132. Cf. PETITOT, *Grands Esqui.*, p. 73, absurde ; BEECHEY, II, p. 331, 291. SIMPSON, *Discoveries on the shores of the Arctic Sea*, etc., p. 149 ; MIERTSCHING, *Reisetagebuch*, p. 83 ; HALL, *Life with the Esqui.*, II, p. 331, p. 342 ; BOAS, *C.E.*, p. 643-648 ; HOLM, p. 143, *Meddel.*, X, tables, pl. XXXI (cartes de bois).

tions simplistes. Ils remarquent que la maison (1) commune et quasi souterraine retient mieux la chaleur, que la présence d'un certain nombre d'individus sous le même toit suffit à élever la température, que l'agglomération de plusieurs familles économise le combustible. Ils ne voient donc dans cette organisation qu'un moyen de lutter contre le froid. Mais si ces considérations ne sont pas sans quelque fondement, la vérité qu'elles contiennent est toute partielle. Tout d'abord il n'est nullement exact que les Eskimos habitent les régions les plus froides du monde (2). Un certain nombre d'entre eux sont établis dans des régions relativement tempérées, par exemple, au sud du Grönland ou du Labrador, où l'opposition plus grande de l'hiver et de l'été provient plutôt du voisinage des glaces descendant par le courant glaciaire ou de l'inlandsis, que d'une réelle infériorité de température. En second lieu, tout en habitant à des latitudes supérieures et dans des climats continentaux au fond plus rudes que ceux de leurs voisins les Eskimos de la côte, les Indiens de l'intérieur du Labrador, les Montagnais, les Crees des Barren Lands (3), ceux de la forêt alaskane (4) vivent toute l'année sous la tente ; et non seulement cette tente est de même forme que celle des Eskimos, mais encore l'ouverture du sommet, le trou à fumée, que les Eskimos ne connaissent pas, la rend bien moins efficace contre le froid, même en été. Il est même remarquable que les Indiens n'aient pas emprunté à leurs voisins une aussi utile invention que la maison ; c'est un fait de plus contre les théories qui croient rendre compte d'une institution sociale en faisant voir à qui elle a été empruntée. En troisième lieu — et ceci est la preuve que la maison d'hiver fait, pour ainsi dire, partie de l'idiosyncrasie des sociétés Eskimos — là même où il y aurait des raisons d'en altérer la forme, l'altération ne se produit pas. Ainsi, dans les districts boisés de l'Alaska, quelques tribus qui ont pénétré au-delà de la partie maritime des rivières et qui ont leurs établissements d'hiver plus

(1) Il faut en tout cas éliminer la notion classique de la « maison arctique », qu'on trouve encore dans BERGHAUS, *Physikalischer Atlas*, p. 67.
(2) Voy. les isothermes, même d'hiver dans BARTHOLOMEW, *Physical Atlas*, Meteorology, carte XVII. A supprimer cependant le pôle de froid de Werchoïansk (Sibérie). Cf. *Geogr. Jour.*, 1904.
(3) HEARNE, l'un des premiers explorateurs, fait cette opposition, *Journey*, etc., p. 160, 162 ; COATS, de même, *loc. cit.*, p. 33 ; cf. PETITOT, *Grands Esquimaux*, p. 26.
(4) Jacobsen remarque précisément la plus grande endurance des Indiens de l'Alaska, WOLDT, *Jacobsens Reise*.

près des bois que des pêcheries de phoques, plutôt que d'installer un foyer de bois et d'ouvrir leurs toits pour en laisser échapper la fumée, aiment mieux acheter, et assez cher (1), l'huile de leurs lampes à ceux de leurs voisins qui en ont.

Une explication où perce un sentiment plus vif du problème et de sa complexité est celle qu'a proposée M. Steensby (2). Suivant cet auteur, la civilisation primitive des Eskimos serait du type indien, et plus proche de celle qu'on observe actuellement chez eux en été ; d'autre part, la forme de leurs maisons appartiendrait au même type que celle des Indiens des Prairies (depuis les Mandans jusqu'aux Iroquois) ; elle serait le résultat d'un emprunt primitif et se serait développée en même temps que toute la technique d'hiver, lorsque les Eskimos se seraient rapprochés, puis emparés de l'océan Glacial. Mais nous ne trouvons nulle part une seule trace d'Eskimos dont la principale occupation aurait été la chasse et la seule habitation la tente. Dès que les Eskimos sont donnés comme un groupe de sociétés déterminées, ils ont leur double culture parfaitement constituée et les plus anciens établissements d'été sont toujours voisins d'anciens établissements d'hiver. D'autre part, la comparaison entre la longue maison Indienne et la maison Eskimo est relativement inexacte ; car il n'y a dans celle-ci ni couloir, ni banc, ni places de lampes, trois traits caractéristiques de la maison Eskimo.

Ces explications écartées, cherchons d'abord comment peuvent s'expliquer la concentration de l'hiver et la dispersion de l'été.

Nous avons eu déjà l'occasion de montrer combien est puissant l'attachement des Eskimos pour leur régime de vie, si pauvre soit-il ; ils ne conçoivent même pas qu'il leur soit possible de mener une autre existence. Jamais ils ne semblent avoir fait effort pour modifier leur technique. Ni les exemples qu'ils ont sous les yeux chez les peuples voisins avec lesquels ils sont en contact, ni la perspective certaine d'une vie meilleure ne suffisent à éveiller chez eux le désir de changer la leur. Si, comme les Athapascans et les Algonquins, leurs voisins avec lesquels certains d'entre eux sont en commerce constant, les Eskimos du nord de l'Amérique avaient adopté la raquette pour glisser sur la neige, au lieu du soulier imperméable, ils pourraient, en plein hiver, poursuivre par petits

(1) Voy. PORTER, *Rep. Al.*, p. 103 ; ELLIOT, *Our. Arct. Prov.*, p. 405.
(2) *Esk. Kult. opr.*, p. 199 sq. ; cf. p. 105, thèse 2.

groupes, le gibier qu'ils ne peuvent qu'arrêter au passage en été (1). Mais ils tiennent tellement à leur organisation traditionnelle qu'ils ne songent même pas à changer.

Il y a, par suite de cette technique, phénomène social, un véritable phénomène de symbiose qui oblige le groupe à vivre à la façon de son gibier. Celui-ci se concentre ou se disperse, suivant les saisons. En hiver, les morses et surtout les phoques s'assemblent sur certains points de la côte. Le phoque, lui aussi, a besoin de la glace de terre pour pouvoir abriter ses petits ; lui aussi a besoin d'un endroit où la glace de terre soit libre le plus longtemps possible afin de pouvoir facilement venir respirer à la surface ; et le nombre de ces endroits, à fond doux, plages, îles, caps, est assez restreint même sur de grands espaces de côtes. A ce moment, c'est donc uniquement sur ces points qu'il est possible de le chasser, surtout en raison de l'état où se trouve la technique des Eskimos. Au contraire, dès que l'eau devient libre, dès que les *leads* y apparaissent, le phoque se déplace, se disperse, va jouer dans la mer, au fond des fiords, au-dessous des falaises abruptes, et les chasseurs doivent se disperser pour l'atteindre, dispersé comme il est ; car c'est tout à fait exceptionnellement qu'il se présente en troupe. En même temps, la pêche d'eau douce, au saumon et aux divers salmonidés, la chasse au renne et au daim (2) sur les hauts pâturages ou dans la toundra des deltas invitent à la vie nomade et à la dissémination à la suite du gibier. En été, cette dispersion est tout aussi facile aux Eskimos qu'aux Indiens leurs voisins, car ils n'ont pas alors besoin de raquettes pour suivre et poursuivre. Quant à la pêche en

(1) La raquette n'est en usage depuis longtemps que chez les seuls Eskimos de la pointe Barrow, cf. MURDOCH, p. 344 sq. et semble même y avoir été importée. En tout cas celles que mentionnent KUMLIEN, *Contributions*, etc., p. 42 ; BOAS, *E.B.L.*, p. 41, étaient certainement rares et récentes, probablement importées par les baleiniers. L'usage en a été généralisé par les Européens au Grönland, et par les Eskimos de la terre de Baffin au détroit de Smith. Mac LEAN, *Twenty five years Service*, etc., I, p. 139, rattache précisément à l'absence des raquettes la fixation de l'Eskimo à la côte. M. STEENSBY parle assez improprement de « Snesko », *Esk. Kult. Opr.*, p. 10, etc., probablement pour désigner le soulier imperméable. La seule exception est celle des Nooatok de l'Alaska ; mais ils sont mélangés d'Indiens et, pouvant suivre le gibier, vivent à l'intérieur ; or ils ont précisément une morphologie presque semblable à celle des Crees ou des Tinneh. (Cf. WELLS et KELLY, *Engl. Esk. Dict.*, p. 26, 27, cf. p. 14, 15 ; PORTER, p. 125 ; NELSON, p. 18, nous ne savons d'ailleurs pour ainsi dire rien sur cette tribu.)

(2) En 1822, il n'y a pour ainsi dire pas d'été à Igloulik, les gens le font remarquer à Parry, et ils indiquent qu'ils ne se dispersent pas pour aller à la chasse aux rennes (p. 357).

rivière, elle se pratique justement à proximité des endroits où passe le gibier (1).

En résumé, tandis que l'été étend d'une manière presque illimitée le champ ouvert à la chasse et à la pêche, l'hiver, au contraire, le restreint de la manière la plus étroite (2). Et c'est cette alternance qui exprime le rythme de concentration et de dispersion par lequel passe cette organisation morphologique. La population se condense ou se dissémine comme le gibier. Le mouvement dont est animée la société est synchronique à ceux de la vie ambiante.

Toutefois, quelque certaine que soit cette influence des facteurs biologiques et techniques, nous n'entendons pas dire qu'elle suffise à rendre compte de tout le phénomène. Elle permet de comprendre comment il se fait que les Eskimos se rassemblent en hiver et se séparent en été. Mais tout d'abord, elle n'explique pas pourquoi cette concentration atteint le degré d'intimité que nous avons eu déjà l'occasion de signaler et que la suite de cette étude confirmera ; elle ne nous donne pas le pourquoi du kashim ni du lien étroit qui, dans certains cas, paraît l'unir aux autres maisons. Les habitations des Eskimos pourraient se rapprocher les unes des autres sans se concentrer à ce point et sans donner naissance à cette vie collective intense que nous aurons l'occasion d'observer en étudiant les effets de cette organisation. Elles pourraient aussi n'être pas de longues maisons. Les indigènes pourraient planter leurs tentes les unes à côté des autres, les couvrir mieux, ou construire de toutes petites maisons, au lieu d'habiter sous le même toit par groupes de famille. Il ne faut pas oublier d'ailleurs que le kashim, c'est-à-dire la maison des hommes, et la grande maison où cohabitent plusieurs souches de la même famille ne sont pas des faits particuliers aux Eskimos ; on les retrouve chez d'autres peuples et par conséquent ils ne peuvent tenir à des particularités spéciales de

---

(1) La description précédente est en grande partie semblable à celle donnée par M. Boas, *C.E.*, p. 419, 420 ; cf. Richardson, *Polar Regions*, p. 300 sq. L'exception que forment les Eskimos de la pointe Barrow, lesquels se livrent, en hiver, à la chasse aux rennes (cf. Simpson, *W. Esk.*, p. 261-263 ; Murdoch, p. 45 sq.) confirme précisément la règle, puisque c'est grâce à leurs raquettes qu'ils la pratiquent.

(2) Nous laissons de côté, provisoirement, la question de la longueur des jours et des nuits arctiques, l'obscurité ayant pour effet le ralentissement général de la vie végétale et animale, l'énorme insolation d'été ayant au contraire un accroissement incomparable. Cf. sur ce point Gunnar Anderson, *Zur Pflanzengeogr. der Arktis*, *Geogr. Zeitschr.*, 1902, VIII ; O. M. Rikli, *Die Pflanzenwelt des hohen Norden*, Saint-Gall, 1903.

l'organisation propre à ces sociétés septentrionales. Ils doivent dépendre, en partie, de certains caractères que la civilisation eskimo possède en commun avec d'autres. Quels sont ces caractères, c'est ce que nous ne pouvons rechercher ici ; la question, par sa généralité, déborde les cadres de notre étude. Mais ce que l'état de la technique peut seul expliquer, c'est le moment de l'année où ces deux mouvements de concentration et de dispersion ont lieu, c'est le temps pendant lequel ils durent, la façon dont ils se succèdent et la manière tranchée dont ils s'opposent l'un à l'autre (1).

IV

LES EFFETS

Après avoir décrit la nature des variations par lesquelles passe, suivant les saisons, l'organisation morphologique des Eskimos, après en avoir déterminé les causes, il nous en faut maintenant étudier les effets (2). Nous allons rechercher la manière dont ces variations affectent et la vie religieuse et la vie juridique du groupe. Ce n'est pas la partie la moins instructive de notre sujet.

1º *Effets sur la vie religieuse*

La religion des Eskimos passe par le même rythme que leur organisation. Il y a, pour ainsi dire, une religion d'été et une

---

(1) Nous ne pouvons traiter ici, faute de place, de la façon progressive et variable dont s'opèrent cette dispersion et cette déconcentration. Mais nous regretterions de ne pas citer la description de Parry du parfait accord, de la nature mécanique de ces mouvements (p. 531). « In all their movements they seem to be actuated by one simultaneous feeling that is truly admirable. »

(2) Nous ne nous astreindrons pas ici, comme nous l'avons fait pour la morphologie, à donner un tableau de chaque type de religion et de droit eskimos, ni à donner, pour chaque trait de mœurs, une liste d'équivalents pour toutes les sociétés eskimos bien ou mal connues, ni à indiquer, à défaut d'équivalents, la cause de l'absence de tel ou tel fait. La tâche serait à la fois difficile sinon impossible, et illusoire étant donné notre sujet. Il nous suffit de rappeler la remarquable uniformité de toute la civilisation eskimo (voy. plus haut, p. 389, n. 2) et il nous suffira de montrer l'extension de quelques phénomènes principaux, d'indiquer au fur et à mesure les différents effets dans les diverses sociétés, pour que nous soyons autorisés à conclure.

Nous ne nous sommes pas donné la peine, non plus, de donner un tableau des deux technologies d'hiver et d'été dont l'opposition n'est pas moins grande que celle des deux droits ou des deux religions. M. STEENSBY a traité cette question en excellents termes, *Esk. Kult. Opr.*, p. 142 sq.

religion d'hiver, ou plutôt il n'y a pas de religion en été (1). Le seul culte qui soit alors pratiqué, c'est le culte privé, domestique : tout se réduit aux rites de la naissance (2) et de la mort (3) et à l'observation de quelques interdictions. Tous les mythes qui, comme nous allons le voir, remplissent, pendant l'hiver, la conscience de l'Eskimo, semblent oubliés pendant l'été. La vie est comme laïcisée. Même la magie, qui pourtant est le plus souvent, une chose purement privée, n'apparaît plus guère que comme une assez simple science médicale (4), dont tout le cérémonial est réduit à très peu de chose.

Au contraire, l'établissement d'hiver vit, pour ainsi dire, dans un état d'exaltation religieuse continue. C'est le moment où les mythes, les contes se transmettent d'une génération à l'autre. Le moindre événement nécessite l'intervention plus ou moins solennelle de magiciens, d'*angekoks* (5). Le moindre tabou ne se lève que par des cérémonies publiques (6), des visites à toute la communauté (7). Ce sont, à chaque instant, des séances imposantes de shamanisme public pour conjurer

---

(1) Nous sommes naturellement mal renseignés par les Européens voyageurs qui n'ont fait que passer, ou sédentaires qui n'ont pas pu suivre les migrations, sur les phénomènes religieux de l'été. Mais ils ne nous signalent rien et nous pouvons induire comme nous faisons. L'existence de fêtes collectives d'été en Alaska (voy. PORTER [Woolfe], *Eleventh Cens.*, p. 141, 142 ; NELSON, p. 295), au Grönland, voy. CRANZ, IV, 1, 5, cf. Contes, RINK, *T.T.*, p. 125, 137 sq. (fantastique en partie), sont tout simplement exceptionnelles et dues à des marchés. L'existence de fêtes en juin à la pointe Barrow, MURDOCH, p. 375, Woolfe *in* PORTER, p. 142, est due surtout au fait que la pêche à la baleine prolonge ici le groupement d'hiver. D'ailleurs les fêtes semblent être distinctes des fêtes « formelles » d'hiver, MURDOCH, p. 365.

(2) D'ailleurs quelquefois différents en hiver et en été, cf. NELSON, p. 289 (nom provisoire, Unalit), cf. plus bas, la coutume d'Angmagssalik, p. 448, n. 4.

(3) Différents encore naturellement, par le nombre et la nature des gens et des objets intéressés, ex. TURNER, p. 193. (Ungava) ; EGEDE, *Perlustr.*, p. 82, 83 (Grönland).

(4) La plupart des séances d'angekok qui nous sont décrites se rapportent à des maisons, par conséquent à l'hiver. Voy. cependant, PARRY, p. 369, HOLM dit : « De rigtige Angekokkunster foregaa kun om Vinteren », *Ethn. Sk.*, p. 123. (Angmagssalik.)

(5) Sur ces séances au Grönland, voy. EGEDE, *Nye Perlustr.*, 1721, p. 45 ; *Perlustra.*, p. 115 ; CRANZ, III, 5, § 39, § 41, où il est dit que l'excursion du magicien chez le Torngarsuk ne peut être faite avant l'automne et qu'elle est le plus courte en hiver ; RINK, *T.T.*, p. 37, 60 (le grand art semble être réservé à l'hiver) ; Labrador, TURNER, p. 194 sq. ; Régions centrales, BOAS, *C.E.*, p. 592 sq. ; *E.B.L.*, 121, 128 sq., cf. p. 240, contes n° 53, HALL, *Life with the Esqui.*, II, p. 319 : (Mackenzie) PETITOT, *Monogr.*, p. XXIV ; (pointe Barrow), MURDOCH, p. 430 sq. ; SIMPSON, *West. Esk.*, p. 271 ; Alaska, NELSON, p. 435 sq., etc.

(6) NELSON, p. 284, 288 ; PORTER (Woolfe), *Rep. Alaska*, p. 149.

(7) PARRY, p. 509, cf. p. 182 ; HALL, *Life with the Esqui.*, II, p. 197.

les famines qui menacent le groupe surtout pendant les mois de mars à mai, alors que les provisions ou ont disparu, ou sont en mauvais état et que le gibier est instable (1). On peut, en somme, se représenter toute la vie de l'hiver comme une sorte de longue fête. Même ce que les vieux auteurs nous rapportent sur les perpétuelles danses des Eskimos au Grönland (2), danses qui sont pour la plupart de nature certainement religieuse, est très probablement, surtout si l'on tient compte des fautes d'observation et d'expression, une autre preuve de cette continuité de la vie religieuse. La conscience religieuse du groupe est même portée à un tel degré de paroxysme que, dans plusieurs sociétés eskimos (3), les fautes religieuses sont alors l'objet d'une surveillance exceptionnellement rigoureuse : toute misère collective, tempête trop longue, fuite du gibier, rupture inopportune de la glace, etc., est attribuée à la transgression de quelque interdiction rituelle. Celle-ci doit être confessée publiquement pour qu'on en puisse pallier les effets. Cet usage de la confession publique marque bien l'espèce de sainteté dont est empreinte toute la vie sociale de l'hiver (4).

Non seulement cette vie religieuse est intense (5), mais elle présente un caractère très particulier par lequel elle contraste avec la vie d'été : c'est qu'elle est éminemment collective. Par là nous ne voulons pas dire simplement que les fêtes sont célébrées en commun, mais que le sentiment que la communauté a d'elle-même, de son unité, y transpire de toutes les manières. Elles ne sont pas seulement collectives en ce sens qu'une pluralité d'individus assemblés y participent ; mais elles sont la chose du groupe et c'est le groupe qu'elles expriment.

C'est déjà ce qui ressort de ce fait c'est qu'elles ont lieu dans le kashim (6), partout où il en existe un et, comme on l'a

---

(1) Cf. Boas (Eskimos centraux), « *C.E.*, p. 611, It is a busy season » ; *E.B.L.*, p. 121 sq. Cf. une anecdote frappante, Rasmussen, *Nye Mennesker*, p. 29.

(2) Egede, *Perlus.*, p. 85 sq. ; Cranz, III, 5, § 30 sq. ; cf. relations de Neu-Herrnhut.

(3) Sur la confession, voy. Boas, *E.B.L.*, p. 128 sq. ; cf. Peck, *in Life of Rev. Peck*, etc., p. 63 ; Lyon, *Priv. Jour.*, p. 357 sq. indique les mêmes faits.

(4) De là probablement la nécessité d'un *angekok* par station d'hiver. Cf. Rasmussen (Smith-Sund), *Nye Mennesker*, p. 161, et Cranz (Grönl. W.) *History of Greenland*, II, p. 304, n.

(5) Cf. Petroff, *Rep. Al.*, p. 132 ; Wells et Kelly, *Engl. Esk. Dict.*, p. 24 ; Schanz *in* Porter, p. 94.

(6) Le kashim est, pour les Nugumiut, dédié à un esprit, et tout ce qui s'y passe a par suite un caractère religieux. Boas, *C.E.*, p. 601 ; *E.B.L.*, p. 148, cf. p. 332, conte. Le mot qui signifie fête et assemblée au Grönland, contient le radical qagse. V. références citées plus haut, p. 428, n. 3.

vu probablement partout autrefois. Or, quelles que soient les modalités que présente le kashim, c'est toujours et essentiellement *un lieu public*, qui exprime l'unité du groupe. Cette unité est même si forte que, à l'intérieur du kashim, l'individualité des familles et des maisons particulières disparaît ; elles viennent se perdre indistinctes les unes des autres, dans la masse totale de la société. En effet, dans le kashim, les individus sont rangés non par familles ou par maisons, mais suivant les fonctions sociales, encore très indifférenciées, qu'ils remplissent (1).

La nature même des circonstances et des rites qui sont célébrés pendant ces fêtes traduit le même caractère. C'est le cas notamment de la fête dite « des vessies », telle qu'elle se pratique dans l'Alaska et, en particulier chez les Unalit de la baie de Saint-Michel (2). Elle comprend d'abord de nombreuses danses avec masques en présence de toute la communauté qui chante. A la fin, on jette à la mer, d'un seul coup, toutes les vessies de tous les animaux marins tués *par tout le groupe* pendant toute l'année. Les âmes animales qu'elles sont censées contenir vont se réincarner dans les femelles des phoques et des morses. C'est donc la station d'hiver dans son ensemble qui, par un rite unique, assure sa subsistance continuelle.

Une autre fête que l'on observe chez ces mêmes Unalit (3), mais dont l'équivalent semble se retrouver dans tous le pays eskimo (4), est la fête des morts. Elle comprend deux parties essentielles. On commence par prier les âmes des morts de bien vouloir se réincarner momentanément dans les homo-

(1) NELSON, p. 285 sq., 358 sq. ; MURDOCH, p. 374 ; BOAS, *C.E.*, p. 602.
(2) NELSON, p. 368 sq. ; ELLIOT, *Arct. Prov.*, p. 393 sq., cf. Zagoskin in PETROFF, *Rep. Al.* ; cf. PORTER (Woolfe), p. 143 ; WELLS et KELLY, *Engl. Esk. Dict.*, p. 24. Cf. MURDOCH, p. 434, et les rapprochements faits en notes.
(3) NELSON, p. 358 sq.
(4) PORTER (Woolfe), p. 140, 141 ; JACOBSEN, fête à Ignitkok, *Reise*, éd. Woldt, p. 260 (ces deux voyageurs font la même erreur et ne comprennent pas qu'il s'agit des namesakes), Wassilieff *in* WRANGELL, *Stat. Ergebn*, p. 130 sq. ; ELLIOTT, *Our Arctic Province*, p. 390, 393 ; cf. la relation de Zagoskin *in* PETROFF, *Rep. Al.*, p. 130 ; WELLS et KELLY, *ibid.* Nous ne possédons aucun renseignement sur la présence ou l'absence de ce rite à la pointe Barrow. Pour les régions centrales jusqu'au Chesterfield Inlet nous sommes mal renseignés ; voy. pourtant, PETITOT, *Grands Esqui.*, p. 156, 167 (peu sûr). Pour les Eskimos du centre, cf. BOAS, *C. E.*, p. 608, 610 ; cf. p. 628, n. 6, *E.B.L.*, p. 146, 148 ; cf. conte, p. 330, 186 ; HALL, *Life with the Esqui.*, II, p. 120 ; KUMLIEN, *Contributions*, etc., p. 48 ; PECK, in *The Life of Rev. Peck*, p. 41 sq. (tribu de fort Churchill), p. 242 (Blacklead Isl). — En ce qui concerne le Grönland nous ne connaissons que des traces de rite, voy. P. EGEDE, *Dictionarium Grœnlandico Latinum*, 1758, p. 5. « Attekkessiorok, dat cui quid nominis gratia ». Cf. (Labrador) ERDMANN, *Eskimoisches Wörterbuch*, p. 42, 20, col. 2. Cf. RINK, *T.T.*, dans le conte n° 47 un rite d'offrande à un enfant qui porte le même nom qu'un mort ; CRANZ, *Forts*, p. 110, 334.

nymes que chaque mort a dans chaque station ; car c'est un usage que le dernier-né porte toujours le nom du dernier mort. Ensuite, on charge de présents ces homonymes vivants qui représentent les morts ; on échange des cadeaux dans toute l'assemblée et on congédie les âmes qui quittent leurs habitats humains pour retourner au pays des morts. Ainsi, à ce moment, non seulement le groupe retrouve son unité, mais voit se reformer dans un même rite le groupe idéal composé de toutes les générations qui se sont succédé depuis les temps les plus reculés. Les ancêtres mythiques et historiques aussi bien que récents viennent se mêler aux vivants et tous communient ensemble par des échanges de cadeaux.

Les fêtes solsticielles d'hiver ont la même portée. Le rite essentiel, chez les Eskimos du Centre (1) et de l'Est, consiste ou, du moins, a consisté à éteindre et à rallumer *simultanément* toutes les lampes de la station. Si nous remarquons que le feu était certainement rallumé à un feu unique, produit par friction, on voit que nous avons ici une sorte de culte du feu collectif.

Ajoutons enfin que ces différentes fêtes s'accompagnent toujours et partout de très importants phénomènes de licence sexuelle, sur lesquels nous aurons à revenir à propos du statut personnel (2). Or le communisme sexuel est une forme de communion, et peut-être la plus intime qui soit. Quand il règne, il se produit une sorte de fusion des personnalités individuelles les unes dans les autres. — Nous voilà bien loin de l'état d'individuation et d'isolement où vivent, pendant l'été, les petits groupes familiaux dispersés sur d'énormes étendues de côtes.

Mais cette opposition de la vie d'hiver et de la vie d'été ne se traduit pas seulement dans les rites, dans les fêtes, dans les cérémonies religieuses de toute sorte ; elle affecte aussi

---

(1) HALL, *Life with the Esqui.*, II, p. 320 (Nugumiut) ; cf. BOAS, *C.E*, p. 606. A notre avis le rite dit de l'extinction des lampes, et répandu au Grönland, et qui d'après les observateurs (cf. plus bas, p. 459, ne serait plus qu'un rite de licence sexuelle attachée souvent à une séance d'angekok ailé probablement autrefois. L'accompagnement de la fête du soleil sommairement indiquée par CRANZ, III, 3, § 24, § 23. Cf. HANSERÂKS', *Dagbog* (éd. Rink, 1901), p. 44 (Qumarmiut), à propos de l'échange des femmes qui suit les extinctions de lampes « som Skik var over hele Kysten baade hvergang det var Nymaane og efter visse Fester » (comme il était d'usage de faire sur toute la côte à chaque nouvelle lune ou après certaines fêtes).
(2) Cf. plus bas, pp. 450 et suiv.

profondément les idées, les représentations collectives, en un mot toute la mentalité du groupe.

Chez les Oqomiut de la terre de Baffin, les Nugumiut de la baie de Frobisher (1), au cours d'un complexus de fêtes, on voit tous les gens du groupe se diviser en deux camps. L'un comprend tous ceux qui sont nés en hiver ; ils portent un nom collectif spécial, on les appelle des *aχigīrn*, c'est-à-dire des ptarmigans. Dans l'autre se trouvent tous les enfants de l'été et on les nomme des *aggim*, c'est-à-dire des canards eider. Les premiers se dirigent du côté de la terre, les seconds du côté de l'eau. Chaque camp tire sur une corde, et, suivant celui qui triomphe de l'autre, c'est l'hiver ou l'été qui l'emporte. Or, cette division des gens en deux groupes, suivant la saison où ils sont nés, n'est pas particulière à ce rite spécial ; mais on la retrouve à la base d'autres usages, et cela chez tous les Eskimos du centre. On nous dit, en effet, que les gens portent toute leur vie, mais plus spécialement dans les fêtes dont nous venons de parler, une amulette faite de la peau d'un animal, en général, d'un oiseau, qui est celui qui préside à leur mois de naissance (2). Il semble bien qu'il y ait là un effet de la tendance à classer les gens en groupes différents suivant la saison où ils sont nés, les oiseaux de terre étant probablement des oiseaux d'hiver et les oiseaux d'eau des oiseaux d'été (3). Ce qui est certain, c'est qu'à Angmagssalik (4), qui est situé pourtant à une énorme distance de la région où l'on observe ces usages, les rites de la naissance varient très sensiblement suivant qu'il s'agit d'un enfant d'hiver ou d'un enfant d'été. Si l'enfant est né en été, son premier repas est fait d'un bouillon d'animal terrien, ou de poisson de rivière cuit dans l'eau douce, et d'un bouillon d'animal marin cuit dans l'eau de mer si l'enfant est né en hiver.

Mais cette division des gens en deux grandes catégories semble bien se rattacher à une division, plus vaste et plus générale, qui comprend toutes choses. Sans parler d'un certain nombre de mythes où l'on voit l'ensemble des espèces animales et des événements capitaux de la nature se répartir en

---

(1) Boas, *C.E.*, p. 604, cf. App. n. 6 ; *E.B.L.*, p. 141.
(2) *C.E.*, p. 611 ; cf. *E.B.L.*, p. 140. Hall fait allusion, *Life with the Esqui.*, II, p. 313 à un rite qui consiste à presser la tête de l'enfant après sa naissance avec une peau d'oiseau.
(3) Un texte de Boas, *E.B.L.*, p. 140, permet de le conjecturer.
(4) Holm, p. 91. Cf. texte obscur, Egede, *Perlus.*, p. 81.

deux groupes, l'un d'hiver et l'autre l'été (1), nous retrouvons
la même idée à la base d'une multitude d'interdictions rituelles.
Il y a des choses d'hiver et des choses d'été, et l'opposition
entre ces deux genres fondamentaux est si vivement ressentie
par la conscience eskimo, que toute espèce de mélange entre
eux est interdite (2). Dans les régions centrales, le contact
entre peaux de renne (animal d'été) et peaux de morse (animal d'hiver) est prohibé ; il en est de même des objets divers
qui peuvent être employés à la chasse de ces deux sortes
d'animaux (3). Lorsque la saison d'été arrive, on ne peut manger
du caribou (animal d'été) qu'après s'être débarrassé de tous
les habits qui ont servi durant l'hiver et en avoir mis des
neufs ou, tout au moins, qui n'ont pas été touchés durant
la saison de la chasse aux morses (4). Les petites tentes où les
chasseurs se sont abrités pendant l'été, doivent, de même
que leurs vêtements, être enfouis sous des pierres ; elles sont
considérées comme *shongegew*, c'est-à-dire tabouées (5). Aucune
couverture ou courroie de peau de morse ne doit être portée
dans les lieux où l'on chasse le renne, sous peine de rentrer
bredouille. Les habits d'hiver, dans le cas où ils sont faits de
peaux de caribou, doivent être terminés avant que les hommes
ne partent pour la chasse aux morses (6). Pendant tout le temps

(1) Nous faisons allusion au mythe de Sedna, dont nous croyons pouvoir
retrouver des exemples dans toute la civilisation eskimo, et qui nous semble
être surtout la figure mythique destinée à expliquer, à sanctionner
les tabous concernant les animaux marins, et, par suite, entre autres, les
tabous saisonniers. Sur ce mythe, voy. surtout Lyon, *Priv. Jour.*, p. 362 ,
Boas, *C. E.*, p. 583 sq., *E.B.L.*, p. 120, p. 145 sq., p. 163 ; cf. Hall, II, p. 321;
Sur l'extension et l'origine de ce mythe, cf. Boas, *The Folklore of the Eskimos, J. Amer. Folklore*, XIII, 1904 ; cf. notre C. R. *Année Sociol.*, VIII.
p. 349.
(2) Des croyances comme celles que suppose le conte d'Igludtsialek (Grönland, Rink, *T.T.*, p. 150 sq.) sont précisément le produit de ces tabous, et
d'un mythe de Sedna parfaitement autochtone. La femme angekok, pour
aller sur la montagne anéantir et faire craquer la glace demande son « habit
d'été ».
(3) Hall, *Life with the Esqui.*, II, p. 321 ; Boas, *E.B.L.*, p. 122 ; cf. Tyrrell,
Accross the Subarctics of Canada, p. 169 sq. ; Peck, *Life*, etc., p. 43, 122, etc. ;
Hanbury, *Sport and Travel*, p. 46 sq., p. 68, 97, 100 (des détails très intéressants : l'interdiction de travailler les peaux de rennes sur la glace de terre,
les peaux de phoque sur la terre, etc.).
(4) Boas, *E.B.L.*, p. 122 ; Hall, *Life with the Esqui.*, p. 201, 202 ; une
aventure arrivée aux fondateurs de la mission du Labrador prouve que la
même croyance y avait cours. Cf. *The Moravians in Labrador* (Loskiel,
Lond., 1825), p. 100, cf. p. 21 et 22.
(5) Boas, *E.B.L.*, p. 123.
(6) Id., *ibid.*, p. 123 (cf. le mythe et *C.E.*, p. 587, 588). Il semble d'ailleurs que le mythe ait eu plusieurs formes, même chez les Aivilik, cf. Hanbury,
Sport and Travel, loc. cit.

où les gens vivent sur la glace, on ne doit travailler aucune peau ni de caribou ni de renne (1). La viande de saumon, produit de la pêche d'été, ne doit pas davantage venir en contact avec celle d'un animal marin, quel qu'il soit, même dans l'estomac des fidèles. Au contraire, le contact des chairs de phoque, animal chassé toute l'année en même temps que les autres animaux, est soumis à des règles moins sévères. — La violation d'un quelconque de ces tabous imprime à celui qui l'a commise une souillure, visible pour le gibier, et qui se communique contagieusement à tous ceux qui approchent. Alors le gibier se retire et la famine survient dans tout le pays (2). Même l'institution de ces tabous a nécessité la formation d'une classe spéciale de courriers dont la fonction est d'annoncer la capture du premier morse (3). C'est le signe que l'hiver a commencé. Aussitôt tout travail sur les peaux de caribou cesse. La vie change totalement d'aspect.

Ainsi, la manière même dont sont classés et les hommes et les choses porte l'empreinte de cette opposition cardinale entre les deux saisons. Chaque saison sert à définir tout un genre d'êtres et de choses. Or, nous avons eu l'occasion de montrer ici même quel rôle fondamental jouent ces classifications dans la mentalité des peuples. On peut dire que la notion de l'hiver et la notion de l'été sont comme deux pôles autour desquels gravite le système d'idées des Eskimos (4).

2° *Les effets sur la vie juridique*

Un système juridique a pour but de réglementer les relations matérielles possibles entre les membres d'une même société. Qu'il s'agisse d'exprimer les droits et les devoirs respectifs des personnes les unes par rapport aux autres (régime des personnes), ou par rapport aux choses appropriées par le groupe ou par les individus (régime des biens), les diverses institutions juridiques et morales ne font qu'exprimer à la conscience collective les conditions nécessaires de la vie en commun (5). Il faut donc nous attendre à ce que l'influence de

(1) ID., *ibid*, p. 124.
(2) ID., *ibid*.
(3) *Ibid*, p. 122.
(4) Cf. DURKHEIM et MAUSS, Classifications primitives, *Année Sociol.*, V. Les Zuñis nous ont précisément paru classer suivant leurs deux phratries les choses en choses d'hiver et choses d'été. La division en choses de mer et choses de terre chez les Eskimos nous semble coïncider avec celle de l'été et de l'hiver.
(5) Cf. DURKHEIM *Division du travail, passim.*

cette double morphologie soit encore plus marquée sur la vie juridique eskimo que sur la vie religieuse. Nous allons voir, en effet, qu'il y a un droit d'hiver et un droit d'été (1) en même temps qu'une réaction de l'un sur l'autre.

La famille. — Nous n'avons pas à faire ici une étude de la famille des Eskimos. Mais nous allons montrer que les principaux traits de leur organisation domestique sont fonction de la double organisation morphologique que nous avons décrite.

On sait que la nomenclature familiale est un des plus sûrs moyens de déceler les liens qui unissent entre eux les divers membres d'un même groupe domestique. L'étude en peut être faite relativement bien, grâce aux tableaux, pourtant un peu sommaires, qu'ont publiés Dall et Morgan (2). Or il apparaît à première vue qu'il existe deux sortes de familles, l'une où la parenté est collective, ressortit au type que Morgan a appelé classificatoire ; l'autre où elle est individuelle. En effet, deux traces du premier système subsistent. En ligne descendante, le nom d'*Eng'-ota* est donné aux petits-fils, ainsi qu'aux individus, consanguins ou adoptés, qui sont d'une parenté plus éloignée ; c'est-à-dire aux enfants des neveux et des cousins de la génération des fils. De même, les noms d'*E-tu-ah*, de *Ninge-o-wa*, s'appliquent non seulement au grand-père et à la grand-mère (consanguine ou d'adoption), mais encore à leurs frères et sœurs, et à tous les parents de leur génération. En ligne collatérale, les cousins des divers degrés ne sont nullement distingués d'autres groupes de parents et portent un nom qui les confond avec les habitants de la maison (3). En somme, aucun degré de parenté, soit utérine, soit masculine, n'est distingué en dehors des parentés suivantes : mon père,

(1) La remarque de cette opposition a été déjà faite par PARRY, p. 534, par LYON, *Priv. Journ.*, p. 250, par BOAS, *C.E.*, p. 562 sq., cf. PECK, *loc. cit.*, p. 52, par RICHARDSON, *Polar Regions*, p. 318 sq. ; par GLASUNOV et WRANGELL, *Stat. Ergeb.*, p. 130 sq. (Alaska) ; par PORTER (Schanz), p. 106, *Rep. Alas.*, par PETROFF (généralités), *Rep. Al.*, p. 125 sq. Les livres excellents par ailleurs, de RINK, *T.T.*, p. 23 sq., cf. *Esk. Tr.*, *Meddel.*, XI, I, p. 26, de NELSON, de MURDOCH, ne nous en font pas mention expresse, bien qu'ils nous fournissent un nombre considérable de faits à l'appui de notre théorie. C'est aussi une lacune du travail de M. Steensby qui, s'il a bien vu l'opposition des deux technologies, n'a pas vu celle des deux structures juridiques de la société eskimo.

(2) (Grönland occidental, Cumberland Sound, Rivière Churchill). L. H. MORGAN, *Systems of Consanguinity of Human Families*, Smithson, Contrib. to Knowledge, vol. XVII, Washington, 1872, p. 275 sq. Une autre liste du Cumberland Sound a été publiée par DALL dans *Contrib. to North. Amer. Ethn.*, I, p. 95 sq.

(3) Cf. plus bas, p. 454, n. 2.

ma mère, mon fils et ma fille ; les frères et sœurs de mon père, les frères et sœurs de ma mère, les enfants des premiers, les enfants des seconds. Ainsi, à l'intérieur d'une famille qui s'étend très loin mais où les rapports de parenté sont indifférenciés en apparaît une autre très restreinte, et où la parenté, au contraire, est individualisée.

Or les deux sortes de société domestique que l'on aperçoit ainsi à travers la nomenclature existent bien réellement : l'une est la famille d'été (1), l'autre est la famille d'hiver. Et comme chacune a une composition différente, chacune a son droit propre.

Le droit de la famille d'été est relativement patriarcal. Le rôle prédominant y est tenu par le père ou, comme on dit en Anglais, le *provider* (2), et les enfants mâles en âge de chasser. Ils en sont plus que les chefs ; ils en constituent l'unique fondement. Eux disparus, la disparition *complète* de la famille en résulte nécessairement ; les enfants, s'ils sont encore jeunes et s'ils ne sont pas adoptés dans quelque autre tente, sont mis à mort (3). Il convient toutefois d'ajouter que le rôle de la mère n'est pas moins essentiel ; elle aussi ne peut disparaître sans que la famille tout entière s'anéantisse (4). Ces deux personnages sont tellement indispensables l'un et l'autre que, même si les enfants sont déjà parvenus à un certain âge, le mari qui a perdu sa femme ou la femme qui a perdu son mari essayent aussitôt de se remarier. L'existence de ce groupement est donc des plus précaires : il repose tout entier sur une ou deux têtes. Il y a là un arrangement familial très particulier et tout à fait spécial à la civilisation eskimo. C'est, en somme, le couple conjugal qui en est l'élément essentiel, tout comme dans les civilisations les plus évoluées ; fait d'autant plus remarquable que le lien conjugal y est d'une extrême fragilité.

D'autres traits viennent confirmer cette physionomie de la famille d'été. C'est d'abord la puissance relative du chef de famille, *igtuat*, au Grönland (5). Il a le droit absolu de comman-

---

(1) Sur la composition de la famille d'été, voy. surtout RINK, *T.T.*, p. 20 sq., TURNER, p. 183.

(2) Le rôle des providers a été aperçu par les premiers auteurs danois. CRANTZ, III, 3 et 4, cf. nombreux faits in relations de 1738, 1743, etc.

(3) Voy. *T.T.*, p. 28, cf. contes, p. 169, etc.

(4) Sauf si l'individu a avec lui des filles nubiles. Au cas où les enfants sont en très bas âge leur mise à mort semble régulière (*Contra*, MURDOCH, p. 318, mais la population de la pointe Barrow est, on le sait, extrêmement réduite).

(5) RINK, *T.T.*, p. 24 ; HOLM, p. 97.

dement même sur ses fils adultes, et il paraît que les cas de désobéissance sont remarquablement rares. C'est lui qui fixe les déplacements et les parts (1). Il a le droit absolu de punir, même sa femme ; mais il n'en abuse pas parce que, s'il a le droit de la répudier, elle, de son côté, a également la faculté de l'abandonner (2).

L'organisation de la famille paternelle est, d'ordinaire, liée au besoin de postérité ; et ce caractère ne manque pas non plus à la famille eskimo. Même la nécessité en est ici plus marquée qu'ailleurs. En effet, l'existence de vieilles gens sans enfants est impossible. Sans fils adultes mâles consentant à chasser pour eux, surtout en été, les couples vieillis, à plus forte raison les vieilles veuves, ne trouvent même pas à vivre (3). Ces dernières n'ont pas même la ressource du mariage ou de l'adoption que l'on n'a intérêt à pratiquer qu'avec de jeunes enfants. Ce même besoin peut, d'ailleurs, au moins dans certains cas, prendre une forme religieuse. Les ascendants savent qu'ils doivent se réincarner après leur mort dans le corps de leurs « homonymes », les derniers-nés de la station ; et le culte à rendre à leurs âmes dans la personne de ce représentant, est dévolu à leurs enfants. Par suite, l'absence d'enfants, légitimes ou adoptifs, mettrait en question même la vie de leurs âmes (4).

Tout autre est le droit domestique de l'hiver. La petite famille, si nettement individualisée, de l'été, vient alors se perdre, en partie, dans un groupe beaucoup plus étendu, sorte de *joint-family* qui rappelle la Zadruga slave, et qui constitue alors la société domestique par excellence : c'est le groupe qui occupe en commun l'iglou ou la longue maison (5).

(1) RINK, *ibid.* ; TURNER, p. 190 (particulièrement net) ; HALL, *Life with the Esqui.*, I, p. 370 ; BOAS, *C.E.*. p. 545 sq. ; NELSON, p. 285 sq.

(2) RINK, *T.T.*, p. 25 ; HOLM, p. 88 ; BOAS, *C.E.*, p. 566.

(3) Voy. p. 49, n. 2. LYON mentionne en plus le fait que la jeune veuve aurait été commune pendant quelque temps avant sa mise à mort à tous les membres de la station, *Priv. Journ.*, p. 353.

(4) Ce dernier fait (cf. Textes cités plus haut, p. 404, n. 6), pourrait servir à en expliquer un autre, fort curieux et même déconcertant au premier abord : c'est l'absolue indépendance de l'enfant, et même le respect qu'ont pour lui les parents. Ils ne le battent jamais et même obéissent à ses ordres. C'est que l'enfant n'est pas seulement l'espoir de la famille, au sens que nous donnerions aujourd'hui au mot ; c'est l'ancêtre réincarné. A l'intérieur de la famille d'été, restreinte, isolée et autonome, il est comme le pôle vers lequel convergent les croyances et les intérêts.

(5) Le rapprochement entre le régime moral de la longue maison eskimo et celui de la maison indienne a été fait pour la première fois par RINK, *Esk. Tr., Meddel*, XI, p. 23. Cf. TYRREL, *Accross the Subarctics of Canada*, 1898, p. 68.

Il est certain, en effet, qu'il existe entre les individus qui
habitent ainsi sous un même toit, non seulement des relations économiques, mais des liens moraux proprement dits,
des rapports de parenté *sui generis* que décelait déjà la nomenclature (1). Tout d'abord, il existe un nom pour désigner ce
genre de parents ; ce sont les *igloq. aligit* (2) (parents de maison),
mot que les observateurs anglais et danois traduisent assez
bien par celui de *Husfœller* et *housemates*, et qui désigne aussi
tous les cousins. Il est formellement attesté que l'ensemble de
ces *housemates* forme le cercle de parenté le plus proche de
l'individu après sa famille restreinte (3). D'ailleurs, en fait, là
surtout où nous retrouvons le type de maison le plus primitif
à notre avis, le groupe qui l'habite est composé de consanguins et d'alliés. Ainsi, à Utiakwin (4) (pointe Barrow), malgré
l'état de désintégration où se trouve parvenue la société, une
longue maison comprenait : un homme, sa femme et sa fille
adoptive, deux fils mariés, chacun avec sa femme et un enfant,
une sœur veuve avec son fils et sa bru et la petite fille de cette
dernière. Ailleurs (5), des tableaux quasi généalogiques que
nous possédons montrent que les principes d'après lesquels
se recrute la maisonnée sont sensiblement les mêmes.

Un fait bien caractéristique de cette parenté spéciale, c'est
que le mariage est interdit entre *housemates* ; du moins, la
prohibition semble être la règle. Car, d'une part, il est interdit en général d'épouser ses cousins germains (6) ; et l'on sait
qu'ils portent le même nom que les *housemates*, que ce sont
d'ordinaire des frères et sœurs et des descendants de frères
et sœurs qui habitent ensemble en hiver. Ainsi, là où il n'est
question que d'une interdiction entre parents, des erreurs
d'observation ont été possibles et d'un autre côté, il est bien
précisé pour le Grönland qu'il y a interdiction de mariage

(1) Cf. MORGAN, cité plus haut, p. 451, n. 2.
(2) Cf. RINK, *Esk. Tr.*, p. 93 sq. avec les équivalents, Cf. P. EGEDE, *Dictionarium*, etc., *s. v.* iglu, p. 32 ; KLEINSCHMIDT, *Grönlanlandsk Ordbog*, *s. v.* igdlo,
p. 75 ; ERDMANN, *Eskimoïsches Wörterbuch*, p. 52, 63 ; PETITOT, *Monographie*, p. XLIII ; Cf. EGEDE, *Nye Perlustration*, 1re éd., 1725, p. 45.
(3) RINK, II. p. 9, 26 ; PETITOT, *Monographie*, p. XXIX.
(4) MURDOCH, p. 75.
(5) JACOBSEN, *Reise*, p. 240, 241. (La plupart des « meillagers » sont des
gens adoptés par le quasi-chef, Isaac.) Voir une description de famille d'hiver,
HOLM, p. 66, table XXIII, cf. p. 95 pour les noms et généalogies.
(6) *T.T.*, p. 25. Cf. EGEDE, *Perlus.*, p. 79 ; CRANZ, III, 2, § 13 ; HOLM, p. 85,
94 ; TURNER, p. 188, 189 ; BOAS, *C.E.*, p. 579. — *Contra*, v. LYON, *Priv. Jour.*,
p. 352, 354 ; WELLS et KELLY, *Engl. Esk. Dict.*, p. 22 (certainement inexacts,
et font peut-être allusion aux licences sexuelles).

entre individus élevés dans la même maison (1). Même les textes
qui nous rapportent ce fait (et ce sont justement les plus anciens)
semblent rapprocher, d'une manière singulièrement étroite, la
parenté entre cousins germains et celles d'habitants d'une
longue maison. Il y a donc une sorte de fraternité spéciale qui
imprime un caractère incestueux (2) aux unions sexuelles entre
membres d'un même iglou. Il y a, il est vrai, deux faits qui
semblent contredire la règle de droit que nous venons de poser.
M. Nelson nous dit formellement que chez les Unalit de la
baie de Saint-Michael (3), on se marie entre cousins germains
et M. Holm mentionne à Angmagssalik des exceptions assez
fréquentes à l'usage de chercher femme hors de la maison (4).
Mais il ne faut pas perdre de vue qu'à Angmagssalik la confusion de la longue maison et de la station d'hiver (chaque station ne comprenant qu'une maison) vient altérer cette organisation dans ce qu'elle a de plus essentiel. C'est un cas très
exceptionnel, et il n'est pas surprenant qu'il ne se conforme
pas strictement à la règle. Comme toute la station habite sous
un même toit, il était évidemment nécessaire que le mariage
fût permis entre cohabitants et que, par suite, le principe de
la prohibition fléchît. D'un autre côté, les cousins germains
dont nous parle M. Nelson peuvent fort bien appartenir à des
maisonnées différentes, voire à des stations différentes (5).
Comme justement il s'agit de la seule tribu où l'existence d'une
sorte de clan totémique (6) ait été constatée, ces cousins qui
peuvent s'épouser, sont peut-être les membres de deux clans
qui ont entre eux le *connubium*.

Par cela même que cette grande famille d'hiver est composée
autrement que celle d'été, elle est aussi organisée d'une autre
manière. Elle n'a aucun caractère patriarcal. Le chef (7) n'est

---

(1) Depuis Egede jusqu'à Holm, p. 194, tous les auteurs danois ont employé le terme de « sammenbragde », cf. Egede, *Nye Perlusiration*, 1re éd.
qui ajoute, ce que ne font pas ses suivants « in dit saadan Huse », *Perlus.*,
p. 79. Un conte parle pourtant *T.T.*, p. 291, d'un frère adoptif qui aurait
épousé sa sœur adoptive, au Grönland, mais l'adoption a été récente, et les
enfants n'ont pas été élevés ensemble.
(2) Les cousins sont d'ailleurs souvent considérés comme frères et sœurs,
in pointe Barrow, Mur., p. 421.
(3) Nelson, p. 291.
(4) On peut en effet extraire du tableau généalogique de Holm, p. 95, le fait
que les cousins, Angitinguak (♂), Angmalilik (♂), Kutuluk (♀), Naki-
tilik (♀) sont tous mariés avec des gens de leur établissement, et que leurs
enfants se sont également mariés dans l'établissement où ils étaient fixés.
(5) Nelson, p. 291.
(6) Sur le clan totémique Unalit et son exogamie, voy. Nelson, p. 322 sq.
(7) Rink, *T.T.*, p. 25, 26, l'existence de chefs de maison proprement dits
n'est vraiment accusée que pour le nord de l'Alaska. Cf. Simpson, *Western*

pas désigné par la naissance, mais par des caractères personnels. C'est généralement un vieillard, bon chasseur ou père
de bon chasseur ; un homme riche, possesseur d'oumiak le
plus souvent, un *angekok*, magicien. Ses pouvoirs ne sont pas
très étendus : ses fonctions sont de recevoir les étrangers, de
distribuer les places et les parts. C'est à lui qu'on s'adresse
pour régler les différends intérieurs. Mais ses droits sur ses
compagnons sont, en définitive, assez limités.

Il y a plus. Au-delà de ce cercle familial, déjà très étendu,
il en est un autre qui apparaît en hiver, mais en hiver seulement ; c'est celui de la station. Car il est permis de se demander si la station ne constitue pas une sorte de grande famille,
en un mot de clan (1).

Déjà c'est un fait remarquable que tous les habitants d'une
même station sont désignés par un nom spécial qui témoigne
qu'il existe entre eux des liens moraux très particuliers : les
auteurs danois traduisent ce nom par *Bopladsfæller, place-
fellows* (2). Ensuite, l'existence du kashim chez tous les Eskimos
(sauf chez ceux du Grönland et du Labrador où il a certainement existé) prouve que tous les hommes de la station for-
maient une société *une* entre les membres de laquelle il y a une
réelle fraternité (3). Enfin le fait qu'à Angmagssalik la maison
se confond avec la station d'hiver marque combien la parenté
de la longue maison est voisine de celle qui unit les différentes familles associées dans la station hivernale. Et si l'on admet
notre hypothèse que, là même où cette confusion complète
n'existe pas, les différentes maisons étaient cependant à l'origine étroitement liées les unes aux autres et au kashim (4),
l'observation qui précède aurait une portée encore plus générale.

Mais, quoi qu'il en soit de ce fait particulier, tout dans le
régime moral de la station d'hiver prouve que les individus
y sont comme baignés dans une atmosphère familiale. La
station n'est pas un simple amas de maisons, une unité exclu-

---

Eskimos, p. 272 ; MURDOCH, p. 429 ; PETROFF, *Rep. Al.*, p. 125 ; PORTER (Woolfe),
Rep. Al., p. 135.

(1) Sur ce point, voy. RINK, *Esk. Tr.*, p. 22, cf. *T.T.*, p. 26, p. 54. Cf. CRANZ,
Fortsetzang, 1770, p. 329.

(2) *Nunagatigit* en Grönlandais, cf. RINK, *Esk. Tr.*, suppl. *Meddel*, XI,
p. 93, sect. 29 et les dictionnaires *ad verba*.

(3) Renforcée d'ailleurs par le perpétuel repas communiel qu'est la vie
au kashim, ou dans les iglous d'hiver.

(4) Voy. plus haut, p. 432.

sivement territoriale et politique ; c'est aussi une unité domestique. Les membres en sont unis par un lien très fort de réelle affection, tout à fait analogue à celui qui, dans d'autres sociétés, unit entre elles les différentes familles d'un même clan. Le droit de la station n'est pas seulement la somme des droits propres à chaque maison ; c'est un droit *sui generis*, mais qui rappelle celui des grands groupements familiaux.

La plupart des observateurs (1), depuis les plus anciens jusqu'à M. Nansen qui a transformé ses observations en dithyrambe, ont été frappés de la douceur, de l'intimité, de la gaieté générale qui règnent dans une station eskimo. Une sorte de bonté affectueuse semble répandue sur tous. Les crimes paraissent y être relativement rares (2). Le vol est presque inexistant ; d'ailleurs, il y a peu d'occasions, étant donné le droit de propriété, où il puisse se commettre (3). L'adultère est presque inconnu (4).

Un des traits caractéristiques du clan, c'est l'extrême indulgence qu'il témoigne aux fautes ou aux crimes que commettent ses membres : les sanctions sont principalement morales. Or cette même indulgence se retrouve dans la station eskimo (5). L'homicide, quand il s'en commet, est souvent réputé accidentel (6). Les individus que leur violence rend dangereux sont considérés comme des fous et, s'ils sont tués, c'est en

(1) Egede, *Nye Perlustration*, 1re éd., p. 37 ; *Perlustr.*, p. 91 ; Cranz, III, 3, § 20 ; Dalager, *Grönlandske Relationer* ; Coats, *loc. cit.*, « gentile and sociable », plus haut, p. 414, n. 1 ; Parry, p. 500, 533 (porte à la fois sur le régime moral de la station d'hiver et celui de la longue maison d'hiver), Lyon, *Priv. Jour.*, p. 350 ; Wrangell (Wassilieff et Glasunov), *Stat. Ergeb.*, p. 129. Nous ne citons que les plus anciens auteurs, les remarques étant devenues depuis complètement de style. Cf. Nansen, *Eskimoleben*, p. 293 sq., p. 138 sq. et *passim*.

(2) Cf. surtout Cranz, III, 4, § 28. Une espèce de tableau historique des faits divers en Alaska, en 1881, 1882, est donné par M. Nelson, p. 301 et suiv.

(3) Rink, *T.T.*, p. 34.

(4) Ex. Murdoch, p. 420, cf. Simpson, *West. Esk.*, p. 252 ; Parry (Igloulik), p. 529 ; Woolfe *in* Porter, *Rep. Alaska*, p. 135 ; Wells et Kelly, *Engl. Esk. Dict.*, p. 19. Le phénomène de la fidélité matrimoniale paraît à ces derniers auteurs contradictoire avec l'usage de l'échange des femmes, mais la contradiction n'existe pas.

(5) Rink, *T.T.*, p. 34 sq. ; *Esk. Tr.*, p. 24 ; Nelson, p. 293 ; Schanz, *in* Porter, *Rep. Al.*, p. 103 ; Boas, *C.E.*, p. 582 ; *E.B.L.*, p. 116 ; Peck, *The Life of Rev. Peck*, p. 32.

(6) Rink, *T.T.*, p. 35, 36. Il est expressément dit que la menace d'un « housemate » n'est pas passible de vengeance du sang (Mais, *contra*, de nombreux contes, nos 30, 38, etc.). Cf. Hanbury, *Sport and Travel*, p. 46. Tyrrel mentionne une règle (Labrador ? Chesterfield Inlet ?) qui obligerait le meurtrier à adopter simplement la famille de la victime, *Accross*, etc., p. 170 ; nous croyons à une confusion avec l'usage Indien. Pourtant, voy. Boas, *E.B.L.*, p. 118, un fait qui a pu donner naissance à l'erreur.

cette qualité (1). La seule sanction qui soit employée à l'intérieur de la station, au Grönland du moins, est d'une véritable bonhomie : c'est le fameux « duel au chant », la danse au tambour (2) où, alternativement en vers rimés et à refrains, les deux adversaires, plaignant et défenseur, se couvrent d'injures, jusqu'à ce que la fertilité d'inventions de l'un lui assure la victoire sur l'autre. L'estime des assistants est la seule récompense, leur blâme la seule peine qui sanctionne ce singulier jugement (3). La station d'hiver eskimo répond donc merveilleusement à la définition arabe du clan : *l'endroit où il n'y a pas de vengeance du sang* (4). Même les crimes publics ne sont généralement l'objet que de peines morales. En dehors de la magie maléficiaire (5), qui est plutôt attribuée aux gens d'une station voisine (6), nous ne croyons pas qu'il existe de crimes qui soient sanctionnés d'une autre manière. Même les graves fautes contre les interdictions rituelles, dont certaines sont censées mettre en cause toute la vie de la société (7), ne sont punies, dans les régions centrales (8), que par l'aveu, la confession et les pénitences imposées. Cette extrême douceur du système répressif est la preuve de l'intimité familiale qui règne à l'intérieur du groupe.

Cette intimité s'oppose de la manière la plus nette à l'isolement où les stations voisines se tiennent les unes vis-à-vis des autres. Les *place-fellows* avaient le devoir de venge[...] leurs morts quand l'agresseur appartenait à une autre loca-

---

(1) Voy. ex. dans contes, RINK, *T.T.*, n° 22. Angutisugssuk, etc., BOAS, *E.B.L.*, sous p. 72.

(2) EGEDE, *Nye Perlustration*, 1ʳᵉ éd., p. 43 ; *Perlustr.*, p. 86 ; CRANZ, III, 3, § 23 ; RINK, *T.T.*, p. 33, 67 ; HOLM (Angmagssalik), p. 157 sq., contes, n° 47 sq. ; RASMUSSEN (cap York et détroit de Smith), *Nye Mennesker*.

(3) Cf. STEINMETZ, *Studien zur Ersten Entwickelung der Strafe*, Leiden, 1896, II, p. 67. D'après M. TYLOR, Scandinavian Culture, etc., *Jour. Anthr. Inst. Gr. Br.*, XIII, p. 268, les chants seraient d'origine scandinave. C'est possible. Mais il est difficile de soutenir que le blâme public exercé en Alaska (cf. NELSON, p. 293) et qui réussit même à exécuter la sentence soit d'origine européenne. Or une pareille institution peut fort bien donner naissance à l'institution grönlandaise. D'autre part elle a d'autres équivalents proprement esquimaux : ex. (Fort Churchill) *in* FRANKLIN, *Narrative of a second Voyage of the Shores*, Lond., p. 182, etc., p. 197. Cf. TYRRELL, *Accross*, etc., p. 132 ; GILDER, *Schwalkas' Search*, p. 245.

(4) Cf. CRANZ, III, 4, § 33.

(5) RINK, *T.T.*, p. 34, 35 ; HOLM, p. 58 ; cf. NELSON, p. 430.

(6) RINK, *ibid.*

(7) BOAS, *E.B.L.*, p. 121 sq., voy. pourtant, une anecdote, *in* RASMUSSEN, *Nye Mennesker*, p. 31 (fille d'angekok de la terre de Baffin abandonnée par son père pour violation de tabou, non confessée).

(8) BOAS, *loc. cit.*

lité (1). Les contes, tout au moins, nous parlent avec abondance
de longues vendettas exercées, au Grönland, d'une station à
l'autre (2). On nous rapporte également qu'autrefois, dans presque toute l'étendue de la Terre de Baffin et au nord-ouest de
la baie d'Hudson, il y eut de véritables guerres (3). Au Grönland
oriental, il y aurait même, d'après Holm et Hanseråk, une
espèce d'hostilité et de mépris constants entre les stations des
différents fiords (4). Les cérémonies de réception de l'étranger
au Grönland (5), à la Terre de Baffin et à celle du roi Guillaume (6), autrefois, à l'Alaska (7), comportaient régulièrement des séances de lutte. On prétend même non sans exagération sans doute, que quand un groupe venait rendre visite à
une station voisine le duel réglé ou le jeu violent (8) qui avait
lieu entre deux champions choisis se terminait par la mort d'un
des combattants.

Mais ce qui établit mieux encore qu'il existe entre membres
d'une même station une véritable parenté, c'est l'usage de
l'échange des femmes (9). On nous le signale dans presque
toutes les sociétés eskimos. Ces échanges ont lieu en hiver
entre tous les hommes et toutes les femmes de la station. Dans
certains cas, au Grönland occidental par exemple, l'échange
était autrefois restreint (10) aux seuls couples mariés. Mais la

---

(1) Rink, *T.T.*, p. 34 ; Nelson, p. 291 sq., voy. un rite remarquable,
Wells et Kelly, *Engl. Esk. Dict.* (de déclaration de guerre ?), p. 24, Wrangell, *Stat. Ergebn.*, p. 132 (Wassilieff).
(2) Rink, *T.T.*, p. 35, cf. contes, p. 235, 174, 175 ; p. 206, 207, cf. p. 211 ;
contra, p. 357, 358. Cf. Schultz Lorentzen, *Eskimoernes Indvandring, Meddel.
Gr.*, 1904, XXVI, p. 320 (tribus du Nord contre tribus du Sud).
(3) Boas, *C.E.*, p. 465 ; *E.B.L.*, p. 116, contes, n° 72 sq. ; Kumlien, *Contributions*, p. 12 ; Klutschak, p. 228.
(4) Holm, *Ethn. Sk.*, p. 87 ; *Kanseråks Dagbog*, p. 45.
(5) Rink, *T.T.*, p. 157, contes n°s 39, 40.
(6) Boas, *C.E.*, *loc. ult. cit.*, *E.B.L.* ; *loc. ult. cit.*, *C.E.*, p. 609, cf. Klutschak, p. 67 sq. Schwatka, in *Science*, IV, 98, 545.
(7) Nelson, p. 294 sq.
(8) Boas, *C.E.*, p. 609 ; *E.B.L.*, p. 609 ; cf. contes, in Rink, *T.T.*, p. 211,
226 (fin sanglante d'un jeu de balle).
(9) Sur la généralité de l'échange des femmes chez les Eskimos, voy.
Richardson, *Polar Regions*, p. 319 ; Murdoch, p. 413.
(10) Egede, *Perlustr.*, p. 78 ; Paul Egede, *Dictionarium* au mot Malliserpok,
p. 100. Si Cranz ne parle pas de cet usage dans sa description, c'est à cause
de ses tendances apologétiques, mais il mentionne une « extinction de lampe »
pour la chasse à la baleine (III, 5, 43), et dans la relation des missions nous en trouverions d'autres traces, ex. en 1743, *Hist. of Green.*, éd.
angl. II, p. 70. Il est très remarquable que Rink ni n'en parle ni ne nous ait
laissé un conte qui s'y rapporte proprement, sauf peut-être dans le conte, universel chez les Eskimos, du soleil et de la lune, *T.T.*, p. 326, inceste qui dans
les versions, à notre avis les plus primitives, se passe toujours dans un kashim,

règle la plus générale est que tous les individus nubiles y prennent part. D'ordinaire cette pratique se rattache aux fêtes collectives d'hiver (1) ; quelquefois cependant elle en est devenue
indépendante, notamment au Grönland. Là, du moins dans
les pays qui n'ont pas subi l'influence chrétienne, ce vieil usage
survit intégralement. A un moment donné, les lampes s'éteignent et de véritables orgies ont lieu (2). Nous sommes mal
renseignés sur le point de savoir si ce sont des femmes déterminées qui sont attribuées à des hommes déterminés (3), sauf
dans deux cas, mais qui sont des plus typiques. Dans les fêtes
masquées du Cumberland Sound (4) dont nous avons parlé,
l'un des masques représentant la déesse Sedna accouple les
hommes et les femmes sans tenir compte de leur parenté, uniquement *d'après leur nom*. Il faut entendre par là que hommes
et femmes sont unis comme étaient unis autrefois les ancêtres
mythiques dont les sujets actuels portent les noms et sont les
représentants vivants. Le même fait est attesté en Alaska (5), et
semble indiqué ailleurs. Ainsi, à ce moment, toute l'organisation de la famille restreinte et de la maisonnée disparaît avec
son ordinaire réglementation des rapports sexuels : tous ces
groupes particuliers viennent se perdre dans le groupe total
que forme la station et dont l'organisation mythique, reconstituée pour un temps, efface toutes les autres. Pendant un
instant, peut-on dire, le clan, dans tout son amorphisme (6), a
absorbé la famille.

En dehors de ces échanges généraux qui ont lieu entre tous
les membres du groupe et qui sont plutôt des rites sexuels,

---

et naturellement lors de cérémonies à extinction de lampes. Cf. bibliographie
de ce conte *in* Boas, *E.B.L.*, p. 359 ; ajouter : Thalbitzer, *A Phonetical
Study*, p. 275, très important, prouve que la scène se passe bien comme nous
disons : Rasmussen, *Nye Mennesker*, p. 194.

(1) Voy. plus haut, p. 447, n. 1, cf. Petitot, *Grands Esqui.*, p. 166 ; Peck,
The life, etc., p. 55, 242 ; après chaque cérémonie d'Angekok (Kinipetu) ;
Boas, *E.B.L.*, p. 158, 139 ; Klutschak, p. 210 ; Turner, p. 200, 178. La seule
exception probable est la tribu de la pointe Barrow, où Murdoch a recherché
vainement (peut-être insuffisamment) ce fait, voy. p. 375. La coutume de
l'échange temporaire y est en tout cas pratiquée et Murdoch la rapproche
du communisme sexuel, p. 415.

(2) Les interdictions aux rapports sexuels entre consanguins semblent
respectées (Holm, p. 98, et cf. le conte cité de la lune et du soleil).

(3) Wrangell, *Stat. Ergebn.*, parle de la façon dont les vieilles femmes
s'offrent (Bas Youkon), en vertu de parentés éloignées. Mais le fait est peut-
être le même que celui cité plus bas.

(4) Hall, *Life with the Esqui.*, II, p. 323 ; Peck, *Life of Rev.*, etc., p. 41 ;
Boas, *loc. cit.*, plus haut, pp. 457 et 459.

(5) Nelson (Ikogmiut), p. 379, cf. p. 494.

(6) D'ailleurs l'échange momentané revient au même à ce dernier point
de vue, cf. Murdoch, p. 419 ; cf. Porter, p. 39.

il y en a d'autres, plus ou moins permanents, qui se font entre particuliers, pour des raisons particulières (1). Les uns se pratiquent dans la maison d'hiver (2), d'autres se contractent avant la dispersion de juin (3), en vue de la saison d'été ; ces derniers sont accompagnés d'un échange de présents (4). Mais les uns et les autres semblent bien n'avoir lieu qu'entre gens d'une même station. Au détroit de Smith (5) ils sont nombreux pendant les premières années de mariage et ne peuvent se faire alors qu'entre individus déterminés (6) ; plus tard ils s'opèrent, pour de courtes périodes, entre des membres quelconques de cette sorte d' « unique famille » (7) qu'est la tribu du cap York. L'Alaska est la seule région où l'on nous signale des échanges entre habitants de stations différentes (8). Mais l'exception confirme la règle. En effet les hommes qui ont procédé à ces échanges deviennent frères d'adoption, les femmes échangées sont considérées comme sœurs les unes des autres ; et il en est de même de tous les enfants issus de ces unions (9). Les relations qui se contractent ainsi sont de tous points identiques à celles qui résultent de la parenté naturelle (10). C'est donc une preuve nouvelle que les groupes au sein desquels se pratique le communisme sexuel sont des groupes de parents puisque là même où il a lieu entre étrangers, il crée entre eux un lien de parenté.

En définitive, le seul caractère du clan qui manque à la station est l'exogamie. Il est vrai que Nansen (11) a cru que les

---

(1) Voy. PORTER, *Alaska*, p. 103 (Weber) ; WELLS et KELLY, *Engl. Esk. Dict.*, p. 19, MURDOCH, p. 413 ; PARRY (Anecdote de l'angekok Toolemak), p. 300 ; LYON, *Journ.*, p. 354 (parle d'échange de sœurs, bien possible), etc.

(2) Voy. LYON, *loc. cit.*

(3) PARRY, p. 530 ; MURDOCH, p. 413, 419 ; BOAS, *C.E.*, p. 579 ; KUMLIEN, *Contrib.*, p. 42 ; PECK, *loc. cit.*, p. 55.

(4) L'angekok semble même avoir un droit particulier (anecdote de PARRY, p. 300, cf. TURNER, p. 200).

(5) PEARY, *Northward over the Great Ice*, I, p. 497 ; KROEBER, *The Eskimos of Smith Sound*, p. 56.

(6) PEARY, *ibid.* ; Rasmussen ne mentionne pas ce détail dans son excellent tableau des échanges de femmes, *Nye Mennesker*, p. 64.

(7) KANE, *Arctic Explorations*, II, p. 211.

(8) NELSON, p. 493 ; PORTER, *Alaska*, p. 103 (naturellement non exclusifs de ceux faits à l'intérieur de la station, et qui aboutissent d'ailleurs aux mêmes droits), cf. WELLS et KELLY, *Engl. Esk. dict.*, p. 29.

(9) NELSON, *ibid.*

(10) Les mêmes termes sont employés que pour ceux qui désignent la parenté naturelle au Grönland. Et les censeurs américains sont d'avis que le mélange des sangs et des droits est tellement parfait que l'établissement de généalogies est presque impossible.

(11) *Eskimoleben*, p. 146, cf. p. 204, n° 1. Cf. un renseignement obscur de KLUTSCHAK, p. 234.

stations d'Angmagssalik étaient autant de clans exogamiques. Malheureusement, l'observation semble être uniquement fondée sur les renseignements de M. Holm qui se rapportent à la maison, et non à la station. De plus, d'autres documents de M. Holm, entre autres le tableau généalogique qu'il donne d'une famille qui compte des représentants dans les diverses stations de ce fiord, prouvent qu'on peut fort bien se marier à l'intérieur de la station où l'on habite (1). Il est vrai que le mariage pourrait être prohibé entre tous les individus originaires d'une même station, et permis seulement quand on habite une station autre que celle où l'on est né. Toutefois, il est notable que le seul auteur qui nous ait parlé du clan proprement totémique chez les Eskimos, ne mentionne pas l'exogamie (2).

Ainsi, sous le rapport de la vie domestique comme sous le rapport de la vie religieuse, le contraste entre l'hiver et l'été est aussi accusé que possible. En été, la famille de l'Eskimo n'est pas plus étendue que notre famille actuelle. En hiver, ce petit cercle familial vient se résorber dans des groupements beaucoup plus vastes ; c'est un autre type domestique qui se forme et qui tient la première place ; c'est la grande famille de la longue maison, c'est cette espèce de clan qu'est la station. On dirait presque deux peuples différents, et on pourrait classer les Eskimos sous deux rubriques si l'on ne tenait compte que de ces deux structures juridiques de leur société.

3º *Effets sur le régime des biens*

Les droits réels sont peut-être soumis à des variations saisonnières encore plus importantes que les droits et les devoirs personnels ; et cela pour deux raisons. D'une part, les choses en usage varient avec les saisons ; le matériel, les objets de consommation sont tout autres en hiver et en été. En second lieu, les relations d'intérêts qui se nouent entre les individus ne varient pas moins et en nombre et en nature (3). A une double morphologie et à une double technologie correspond un double droit de propriété.

---

(1) Cf. plus haut, p. 455, n. 4.
(2) M. Nelson ne nous en parle en effet pas à propos des Unalit. Et il est très remarquable que dans les fêtes masquées des tribus voisines (Ahpokagamiut, Ikogmiut), les échanges de femmes se font sans acception de parenté. PORTER, *Rep. Al.*, p. 103 ; NELSON, p. 379, cf. p. 494.
(3) Cf. RINK, *T.T.*, p. 28.

En été les individus et les familles restreintes vivent isolés dans leurs tentes ; tout au plus sont-elles rassemblées en campements provisoires ; la chasse ne se fait pas en commun, sauf pour la chasse à la baleine, et chaque hardi pêcheur ou aventureux chasseur ramène son butin à sa tente, ou l'enfouit dans sa « cache » sans avoir de comptes à rendre à personne (1). L'individu se distingue donc fortement ainsi que la petite famille. Aussi voyons-nous se constituer nettement deux cercles de choses, et deux seulement : l'un comprend les choses appropriées par l'individu, l'autre comprend les choses que s'approprie le petit groupe familial (2).

Les biens individuels sont : les habits et les amulettes ; puis, le kayak et les armes qui naturellement sont exclusivement possédés par les hommes. La femme possède généralement en propre la lampe (3) de famille, les marmites de stéatite et l'ensemble des instruments. Tous ces objets de ménage sont attachés d'une façon magico-religieuse à la personne (4). On répugne tout à fait à les prêter, à les donner ou à les échanger, dès qu'ils ont été usagés (5). On les enterre avec le mort (6). Quelques-uns, les armes notamment, portent en Alaska, peut-être même partout, des marques de propriété (7). Ces marques ont une double fonction : elles permettent de reconnaître les objets qui en sont

(1) Cf. CRANZ, III, 3, § 22 ; *C.E.*, p. 577.

(2) Sur tout ce qui va suivre et qui porte plutôt sur le Grönland, cf. DALAGER, *Relationer* ; EGEDE (moins précis), *Perlus.*, p. 81 ; CRANZ, III, 3, 25, d'après Dalager ; RINK, *T.T.*, p. 10 sq., 22 sq. Il semble que les auteurs danois se réfèrent tous à une codification faite une fois, par Dalager, Egede, et les frères Moraves, à l'origine des établissements européens, CRANZ, X, § 4, § 5, § 6 (cf. relations de Neu Herrnhut 1746, 1750) ; CRANZ, *History of Greenland*, II, p. 88, 142 ; NORDENSKIÖLD, *Den Andra Dicksonska Expedition*, p. 500 sq. et NANSEN, *Eskimoleben*, p. 106, ne font que reproduire les données des autres auteurs danois.

(3) En tout cas elle l'emporte en cas de divorce, chez les Eskimo Centraux et Occidentaux.

(4) RINK, *T.T.*, p. 30 ; HOLM, p. 118 ; NELSON, p. 137.

(5) CRANZ, III, 3, § 25.

(6) Nous ne connaissons pas d'exception à cette règle dans tous les auteurs qui ont parlé des Eskimos. Nous nous abstenons donc de donner des références.

(7) Sur les marques de propriété et leur extension, F. BOAS, *Property marko of Alaskan Eskimo Amer. Anthropologist.* N.-S. vol. I, p. 602 sq., HOFFMANN, *The graphic Art of the Eskimo. Rep. U.S. Nat. Mus.*, 1895 (Washington, 1897), p. 720 sq. L'extension des marques de propriété dépasse certainement le Mackenzie, PETITOT, *Grands Esquimaux*, p. 187. M. Boas affirme ne pas les connaître à la terre de Baffin ni au nord-ouest de la baie d'Hudson (voy. cependant *E.B.L.*, p. 94). Mais, sans qu'il soit nécessaire de supposer les marques proprement dites, il est certain qu'un droit de chasse aussi précis que le droit Eskimo (voy. plus bas, p. 469) ne pourrait être employé que si chaque chasseur avait le moyen de prouver que l'arme était la sienne, cf. Dalager, *in* CRANZ, III, 3, § 25.

revêtus et leur maintiennent une partie de la puissance magique de leur propriétaire (1). En tout cas, la chose fait partie de l'individu qui ne s'en sépare, en cas de vente ou de troc, qu'après en avoir gardé un morceau (2) ou l'avoir léchée (3). Grâce à cette précaution, ils peuvent s'en séparer, sans avoir à craindre que l'acheteur n'exerce sur eux par l'intermédiaire de la chose, une puissance malfaisante. Il est, d'ailleurs remarquable que cette identification rigoureuse de la personne et de la chose soit restreinte aux objets de la fabrication eskimo (4).

Le cercle des biens qui appartiennent à la famille restreinte est plus limité. Elle ne possède aucun immeuble et n'est propriétaire que d'un petit nombre d'objets mobiliers. Même la lampe est plutôt propriété de la femme (5). Ce groupe n'a vraiment en propre que la tente, les couvertures et le traîneau (6). Le bateau de femmes, l'oumiak, sur lequel on transporte la tente et à l'aide duquel se font les migrations d'été et la chasse aux grands cétacés, est peut-être du même ordre ; peut-être, cependant, appartient-il plus spécialement aux familles groupées en hiver (7). En tout cas, il apparaît clairement que les meubles de la famille restreinte se rapportent exclusivement à la vie d'été, et à la seule partie de la vie d'été qui subsiste en hiver. Mais là où le droit de la famille apparaît d'une manière incontestée, c'est pour tout ce qui concerne les objets de consommation. Le chasseur rapporte à la tente tout ce qu'il a pris, si loin qu'il se trouve, si affamé qu'il soit (8). La manière rigoureuse dont est observée cette règle morale fait l'admiration des Européens. Le gibier et les produits qu'on en peut retirer appartiennent non au chasseur, mais à la famille, et cela quel que soit le chasseur. Cet altruisme remarquable contraste, d'ailleurs, étrangement avec la froideur et l'indifférence qui sont témoignés aux blessés et aux infirmes (9) ; on les abandonne dès qu'ils sont incapables de suivre la famille dans ses migrations (10).

(1) Cf. NELSON, p. 323 sq. (puissance du totem).
(2) NELSON, p. 438 ; cf. Narra. of a Lieut. CHAPPEL, *Voy. to Hudsons' Bay*, p. 65.
(3) LYON, *Priv. Jour.*, p. 21, cf. *Narrative*, etc., p. 55.
(4) Anecdote dans NANSEN, *Eskimoleben*, p. 91. Les raquettes (européennes) ne sont pas soumises aux règles ordinaires.
(5) Enterrée avec elle, BOAS, *C.E.*, p. 580.
(6) Cf. RINK, *T.T.*, p. 30 ; TURNER, p. 105 ; BOAS, *C.E.*, p. 541.
(7) RINK, *T.T.*, p. 28, 23.
(8) Ex. dans HALL, *Life with the Esqui.*, I, p. 250.
(9) Voy. p. 413, n. 5.
(10) Cf. contes *in* BOAS, *E.B.L.*, p. 172, 202, 211, 239, etc.

Tout autre est le droit d'hiver. A cet égoïsme individuel ou étroitement familial s'oppose un large collectivisme.

D'abord, avec les immeubles, apparaît le régime communautaire. La longue maison n'est la propriété d'aucune des familles qui l'habitent, elle est la propriété des *housemates* réunis. Elle est construite, réparée à frais communs (1). Il semble même qu'il y ait appropriation collective du terrain.

Pour ce qui est des objets de consommation, le collectivisme, au lieu de se restreindre à la petite famille comme en été, s'étend à toute la maison. Le gibier se partage également entre tous les habitants (2). L'économie spéciale de la famille restreinte disparaît totalement. Ni sur ce qu'elle prend à la chasse, ni sur les parts qu'elle reçoit elle n'a le droit de faire des épargnes qui ne profitent qu'à elle. Les magasins extérieurs tout comme les butins gelés et ramenés des caches lointaines sont choses indivises. Provisions antérieures et rentrées nouvelles sont partagées au fur et à mesure des besoins communs (3).

Mais le droit communautaire s'affirme plus encore dans la station que dans la longue maison. C'est ici que l'opposition avec les droits individuels et patriarcaux de l'été est le plus accentuée.

Tout d'abord, il y a propriété indivise du sol occupé par la station : nul, même un allié, ne peut s'y installer sans une acceptation tacite de la communauté (4). Bien entendu, le kashim, là où il existe, est également un immeuble commun (5).

---

(1) CRANZ, III, 3, 25 ; RINK, p. 10, 23 ; HOLM, p. 83 sq. ; BOAS, *C.E.*, p. 581 sq. ; MURDOCH, p. 85 ; PETITOT, *Monogr.*, p. XXXI ; RICHARDSON, *Polar Regions*, p. 319 ; PORTER (Woolfe), *Rep. Alaska*, p. 137 ; PETROFF, *Rep. Alaska*, p. 125.

(2) HOLM, p. 87, *Hanseråks' Dagbog*, p. 51 ; CRANZ, *loc. citult.*, cf. X, 7 ; DALAGER, *loc. cit.*, Paul EGEDE, *Efterretninger* ; RINK, *T.T.*, p. 27 (dit formellement que c'est là le régime de la station d'hiver) ; NANSEN, *Eskimoleben*, p. 91 et suiv. (reproduit Dalager, et ajoute quelques erreurs). Au détroit de Smith, le communisme semble à la fois absolu et restreint aux seuls *Bopladsfœller*, anecdote dans RASMUSSEN, *Nye Mennesker*, p. 81 ; NORDENSKIÖLD, *Den Andra, etc.*, p. 503 ; BOAS, *C.E.*, p. 577 ; HALL, *Life with the Esqui.*, II, p. 290, KLUTSCHAK, p. 66 ; KUMLIEN, *Contributions*, p. 18 ; PETITOT, *Monogr.*, p. XXXII ; PORTER, p. 103, 137, 141, etc. (Nelson et Murdoch ne nous renseignent pas à ce sujet).

(3) *Hanseråk's Dagbog*, p. 51 ; RINK, *T.T.*, p. 26, 27 sq., etc.

(4) RINK, *T.T.*, p. 26 ; cf. DALAGER, *loc. cit.*, CRANZ, III, 3, § 5 ; EGEDE, *Perlustr.*, p. 91 ; BOAS, *C.E.*, p. 587 (restreint au cas d'étranger).

(5) NELSON dit même, p. 285, que la construction du kashim peut être faite par plusieurs sillages associés de la même tribu, et que cela renforce leurs sentiments d'amitié. SIMPSON, *W. Eski.*, p. 259 dit que les Kashims seraient la propriété d'individus particuliers (cf. PARRY, p. 360). MURDOCH dit qu'il n'en est pas ainsi, p. 427.

Ensuite, le collectivisme de consommation y est encore plus remarquable que dans la longue maison. Il y a certaines tribus, où, non seulement dans les moments de disette, mais encore en tout temps, tout le gibier est partagé entre tous (1). La vie d'hiver se passe ainsi en un perpétuel repas en commun que les indigènes s'offrent les uns aux autres (2). Surtout les animaux d'une certaine grandeur, morses, petits cétacés, sont toujours la matière d'un festin absolument général, et la répartition en est faite de la manière la plus égalitaire. Les baleines échouées ou capturées sont dépecées en commun ; on invite tout le district (3) ; chacun prend ce qu'il peut, et, curieux usage, au Grönland les blessures infligées à autrui pendant cette espèce de curée ne sont pas réputées délictueuses (4).

Pour ce qui est des objets mobiliers, le droit qu'ont sur eux soit les individus, soit les familles, s'efface très facilement devant une sorte de droit latent et diffus de la communauté. Quand un objet est prêté, il y a obligation morale de le rendre ; mais il ne peut être réclamé (5). Il faut que la restitution se fasse spontanément ; et, s'il est perdu, serait-ce par la faute de l'emprunteur, il n'a pas besoin d'être remplacé (6). On s'explique que, dans ces conditions, le vol soit rare ; il est presque impossible.

Il y a plus. Surtout dans le Labrador, le Grönland et les régions centrales, c'est une règle générale qu'une famille ne doit pas posséder plus d'une quantité limitée de richesses (7). Dans tout le Grönland, quand les ressources d'une maison dépassent le niveau qui est considéré comme normal, les riches doivent obligatoirement prêter aux pauvres. Rink nous dit que les gens d'une station veillent jalousement à ce que

---

(1) Boas, C.E., p. 577 ; Hall, Second, voy. p. 226 ; Klutschak, p. 234.
(2) Cf. dans Rasmussen l'histoire de l'Eskimo de la terre de Baffin qui dit que leur troupe a introduit dans la tribu du détroit de Smith, un rite communiel du passage de l'os à la ronde, Nye Mennesker, p. 32 ; Hall, Life, etc., I, p. 170, II, 120 ; Sec. voy., p. 226 ; Lyon, Priv. Jour., p. 125, 127.
(3) Rink, T.T., p. 28, ou plutôt tout le monde du district vient tout seul, Dalager, grönlandske Relationer ; (pointe Barrow), Murdoch, p. 438.
(4) Rink, T.T., p. 29. Nous ne voulons pas dire que cette chasse à la baleine se pratique en hiver, ni que les échouages de baleines mortes se fassent à cette saison, nous pensons simplement que ce droit doit être rapproché du droit de la communauté rassemblée concernant les cétacés plus petits, et qui, lui, fonctionne surtout en hiver.
(5) Rink, T.T., p. 29 (reproduit Cranz et Dalager, loc. cit.).
(6) Rink, ibid., cf. Nelson, p. 294.
(7) Rink, T.T., p. 30 (Labrador) ; voy. Stearns, The Labrador, p. 256 ; Eskimos du Centre, Parry, p. 530 ; Lyon, Priv. Jour., p. 302, 348, 349 (il y a une légère faute dans l'observation, mais la remarque que l'envie est le sentiment de la communauté est tout à fait prégnante).

nul ne possède plus que les autres (1) ; quand le cas se produit, le surplus, fixé arbitrairement, retourne à ceux qui ont moins. Cette horreur de la *pléonexie* est aussi très développée dans les régions centrales (2). Il se marque plus spécialement par des échanges rituels de présents, lors des fêtes de Sedna (3) ; présents aux homonymes des ancêtres morts (4), distribution aux enfants (5), aux visiteurs, etc. (6). La combinaison de ce rite avec les coutumes indiennes du nord-ouest aboutit, dans les tribus alaskanes, à une institution, non pas identique sans doute, mais analogue au potlatch (7) des tribus Indiennes. La plupart des villages de cette région possèdent des sortes de chefs (8), dont l'autorité est d'ailleurs mal définie, et, en tout cas, un certain nombre d'hommes riches et influents. Mais la communauté reste jalouse de leur pouvoir ; et le chef ne reste chef, ou plutôt le riche ne reste riche et influent qu'à condition de distribuer périodiquement ses biens. La bienveillance seule de son groupe lui permet cette accumulation et c'est par la dissipation qu'il la conquiert. Ainsi, alternativement, il jouit de sa fortune et il l'expie ; et l'expiation est condition de la jouissance. M. Nelson nous parle même de chefs qui ont été assassinés, parce qu'ils étaient trop riches (9). D'ailleurs, à ces échanges, à cette redistribution est attribuée une efficacité mystique : ils sont nécessaires pour que la chasse soit fructueuse ; sans générosité, pas de chance (10). Ce communisme économique de l'hiver est remarquablement parallèle au communisme sexuel de la même saison et montre, une fois de plus, à quel degré d'unité morale parvient, à ce moment, la communauté eskimo.

4° *Réaction d'un régime juridique sur l'autre*

Mais si opposés que soient ces deux régimes moraux et juridiques, ils ne laissent pas de s'affecter l'un l'autre par cela seul

(1) Cf. RINK, *T.T.*, p. 27 ; conte de Kunuk, etc.
(2) BOAS, *C.E.*
(3) *Loc. cit.*, plus haut, pp. 447 sq.
(4) *Loc. cit.*, p. 446, n. 3 et 4, p. 460, n. 4 et 5 ; surtout WRANGELL, *Stat. Ergeb.*, p. 132 ; PORTER, *Rep. Alaska*, p. 138, 141.
(5) BOAS, *C.E.*, p. 605 ; *E.B.L.*, p. 184.
(6) Cf. plus bas, p. 123.
(7) Le rapprochement a été fait, PORTER (Weber), *Alaska*, p. 106 ; WELLS et KELLY, *Engl. Esk. Dict.*, p. 28.
(8) NELSON, p. 303 sq.
(9) NELSON, p. 305 ; cf. JACOBSEN, *Reise*, p. 281.
(10) HALL dit formellement, *Life with the Esqui*, II, p. 320 (et ceci expliquerait peut-être mieux que toute hypothèse le potlatch lui-même) : « L'échange de cadeaux a pour effet de produire l'abondance de richesses. »

qu'ils se succèdent au sein d'une même société et que ce sont les mêmes hommes qui y participent. L'Eskimo ne peut se défaire totalement, pendant l'hiver, des habitudes, des manières de voir et d'agir auxquelles il s'est accoutumé pendant l'été et réciproquement. Il est donc tout naturel que quelque chose des mœurs et des institutions d'une saison passe à la saison suivante et inversement.

Ainsi la famille restreinte de l'été ne s'abolit pas entièrement dans la longue maison. Les diverses familles qui y sont agglomérées gardent une partie de leur individualité. La maison leur est commune à toutes, mais chacune y occupe une place distincte : dans la maison grönlandaise, elles sont séparées les unes des autres par des cloisons (1) ; dans la maison occidentale, chacune a son compartiment (2) ; dans la maison de neige des Eskimos centraux, chacune a son côté de l'iglou ou son petit iglou spécial (3) ; chacune a sa lampe où l'on fait cuire les aliments ; chacune est libre de quitter ou de rejoindre les autres aux époques où les Eskimos laissent ou reprennent leurs quartiers d'hiver (4).

Une autre institution qui a certainement la même origine, est celle de l'adoption (5). Les Eskimos sont un des peuples où la pratique de l'adoption a été poussée le plus loin (6) ; or, elle ne serait ni possible, ni utile, si l'indivision de l'hiver persistait toute l'année. D'une part, en effet, les enfants orphelins, en leur qualité de membres de la grande famille égalitaire, seraient élevés par la communauté tout entière, alors qu'au contraire les textes et les contes (7), dans tout le pays eskimo sont unanimes à nous décrire la triste situation de l'orphelin. D'un autre côté, pour la même raison, si la famille restreinte ne se substituait pas périodiquement à la famille large, il n'y

---

(1) V. plus haut, p. 418, n. 4, et p. 419, n. 1. Il est dit formellement par tous les auteurs que l'indépendance de chaque famille est absolue.

(2) Cf. plus haut, *ibid.* et pp. 419 sq.

(3) Cf. n. 1 et 2, pp. 423-425 ; sur le rapport intérieur des familles, voy. PARRY, p. 534 ; LYON, *Priv. Jour.*, p. 351.

(4) *Contra*, CRANZ, III, 3, § 25, dit que l'entrée dans la maison d'hiver se fait toujours simultanément.

(5) Sur l'adoption en général, voy. STEINMETZ, De Fosterage, in *Tijdschrift der Ned. Gesells. voor Ardrijksk unde*, 1891 ; il signale le fait Eskimo.

(6) LYON, *Priv. Jour.*, p. 303, PECK. *Life of Rev.*, etc., p. 55. Il est évident, d'après les listes de Hanseråk, données dans HOLM, p. 183, que la plupart des familles se sont ainsi intégré un ou deux éléments étrangers au moins.

(7) (Groenland), *T.T.*, n° 7, etc. ; HOLM, Sagn og Fortællinger, etc., in *Medd*, X, n° 4, etc. ; RASMUSSEN, *Nye Mennesker*, p. 226 ; (Labrador) TURNER, p. 265 ; (Esquimaux Centraux) BOAS, *C.E.*, p. 602, etc. ; *E.B.L.*, p. 309, etc. ; PETITOT, *Traditions indiennes du Canada Nord-Ouest*, Paris, 1886, p. 8 ; (Alaska) NELSON, p. 510, etc.

aurait aucune raison pour que les gens mariés sans enfants se préoccupassent de leur sort à venir, tant matériel (1) que moral ; ils ne sentiraient donc aucun besoin d'adopter soit un jeune parent, soit un étranger, pour assurer leur existence dans leurs vieux jours et, plus tard, le culte de leur âme (2).

Inversement, la famille d'hiver réagit sur la famille d'été, et la morale de l'une sur la morale de l'autre. Dans la longue maison, l'Eskimo vit nu ; il vit aussi nu sous la tente, bien qu'il y fasse froid, et toute pudeur y est également inconnue (3). Malgré l'isolement et l'individualisme de la famille d'été, un droit d'hospitalité très large y est pratiqué (4) ; souvenir, sans doute, de la vie collective si intense de l'hiver. Dans certains cas, l'hôte est même admis à partager la couche familiale (5). Ce droit paraît d'ailleurs appartenir plus spécialement aux parents de la maison hibernale ou aux compagnons de la station.

Des réactions du même genre s'observent en ce qui concerne le droit de propriété. Déjà nous avons eu l'occasion de faire remarquer que, à l'intérieur de la longue maison, chaque famille reste propriétaire de sa lampe, de ses couvertures ; chaque individu de ses armes et de son vêtement. De plus, l'ordre selon lequel se répartissent les fruits de la chasse entre les habitants de la maison porte parfois la marque du droit individualiste de l'été. Ici (6), c'est le chasseur lui-même qui procède à la répartition, et il semble inviter gracieusement ses compagnons au partage, plutôt que de leur rendre obligatoirement des comptes. Ailleurs (7), le propriétaire du gibier, ou l'ordre des parts sont déterminés par un règlement qui marque une espèce de compromis entre les deux droits en conflit : par exemple, c'est le harponneur qui a donné le dernier ou le seul coup qui a droit à la tête du phoque ; les autres chasseurs viennent ensuite, puis les parents. Ailleurs, au contraire, il

---

(1) L'absence de *provider* joue en effet un rôle considérable dans la vie des vieilles gens qui peuvent réclamer l'alimentation à leurs enfants tant qu'ils peuvent les suivre.

(2) Cf. plus haut, p. 453, n. 4 ; Cranz, III, 4, § 28, semble indiquer que c'est bien ce phénomène qui, se produisant au Grönland, aboutissait à l'adoption.

(3) Ex. in Hall, *Life with the Esqui.*, II, p. 214, 219.

(4) Dalager, *Grönlandske Relationer*, p. 96 ; Egede, *Perlustr.*, p. 88 ; Cranz, III, 3, § 25, III, 4, § 41 ; Lyon, *Priv. Jour.*, p. 349 ; Hanbury, *Sport and Travel*, p. 42 (offre de femmes) ; Petitot, *Grands Esqui.*, p. 142.

(5) Cf. plus haut, p. 459, pour les échanges permanents de femmes, cf. Schanz in Porter, *Alaska*, p. 103, pour les résultats de ces échanges.

(6) Régions centrales, orientales et occidentales, plus haut, p. 463 et notes, v. Boas, *E.B.L.*, p. 116, cf. p. 211, n. dans un conte.

(7) Grönland, textes cités plus haut, p. 463, n. 7.

n'existe aucune limitation au droit absolu des *housemates*
sur le butin, etc.

Ce que démontrent ces réactions, c'est que, sur bien des
points, les ressemblances que présentent les deux régimes sont
dues à des sortes de survivance. Sans ces répercussions, l'opposition entre les deux saisons serait encore bien plus tranchée,
et tout se passe comme si tout ce qu'il y a d'individualiste
dans la civilisation eskimo venait de l'été ; tout ce qu'il y a
de communiste, de l'hiver.

Mais, quoi qu'il faille penser de l'importance relative de
ces différences extrêmes et de ces influences mutuelles, il
reste que le droit Eskimo, dans sa totalité, correspond à la
double morphologie sociale Eskimo, et ne correspond qu'à elle.

V

CONCLUSION

La vie sociale des Eskimos se présente donc à nous sous
deux formes nettement opposables, et parallèles à leur double
morphologie. Sans doute, entre l'une et l'autre, il y a des transitions : ce n'est pas toujours de façon abrupte que le groupe
rentre dans ses quartiers d'hiver, ou en sort ; de même, ce
n'est pas toujours d'une seule et unique famille qu'est composé le petit campement d'été. Mais il n'en reste pas moins
d'une façon générale que les hommes ont deux manières de se
grouper, et qu'à ces deux formes de groupement, correspondent
deux systèmes juridiques, deux morales, deux sortes d'économie domestique et de vie religieuse. A une communauté réelle
d'idées et d'intérêts dans l'agglomération dense de l'hiver, à
une forte unité mentale religieuse et morale, s'opposent un
isolement, une poussière sociale, une extrême pauvreté morale
et religieuse dans l'éparpillement de l'été.

On voit qu'en somme les différences qualitatives qui séparent ces deux civilisations successives et alternantes tiennent
surtout à des différences quantitatives dans l'intensité très
inégale, de la vie sociale à ces deux moments de l'année.
L'hiver est une saison où la société, fortement concentrée est
dans un état chronique d'effervescence et de suractivité (1).
Parce que les individus sont plus étroitement rapprochés les

(1) Ex. Voy. Conte *in* Boas, *E.B.L.*, p. 235, toutes les nuits se passent
dans le kashim.

uns des autres, les actions et les réactions sociales sont plus nombreuses, plus suivies, plus continues ; les idées s'échangent, les sentiments se renforcent et s'avivent mutuellement ; le groupe, toujours en acte, toujours présent aux yeux de tous, a davantage le sentiment de lui-même et tient aussi une plus grande place dans la conscience des individus. Inversement, en été, les liens sociaux se relâchent, les relations se font plus rares, les individus entre lesquels elles se nouent sont moins nombreux ; la vie psychique se ralentit (1). Il y a, en somme, entre ces deux moments de l'année toute la différence qu'il peut y avoir entre une période de socialité intense, et une phase de socialité languissante et déprimée. Voilà qui achève de prouver que la longue maison d'hiver ne s'explique pas uniquement par des raisons techniques. C'est évidemment un des éléments essentiels de la civilisation eskimo qui apparaît quand cette civilisation atteint son maximum de développement, se réalise aussi intégralement que possible, qui disparaît quand elle s'affaiblit (2) et qui, par conséquent, est fonction de toute cette civilisation.

La vie sociale, chez les Eskimos, passe donc par une sorte de rythme régulier. Elle n'est pas, aux différentes saisons de l'année, égale à elle-même. Elle a un moment d'apogée et un moment d'hypogée. Or si cette curieuse alternance apparaît de la manière la plus manifeste chez les Eskimos, elle ne lui est pas particulière. Le fait que nous venons d'observer a une généralité que l'on ne soupçonne pas au premier abord.

Tout d'abord, il y a, dans l'Amérique Indienne, un groupe important de sociétés, elles-mêmes considérables, qui vivent de la même façon. Ce sont, en premier, les tribus où règne la civilisation dite du nord-Ouest (3) : Tlingit, Haida, Kwakiutl, Aht, Nootka, et même un grand nombre de tribus californiennes, Hupa (4), Wintu, etc. Chez tous ces peuples, on rencontre également et une extrême concentration en hiver et une extrême dispersion en été, bien qu'il n'y ait pas à cette double organisation de conditions techniques ou biologiques vraiment nécessitantes ; et à cette double morphologie correspondent très souvent deux régimes sociaux. C'est notamment le cas

(1) La différence est marquée dans CARSTENSEN, *Arctic Life*, p. 127.

(2) RINK, *T.T.*, p. 80. L'augmentation du nombre de maisons est considérée par RYBERG (*loc. cit.* plus haut, p. 406, n. 3), comme un progrès dans la voie européenne.

(3) Voy. en général, NIBLACK, *The Indians of the Northwest Coast*, Rep. U.S. Nat. Mus., 1888, chap. II.

(4) Voy. plus bas C. R., p. 202.

chez les Kwakiutl (1) ; en hiver le clan disparaît et fait place à des groupements d'un tout autre genre, les sociétés secrètes ou plus exactement, les confréries religieuses où tous les nobles et les gens libres sont hiérarchisés ; la vie religieuse est localisée en hiver, la vie profane en été tout comme chez les Eskimos. Les Kwakiutl ont même une formule très heureuse pour exprimer cette opposition (2). « En été, disent-ils, le sacré est en dessous, le profane est en haut ; en hiver, le sacré est au-dessus, le profane en dessous. » Les Hupas présentent des variations analogues et qui, vraisemblablement, ont été plus fortes autrefois qu'aujourd'hui. Beaucoup de sociétés du groupe Athapascan ont le même caractère qu'on retrouve, en somme, depuis les tribus de l'extrême nord, Ingalik et Chilcotin, jusqu'aux Navahos du plateau mexicain (3).

Mais les sociétés américaines ne sont pas les seules qui rentrent dans ce type. Dans les climats tempérés ou extrêmes, où l'influence des saisons est vraiment sensible, les phénomènes qui pourraient se rattacher à ceux que nous avons étudiés sont innombrables. Nous en citerons deux qui sont particulièrement frappants. Ce sont, d'abord, les migrations d'été des populations pastorales dans les montagnes d'Europe (migrations qui arrivent presque à priver les villages de leur population mâle) (4). C'est ensuite le phénomène quasi inverse qui réglait la vie du moine bouddhique dans l'Inde (5), et qui y règle encore celle de l'ascète errant, maintenant que le sâmgha bouddhique ne compte plus d'adeptes dans ce pays : à la saison des pluies, le moine mendiant arrête sa course vagabonde et rentre au monastère.

Il n'y a d'ailleurs qu'à regarder ce qui se passe autour de nous, dans nos sociétés occidentales, pour retrouver les mêmes oscillations. A partir du mois de juillet environ, par suite de la dispersion estivale, la vie urbaine entre dans une période d'alanguissement continu de *vacances*, qui atteint son point terminus à la fin de l'automne. A ce moment elle tend à se relever,

---

(1) BOAS, *The social Organization and Secret Societies of the Kwakiutl*, *Report of the U.S. Nat. Mus.*, 1895 ; cf. C. R. DURKHEIM, année I, p. 336.
(2) BOAS, *ibid.*, p. 419.
(3) COSMOS MINDELEFF, *Navaho houses*, 17th Ann. Rep. Amer. Bur. Ethn. (cf. C. R. *Année Socio.*, VII, p. 663).
(4) Pour une étude des migrations saisonnières Valaques, voir de MARTONNE, *La Moldo-Valachie*, etc., Paris, 1903, p. 107.
(5) *Mahâvagga*, III, I sq. Voy. OLDENBERG, *Le Bouddha*, 1re éd., Paris, Alcan, 1904, p. 360 ; *Vinaya Texts* (Sacred Books of the East, vol. XIII), p. 298 sq. ; KERN, *Histoire du Bouddhisme dans l'Inde*, II, p. 5, 42, et les textes cités, *Manual of Buddhisom*, *Grundriss der Indo-Arischen Philologie*, 1899, p. 42.

va en croissant régulièrement jusqu'en juin pour retomber de nouveau. La vie rurale suit la marche inverse. En hiver, la campagne est plongée dans une sorte de torpeur ; sur certains points des migrations saisonnières raréfient à ce moment la population ; en tout cas, chaque petit groupe, familial ou territorial, vit replié sur soi ; les occasions et les moyens de rassemblement font défaut ; c'est l'époque de la dispersion. En été, au contraire, tout se ranime ; les travailleurs reviennent aux champs ; on vit dehors, en contact constant les uns avec les autres. C'est le moment des fêtes, des grands travaux et des grandes débauches. Les chiffres de la statistique ne sont pas sans traduire ces variations régulières de la vie sociale. Les suicides, produit urbain, croissent de la fin de l'automne jusqu'en juin ; les homicides, produit rural, augmentent au contraire du commencement du printemps jusqu'à la fin de l'été pour diminuer ensuite.

Tout fait donc supposer que nous sommes ici en présence d'une loi qui est, probablement, d'une très grande généralité. La vie sociale ne se maintient pas au même niveau aux différents moments de l'année ; mais elle passe par des phases successives et régulières d'intensité croissante et décroissante, de repos et d'activité, de dépense et de réparation. On dirait vraiment qu'elle fait aux organismes et aux consciences des individus une violence qu'ils ne peuvent supporter que pendant un temps, et qu'un moment vient où ils sont obligés de la ralentir et de s'y soustraire en partie. De là ce rythme de dispersion et de concentration, de vie individuelle et de vie collective, dont nous venons d'observer des exemples. On en vient même à se demander si les influences proprement saisonnières ne seraient pas surtout des causes occasionnelles qui marquent le moment de l'année où chacune de ces deux phases peut se situer de la manière la plus opportune, plutôt que des causes déterminantes et nécessitantes du mécanisme tout entier. Après les longues débauches de vie collective qui remplissent son hiver, l'Eskimo a besoin de vivre une vie plus individuelle ; après ces longs mois passés en vie commune, en fêtes et cérémonies religieuses, il doit avoir besoin d'une existence profane ; et nous savons, en effet, qu'il se sent heureux du changement qui paraît répondre, par conséquent, à une sorte de besoin naturel (1). Sans doute, les raisons techniques

---

(1) Cf. le conte où une femme est heureuse de quitter la station, se plaignant d'avoir eu trop de visiteurs, Rink, *T.T.*, p. 189, et remarquer le bonheur

que nous avons exposées expliquent dans quel ordre ces deux
mouvements alternés se succèdent dans l'année ; mais si ces
raisons n'existaient pas, peut-être cette alternance aurait-elle
lieu, quoique d'une manière différente. Un fait tendrait à
nous confirmer dans cette manière de voir : lorsque, sous
l'influence de certaines circonstances (grandes pêches à la
baleine, grands marchés), les Eskimos du détroit de Behring
et de la pointe Barrow, ont été amenés à se rapprocher en été,
le kashim a réapparu, temporaire (1). Or avec lui reviennent
toutes les cérémonies, et les danses folles, et les repas, et les
échanges publics qu'il contient d'ordinaire. C'est que les saisons ne sont pas la cause immédiatement déterminante des
phénomènes qu'elles conditionnent ; elles agissent par leur
action sur la densité sociale qu'elles règlent.

Ce que peuvent seules expliquer les conditions climatériques de la vie eskimo, c'est le contraste si marqué entre les
deux phases, la netteté de leur opposition ; il en résulte que,
chez ce peuple, le phénomène est plus facilement observable ;
il saute aux yeux, pour ainsi dire ; mais il est bien probable
qu'il se retrouve ailleurs. Du reste, si ce grand rythme saison-
nier est le plus apparent, on peut soupçonner qu'il n'est pas
le seul, qu'il en est d'autres, dont les oscillations ont une
moindre amplitude à l'intérieur de chaque saison, de chaque
mois, de chaque semaine, de chaque jour (2). Chaque fonction
sociale a vraisemblablement son rythme propre. Sans songer
un seul instant à présenter ces conjectures comme des vérités
établies, nous croyons cependant qu'elles valent la peine d'être
énoncées (3) ; car il y a des chances sérieuses pour que les
recherches faites en vue de les contrôler ne soient pas infé-
condes.

Mais quel que soit l'intérêt de cette remarque, une autre
conclusion générale se dégage de ce travail qui mérite également d'arrêter l'attention.

On a posé comme une règle de méthode que la vie sociale,

de Jacobsen échappant à l'agitation perpétuelle d'une maison d'hiver Eskimo,
Reise, p. 241.
(1) PORTER (Woolfe), *Rep. Al.*, p. 137 (tribu d'Icy Cape, à pointe Kay) ;
MURDOCH, p. 80 (Campement d'Imekpun, 1883).
(2) Voir quelques faits dans ce sens dans DURKHEIM, *Le suicide*, p. 100-102.
(3) M. Hubert est arrivé récemment, à propos de l'idée de temps à l'hypothèse d'un rythme de la vie collective qui expliquerait la formation du calen-
drier. *L'Idée de temps dans la religion et la magie*, Rapp. de l'Ecole des Hautes
Etudes, 1905.

sous toutes ses formes, morale, religieuse, juridique, etc., est fonction de son substrat matériel, qu'elle varie avec ce substrat, c'est-à-dire avec la masse, la densité, la forme et la composition des groupements humains (1). Jusqu'à présent, cette hypothèse n'était pas sans avoir été vérifiée dans quelques cas importants. On avait pu faire voir, par exemple, comment l'évolution respective du droit pénal et du droit civil était fonction du type morphologique des sociétés (2) ; comment les croyances individualistes se développaient ou s'affaiblissaient suivant le degré d'intégration ou de désintégration des groupes familiaux, confessionnels, politiques (3) ; comment la mentalité des tribus inférieures reflète directement leur constitution anatomique (4). Mais les observations et les comparaisons sur lesquelles s'appuyaient ces différentes lois laissaient toujours place à des doutes qui s'étendaient *a fortiori* au principe général que nous énoncions en premier lieu. Car, en même temps que les variations d'ordre morphologique, bien d'autres pouvaient se produire, à l'insu des observateurs, et dont dépendaient peut-être les phénomènes étudiés. Au contraire, les sociétés eskimos nous offrent l'exemple rare d'une expérience que Bacon eût appelée cruciale. Chez eux, en effet, au moment précis où la forme du groupement change, on voit la religion, le droit, la morale se transformer du même coup. Et cette expérience qui a la même netteté, la même précision que si elle avait lieu dans un laboratoire, se répète tous les ans avec une absolue invariabilité. On peut donc dire désormais qu'il y a ici une proposition sociologique relativement démontrée ; et ainsi le présent travail aura tout au moins ce profit méthodologique d'avoir indiqué comment l'analyse d'un cas défini peut, mieux que des observations accumulées ou des déductions sans fin, suffire à prouver une loi d'une extrême généralité (5).

(1) Voy. DURKHEIM, *Règles de la méthode sociol.*, 3e éd., p. 137 et suiv.
(2) V. DURKHEIM, *La division du travail social, passim.*
(3) DURKHEIM, *Le suicide,* liv. II, chap. 2-4.
(4) MAUSS et DURKHEIM, Essai sur quelques formes primitives de classification, *Année Sociol.,* t. VI.
(5) La rédaction et la correction des épreuves de ce travail appartenant, pour la plus grande partie, à M. Mauss, M. Beuchat n'a aucune responsabilité dans les erreurs qu'il pourrait contenir.

ANNEXES

TABLEAU I. — DISTRICT DE LA KUSKOKWIM (1)

Villages ou établissements	Population	Maisons	Familles	Villages ou établissements	Population	Maisons	Familles	Villages ou établissements	Population	Maisons	Familles
				Report	1 773	134	355	*Report*	3 926	291	795
Aguliagamiut	94	7	15	Ingeramiut	35	3	9	Mumtrekhlagamiut	33	4	6
Agumak	41	6	8	Kalukhtugamiut	29	2	5	Napaimiut	23	2	6
Ahgomekhelanghamiut	15	1	3	Kahmiut	40	3	8	Napaskeagamiut	97	5	12
Ahgulakhpagamiut	19	4	4	Kaliwigamiut	157	7	30	Noh-Chamiut	28	6	6
Ahguliagamiut	106	6	22	Kaltkagamiut	29	3	8	Novokhtolamiut	55	3	11
Ahpokagamiut	210	11	44	Kanagamiut	35	3	8	Nunachanaghamiut	135	9	30
Ahguenach-Khlugamiut	6	1	1	Kanagmiut	41	3	7	Nunavoknak-chlugumiut	107	5	21
Akiagamiut	97	7	20	Kashuhamiut	232	20	49	Oh-hagamiut	36	4	9
Akiakchagmiut	43	5	8	Kaviaghamiut	59	4	11	Queakhpaghamiut	75	4	12
Annovokhamiut	15	1	2	Kenaghamiut	257	10	54	Quelelochamiut	112	6	20
Apahfchamiut	91	7	18	Kennachananaghamiut	181	8	29	Quiechlochamiut	83	7	16
Askinaghamiut	138	14	33	Kikikhtagamiut	119	11	25	Quiechlochagamiut	65	6	17
Atchalugumiut	39	4	6	Kinegnagamiut	92	7	19	Quilochugamiut	12	2	2
Bethel	20	4	9	Kinegnagmiut	76	6	17	Quinhaghamiut	109	6	20
Chalitmiut	358	17	58	Kl-changamiut	49	3	9	Shinyagamiut	7	1	1
Chechinamiut	84	3	16	Klutagmiut	21	2	6	Shovenagamiut	62	4	14
Chimingyangamiut	40	2	7	Kochlogtogpagamiut	20	2	3	Tefaknagamiut	195	10	33
Chokfoktoleghagamiut	18	2	4	*Kolmakovsky*	26	4	6	Tiengnaghamiut	60	4	13
Chuligmiut	32	3	7	Koot....	117	8	22	Tulukagnagamiut	17	2	6
Chuligmiut supérieur	30	2	7	Etabl.t de la riv. Koot	74	6	16	Tuluksagmiut	62	4	14
Dunnunk	48	5	15	Kuskohkagamiut	115	7	23	Tunaghamiut	71	5	14
East Point, n° 1	36	3	9	Kwichampingagamiut	25	6	6	Ugavigamiut	57	7	16
— n° 2	41	3	8	Kwigamiut	43	6	9	Ugokhamiut	68	6	14
Ekaluktalugurmiut	24	2	7	Lagoon, n° 1	30	3	7	Uliokagmiut	27	7	7
Etohlugamiut	25	5	6	— n° 2	36	3	8	*Vinihsale*	140	23	28
Gilakhamiut	22	1	3	Lomavigamiut	53	5	13	Woklchogamiut	19	1	4
Ighiakchaghamiut	81	4	15	Mumtrahamiut	162	11	33				
A reporter	1 773	134	355	*A reporter*	3 926	291	795	*Totaux*	5 681	434	1 148

(1). PORTER, *Rep. Alaska*, p. 164, tabl. 6. Cf. sur la nature grégaire des Eskimos de cette région où ils le sont le moins grégaires...

TABLEAU II. — AGE ET ÉTAT CIVIL DES HABITANTS DU DISTRICT DE KUSKOKWIM (1)

AGES	POPULATION			CÉLIBATAIRES			MARIÉS			VEUFS		
	Total	Hommes	Femmes	Total	Hommes	Femmes	Total	Hommes	Femmes	Total	Hommes	Femmes
Moins d'un an	84	48	36	84	48	36	»	»	»	»	»	»
1 à 4 ans	739	380	359	739	380	359	»	»	»	»	»	»
5 à 9 —	651	323	328	651	323	328	»	»	»	»	»	»
10 à 14 —	535	278	257	532	278	254	2	»	2	1	»	1
15 à 19 —	727	301	426	498	296	202	217	5	212	12	»	12
20 à 24 —	703	358	345	228	176	52	429	175	254	46	7	39
25 à 29 —	564	322	242	60	47	13	424	233	171	80	22	58
30 à 34 —	404	207	197	12	11	1	319	177	142	73	19	54
35 à 39 —	316	160	156	»	»	»	223	134	89	93	26	67
40 à 44 —	246	103	143	1	»	1	171	78	93	74	25	49
45 à 49 —	246	131	115	2	2	»	151	94	57	93	35	58
50 à 54 —	163	81	82	»	»	»	88	55	33	75	26	49
55 à 59 —	107	56	51	»	»	»	59	37	22	48	19	29
60 à 64 —	105	57	48	»	»	»	53	42	11	52	15	37
65 à 69 —	20	10	10	»	»	»	12	8	4	6	2	»
70 à 74 —	7	3	4	»	»	»	3	2	1	4	1	3
75 à 79 —	10	6	4	»	»	»	6	4	2	4	2	2
80 à 84 —	8	4	4	»	»	»	3	3	»	5	1	4
85 à 89 —	4	2	2	»	»	»	»	»	»	4	2	2
90 à 94 —	»	»	»	»	»	»	»	»	»	»	»	»
95 à 99 —	»	»	»	»	»	»	»	»	»	»	»	»
100 à 104 —	1	»	1	»	»	»	»	»	»	1	»	1
TOTAL	5 640	2 830	2 810	2 807	1 561	1 246	2 160	1 067	1 093	673	202	471

(1) Porter, *Rep. Alaska*, p. 175. Un certain nombre de données, par exemple celle d'une femme de 100 ans, sont à la fois invérifiables et invraisemblables. D'autre part, M. Porter n'a pas distingué entre Indiens et Eskimos, on peut le corriger en se servant des chiffres de Petroff, *Rep. Alaska*, p. 13-15.

TABLE DES MATIÈRES

TROISIÈME PARTIE

RAPPORTS RÉELS ET PRATIQUES
DE LA PSYCHOLOGIE ET DE LA SOCIOLOGIE

Imprimé en France
Imprimerie des Presses Universitaires de France
73, avenue Ronsard, 41100 Vendôme
Septembre 1989 — N° 34 488

COLLECTION « QUADRIGE »

COLLECTION « QUADRIGE »

COLLECTION « QUADRIGE »